LE DOSSIER LAVAL

DU MÊME AUTEUR

Aux PRESSES DE LA CITÉ :

— SEDAN - Mai 1940.
  Ouvrage couronné par l'Académie Française.
  Prix général MUTEAU 1966.

— DE VICHY A MONTOIRE.
  (L'histoire de la Collaboration.)

En préparation :

— LA BATAILLE DE FRANCE - Mai-juin 1940.

  I. — De Sedan à Dunkerque.

  II. — Juin 1940.

CLAUDE GOUNELLE

LE DOSSIER LAVAL

PLON

AVANT-PROPOS

Lorsque les épreuves de la guerre et de l'occupation furent celles de la France, ma génération terminait ses études. Nous étions peu préparés pour comprendre et juger les hommes et les faits de ce temps. Nombre d'entre nous ne sont sortis de ce labyrinthe qu'en allant combattre aux côtés de ceux qui, dans la clandestinité ou hors de France, avaient continué la lutte. D'autres se sont trouvés, par les circonstances ou leur volonté, « engagés » dans l'autre camp.

Aussi, les hommes de mon âge, qui ont vécu cette période sans en être les auteurs, sont peut-être, aujourd'hui, les mieux placés pour l'étudier avec l'impartialité qui convient. C'est la raison pour laquelle j'ai entrepris d'écrire ce livre. La robe que j'ai portée pendant de nombreuses années est demeurée à mes yeux le symbole de la Justice. J'ai conscience aujourd'hui de ne pas l'avoir tachée en établissant un dossier concernant une période aussi dramatique de notre histoire.

Le 15 octobre 1945, Pierre Laval était exécuté. L'Homme d'Etat qui avait été dix-huit fois ministre et quatre fois président du conseil, avait-il trahi son pays ? La juridiction qui l'avait jugé n'était pas le Sénat érigé en Haute Cour, comme l'aurait exigé la constitution de 1875, mais une juridiction *d'exception composée de jurés partisans. L'accusation n'avait entendu que cinq témoins. Ceux de la défense ne purent être cités. Dans ces conditions, la responsabilité de Pierre Laval avait-elle pu être déterminée ? La Haute Cour avait-elle disposé de tous les éléments pour le juger ? Ces questions, les Français se les posèrent lorsqu'ils connurent les circonstances dans lesquelles le procès s'était déroulé. Ils estimaient avoir le droit de connaître la vérité sur les années de guerre et d'occupation qu'ils venaient de vivre. Le procès de Pierre Laval n'était pas, en effet, un procès comme tant d'autres. C'était celui d'un homme qu'on rendait responsable des épreuves traversées par la France durant cette période. Les Français voulaient « savoir » et ils avaient conscience d'avoir été frustrés dans leur attente.*

Que fut le procès de Pierre Laval ? « Une bagarre judiciaire destinée à couvrir un assassinat », a déclaré M⁰ Naud, l'un des trois avocats de Laval commis d'office pour le défendre[1]. « Toutes les règles de la procédure pénale étaient violées. Le principe de la culpabilité de l'accusé était tranché avant que son affaire fût instruite. Certes, Laval était accusé de trahison et il n'était pas possible qu'il en fût autrement. Sa mise en jugement était nécessaire. Mais les droits esssentiels de la défense ont été violés avec un tel cynisme qu'on put trembler pour l'avenir de la justice. J'ai été mis dans l'impossibilité d'exécuter ma tâche. Laval n'a pas pu se défendre, son procès a été étouffé. Par la faute d'une juridiction dont la seule préoccupation fut la rapidité, il subsistera toujours un doute sur le degré exact de sa culpabilité ». Dès le début, Laval ne s'était, d'ailleurs, fait aucune illusion sur la manière dont il serait jugé. « Vous voulez que je vous dise le scénario ? », avait-il prédit à M⁰ Baraduc[2], « il n'y aura ni instruction, ni procès. Je serai condamné et supprimé avant les élections ».

De fait, il n'y eut qu'un début d'instruction, dont rien ne laissait prévoir, alors, qu'elle serait aussi vite close. Le Président Bouchardon n'avait-il pas affirmé aux défenseurs :

---

1. « Pourquoi je n'ai pas défendu Pierre Laval » — Librairie A. Fayard.
2. « Dans la cellule de Pierre Laval » — Editions SELF.

« *C'est un grand procès. Bien entendu, ce sera très long. Il s'agit d'une instruction de longue haleine qui, d'ailleurs, ne commencera pas avant le début octobre. J'interrogerai Laval une ou deux fois pendant les vacances et M. Béteille, qui est plus spécialement chargé de l'affaire, l'interrogera sans doute aussi de son côté* ». *Le premier interrogatoire eut lieu le 18 août 1945. Moins d'un mois plus tard, l'instruction était close sans que les avocats de la défense en fussent avisés* [3]. *La dernière comparution s'était terminée sur cette indication du magistrat instructeur :* « *En raison de l'heure tardive, l'interrogatoire est renvoyé à une date ultérieure* ». *Il n'y eut pas de reprise de l'instruction* [4]. *Le 18 septembre, le premier président de la Haute Cour prescrivit un supplément d'information sur des points limités.* « *Qu'il nous soit permis de vous manifester respectueusement notre étonnement, écrivirent les avocats de Laval au Président de la Commission d'instruction. L'instruction, en effet, vient à peine de commencer et, sinon par la presse, nous n'avions jamais été avisés qu'elle fût close. Il ressort de la lettre de M. le conseiller Schnedecker que le complément d'information dont il est chargé doit être conduit avec une surprenante rapidité. Notre émotion se double d'une grande inquiétude. Nous ne pouvons nous empêcher de rapprocher l'évidente précipitation de l'instruction des informations concordantes que la presse tout entière diffuse depuis trois jours. Pour aussi anormal que cela soit, la presse révèle la ou les dates d'ouverture des débats judiciaires alors que l'information n'est pas close et que le Parquet lui-même ne saurait fixer les jours d'audience avant que le dossier complètement instruit lui soit communiqué. Jusqu'à ces jours derniers, nous avons vécu sur l'assurance qui nous avait été donnée que tous les droits de la défense seraient respectés, en lui réservant au moins de pouvoir réunir sa documentation et faire entendre ses témoins. Il ne pouvait, d'ailleurs, nous venir à l'esprit d'en douter un seul instant. Aujourd'hui, nous*

---

3. Pierre Laval fut soumis à sept interrogatoires : les 18, 20 et 30 août, et les 4, 6, 8 et 12 septembre.

4. L'instruction par contumace ayant été close juridiquement le 13 juin 1945, il ne pouvait s'agir que d'un complément d'information.

*redoutons d'avoir à nous rendre à l'évidence. Si l'instruction
de ce grand procès devait véritablement se clore si précipitamment, vous nous permettriez de penser et de dire qu'elle
n'a pas été faite. Nous sommes en droit de nous demander si
les traditions de notre Ordre ne nous interdisent pas de
symboliser inutilement la défense, surtout dans un procès que
l'Histoire jugera ». Laval fut de nouveau interrogé les 19,
20, 21 et 22 septembre. Le 27, il reçut une citation à comparaître devant la Haute Cour à l'audience du 4 octobre 1945.*

*Ce fut en vain que la défense déposa des conclusions ten-
dant au renvoi de l'affaire et à un nouveau complément
d'information ; elle motivait sa demande sur le fait qu'outre
une instruction « incomplète et superficielle », elle n'avait
pu ni avoir connaissance du dossier [5], ni faire citer ses
témoins. « Est-ce que l'on veut, oui ou non, s'écria Me Naud,
faire toute la lumière sur ce procès ? Je dis que l'occasion
est unique — et vous l'avez — de faire la lumière sur quatre
ans d'Histoire dramatique. Voilà ce que je demande : un
procès, quelque chose qui soit clair, lumineux, qui montre
à la face de la France et du monde ce qu'a été la France
pendant quatre ans sous la conduite de cet homme ». Reje-
tant ces conclusions, la Haute Cour ordonna la continuation
des débats. « L'affaire Pierre Laval, déclara le Procureur
Général, est une affaire qui aurait pu venir à l'audience
sans qu'il soit besoin de la faire précéder d'une instruction
judiciaire préalable, car l'instruction est commencée le jour
de l'accession de Pétain et de Laval comme son second au
pouvoir. Les pièces, les documents, les témoignages, mais
tout cela est public depuis le mois de juillet 1940. Tout cela,
c'est de l'Histoire contemporaine présente à l'esprit de tous,
dont tous nous avons été plus ou moins victimes. Et alors,
que vient-on nous parler de témoignages nécessaires ? Que
vient-on nous parler de rechercher tels ou tels documents,
que sais-je encore ? Mais tous ces documents, ils sont sous*

---

5. Le Président Béteille, qui instruisit le dossier, déclara à Louis
Noguères, ancien Président de la Haute Cour de Justice : « Ce que
je puis dire, c'est que nul ne saurait sous-estimer la tâche de la
défense. Elle fut rendue difficile par l'importance des dossiers et par
le peu de temps dont les avocats de Pierre Laval ont disposé pour
en prendre connaissance ». (Références infra).

vos yeux depuis le mois de septembre 1939 et depuis le mois de juillet 1940. L'instruction a été publique pour toute la France. Elle existe depuis cinq ans, depuis juillet 1940. L'instruction est terminée. Elle a été terminée le jour de la Libération. Est-il nécessaire de recourir, dans tous les cas, à des témoignages, à des confrontations, à des enquêtes ? Je vous dis non, lorsque, comme dans l'espèce actuelle, cette politique ressort des actes mêmes du gouvernement dont on était le chef ou le vice-président, lorsqu'elle ressort de ses actes, de ses décrets, de ses lois, de ses circulaires, de ses déclarations, en ce qu'elles ont de plus cynique et constituent autant d'aveux dépouillés de toute espèce d'artifice. Dans un procès de ce genre, où il s'agit, dans l'intérêt supérieur de la Nation, de faire une lumière définitive sur quelques points essentiels, lorsque les charges principales sur lesquelles repose une accusation de trahison résultant de la politique même à laquelle un pays a été soumis pendant quatre ans, lorsque ces charges sont établies, il faut s'en tenir là. Il faut juger. Plus tôt la lumière est faite dans ses grandes lignes et mieux cela vaut pour la justice comme pour le pays ».

Cinq audiences suffirent à la Haute Cour, en effet, pour juger quatre ans de la vie politique française sous l'occupation. Au cours de la troisième, le 6 octobre 1945, Pierre Laval, pris à partie par certains jurés, décida de ne plus comparaître devant eux. « *Les manifestations auxquelles se sont livrés certains jurés, déclara-t-il, me montrent que je peux être la victime d'un crime judiciaire. Je n'en veux pas être le complice. J'aime mieux me taire... La Haute Cour, comme si elle redoutait la vérité, me condamnera, mais elle ne m'aura pas jugé. Je lui laisse toute la responsabilité de ses décisions. J'attends de l'opinion et de l'Histoire le jugement qui m'est refusé* ».

M. Louis Noguères, qui fut Président de la Haute Cour de Justice en 1945, succédant à M. Mornet, n'a pas craint d'écrire à ce sujet [6] : « *Sans m'attarder à l'examen d'un problème qui demeura douloureux, je veux dire que les incidents qui se produisirent au cours du procès Laval ont*

6. « La Haute Cour de la Libération », par Louis Noguères. — Les Editions de Minuit. — 1965.

pesé sur le crédit de la justice française. Des juges, qui, oubliant le caractère de leur mission et l'obligation de dignité qu'elle leur confère, s'abaissent à injurier et menacer l'homme dont l'honneur et la vie sont remis à leur conscience ne sauraient, quel que soit l'homme, rencontrer d'excuse. Que Pierre Laval ait été condamné à mort ne surprit pas, mais que, parmi ceux qui l'avaient condamné, certains lui aient jeté à la face, et d'avance, qu'il aurait « douze balles dans la peau », détermina une réprobation qui put donner à croire que la Haute Cour de Justice ne poursuivrait pas ses travaux. Emue par les conditions dans lesquelles Pierre Laval avait été jugé et condamné, l'opinion publique le fut encore par les circonstances dramatiques de son exécution ».

Plus de vingt années se sont écoulées depuis que la Justice a rendu sa sentence. Cependant, si des archives ont été dépouillées et des études publiées tant sur la personne de Pierre Laval que sur la politique française de 1940 à 1944, bien des événements demeurent encore obscurs ou déformés, de nombreux documents et des témoignages ignorés. Le voile tendu sur cette période n'a été qu'en partie découvert. Il nous est apparu nécessaire d'instruire un dossier que les Français, parce qu'ils ont souffert dans leur chair, ont le droit de connaître. Nous avons pensé aussi que c'était un devoir à remplir vis-à-vis des jeunes générations auxquelles on ne doit pas cacher les drames vécus par leurs aînés, si douloureux qu'ils fussent.

Le dossier que nous ouvrons aujourd'hui n'est pas davantage celui de l'accusation que de la défense, il veut être celui de l'Histoire. Il met sous vos yeux les éléments qui vous permettront de former votre jugement sur l'homme politique que fut Pierre Laval et son action à la tête du gouvernement pendant les années d'occupation. Certains estimeront peut-être qu'il est encore trop tôt pour l'ouvrir. Nous pensons, au contraire, qu'il vient à son heure. Les vingt années écoulées ont permis d'apaiser les passions, de recueillir les souvenirs des acteurs de ce drame et les déclarations de ses témoins, de consulter des archives jusqu'alors inexploitées, enfin de replacer les événements dans tout leur contexte historique.

PLAN DE L'OUVRAGE

Cet ouvrage est présenté sous la forme d'une reconstitution du dossier de l'affaire Laval, tel qu'il pourrait être déposé devant la Haute Cour de Justice si Pierre Laval était jugé aujourd'hui. Nous avons fait une analyse des chefs d'accusation contenus dans le réquisitoire de 1945 en utilisant les éléments nouveaux connus depuis cette date.

Chaque chef d'accusation fait l'objet d'une discussion dans un chapitre séparé. Chaque chapitre comprend quatre paragraphes :

1. — *L'EXPOSE DES FAITS*. — Nous avons jugé indispensable de relater les événements se rapportant aux divers chefs d'accusation d'après les sources historiques utilisables à ce jour.

2. — *LE DOSSIER DE L'ACCUSATION*. — Il comprend l'énoncé de l'acte d'accusation de 1945, les réquisitions du Procureur Général et du Premier Président, les déclarations des témoins à charge, les rapports d'expertise, les interrogatoires, reproduits d'après la sténographie du procès. Afin que le dossier de l'accusation soit complet, nous citons aussi, non seulement des déclarations de témoins venus déposer au procès du Maréchal Pétain et celles de diverses personnalités

entendues par la Commission d'Enquête Parlementaire après la fin de la guerre, mais également des pièces, des documents et des extraits d'ouvrages et d'études publiés depuis 1945.

3. — *LE DOSSIER DE LA DEFENSE.* — Il est constitué par des pièces et documents en grande partie inédits, les dépositions de témoins entendus au procès Pétain et au cours des procès intentés après la guerre à l'encontre des anciens membres du Gouvernement de Vichy, les archives allemandes, les déclarations de diverses personnes, ayant été ou non en fonction durant cette période, qui n'avaient pu témoigner lors du procès Laval, les témoignages recueillis par la Commission d'Enquête Parlementaire, des extraits d'ouvrages et d'études publiés depuis 1945 et certaines déclarations de personnalités allemandes ayant occupé des postes importants pendant l'occupation.

4. — *LES DECLARATIONS DE PIERRE LAVAL.* — Ce sont les notes et le mémoire rédigés par lui dans sa cellule, ses déclarations au cours de son procès et de celui du Maréchal Pétain, ses réponses aux interrogatoires, des extraits de ses discours et de ses déclarations publiques ou privées.

REPÈRES BIOGRAPHIQUES

— 28 juin 1883 : Naissance à Châteldon, dans le Puy-de-Dôme, de Pierre, Jean, Mary Laval.

— 20 juillet 1901 : Pierre Laval est reçu à la première partie du baccalauréat. Il poursuit ses études, fait son service militaire et prépare une licence de droit.

— 1909 : Licencié en droit, il s'inscrit au Barreau de Paris.

— 20 octobre 1909 : Il épouse Elisabeth Claussat, née à Châteldon le 19 novembre 1888.

— 1910 : Pierre Laval, inscrit au parti socialiste depuis 1903, commence sa carrière politique en se présentant aux élections législatives dans la circonscription de Neuilly-Boulogne-Billancourt. Il est battu, mais non découragé.

— 1914 : Il se représente dans la circonscription d'Aubervilliers-Villemomble et est élu député.

— 1919 : La liste socialiste dont il est le chef de file est battue dans le quatrième secteur de la Seine par celle du Bloc National.

— 1920 : La scission qui s'est produite au sein du parti socialiste lors du Congrès de Tours décide Laval à le quitter. Il demeure socialiste, mais veut avoir sa liberté d'action.

— 1923 : Il est élu Maire d'Aubervilliers à la majorité absolue et comme tête de la liste socialiste, malgré son retrait du parti.

— 1924 : Il accepte de se présenter dans le quatrième secteur de la Seine comme chef de file de la liste radicale-socialiste dite du Cartel des Gauches et retrouve son siège de Député.

— 1925 : Il obtient son premier portefeuille comme Ministre des Travaux Publics dans le Cabinet Painlevé et devient sous-secrétaire d'Etat à la Présidence du Conseil et aux Affaires étrangères avec Briand.

— 1926 : Briand lui confie le Ministère de la Justice dans les deux cabinets qu'il forme (9 mars-15 juin et 24 juin-17 juillet).

— 1927 : N'appartenant à aucun parti, il se présente aux Sénatoriales et prend, dans la Seine, le siège de M. Millerand, ancien Président de la République. Il est élu à une très forte majorité au premier tour.

— 1930 : Il est Ministre du Travail et de la Prévoyance Sociale dans le second ministère Tardieu (2 mars-4 décembre).

— 1931 : Désigné par M. Gaston Doumergue, Président de la République, il forme son premier ministère. En juin, il présente la démission de son cabinet, selon l'usage, au Président de la République nouvellement élu, M. Paul Doumer, qui le prie de reconduire son Ministère.

— 1932 : En janvier, le décès de M. André Maginot, Ministre de la Guerre, et la démission, due à son état de santé, de M. Aristide Briand, Ministre des Affaires étrangères, obligent Laval à remanier son Cabinet. Il tente sans succès d'élargir la majorité gouvernementale en s'assurant la participation des radicaux et doit y renoncer. Le Président de la République le charge de former le nouveau ministère dans lequel il conserve les Affaires étrangères, mais il est renversé en février, à la suite de l'hostilité du Sénat à la réforme électorale proposée par le Gouvernement et adoptée par la Chambre. André Tardieu, qui remplace Laval, lui confie le Ministère du Travail.

— 1934 : Pierre Laval est Ministre des Colonies, puis des Affaires étrangères dans le Cabinet Doumergue (9 février-8 novembre). A sa chute, il refuse de former le nouveau Cabinet, mais accepte le portefeuille des Affaires étrangères que lui propose Pierre-Etienne Flandin.

— 1935 : Pierre Laval fait partie du ministère Bouisson formé le 1er juin, auquel la Chambre refuse la confiance le 4 à l'occasion du vote du projet de loi sur les pleins pouvoirs. Le Président Lebrun ayant fait appel à lui, il forme un Cabinet d'Union Nationale dans lequel il s'attribue les Affaires étrangères.

— 1936 : En janvier, le retrait des ministres radicaux qui n'approuvaient pas sa politique extérieure obligea Laval à remettre la démission de son Gouvernement entre les mains du Président de la République.

— 1940 : Pierre Laval, Sénateur non inscrit, est nommé par le Maréchal Pétain, Ministre d'Etat, puis Vice-Président du Conseil. En octobre, il devient Ministre des Affaires étrangères. Le 13 décembre, il est arrêté et chassé du Gouvernement.

— 1942 : Pierre Laval est rappelé à Vichy par le Maréchal Pétain qui le nomme chef du Gouvernement et lui confie les portefeuilles des Affaires étrangères, de l'Intérieur et de l'Information. Il occupe ces fonctions jusqu'en août 1944.

LE PASSÉ POLITIQUE
DE PIERRE LAVAL AVANT 1940

1

Les Faits

1 — La carrière politique de Pierre Laval dans la période
d'avant-guerre.

L'HOMME POLITIQUE

*Pierre Laval avait adhéré au parti socialiste en 1903 ; il
avait vingt ans et fut un militant ardent. Aux élections législatives de 1910, il tenta sa chance dans la circonscription de
Neuilly-Boulogne Billancourt. Le résultat honorable qu'il rem-
porta dans la confrontation l'incita à persévérer et il se
présenta en 1914 devant les électeurs d'Aubervilliers-Villemomble. Il fut élu avec une avance confortable sur son
principal adversaire.*

*A la Chambre, il se fit rapidement remarquer par ses
interventions, notamment en 1917 en faveur d'une amélioration du ravitaillement du pays. Au sein du parti socialiste,
il s'était placé du côté des « pacifistes ». A la chute du ministère Painlevé, il soutint, cependant, avec ferveur la can-*

didature de Clemenceau qui le *choisit* pour un sous-secrétariat d'Etat. Laval dut à regret décliner cette offre, les
socialistes ayant refusé, malgré ses efforts pour les convaincre, de faire partie du gouvernement.

En novembre 1919, la liste socialiste dont il occupait la
première place fut battue par celle du Bloc National. Depuis
1917 un fossé se creusait entre Laval et ses collègues socialistes. Cette défaite le détermina à rompre avec eux, mais
il ne voulut pas brusquer la rupture et continua à respecter la discipline du parti. L'occasion qu'il attendait
pour le quitter s'offrit à lui en 1920. Au congrès de Tours,
deux tendances s'opposèrent : celle de la minorité fidèle à
la IIe Internationale et celle de la majorité tentée par l'adhésion à la IIIe Internationale. La scission n'ayant pu être
évitée, Laval quitta le parti socialiste.

A la suite de la dissolution du conseil municipal d'Aubervilliers, Laval fut choisi par les conseillers socialistes pour
prendre la tête de leur liste et, le 9 mars 1923, il fut élu
maire de cette commune à la majorité absolue. Il devait,
d'ailleurs, être maintenu dans cette fonction jusqu'en 1944.
En 1924, il mena à la bataille dans le 4e secteur de la Seine,
comme socialiste indépendant, une liste composée de socialistes et de radicaux. Bien qu'il ait retrouvé sa place à la
Chambre, le succès mitigé de cette liste du Cartel des Gauches avait déçu Laval. Aussi, se présenta-t-il, toujours comme
socialiste indépendant, aux élections sénatoriales de janvier
1927. A une très forte majorité, il devint sénateur de la
Seine et fut réélu jusqu'en 1940.

L'HOMME PUBLIC

C'est en 1925 que Pierre Laval obtint son premier
portefeuille comme ministre des Travaux Publics dans le
deuxième ministère Painlevé (17 avril- 27 octobre 1925).
Exclu lors de la reconduction de ce ministère, Laval
fut appelé par Briand qui avait apprécié ses interventions
à la Chambre pendant la guerre, choix d'autant plus flatteur
que Briand lui attribua le sous-secrétariat d'Etat à la Présidence du Conseil et aux Affaires étrangères qu'il s'était

réservées. Ce fut pendant son huitième ministère (28 novembre 1925-6 mars 1926), et il est intéressant de le noter, car Laval continuera plus tard la politique de paix de son « patron », que Briand fit ratifier par la Chambre le pacte de Locarno. Par les traités signés le 16 octobre 1925, négociés au nom de la France par Briand, ministre des Affaires étrangères sous la présidence de Paul Painlevé, la France et l'Allemagne d'un côté, la Belgique et l'Allemagne d'un autre, s'étaient engagées à une garantie mutuelle de leurs frontières, la Grande-Bretagne et l'Italie participant à ces accords.

Renversé lors de la présentation de la loi de finance, Briand réussit à former le nouveau ministère dans lequel il prit Laval comme ministre de la Justice. Continuant sa politique de recherche de garanties en vue de sauvegarder la paix, Briand obtint l'accord du Sénat sur les traités de Locarno, toujours soutenu par Laval qui s'employa avec autant d'ardeur à résoudre les problèmes posés par le statut de l'Alsace-Lorraine. Bien qu'il ait obtenu un vote de confiance de la Chambre sur le renvoi des interpellations consécutives à la démission de son ministre des Finances, Briand préféra se retirer. Dans le dixième cabinet qu'il forma le 24 juin 1926, Pierre Laval conserva le portefeuille de la Justice. C'est lui qui lut la déclaration ministérielle devant le Sénat. Les pleins pouvoirs que le gouvernement demandait pour parvenir à un redressement des Finances et à la stabilisation de la monnaie lui ayant été refusés, Briand remit au président de la République la démission de son cabinet le 17 juillet 1926.

Formant son second ministère le 2 mars 1930, Tardieu choisit Laval, sénateur non inscrit, comme ministre du Travail. L'affaire Oustric et le départ du ministre des Finances qu'elle entraîna amenèrent la chute de Tardieu le 4 décembre 1930. M. Barthou ayant échoué dans la formation d'un cabinet appuyé sur le concours des radicaux, Laval poursuivit la tentative, mais se heurta aux mêmes difficultés. Ce fut un sénateur de la Gauche démocratique, Théodore Steeg, qui parvint à résoudre la crise ministérielle, pour peu de temps, d'ailleurs, car il fut renversé le 22 janvier 1931.

M. Doumergue chargea Laval de former le gouvernement. Il fit vainement appel aux radicaux, mais réussit à trouver une majorité sans leur participation. Il prit Aristide Briand comme ministre des Affaires étrangères, marquant par là son désir de le voir continuer sa politique extérieure. M. Paul Doumer ayant été élu président de la République le 13 juin 1931, Laval lui présenta, conformément au règlement, la démission de son cabinet qui fut reconduit à sa demande. En janvier 1932, une crise ministérielle fut déclenchée par la démission de M. Briand, due à son état de santé, et le décès du ministre de la Guerre, André Maginot. Laval, désireux d'élargir la majorité gouvernementale, proposa aux radicaux des portefeuilles qu'ils refusèrent une nouvelle fois, l'obligeant à démissionner. M. Doumer l'en ayant sollicité, Laval reforma son ministère en s'attribuant les Affaires étrangères et confiant la succession de M. Maginot à André Tardieu. La politique extérieure du gouvernement et la réforme de la loi électorale devaient rendre difficile la tâche de Laval. Dès la formation de son troisième ministère, la question des réparations et des dettes de guerre, de même que la poursuite de la politique de Briand que Laval entendait mener à son terme vinrent en discussion devant la Chambre. Le vote de confiance limitée qu'il obtint laissait apparaître une très faible majorité. Cependant, le 12 février, les députés avaient approuvé la nouvelle loi électorale qui prévoyait leur élection au scrutin uninominal à un seul tour et à la majorité relative, le vote obligatoire et reconnaissait aux femmes le droit d'être électrices et éligibles. Mais lorsque la loi vint en discussion au Sénat, qui était hostile à cette réforme, une interpellation sur la politique générale du gouvernement fut inscrite à l'ordre du jour dans le but de le mettre en difficulté. Laval, estimant le moment mal choisi en raison de la position que la France devait prendre à la Conférence du Désarmement, tenta vainement de reporter ce débat. Il engagea son gouvernement dans le vote de la question de confiance qui ne lui fut pas accordée.

André Tardieu succéda à Laval le 20 février 1932 et le prit avec lui comme ministre du Travail. Deux événements devaient écourter la durée de ce ministère. Les élections législatives de mai, marquées par une poussée de la Gauche, transformèrent la composition de la Chambre et changèrent la majorité. Au même moment, l'assassinat de M. Doumer *obligea Tardieu à présenter la démission de son cabinet au nouveau président de la République M. Lebrun. Le gouvernement, qui ne pouvait être reconduit du fait du changement de majorité, se maintint en fonction jusqu'à la formation du ministère Herriot le 3 juin 1932.*

Laval fut ministre des Colonies sous la présidence de M. Doumergue qui avait succédé à Edouard Daladier, démissionnaire à la suite des troubles de février 1934. La disparition de M. Barthou, ministre des Affaires étrangères, blessé lors de l'attentat contre le roi Alexandre Ier de Yougoslavie, et les démissions des ministres de l'Intérieur Albert Sarraut et de la Justice Henry Chéron obligèrent le président du Conseil à remanier son ministère en octobre. Il plaça Laval, dont il connaissait la politique, aux Affaires étrangères. Moins d'un mois plus tard, le retrait des ministres radicaux, qui n'approuvaient pas le projet de réforme de l'Etat présenté par M. Doumergue, entraîna sa chute. Laval, auquel M. Lebrun avait demandé de former le Cabinet, refusa. Il fut maintenu aux Affaires étrangères par Pierre-Etienne Flandin, le nouveau président du Conseil et déclara vouloir continuer l'œuvre entreprise par M. Barthou. Ce dernier avait cherché à consolider les rapports de la France avec les pays européens afin de faire front contre le danger allemand naissant. Il avait contribué à l'entrée de la Russie à la Société des Nations et désirait se rapprocher de Rome. Ce programme correspondait bien à celui de Laval. La Chambre, n'approuvant pas le plan du gouvernement pour résoudre la crise financière, lui refusa la confiance le 31 mai 1935.

Le ministère Bouisson, dans lequel Laval avait conservé son portefeuille, fut renversé dès sa formation lorsqu'il demanda les pleins pouvoirs. Appelé de nouveau par le président de la République, Laval obtint la participation des radicaux et constitua un gouvernement d'Union nationale, dans lequel il s'était réservé les Affaires étrangères. Le 7 juin, il obtint les pleins pouvoirs pour prendre par des décrets-lois les mesures nécessaires en matière économique et financière. En désaccord avec Laval sur sa politique extérieure, les radicaux décidèrent, au cours de leur Congrès d'octobre 1935, de ne plus le soutenir. Devant la menace de voir sa majorité s'effondrer, Laval, après avoir retardé la convoca-

tion des Chambres, parvint à obtenir le renvoi des débats sur la politique extérieure après la discussion des interpellations sur la politique financière. Malgré une opposition très forte, le gouvernement fit approuver par 324 voix contre 247 les mesures économiques qu'il avait prises. Mais à l'issue du débat sur la politique extérieure, le 28 décembre, il ne conserva la confiance qu'avec difficulté : 296 voix contre 276. Le nombre des radicaux hostiles à la politique de Laval augmentait à chaque vote. Il obtint un nouveau délai, le 16 janvier 1936, avec une marge plus importante de 64 voix, en faisant repousser les débats sur la politique générale qu'attendait la gauche pour l'attaquer. Sa chute était, cependant, inévitable. A la suite de l'ordre du jour adopté par le comité exécutif du parti radical réuni le 19 janvier, la discipline de groupe fut respectée par les ministres radicaux qui se retirèrent du gouvernement le 22, mettant Laval dans l'obligation de remettre la démission de son gouvernement entre les mains du président de la République. A partir de cette date, Pierre Laval n'occupa aucun autre poste ministériel jusqu'en juin 1940.

2 — L'action politique de Pierre Laval dans la période d'avant-guerre.

Nous allons résumer l'action politique de Pierre Laval comme ministre et président du Conseil, en en soulignant seulement les faits marquants.

— Ministre du Travail et de la Prévoyance Sociale. (*2 mars-4 décembre 1930*).

Il fit adopter le rectificatif permettant la mise en application de la loi sur les Assurances sociales votée en 1928.

— Président du Conseil (*27 janvier-13 juin 1931*).

● *Il s'employa à accélérer le vote du budget par la Chambre afin de résoudre la crise économique.*

● *Son gouvernement eut à connaître, sur le plan national, un accroissement du chômage et des difficultés de l'industrie minière.*

● *Dans le domaine international, il parvint à faire ajourner la mise en vigueur de l'accord économique conclu entre l'Allemagne et l'Autriche en obtenant son renvoi en discussion devant la Cour de Justice Internationale de La Haye.*

— Président du Conseil. (*13 juin 1931-12 janvier 1932*)

Il s'opposa à l'application du moratoire Hoover sur les dettes de guerre, proposé aux pays débiteurs des Etats-Unis à la suite de l'impossibilité devant laquelle se trouva l'Allemagne de faire face à ses obligations. Le plan américain consistait à suspendre, pendant une année, les règlements qu'elle devait effectuer, pour lui permettre de redresser ses finances. Le gouvernement français n'était pas hostile à l'octroi de facilités à l'Allemagne, mais il n'acceptait pas l'abandon par les pays créditeurs de cette dernière, dont faisait partie la France, de sa dette correspondant aux réparations qui lui avaient été imposées. Il se déclara prêt à reverser l'annuité, due par le gouvernement allemand à ce titre, à la Banque des Règlements Internationaux, en vue de lui consentir un crédit. Celui-ci devrait être garanti et utilisé par lui dans le seul but de rétablir l'équilibre de l'économie allemande. Cette proposition, qui maintenait le principe du règlement des réparations par l'Allemagne, fut adoptée par les Alliés.

— Président du Conseil. (*14 janvier- 16 février 1932*).

● *Dans l'exposé de son programme, Pierre Laval affirma qu'il poursuivrait la politique de paix engagée par Aristide Briand.*

● *Lorsque, de nouveau, se posa le problème des réparations, l'Allemagne demandant la suspension totale des paiements qu'elle avait à faire jusqu'à la réalisation de son redressement économique, Pierre Laval s'opposa, malgré l'attitude conciliante des Etats-Unis et de la Grande-Bretagne, à ce que cette suspension affectât le règlement des réparations et exigea que, du moins, elle soit limitée dans le temps. Il se rendit en octobre 1931 aux Etats-Unis et il obtint, en contrepartie, la subordination du paiement des dettes de guerre contractées par les pays alliés à celui des réparations qui leur étaient dues par l'Allemagne.*

● *En septembre 1931, il accompagna Briand à Berlin pour conclure des accords économiques avec l'Allemagne, dans le cadre de la politique de rapprochement tentée entre les deux pays.*

● *A la Conférence du Désarmement en février 1932, la France suggéra la création d'une force internationale qui serait mise à la disposition de la Société des Nations pour garantir l'exécution de ses décisions.*

— Ministre des Affaires étrangères. *(8 novembre 1934-31 mai 1935).*

● *Le 7 janvier 1935, Pierre Laval signa à Rome avec Mussolini un accord de coopération, qui mettait fin aux différends entre la France et l'Italie, et une alliance militaire secrète, afin de sauvegarder la paix menacée par l'Allemagne.*

● *Il accompagna en février 1935 M. Flandin, président du Conseil, à Londres, pour consolider l'entente avec la Grande-Bretagne.*

● *A la suite du rétablissement par Hitler du service militaire obligatoire en Allemagne, en violation des clauses du Traité de Versailles, une conférence réunit à Stresa les représentants de la France, de la Grande-Bretagne et de l'Italie qui réaffirmèrent leur solidarité en face du danger allemand et leur volonté de maintenir la paix.*

● *Pierre Laval déposa au nom des trois pays, devant le Conseil de la Société des Nations, une résolution condamnant la violation du Traité de Versailles par l'Allemagne.*

● *Le 2 mai 1935, il signa, au nom de la France, un pacte d'assistance mutuelle avec l'U.R.S.S. dans le but de parfaire l'encerclement de l'Allemagne.*

— Président du Conseil. *(7 juin 1935- 22 janvier 1936).*

● *A l'intérieur, il s'efforça de maintenir la valeur du franc et de rétablir l'équilibre économique et budgétaire. Pour y parvenir, il pratiqua une politique de déflation. Son premier souci fut de comprimer les dépenses de l'Etat et des collectivités publiques par une réduction de 10 % des paiements effectués par le Trésor, applicable aux traitements, subventions et pensions, sans toutefois qu'il soit touché aux intérêts* des petits fonctionnaires et rentiers pour lesquels le prélèvement était réduit de moitié ou davantage, ni aux pensions d'ancienneté, aux marchés intéressant la Défense Nationale, aux allocations de chômage et d'assistance et aux salaires particuliers. Au contraire, la taxe sur le revenu des valeurs mobilières au porteur, l'impôt sur les revenus supérieurs à 80 000 francs et sur les travaux et fournitures pour le compte de l'Etat étaient majorés. Parallèlement à ces mesures, d'autres tendaient à abaisser le coût de la vie pour atténuer les effets de la déflation et faciliter la reprise économique. Les prix du pain, des loyers, du gaz, du charbon et de l'électricité étaient diminués.

● A l'extérieur, il tenta en vain de prévenir une action militaire de l'Italie contre l'Ethiopie. Lorsqu'elle fut déclenchée et devant l'impuissance de la Société des Nations à l'arrêter, il rechercha, en accord avec la Grande-Bretagne, un compromis satisfaisant en partie les revendications italiennes, afin de maintenir contre l'Allemagne le front commun réalisé avec l'Italie. Il élabora avec Sir Samuel Hoare, ministre anglais des Affaires étrangères, ce qu'on appela le plan Laval-Hoare qui reconnaissait la situation de fait que la Société des Nations était incapable de modifier. Le plan ne fut accepté, ni par l'Ethiopie, ni même par l'Italie qui jugea insuffisantes les concessions faites. La S.D.N. avait, cependant, levé l'embargo sur les armes destinées à l'Ethiopie et préconisé à l'encontre de l'Italie des sanctions économiques, qui se révélèrent sans effet. Mussolini annexa l'Ethiopie.

L'échec du plan Laval-Hoare eut des répercussions politiques importantes dans les deux pays. En Angleterre, Samuel Hoare dut démissionner. En France, il décida les radicaux à abandonner Laval. Le 17 décembre 1935, lorsque la politique extérieure du gouvernement vint en discussion devant la Chambre, Laval put faire renvoyer le débat pour attendre la décision de la Société des Nations. Mais le 28 décembre, la menace se précisa. La S.D.N. avait entériné le plan et la crise était ouverte en Angleterre. Laval dut subir les critiques de Léon Blum, de Yvon Delbos, Président du groupe radical-socialiste, et de Paul Reynaud. La confiance

*lui fut accordée à vingt voix de majorité. A la séance du
16 janvier 1936, Laval parvint encore à éviter le débat que
recherchait la gauche pour tenter de le mettre en minorité.
Ce n'était qu'un répit de quelques jours. Le retrait des radicaux fut décidé par le Comité exécutif du parti et rendu effectif le 22 janvier. Laval se vit alors contraint de remettre
la démission collective de son Cabinet entre les mains du
président de la République.*

2

Le Dossier de l'Accusation

L'ACTE D'ACCUSATION [1]

La carrière de Laval avant la guerre fut celle d'un
homme venu des partis extrêmes, renié par eux, plusieurs
fois ministre, deux fois Président du Conseil. Renversé en
janvier 1936, après l'échec du plan proposé par lui pour
résoudre la crise éthiopienne, il a gardé de cet incident
une haine tenace contre le Parlement français dont il n'avait
pu gagner la confiance.

1. Ce paragraphe comportera pour chaque chapitre l'énoncé de
l'articulat de l'acte d'accusation correspondant. En raison du plan
de l'ouvrage, l'ordre de présentation des chefs d'accusation, tel qu'il
fut suivi en 1945, n'a pu être maintenu. Précisons que la Commission
d'Instruction, siégeant en Chambre d'Accusation, ayant adopté le 13 juin
1945 les conclusions du réquisitoire définitif et renvoyé Pierre Laval,
contumax, devant la Haute Cour de Justice, l'acte d'accusation fit
l'objet d'un additif après la clôture du complément d'information.

Le Premier Président au procès. (Audience du 4 octobre 1945).

« Vous avez été socialiste, même peut-être un peu extré-
miste. Vous avez milité dans les rangs de l'extrême gauche
pendant un certain nombre d'années. Vous avez fait de la
politique. Tout cela est parfaitement honorable. Vous avez
rapidement obtenu une situation politique de premier plan.
Vous avez été élu député. Vous êtes entré au Parlement où
vous vous êtes fait remarquer à la fois par votre talent de
parole et par votre travail, par votre assiduité dans les commissions. Ayant été désigné à l'attention de différents hommes politiques chargés de constituer le gouvernement, vous
avez été un très grand nombre de fois ministre. Ce contact
répété avec les réalités du pouvoir vous a donné peu à peu,
à la fois sur la chose publique et sur les hommes, un
sentiment peut-être moins ardent et moins généreux que
celui qui avait caractérisé vos débuts. Je ne dis pas que
vous avez renié vos conceptions du début, mais vous les
avez atténuées ; pour employer le vocabulaire un peu particulier en usage sous le règne de Vichy, vous avez été un
« réaliste ». Vous avez compris que les opinions trop avan-
cées et trop ardentes devaient dans une certaine mesure
s'adapter et, si faire se pouvait, se concilier à la fois avec
l'intérêt du pays et je crois, sans donner à ce que je dis
un tour dramatique, un peu avec vos intérêts personnels.
Vous avez fini par comprendre que les opinions politiques
du jeune homme devaient se modifier. Je ne dis pas que
vous les avez reniées, mais enfin, elles devenaient un peu
plus conformes à la loi — et c'est honorable — aux intérêts
du pays et à vos intérêts d'homme privé qui cherchait à se
créer une situation, situation de l'homme, du père de famille,
cette situation que chacun de nous essaie d'améliorer.

● Au cours de cette évolution, je ne dirai pas de cette
ascension, mais de cette évolution politique, vous vous êtes
heurté assez souvent avec des réalités sur le plan parlementaire. Vous avez un peu contrarié les opinions qui étaient
les vôtres au début et peu à peu, dans le Parlement, s'est
créée autour de vous cette réputation que vous étiez un
homme habile et avec lequel il fallait compter, mais un

homme sous les pas duquel, selon une coutume qui était celle de l'ancien régime, de temps à autre, on semait des pelures d'orange ou de banane qui étaient favorables à la chute de l'homme politique qu'on voulait désarçonner. Enfin, votre ascension n'a pas toujours été regardée d'un œil bienveillant par ceux qui ont moins de chance. Vous avez donc été en contact avec toutes ces difficultés personnelles, ces convoitises, ces aigreurs, ces jalousies, ces méchancetés et le climat dans lequel vous vous étiez élevé n'est plus resté tout à fait le même. Votre opinion sur les milieux dans lesquels vous viviez s'est également modifiée, selon les circonstances.

● Parallèlement, vous avez eu au cours de cette carrière l'occasion, non seulement de heurter les rivalités et les convoitises de collègues, vous vous êtes rencontré, sur le chemin du pouvoir, non seulement avec ces rivaux dans le domaine intérieur, mais vous vous êtes rencontré avec les puissances étrangères, car vous étiez arrivé dans cette période de votre vie à faire de la très grande politique. Vous avez dirigé la politique de votre pays. Sur le plan intérieur, cette politique vous avait amené à des réformes financières. Vous aviez pris des mesures d'assainissement. Le but que vous poursuiviez était honorable, mais les intérêts personnels des particuliers que vous aviez heurtés ont pu se trouver lésés ; et le premier climat, le climat du milieu dans lequel vous viviez, commençait à ne plus vous être tout à fait favorable. Dans le deuxième climat, sur le plan de la politique extérieure, vous vous êtes heurté à plusieurs reprises à nos concurrents étrangers, des concurrents, des peuples qui peuvent être des amis, et qui sont des amis, mais qui, quoique étant des amis, et c'est tout naturel, ont des buts, poursuivent des objets qui sont très différents de ceux que poursuit la France. Vous vous êtes notamment heurté à plusieurs reprises à notre grande amie, mais qui est en même temps notre grande rivale, l'Angleterre.

● Dans cette même période de double ascension, vous avez été amené, ce qui était assez naturel, à comparer votre destinée à celle d'hommes qui, dans d'autres pays, avaient connu comme vous une ascension merveilleuse. Je ne peux pas entrer dans votre conscience et votre cœur, mais il me semble que, dès cette période, vous avez commencé à vous dire que, mon Dieu, les régimes autoritaires contre lesquels votre jeunesse ardente avait vitupéré avaient du bon. Vous avez au moins sur le plan sentimental mais, je crois, aussi sur le plan réaliste, commencé un rapprochement avec l'Allemagne. Vous n'en aviez d'ailleurs jamais été tout à fait éloigné. Vous y aviez pensé depuis longtemps puisque, aux côtés de Briand, vous aviez été partisan de ce rapprochement. Je crois que ce fut toute votre politique entre les deux guerres. Vous avez assisté à l'élévation de Mussolini, à l'élévation de Hitler. Vous aviez pris contact avec l'Italie du temps de Mussolini. Vous avez connu Staline. Vous vous étiez demandé si les régimes d'autorité ne valaient pas autant que les régimes de liberté. Vous avez fini par penser qu'un pays, pour être bien mené, avait besoin sinon d'un führer ou d'un duce, mais tout au moins d'un guide. Vous avez été ce guide. C'était assez naturel que vous ayez changé d'opinion, parce que les choses ne sont pas les mêmes selon qu'on les voit dans le rang ou qu'on les voit étant devenu le chef.

● La France s'acheminait vers de nouveaux malheurs, vers une nouvelle catastrophe. Et dans cette période, je ne dis pas que vous soyez de ceux qui ont freiné les préparatifs que la France devait faire en vue de sa défense, mais peut-être n'étiez-vous pas de ceux qui, par avance, étaient acquis — vous l'avez d'ailleurs dit et c'est assez honorable — vous aviez toujours été hostile à la guerre, hostile au règlement des conflits internationaux par la voie des armes. Et ayant ces sentiments, qui sont parfaitement honorables, vous avez pratiqué une politique qui était peut-être une politique pacifiste, mais qui était peut-être une politique d'énervement, de diminution du potentiel de guerre en France.

● Pendant les premiers mois de la guerre, qu'avez-vous fait ? Avez-vous été une sorte de Clemenceau déclarant : « Je me bats sur la Somme ? » Non. Vous étiez plutôt un pacifiste ; vous étiez plutôt partisan des règlements internationaux et vous n'avez certainement pas contribué à donner à la France cette armure invincible qui lui aurait été peut-être nécessaire, armure tant matérielle que morale. Dans cette période, vous étiez dans la coulisse, mais dans cette coulisse, vous n'étiez pas un de ces hommes qui essayaient de représenter au pays la gravité de la situation, le danger dans lequel le pays se trouvait et les moyens d'en sortir.

● La guerre — c'est l'évidence même — est venue de ceux vers lesquels vous vous sentiez tout de même quelque sympathie, de ceux avec lesquels vous déclariez que vous étiez prêt à faire un marché, de ceux que dans une formule imagée, vous appelez « le diable ». C'est d'eux qu'est venue la guerre.

● Qui a été responsable de la guerre ? Ce n'est pas la question. La question est, au contraire, de savoir quelle a été l'attitude de la France et quelle a été votre attitude personnelle dans cette période où la France devait se douter que, quelle qu'ait pu être la bonne volonté de ses hommes politiques essayant de la soustraire à la guerre, la guerre était un événement qui pouvait se produire. Et cette guerre, on aurait dû la préparer. Je dis (cela n'est qu'une opinion, ce n'est pas un chef d'accusation) que dans cette période là, vous avez été pour des raisons idéologiques plutôt du côté de ceux qui freinaient l'effort de guerre de la France, mais vous avez été aux côtés de ceux qui, sur le plan intérieur, avaient une attitude qui n'était peut-être pas très favorable à la préparation de la guerre. Le meilleur moyen de maintenir la paix, c'est de se préparer le cas échéant à faire la guerre. Ce qu'on vous reproche, c'est de n'avoir pas suffisamment préparé la guerre, c'est d'avoir créé un climat qui énervait, qui diminuait le potentiel de guerre de la France. Et c'est surtout, cette abominable réalité de la guerre s'étant produite, de n'avoir pas apporté à la défense la plus énergique du territoire la volonté par exemple d'un Clemenceau. »

3

Le Dossier de la Défense

1. — La carrière de Laval fut-elle « celle d'un homme venu des partis extrêmes, renié par eux ? »

a) — Laval avait vingt ans lorsqu'il adhéra au parti socialiste en 1903 et il fut immédiatement un militant ardent. Mais, il n'approuvait pas toutes les décisions de son comité directeur et, après qu'il eût acquis une très nette influence au sein du parti, il se trouva souvent en opposition avec lui.

b) — Il respecta, cependant, la discipline du parti. En 1917, par exemple, il refusa le poste que lui offrait Clemenceau auquel les socialistes n'avaient pas accordé leur soutien. En 1919, il se présenta aux élections législatives en tête de la liste socialiste, bien qu'il eût désapprouvé la tactique électorale de son groupe.

c) — Opposé au rattachement à la IIIᵉ Internationale, il ne quitta le parti socialiste qu'après la scission décidée au Congrès de Tours en 1920.

d) — Lorsqu'on étudie l'évolution de la carrière politique de Laval, on est amené à constater qu'il n'a pas été renié par ses camarades socialistes, même après sa démission. En effet :

● En 1923, il fut élu maire d'Aubervilliers en tête de la liste socialiste.

● En 1924, il fut le chef de file, comme socialiste indépendant, de la liste du Cartel des Gauches composée de socialistes et de radicaux.

● En 1930 et 1932, il devint ministre dans les cabinets formés par Tardieu, républicain de gauche, et Flandin, de la même tendance.

● Dans les trois cabinets qu'il forma, en 1931, 1932 et 1935, il s'assura le concours de républicains socialistes, de républicains de gauche, d'indépendants de gauche et de représentants de la Gauche sociale et radicale.

2. — Les difficultés qu'il rencontra au Parlement avant 1939 avaient-elles provoqué chez Laval « une rancune profonde » contre la démocratie parlementaire ?

Le procureur a basé son argumentation, non sur l'attitude de Laval avant 1939, mais sur deux de ses déclarations faites pendant la guerre :

1) La première est extraite d'une interview que Laval accorda au journaliste américain Ralph Heinzen en 1941, publiée sous le titre « Message aux Américains et aux Français ». Voici ce que Laval disait :

« Cette guerre, vous ne vous en rendez peut-être pas compte de l'autre côté de l'océan, n'est pas une guerre comme les autres ; c'est une révolution d'où doit sortir une Europe rajeunie, réorganisée et prospère. Les libertés ? Elles ne sauraient être menacées dans un pays qui en fut le berceau. La démocratie ? Si c'est celle que nous avons connue, qui nous a fait tant de mal et à laquelle nous devons partiellement notre déchéance présente, nous n'en voulons plus et nous ne voulons pas qu'on nous demande de nous battre pour elle. Mais une république neuve, plus forte, plus musclée, plus réellement humaine, cette république nous la voulons et nous la construirons. Ceux qui, dans mon pays, peuvent rêver d'un retour en arrière, se trompent. La France ne peut pas et ne veut pas reculer. »

2) La seconde a été faite par Laval dans un discours radiodiffusé le 20 novembre 1942. Il rapportait les propos qu'il avait tenus le 27 avril 1942 à l'amiral Leahy, ambassadeur des Etats-Unis en France, auquel il déclara ce jour-là :

« En Amérique, je suis souvent traité de fasciste. J'aime la liberté, mais je n'accepterai plus jamais pour mon pays une démocratie parlementaire comme celle que nous avons connue et qui nous a fait tant de mal ».

Or :

a) — A la lecture de ces déclarations de Laval, il apparaît qu'il ne rejetait pas la démocratie en elle-même, mais celle d'avant 1939.

b) — En exprimant le désir de réformer la République, Laval ne faisait que reprendre la résolution exprimée par le président de la Chambre des députés le 9 juillet 1940 et approuvée par elle : « Nous aurons à nous réformer, à rendre plus austère une République que nous avions faite trop facile, mais dont les principes gardent toute leur vertu. Nous avons à refaire la France »[2].

c) — Les paroles de Laval se rapprochent étrangement de celles prononcées également le 9 juillet 1940 par M. Jeanneney devant le Sénat : « A la besogne, pour forger à notre pays une âme nouvelle, pour y faire croître force créatrice et foi, la muscler plus fortement aussi, y rétablir enfin, avec l'autorité des valeurs morales, l'autorité tout court. »[2]

d) — L'Assemblée Nationale du 10 juillet 1940 approuva à une forte majorité la nécessité de refondre les institutions républicaines[2].

3. — Laval a-t-il révisé ses conceptions politiques en conformité avec ses intérêts personnels ?

a) — Laval a répondu qu'il aurait eu intérêt à demeurer au sein du parti socialiste, car il y aurait trouvé un avenir politique mieux assis.

b) — Si Laval n'avait eu d'autre but, en quittant le parti socialiste, que d'assurer sa propre situation, il semble qu'il aurait trouvé plus d'avantages à prendre cette décision plus tôt. En effet, il serait entré dès 1917 dans le cabinet Clemenceau, alors qu'il dut attendre jusqu'en 1925 pour obtenir un portefeuille comme socialiste indépendant. De même, en 1919, il aurait conservé son siège de député s'il s'était présenté, ainsi qu'on le lui avait offert, comme chef de file de la liste du Bloc National opposée à la liste socialiste qui fut battue par elle.

4. — Laval fut-il poussé à mener une politique de rappro-

2. Se reporter au chapitre 4 du livre 1.

chement avec l'Allemagne et l'Italie, pendant la période
d'avant-guerre, par le « sentiment d'admiration » qu'il aurait
éprouvé pour les régimes totalitaires ?

Avant d'examiner cette question, il n'est pas inutile de
rappeler brièvement la politique que suivit Laval à l'égard
de ces deux pays, durant cette période, comme chef du
gouvernement ou ministre des Affaires étrangères. Lors de
son premier ministère, en 1931, il laissa Aristide Briand,
ministre des Affaires étrangères, poursuivre la tentative de
rapprochement avec l'Allemagne qu'il avait commencée à
Locarno en 1925. Laval avait l'espoir de voir ses efforts
aboutir malgré la menace que constituait le projet d'union
douanière entre l'Allemagne et l'Autriche, ajournée à la suite
de l'opposition du gouvernement français. Lors de son second
ministère (juin 1931-janvier 1932), de nouvelles difficultés
se présentèrent avec l'Allemagne, qui ne se trouva plus en
mesure de respecter ses obligations financières, notamment
de payer les réparations. Le Président américain Hoover
proposa d'accorder à l'Allemagne un moratoire d'un an afin
de lui permettre d'assainir sa situation économique et financière. Pierre Laval accepta à la condition que l'annuité
inconditionnelle serait versée. Lorsque les chefs d'Etat allemands vinrent à Paris pour solliciter un prêt, Laval demanda
en garantie que l'Allemagne s'engageât à ne pas réclamer
pendant dix ans la révision des traités de 1919, condition
à laquelle elle refusa de se soumettre. Au cours du troisième ministère Laval, début 1932, la situation s'aggrava. En
janvier, l'Allemagne informa les Alliés qu'elle ne pourrait
payer les réparations malgré les facilités qui lui avaient été
accordées. Laval s'opposa à leur suppression contre l'avis
des gouvernements anglais et américain. Et lorsqu'en mars
1935, Hitler, parvenu au pouvoir, rétablit le service militaire
en Allemagne, devant ce coup d'éclat contre le traité de
Versailles et le danger qu'il représentait, Laval, ministre des
Affaires étrangères dans le ministère Flandin, réagit en
resserrant les liens de la France avec ses alliés occidentaux,
l'Angleterre et l'Italie. A la conférence de Stresa, les accords
de Locarno furent confirmés contre l'Allemagne. En même
temps, Laval, partisan d'une alliance avec l'U.R.S.S. pour
parfaire son encerclement, signa en mai 1935, au nom de

la France à Moscou, un pacte d'assistance entre les deux pays. Quelques mois après, le front commun contre l'Allemagne devait être en partie rompu à la suite de la crise éthiopienne, malgré les efforts de Laval pour maintenir l'Italie à l'intérieur de cette alliance.

On peut faire les constatations suivantes :

a) — Laval continua la politique de Briand vis-à-vis de l'Allemagne tant qu'il espéra parvenir à un résultat, mais il n'hésita pas à préparer son encerclement lorsqu'il mesura l'inutilité de ses efforts et le danger que le nazisme représentait pour la paix. Aucune de ses attitudes ne permet d'affirmer qu'il jugeait que « les régimes autoritaires avaient du bon ».

b) — Loin de vouloir aider inconditionnellement l'Allemagne, il exigea que les facilités financières réclamées par elle ne lui fussent accordées qu'avec prudence et moyennant des garanties.

c) — Il tenta d'éviter la rupture du front commun des grandes puissances contre l'Allemagne au moment de l'affaire éthiopienne.

L'action de Laval à la tête des Affaires étrangères françaises [3] fut approuvée par le Sénat qui vota cette motion de confiance [4] :

« Le Sénat,

» Fidèle à la doctrine de la paix dans la sécurité qui a toujours été celle de la République française,

» Rend hommage à la Grande-Bretagne, à l'Italie et à toutes les puissances dont la généreuse action solidaire a rendu possibles les solutions de conciliation internationale,

» Marque au Gouvernement son adhésion aux heureux résultats obtenus par lui lors de la dernière session du Conseil de la S.D.N.,

» Prend acte avec satisfaction des déclarations du Gouver-

---

3. Laval fut ministre des Affaires étrangères du 8 novembre 1934 au 31 mai 1935.

4. Journal Officiel de décembre 1934.

nement tant en ce qui concerne le Pacte oriental que les
négociations en cours avec le gouvernement italien,

» Félicite M. Pierre Laval, ministre des Affaires étrangères,
pour la fermeté et le tact avec lesquels, dans des circonstances délicates et parfois critiques, et en toute sympathie
avec la Yougoslavie cruellement éprouvée, il a défendu et
fait prévaloir à Genève les principes permanents de la politique française consacrés par les efforts de ses prédécesseurs. »

5. — Laval a-t-il, pendant la période ayant précédé la
guerre, pratiqué une politique pacifiste de nature « à diminuer le potentiel de guerre en France, freiner l'effort de
guerre, cacher le danger devant lequel le pays se trouvait
et les moyens d'en sortir » ?

Deux remarques s'imposent ici :

a) — En mars 1939, Laval lança devant la commission
des Affaires étrangères du Sénat un cri d'alarme, dénonçant
la politique d'agression de l'Allemagne et demandant de
maintenir les alliances réalisées contre elle [5].

b) — Ce fut Laval qui, après l'avènement de Hitler au
pouvoir, chercha à constituer un front commun.

Ce chef d'accusation était, d'ailleurs, tellement peu fondé
que la Haute Cour renonça à le maintenir à l'encontre de
Laval. Le procureur général déclara à l'audience du 4 octobre 1945 : « Le procès des responsabilités, c'était le procès
de Riom et nous ne sommes pas à Riom... Pierre Laval
aurait-il eu cent fois raison dans la politique qui était la
sienne avant la guerre, cela n'est pas le procès. Je ne lui
reproche rien avant la guerre. Le procès commence au mois
de septembre 1939 ». Le premier président reconnut au
cours de la même audience que Laval n'avait pas été « de
ceux qui ont freiné les préparatifs que la France devait faire
en vue de sa défense » et il admit qu'il avait été « assez
honorable » de sa part de s'opposer au règlement des conflits
internationaux par la voie des armes.

---

5. Cf. infra « Les documents de la défense ».

LES DOCUMENTS DE LA DEFENSE

Intervention de Pierre Laval devant la Commission des Affaires étrangères du Sénat le 16 mars 1939.

« Mais le Reich veut l'Europe centrale ; c'est clair comme le jour ; et nous ne faisons rien pour l'empêcher. Et vous me servez des articles de journaux. C'est un drame effroyable qui se joue sur notre pays, avec une France qui ne dit rien, car elle est trop heureuse...

...Nous sommes entre Français. Ce qui se passe est abominable... C'est un cri d'indignation qui monte en présence d'une situation pareille. Aujourd'hui l'Allemagne, qui a perdu la guerre, possède des territoires plus étendus que ceux qu'elle avait avant 1914. On a détruit l'empire austro-hongrois. Les protestants — je parle librement ici — n'ont pas voulu que subsiste cet empire catholique au centre de l'Europe, et les forces mauvaises se sont liées pour la destruction d'un ensemble de pays qui, au regard de l'Allemagne et même après la victoire des Alliés, constituait un contre-poids. Le mal est fait, aujourd'hui on voit la pieuvre qui s'étend... Tout à l'heure, M. Bachelet [6] posait bien le problème : s'il est vrai qu'Hitler et Mussolini soient d'accord, nous recevrons bientôt la sommation. Alors, il faudra nous défendre et nous pourrons compter, comme le disait M. Bachelet, sur les alliés que nous possédons. Toutefois, je crains que, dans l'énumération qu'il en a faite, il ait été trop généreux pour nous parce que les petits pays de l'Europe centrale auront peur. Il n'y a qu'un moyen pour empêcher Hitler de s'emparer de l'Europe, c'est de faire la chaîne — je reprends mon expression que j'ai déjà employée — c'est de faire la chaîne de Londres à Paris avec Rome, Belgrade, Budapest, Varsovie, Bucarest, Moscou, sinon c'est l'Allemagne qui gagnera. Cette expression, je l'avais employée à Stresa en termes plus vifs, en m'adressant à M. Mac Donald...

---

6. Alexandre Bachelet était sénateur de la Seine.

... Vous sentez-vous capable, M. Bachelet, de comprendre, vous et vos amis, que l'intérêt de la France doit dominer l'intérêt de nos partis, que si la passion politique nous a à ce point aveuglés qu'elle a détruit les Accords de Rome, il faut, aujourd'hui, que tous les Français soient unis pour barrer la route à l'Allemagne ?...

... Je demande au Gouvernement de chercher la solution. Mais il en est une qui reste impossible : c'est de laisser l'Allemagne continuer ce qu'elle fait. J'ai eu l'honneur, pendant quelques mois, de diriger la politique extérieure de mon pays et, entre-temps, j'ai vu tomber les uns après les autres tous les avantages du Traité de Versailles, mais, aujourd'hui, ce sont les territoires qui s'ajoutent les uns aux autres en Allemagne ; je dis qu'il ne faut pas que cela continue, parce que dans quelques jours, dans quelques mois, ce sera peut-être du sang français qui coulera et des centaines de milliers de croix de bois qui s'éparpilleront dans nos cimetières. Pour empêcher cela, il est encore temps de faire une tentative, une seule...

... Le 23 mars — avant l'affaire de Tchécoslovaquie — M. Paul Boncour était ministre des Affaires étrangères : il paraissait comprendre, il le disait, que l'Italie finirait par revenir dans l'orbite Angleterre-France. Et je lui disais que j'étais heureux de l'entendre dire, mais j'ajoutais qu'il me paraissait urgent de tout faire pour l'y ramener et — ce sont les termes dont je me suis alors servi — « je ne vois, disais-je, que ce moyen pour sauver notre honneur, défendre nos intérêts et sauver la paix ».

On ne l'a pas fait. Notre honneur, nous savons ce qu'on en a fait à Munich, nous savons ce qu'on en a fait le soir où l'on est allé porter l'hommage de Munich à celui qui dort sous l'Arc de Triomphe après s'être fait tuer dans les tranchées.

Les intérêts de la France, vous voyez dans quel état ils sont aujourd'hui.

Ce qui était vrai le 23 mars dernier l'est plus encore aujourd'hui. C'était difficile alors de faire la politique d'entente que je préconisais déjà avec l'Italie, à cause de notre politique intérieure à ce moment et de nos divisions : c'est encore difficile aujourd'hui, toujours à cause de nos conditions de politique intérieure. Tout de même, veut-on faire quelque chose, veut-on essayer ?

Ayez donc un entretien avec l'Italie. Croyez-vous qu'elle se désintéresse de ce problème et qu'elle ne sache pas que, lorsque l'Allemagne sera tellement forte, son tour à elle viendra ?

Charlemagne, autrefois, c'était un grand bonhomme, un très grand bonhomme, mais il croyait en Dieu. Aujourd'hui, Charlemagne ne croit plus à rien ; il est lui-même le Bon Dieu. Cela, c'est sans précédent dans l'Histoire ; vous chercherez en vain dans les manuels que nous avons dans les mains, dans ceux de nos lycées et de nos facultés, des événements du genre de ceux d'aujourd'hui. Ne sentez-vous pas qu'il y a quelque chose qui doit vous pousser à vous mettre d'accord avec tous ceux qui, demain, pourraient être les victimes d'Hitler ?...

... Voulez-vous essayer ? Si oui, vous risquez de sauver la paix ; sinon, vous risquez d'exposer notre pays à une situation tragique, effroyable, telle qu'il n'en a jamais vu. »

LES TEMOINS DE LA DEFENSE.

— Winston Churchill (Mémoires) a écrit au sujet de la politique suivie à l'égard de l'Italie au moment de l'affaire d'Ethiopie : « En s'aliénant l'Italie, on bouleversait l'équilibre européen sans que l'Abyssinie y gagnât rien. On avait entraîné la Société des Nations dans un fiasco caractérisé qui nuisait gravement à l'existence de l'institution et pouvait même la mettre mortellement en danger ».

— Henri Haye, Ambassadeur de France [7]. (HI-III- 1426) [8]. Il relate une intervention de Pierre Laval devant la Commission des Affaires étrangères du Sénat au cours de l'été 1939.

---

7. Ancien député et sénateur, Henri Haye fut envoyé par le Maréchal Pétain, en 1940, comme Ambassadeur à Washington.

8. Ces témoignages recueillis par la Stanford Université de Californie, sont extraits de l'ouvrage « La Vie de la France sous l'Occupation » (trois tomes — Plon 1957). Nous donnons les références suivantes : 1) H.I. (Institut Hoover) — 2) Le tome correspondant. — 3) Le numéro de la page marquant le début de chaque témoignage.

« Le plus véhément des opposants à l'entrée en guerre
de la France dans d'aussi lamentables conditions fut Pierre
Laval. Debout, appuyé sur la table en fer à cheval de la
Commission, écrasant rageusement la cigarette qu'il venait
de retirer de ses lèvres, il lança à Daladier les apostrophes
les plus violentes sur l'attitude apparemment fataliste et
résignée que le Président du Conseil affectait à la veille
d'un des plus grands drames de l'Histoire française : « Comment irez-vous au secours des Tchèques ou des Polonais
si, avant de provoquer l'Allemagne avec les faibles forces
dont vous disposez, vous ne vous assurez pas les concours
indispensables, notamment celui de l'Italie ? Où sont vos
alliés ? Quelle aide l'Angleterre peut-elle vous apporter ?
Regardez la carte d'Europe avant de vous lancer dans
une si tragique aventure. » Daladier écoutait sans réagir
la succession rapide de ces exclamations et interrogations.

Avant de s'asseoir, et en manière de conclusion à sa
diatribe, Laval, pâle et tremblant de colère, lança à Daladier
cet anathème : « Vous vous apprêtez à assassiner la France,
monsieur ; allez-vous en, quittez le pouvoir avant d'avoir
commis cet irréparable crime. » Daladier ne trouva aucune
réplique, et la séance fut levée, après un rappel à l'ordre du
Président Bérenger à Laval, dans une atmosphère tragique
restée gravée dans ma mémoire. »

4

Les déclarations de Pierre Laval

Lettre adressée par Pierre Laval au Président de la Commission d'Instruction.

Prison de Fresnes, le 11 septembre 1945.

Monsieur le Président,

Vous avez bien voulu me remettre hier, au cours de mon interrogatoire, l'acte d'accusation dressé contre moi en application de l'arrêt rendu, le 13 juin 1945, par la commission d'instruction qui me renvoie devant la Haute Cour de justice.

J'ai l'honneur de vous remercier de cette communication, qui m'a permis de connaître les griefs qui ont été invoqués contre moi pour établir la double accusation d'avoir commis le crime d'attentat contre la sûreté intérieure de l'Etat et celui d'avoir entretenu des intelligences avec l'ennemi. Je n'ai pas voulu attendre plus longtemps pour vous exprimer quelques-unes des réflexions que m'a suggérées la lecture de ce document.

Je me trouve ainsi, maintenant, en mesure de pouvoir répondre à chacun de ces griefs, dont certains n'ont pu être formulés et retenus qu'en raison de mon absence de l'instruction. Il me sera facile, au cours de mes prochains interrogatoires, de les contester et de vous montrer qu'ils ne reposent sur aucune base solide.

Je ne doute pas de votre intention et de votre

volonté de faire toute la lumière sur l'affaire qui
m'amène devant vous. Les hautes fonctions que
j'ai remplies dans le passé et celles que j'ai assumées pendant l'occupation, autant que les raisons
qui ont déterminé le Gouvernement à me faire
déférer devant la Haute Cour de justice, donnent
à mon procès un caractère important et historique
qui ne peut vous échapper. Il s'agit non seulement du droit que j'ai de me défendre, mais
aussi de mon devoir d'apporter, au cours de
cette instruction judiciaire, ma contribution à
l'histoire d'une époque qui fut si douloureuse
pour notre pays et à laquelle j'ai été mêlé d'une
manière si directe.

Je ne redoute pas la lumière ; je vous aiderai à
la faire éclater, car je ne crains pas la justice
lorsqu'elle se fonde sur la vérité. L'acte d'accusation débute par un considérant que je ne saurais admettre. « Venu de partis extrêmes », j'aurais été « renié par eux ». Cette affirmation implique que j'aurais été exclu du Parti socialiste, auquel j'ai appartenu, alors que je peux établir,
sans contestation possible, que je l'ai quitté librement, de mon propre gré ; que, quatre années
après mon départ, les candidats socialistes, après
une discussion sur ce point, provoquée par Jean
Longuet, ont accepté de figurer aux élections de
1924 sur une liste à la tête de laquelle j'avais été
placé. J'avais alors expressément déclaré que je
n'adhérerais plus jamais au Parti socialiste, ni à
aucun autre parti.

J'ai toujours respecté la discipline du Parti socialiste tant que j'en étais membre et, en particulier,
j'ai refusé, en 1917, d'entrer dans le ministère
Clemenceau, où le poste de sous-secrétaire d'Etat
à l'Intérieur m'était offert. J'ai refusé parce que le
Parti, à qui j'avais été chargé, de la part de Clemenceau, d'offrir une large représentation dans
son gouvernement, avait repoussé le principe même de cette collaboration.

En 1919, j'étais en difficulté avec mes camarades socialistes, et j'ai préféré, parce que j'avais été élu par eux en 1914, leur marquer ma solidarité jusqu'à un échec qui était certain, plutôt que d'accepter l'offre qui m'était faite de figurer en tête de la liste du Bloc national qui fut élue.

J'ai quitté volontairement le Parti socialiste fin 1920, lorsque la scission se produisit entre les socialistes et que fut créé le Parti communiste. Je rappellerai que je n'ai jamais cessé d'être élu comme député ou comme maire à Aubervilliers depuis 1914, et qu'il a fallu une révocation administrative pour mettre un terme, l'an dernier, à un mandat que les électeurs ouvriers de cette commune, eux, ne m'ont jamais retiré.

J'ajouterai enfin qu'en octobre 1935, aux dernières élections sénatoriales, malgré les décrets-lois que j'avais pris, j'ai été élu le même jour — les précédents sont rares — dans deux départements, la Seine et le Puy-de-Dôme, alors que les majorités très à gauche de ces deux collèges sénatoriaux étaient déjà annonciatrices du Front populaire. Vous voyez, Monsieur le Président, que les partis extrêmes, dans le secret des urnes, n'exprimaient pas à mon sujet leur « reniement » au jour décisif des scrutins dont ils étaient les maîtres.

Quelque dépit qu'en puissent manifester ceux qui ne me connaissent pas, je ne peux donc figurer sur la liste des « renégats », qu'illustrèrent pourtant de hautes personnalités.

J'ai réfuté cette partie du premier considérant de l'acte d'accusation, mais je ne vous ai pas encore dit toute ma pensée.

Je conserve un souvenir ému de ma jeunesse militante, non pas seulement parce qu'il s'agit de ma jeunesse, mais parce que j'ai trouvé, à cette époque, un enthousiasme, un désintéressement, une générosité de sentiments que je n'ai pas connus plus tard dans d'autres milieux. J'ai été marqué, dès ce moment, d'une empreinte indélébile par l'amour de la paix, des travailleurs, des humbles et de la liberté.

J'aurai à vous parler longuement de ma politique de paix, puisque l'acte d'accusation retient comme un grief mon attitude avant la guerre. Quant à mon attachement aux travailleurs et aux humbles, je crois en avoir donné souvent la preuve, en faisant notamment voter la loi sur les Allocations familiales et, dans une hostilité presque générale, celle des Assurances Sociales, en réglant pacifiquement de nombreux conflits ouvriers et, en particulier, pour citer un exemple, celui de la grève des textiles dans le Nord, qui ne concernait pas moins de cent cinquante mille ouvriers. Quant à la liberté que nous avons perdue, j'en ai souffert plus que beaucoup d'autres pendant l'occupation, car, outre qu'il s'agit d'un des biens les plus précieux, je sais que rien de durable ne peut être construit sur la contrainte.

Le même considérant, auquel je viens de me référer, précise que j'ai été plusieurs fois ministre et deux fois président du Conseil. J'ai, en effet, depuis 1925, successivement occupé presque tous les postes ministériels et j'ai été, à ce titre, le collaborateur de MM. Painlevé, Aristide Briand, Tardieu, Doumergue et Flandin. J'ai été, non pas deux fois, mais trois fois président du Conseil, sans compter les fonctions de chef du Gouvernement pendant l'occupation. Croyez-vous, monsieur le Président, qu'en temps de paix, sous l'œil et le contrôle du Parlement, avec une opinion publique informée par une presse libre, j'aurais pu accéder à ces hautes fonctions, m'y maintenir et y revenir si souvent, si j'en avais été indigne ? Croyez-vous que des présidents de la République comme M. Doumergue, M. Doumer, m'auraient chargé de constituer des gouvernements s'ils n'avaient eu la certitude que mon nom rencontrait à la fois la faveur du Parlement et de l'opinion ?

Croyez-vous que M. Lebrun lui-même, qui n'a jamais eu pour moi de sentiments particulièrement bienveillants, m'aurait appelé en 1935 ? Il est vrai qu'à cette époque les chefs se dérobaient ; la tâche à remplir était ingrate pour sauver le franc. Je ne craignais pas, dans l'intérêt de notre pays, de m'exposer aux risques de connaître la saveur amère de l'ingratitude et de l'impopularité. C'est surtout d'ailleurs à partir de ce moment que les campagnes les plus violentes ont été déchaînées contre moi, et c'est seulement alors que mes adversaires politiques ont paru s'intéresser à ma fortune privée, dont le même considérant de l'acte d'accusation dit qu' « elle a suivi l'ascension de ma fortune politique ».

MEMOIRE EN REPONSE A L'ACTE D'ACCUSATION [9]

Ma réponse doit être claire. Il est inexact que j'aie été renversé en janvier 1936. J'ai abandonné le pouvoir de mon plein gré. Habituellement, un président du Conseil apportait sa démission et celle de ses ministres au président de la République, lorsqu'il avait été mis en minorité dans un vote devant l'une des Chambres, après avoir posé la question de confiance. D'après l'acte d'accusation, j'aurais été renversé sur une question de politique étrangère, sur le projet Hoare-Laval si je comprends bien. Le fait énoncé est manifestement faux. Je n'ai pas été interpellé en janvier 1936. Je l'avais été à la Chambre des députés les 27 et 28 décembre 1935 sur cette même question, et j'avais obtenu après un débat qui

---

9. Ces notes en réponse à l'acte d'accusation ont été rédigées par Pierre Laval dans sa cellule, pour préparer sa défense. La Haute Cour n'en a pas eu connaissance.

dura deux jours et une nuit, ayant posé la question de confiance, une majorité de vingt-deux voix. C'est M. Yvon Delbos qui m'interpella et il fut soutenu par MM. Paul Reynaud, de Monzie, Campinchi, Léon Blum, Gabriel Péri, Marcel Déat et plusieurs autres orateurs. Ce fut un grand débat parlementaire, dont le compte rendu fut largement diffusé par toute la presse mondiale. On croyait généralement que je sortirais vaincu du scrutin, tandis que j'escomptais un succès. J'obtins, je le répète, après un exposé de ma politique extérieure, une majorité de vingt-deux voix. Le résultat était impressionnant, en contraste avec les pronostics de mes adversaires, et en raison surtout de la qualité et de la diversité des interpellateurs.

Je résolus néanmoins, trois semaines plus tard, de quitter le pouvoir. Ce fut immédiatement après un voyage à Genève, au cours duquel j'avais rencontré M. Eden, à qui je fis part de ma décision et qui en parut fort surpris. Il eut même la courtoisie de m'exprimer son regret de me voir donner ma démission. Il est des circonstances où un chef de gouvernement, surtout lorsqu'il est ministre des Affaires étrangères, a le devoir de s'en aller s'il n'est pas assuré de certains concours qu'il juge indispensables pour appuyer sa politique. Il doit le faire en particulier s'il se trouve en désaccord avec certains ministres dont la collaboration lui est nécessaire. J'estimais que le concours massif du parti radical m'était indispensable et que je ne pouvais me priver de la collaboration du Président Herriot, alors ministre d'Etat. J'avais constaté que, dans le vote de confiance, les radicaux s'étaient divisés, et je savais que M. Herriot, qui avait approuvé tous les décrets-lois pour sauver le franc et empêcher le prix de la vie de monter, marquait son désaccord sur ma politique extérieure, me trouvant trop faible dans l'application des sanctions à l'égard de l'Italie. Je

n'avais pu obtenir sa signature, nécessaire pour
la prorogation des pouvoirs spéciaux déjà appelés « pleins pouvoirs », et je savais, dans ces conditions, que l'échec d'une politique destinée à restaurer les finances et accroître la production du
pays était certain. Je savais d'autre part que la
sanction dite « du pétrole » était réclamée par
certains milieux de gauche, en France et en Angleterre. Or, je me refusais à l'envisager parce
que, selon moi, son application nous eût entraînés
dans la guerre, et je voulais éviter la guerre. Je
pensais bien, d'ailleurs, que les mêmes hommes
qui me combattaient, lorsqu'ils seraient au pouvoir, en présence de leur responsabilité, auraient
les mêmes appréhensions que j'avais eues. Je
démissionnai donc, et la sanction du pétrole ne
fut jamais appliquée ni proposée par mes suc-
cesseurs. Par contre, quelques semaines après
mon départ, l'Allemagne remilitarisait la Rhénanie. Cette violation du Traité de Versailles devait
être sanctionnée en application du Traité de
Locarno, mais elle ne le fut pas. Hormis un discours et quelques articles de presse, personne ne
bougea. Il est donc inexact de dire, comme le fait
l'acte d'accusation, que j'ai été renversé, et que
de cet incident (qui ne s'est pas produit) j'ai
gardé une haine tenace contre l'Angleterre et le
Parlement français. Je n'avais pas à m'immiscer
dans la politique britannique, et je n'avais pas à
en vouloir au Parlement qui m'avait donné sa
majorité et sa confiance. Le gouvernement qui
me succéda aurait pu en vouloir au cabinet britannique qui avait certainement dû lui refuser
d'intervenir à propos de la remilitarisation de
la Rhénanie ; ce n'était pas mon cas. Je n'étais
plus au pouvoir, et je n'ai jamais eu, avec l'Angleterre, à régler un problème aussi délicat et
aussi grave.

DEPOSITION DE PIERRE LAVAL
AU PROCES PETAIN [10]

(Audience du 3 août 1945)

Laval fut amené à s'expliquer sur sa politique
à l'égard de l'Italie dans la période d'avant-guerre :

« J'avais, en 1934, trouvé, lorsque j'ai pris la
succession de M. Barthou, deux dossiers : l'un qui
concernait la préparation du Pacte franco-soviétique, qui, à ce moment, s'appelait le Pacte oriental ;
l'autre, l'ébauche, mais la légère ébauche — puisqu'il n'y avait aucun document dans le dossier —
d'une entente, d'un accord à réaliser avec l'Italie.

En engageant des négociations avec l'Italie,
j'avais à régler avec elle deux questions importantes. Une seule d'entre elles, d'ailleurs, a été
connue du public, à savoir tous les litiges qui
pouvaient subsister entre nous en Afrique. L'Italie
se plaignait d'avoir été maltraitée par le Traité
de Versailles, de n'avoir pas obtenu les compensations auxquelles elle pouvait prétendre. Elle
disait que l'Angleterre avait satisfait ses demandes légitimes, mais que la France n'avait rien
donné.

Je cite de mémoire, monsieur le président,
parce que, sur tous ces points, lorsque j'aurai à
m'expliquer devant le juge et devant la Haute
Cour, je serai, s'il en est besoin, plus précis.

En ce qui concerne les satisfactions auxquelles
l'Italie pouvait prétendre, j'ai concédé le Tibesti :
cent quatorze mille kilomètres carrés, ce qui

10. La Haute Cour de Justice, qui jugeait le maréchal Pétain,
interrogea, au cours des audiences des 3 et 4 août 1945, Pierre Laval,
revenu d'Espagne et incarcéré à la prison de Fresnes.

constitue, sur une carte géographique, une large
tache, mais en réalité il n'y avait, sur ces cent
quatorze mille kilomètres, ni un habitant, ni
un arbre ; c'étaient des sables et des pierres.

Et quand, en France, des critiques ont été
formulées au sujet de cette concession que
j'avais faite à l'Italie, j'ai voulu savoir si des
Français avaient parcouru cette région et pouvaient me renseigner... Je n'en ai trouvé aucun...

Cette concession était très en retrait de l'offre
qui, quelques années auparavant, lui avait été
faite.

Nous étions, en Afrique, très gênés par les privilèges que l'Italie avait en Tunisie. Ces privilèges étaient de toute nature. Les Italiens pouvaient
y conserver leur nationalité. Il y avait des écoles
italiennes ; il y avait des droits de toute sorte,
des droits de pêche... En réalité, le protectorat de
la France ne pouvait pas avoir toute son efficacité.

La Tunisie, monsieur le président, était pour
l'Italie ce que l'Alsace-Lorraine est pour la France.
Et c'est ainsi qu'on peut mesurer l'étendue du
sacrifice que le chef du gouvernement italien a
fait lorsqu'il a renoncé aux privilèges italiens
sur la Tunisie.

On m'a fait reproche, dans une ignorance
totale de la question, de n'avoir pas obtenu l'extinction immédiate de ces privilèges. Ces privilèges devaient s'éteindre par périodes décenna-
les. Le premier privilège italien devait disparaître, je crois, au bout de vingt ans.

En d'autres termes, les Italiens, désormais, en
Tunisie, ne pouvaient avoir aucune espèce de
privilège et ne pouvaient conserver leur nationalité.

Lorsque fut connu, dans les salons de l'Ambassade de France, au Palais Farnèse, à Rome, l'accord que M. Mussolini venait de faire, les concessions qu'il venait de consentir, dans ce régime
fasciste, j'ai été surpris d'entendre des fonction-

naires italiens importants, des personnalités italiennes importantes, dire avec indignation :

— S'il y avait un parlement, Mussolini serait chassé.

Qu'avais-je donné en échange ?

Je me souviens que M. Peyrouton, qui était, à ce moment, résident français en Tunisie, me faisait savoir que, dans certaines écoles italiennes, les instituteurs italiens avaient décroché les portraits de Mussolini, les avaient posés à terre, et les enfants avaient défilé en crachant dessus.

J'avais prié alors notre résident d'empêcher la presse de publier des manifestations de ce genre.

Qu'avais-je donné à l'Italie ? En échange de cette concession pour nous si importante, j'avais concédé à l'Italie les privilèges économiques dont nous jouissions en Abyssinie.

Les concessions que j'ai faites à Mussolini étaient purement de caractère économique. J'ai dit à Mussolini :

« Vous avez désormais en Abyssinie les mains libres, mais n'abusez pas de vos mains libres pour y accomplir des actes de force. Imitez l'exemple du maréchal Lyautey. »

Mussolini a commis l'erreur et la faute d'engager la guerre, de faire la guerre à l'Abyssinie. Il a déclaré la guerre contre mon gré, malgré mes protestations...

... Et j'en arrive aux sanctions, et vous allez comprendre pourquoi je recherchais un gouvernement qui ne brise pas une politique, la seule qui pouvait garantir la paix en Europe.

J'avais fait avec Mussolini, à Rome, d'autres choses que l'accord africain, que le règlement de nos litiges coloniaux : j'avais conclu avec Mussolini une véritable alliance militaire. Des accords militaires secrets, dont il n'a jamais été question, avaient été signés par le général Gamelin et par le général Badoglio... Des accords secrets avaient été signés entre le général Vallin, ministre de l'Air ou chef de l'armée de l'Air italienne et le général Denain, ministre de l'Air en France.

Pourquoi ces accords militaires secrets ? Pourquoi ? Dans un but précis : dans le but d'avoir à nous défendre, Italiens et Français, contre une agression éventuelle de l'Allemagne sur l'Autriche. Cet accord était d'une importance capitale, car l'Italie alliée de la France, c'était le pont jeté entre la France et tous les pays d'Europe centrale et orientale alliés de notre pays. C'était la possibilité pour nous, non seulement de bénéficier de tout l'effort militaire italien, mais de faire bénéficier la France de tout l'effort militaire de la Yougoslavie, de la Tchécoslovaquie, de la Pologne et de la Roumanie. C'est vous dire le prix que j'attachais au maintien de bons rapports entre la France et l'Italie.

Les sanctions sont venues. L'antifascisme, je le déplore mais j'ai le devoir de le dire, non seulement en France mais ailleurs, a été plus fort que l'amour de la paix. »

LIVRE 1

LA FIN DE LA IIIE RÉPUBLIQUE
JUIN-JUILLET 1940

Chapitre I

L'ARMISTICE

1

Les Faits

Ce fut au cours du conseil des ministres du 12 juin, tenu au château de Cangé, résidence du Président de la République[1], que l'éventualité d'une demande d'armistice, en l'état de la situation militaire, a été envisagée. Le Conseil se trouva partagé entre ceux qui étaient partisans de l'armistice et ceux qui voulaient continuer la lutte. Le 15 juin, à Bordeaux où le Gouvernement s'était replié, la décision fut ajournée en attendant la réponse du Président Roosevelt à l'appel qui lui avait été adressé et l'accord de Londres sur une cessation séparée des hostilités[2]. Le 16 juin, les Etats-Unis n'ayant offert qu'une aide matérielle et non militaire et le gouvernement anglais ayant remplacé son accord conditionnel[3] à un armistice séparé par une offre

1. L'approche des armées allemandes de Paris avait entraîné le repli du Gouvernement qui s'effectua le 10 juin 1940. Le Président de la République s'était installé au château de Cangé, près de Tours.

2. Par une convention signée le 28 mars 1940, les gouvernements français et anglais s'étaient engagés « à ne conclure aucun armistice ou traité de paix, sauf d'un commun accord ».

3. Le gouvernement anglais avait accepté que la France entamât des négociations en vue d'une cessation séparée des hostilités, à la condition que la flotte française soit conduite dans les ports britanniques (télégramme du 16 juin 1940).

d'alliance qui ne fut pas acceptée par la majorité du Conseil des ministres favorable à la cessation des hostilités, Paul Reynaud démissionna. Le Président de la République fit appel au maréchal Pétain pour le remplacer. Ce dernier constitua le soir même son gouvernement, dont Pierre Laval ne faisait pas partie. Le premier conseil des ministres du gouvernement du maréchal Pétain décida à l'unanimité de sonder les intentions de l'Allemagne en vue d'une demande d'armistice. Celui-ci fut signé le 22 juin 1940 avec l'Allemagne et le 24 avec l'Italie. Pierre Laval entra au Gouvernement comme ministre d'Etat le 23 juin et devint Vice-Président du Conseil le 27.

2

Le Dossier de l'Accusation

L'ACTE D'ACCUSATION

« Quand survinrent les événements militaires de mai 1940, Laval fut au premier rang de ceux qui réclamèrent l'armistice. »

LE REQUISITOIRE

Le procureur général n'a pas à proprement parler retenu ce chef d'accusation dans son réquisitoire. Voici en quels termes, il requit : « Viennent ensuite les tragiques événements des mois de mai et juin 1940 où Pierre Laval, sans qu'aucun réflexe suscite en lui une réaction à la pensée de voir capituler son pays, sort de l'ombre comme si la défaite était pour lui une revanche... Lorsque le président Albert Lebrun fit dans la soirée du 16 juin appel à Pétain pour constituer un ministère, immédiatement Pétain sortit de sa poche la liste de ses ministres et sur cette liste figurait Laval comme ministre des Affaires étrangères. D'où je conclus que, depuis longtemps, le choix de Pétain s'était arrêté sur l'homme au département duquel ressortissait l'armistice qu'on allait demander. Laval, ce jour-là, n'a pas été maintenu au poste de ministre des Affaires étrangères ; il n'y a même pas été maintenu comme ministre, et n'est entré dans le cabinet Pétain qu'à la date du 23 juin en qualité de ministre d'Etat. Mais, qu'il soit parlementaire ou qu'il soit ministre, nous le voyons dans cette période troublée, qui va du 16 juin au 10 juillet suivant, jouer un rôle de premier plan. » Cependant, à l'audience du 4 octobre 1945, il dit à Laval : « Je n'ai pas parlé de l'armistice à votre sujet. »

Le Premier Président au procès. (Audience du 4 octobre 1945) :

Les choses en sont arrivées à ce que vous savez : en juin 1940, nous nous sommes trouvés en présence de la plus abominable, de la plus effroyable défaite que notre pays ait jamais subie. Aviez-vous préparé cette défaite ? Ce n'est pas en effet dans l'accusation et je reconnais que M. le procureur général ne le relève pas ; aussi, je veux bien que nous laissions cette question de la défaite de côté. Mais il n'en reste pas moins que cette défaite a créé un climat et que, dans ce climat, il y a eu un certain nombre de personnages qui ont essayé, comme on dit vulgairement, de tirer leur épingle du jeu, de se créer une situation sur le cadavre de notre pays. Ces personnages ont essayé de se créer une situation de premier plan. Vous avez, dans cette période, été l'un des agents les plus actifs de la propagande défaitiste, un des agents les plus actifs de l'action de Pétain et des autres, action qui tendait à l'armistice. Aidé de Marquet, dans les couloirs de l'Hôtel de Ville de Bordeaux, vous avez mené, dans cette période, une propagande très active en faveur de la conclusion brusquée, non pas de la paix, mais de l'armistice avec l'Allemagne.

LES TEMOINS DE L'ACCUSATION

Il n'y a pas eu de témoins à charge au procès Laval.

Déposition de M. Jeanneney, ancien président du Sénat, au procès Pétain (Audience du 26 juillet 1945) :

De ce qui s'est passé à Bordeaux je ne sais rien directement puisque je ne l'ai pas vu et que je n'ai également jamais vu le Maréchal que dans les deux occasions dont je viens de parler et où il n'a pas été dit un mot de ses rapports avec Laval. Ce que je savais, c'était l'action, vive et maléfique, conduite au-dehors par Laval en vue d'un armistice précipité pour des intérêts qui pouvaient être d'ordre personnel, mais qui, au fond, étaient dans sa nature assez naturellement basse, peu portée au courage et à l'enthousiasme. Quelle influence a-t-il eue sur le Maréchal ? Je ne saurais le dire. Ce que je sais, parce que le fait était notoire, c'est qu'il agissait au-dehors dans le même sens que lui.

3

Le Dossier de la Défense

Il comportera une réponse à ces deux questions :

1. — Laval fut-il « au premier rang de ceux qui réclamèrent l'armistice, un des agents les plus actifs de l'action de Pétain et des autres, action qui tendait à l'armistice » ?

a) — Le procureur général a renoncé à ce chef d'accusation à l'audience du 4 octobre 1945.

b) — Le premier président déclara, lui aussi, qu'il ne retenait pas la responsabilité de Laval dans la préparation de l'armistice.

c) — En juin 1940, Laval ne faisait pas partie du gouvernement Paul Reynaud et n'avait pas d'influence dans les milieux politiques de cette époque.

d) — Laval ne se trouvait pas à Cangé le 12 juin, lorsqu'il fut discuté en Conseil des ministres de l'éventualité d'une demande d'armistice. Il vint à Bordeaux le 14 juin.

e) — Laval ne faisait pas partie du gouvernement du maréchal Pétain qui décida, le 16 juin, de demander l'armistice.

f) — Entendu devant la Commission d'enquête parlementaire, le président Lebrun confirma que Laval n'avait participé à aucune des discussions relatives à la demande d'armistice (Séance du jeudi 10 juin 1948.) [4]

g) — Si Laval a reconnu qu'il avait été partisan de l'armistice et n'a pas nié le soutien qu'il apporta au maréchal Pétain dans sa volonté de parvenir à une cessation des hostilités, s'il est incontestable qu'il mena, dans la coulisse, une campagne active en faveur de cette demande, il n'est pas moins vrai que la majorité des parlementaires présents à Bordeaux, loin de le désapprouver, participèrent à cette propagande ou l'approuvèrent ouvertement. Nous en voulons pour preuve :

● Cette déclaration de M. Louis Marin, membre de la Commission d'enquête parlementaire, faite au cours de l'audition de M. Lebrun [5], d'autant plus probante qu'il était parlementaire en juin 1940 et se trouvait à Bordeaux : « Qu'avons-nous trouvé en venant à Bordeaux ? Nous avons

---

4. « Les événements survenus en France de 1933 à 1945. Témoignages et documents recueillis par la Commission d'enquête parlementaire ». Presses Universitaires de France. Tome IV, page 1 026. Nous désignerons ces ouvrages sous le sigle C.E.P.

5. C.E.P. Séance du jeudi 17 juin 1948. Tome IV, page 1 090.

été frappés alors de voir qu'il ne venait en rafales, à ce moment-là, que des gens qui étaient favorables à l'armistice. Par qui étaient-ils appelés ? Comment sont-ils venus ? Ceux qui arrivaient tout à coup, ceux qui sont venus envahir votre domicile (il s'adressait au président Lebrun) et vous injurier à certains moments, étaient tous des gens qui se trouvaient, comme par hasard, être ultra-favorables à l'armistice, considérant comme des criminels les gens qui ne voulaient pas se rendre tout de suite à l'Allemagne. »

● L'approbation unanime des députés et des sénateurs démontrée par leurs déclarations et leurs votes lors des assemblées des 9 et 10 juillet 1940 et la confiance qu'ils accordèrent, à l'exception des « quatre-vingts », au maréchal Pétain qui venait de signer l'armistice [6] ;

2. — Laval a-t-il intrigué auprès du maréchal Pétain pour entrer au gouvernement ? A-t-il été, ainsi que le soutint l'accusation, l'un de « ces personnages qui ont essayé de se créer une situation sur le cadavre de notre pays » ?

a) — Le maréchal Pétain a été entendu par la Commission d'enquête parlementaire [7] sur la manière dont il avait constitué son ministère le 16 juin 1940 :

● DEMANDE : « Avez-vous consulté des hommes politiques ? Aviez-vous préparé une liste ? »

● RÉPONSE : « On l'a dit. Mais non. A ce moment-là, il fallait agir, il fallait faire quelque chose. »

● DEMANDE : « Comment avez-vous pu constituer votre première équipe ? »

● RÉPONSE : « Successivement. »

● DEMANDE : « Vos amis vous présentaient sans doute des collaborateurs possibles ? »

● RÉPONSE : « Le premier qui était appelé en appelait un second. Cela formait masse et l'on constituait un ministère comme cela. »

● DEMANDE : « Qui avez-vous appelé le premier ? »

● RÉPONSE : « Je ne peux pas vous dire. »

● DEMANDE : « Etait-ce Pierre Laval ? »

---

6. Se reporter au chapitre 4 du livre 1.
7. C.E.P. Tome I, pages 173-175, séance du jeudi 10 juillet 1947.

● Réponse : « Non. C'étaient ceux qui se présentaient eux-mêmes. »

b) — Lors de la constitution de son ministère, le maréchal Pétain avait réservé à Pierre Laval le portefeuille de la Justice et non des Affaires étrangères. A la demande de Laval, il accepta de lui confier ce poste, puis revint sur sa décision à la suite des interventions du général Weygand et de M. Charles-Roux. Laval refusa l'offre du Maréchal de le conserver dans son cabinet comme ministre de la Justice [8].

c) — Interprétant ce refus de Laval comme une manœuvre, M. Marin demanda au président Lebrun, entendu le 10 juin 1948 par la Commission d'enquête parlementaire [9] : « Ne croyez-vous pas qu'il soit possible que, justement, Laval, éliminé le premier jour où on l'avait appelé, ne se soit dit quelques jours après : « Laissons toujours faire l'armistice pour ne pas en avoir la responsabilité » et c'est ce qui fait que, le lendemain, Laval a insisté sur la nécessité d'accepter le mot « collaboration » ? M. Lebrun répondit à cette question : « Quand Laval, le premier jour, exigeait le portefeuille des Affaires étrangères, il était de bonne foi. Si Pétain l'avait accepté, il aurait été dans le gouvernement. Par conséquent, je crois que l'idée de ce retour en arrière ne s'est présentée à son esprit qu'après les événements. C'est une simple constatation que je fais. »

d) — Louis Noguères, ancien président de la Haute Cour de Justice en 1945, estime [10] : « Pierre Laval devait, répondant à la sollicitation de M. Alibert, entrer, dès le 19 juin, dans le gouvernement en qualité de ministre d'Etat et siéger, à dater du 23 juin, au Conseil des ministres. Il n'en demeure pas moins que le fait, en ce qui le concerne, de n'avoir pas été porté sur la liste du 16 juin arrêtée d'avance par le maréchal Pétain et certains « politiques », oblige à conclure que le maréchal Pétain n'avait pas convié Pierre

---

8. Dépositions de M. Charles Roux au procès Pétain à l'audience du 27 juillet 1945 et de Pierre Laval à celle du 3 août 1945.

9. C.E.P. Tome IV, page 1 027.

10. « Le véritable procès du maréchal Pétain ». Fayard 1955.

Laval aux délibérations qui précédèrent immédiatement le renversement du ministère Paul Reynaud. »

e) — Il fut soutenu que Laval avait été l'un des rédacteurs de la lettre que le maréchal Pétain lut au cours d'un des Conseils des ministres tenus le 16 juin 1940, par laquelle il menaçait de démissionner si la résolution tendant à solliciter un armistice n'était pas adoptée[11]. On prêta à Laval l'intention d'avoir voulu provoquer par cette manœuvre le vote de cette résolution et le départ de Paul Reynaud, dans l'espoir qu'un gouvernement, présidé par le maréchal Pétain, serait constitué avec sa participation. A ce sujet, M. Noguères écrit : « Il faut revenir à ce que l'étude du dossier Pétain a déjà démontré : une équipe d'hommes résolus, épris d'autorité et d'un régime qui la consacre, a guidé le maréchal Pétain, en se couvrant euxmêmes de son crédit, dans la voie politique où son goût du pouvoir l'avait engagé. Ceux-là ont rédigé la lettre de démission lue par lui au Conseil des ministres le 16 juin à 11 heures. Ont-ils été les auteurs de la liste des ministres ? Rien ne le prouve. Mais l'ignorance où était le maréchal Pétain, et dont a témoigné M. Albert Lebrun, de la position politique de certains des ministres portés sur sa liste le donne à penser. Pierre Laval ne figurait pas parmi les membres de l'équipe qui mit au point l'opération du 16 juin 1940. »

LES TEMOINS DE LA DEFENSE

— Yves Bouthillier, Ministre des Finances (H I - III - 1419).

« Je me remémore les circonstances de cet armistice où le Président Laval ne fut pour rien, auquel il n'eut pas plus de part que le moindre habitant de Bordeaux. »

---

11. Le maréchal Pétain jugeait que la demande d'armistice était la mesure « la seule capable de sauver le pays » et déclarait ne pas vouloir s'associer à « de pures manœuvres dilatoires aboutissant à l'abdication définitive de la souveraineté française ».

— A. Marquet, Ministre de l'Intérieur (H I - III - 1496)[12].

« La vérité est que la France, désemparée, chercha secours auprès du seul Français qui, de la victoire de 1918 à la déroute de 1940, n'avait pas fait faillite.

« D'ailleurs, le 16 juin, le maréchal Pétain refusa à Pierre Laval, qui se retira, le portefeuille des Affaires étrangères.

« Il n'eut donc ni à solliciter, ni à discuter, ni à accepter les clauses draconiennes d'un armistice qui était acquis, quand il devint ministre d'Etat. »

4

Les déclarations de Pierre Laval

MEMOIRE EN REPONSE A L'ACTE D'ACCUSATION

« Je n'ai eu à prendre aucune responsabilité ni aucune décision en ce qui concerne l'armistice. Je n'appartenais pas au gouvernement qui a demandé l'armistice. Quant à l'opinion que j'aurais exprimée à ce sujet, je la partageais, à ce moment, avec la quasi-unanimité des Français. Au surplus, une telle demande ne pouvait être formulée que sur la constatation, nettement établie par le chef militaire responsable, que la continuation de la lutte était impossible ou s'avérait

---

12. Maire de Bordeaux, Adrien Marquet fut nommé ministre d'Etat par le maréchal Pétain le 23 juin 1940, puis à l'intérieur en juillet. Son portefeuille lui fut retiré en septembre 1940 au moment du remaniement ministériel.

pour la France plus désastreuse que l'armistice lui-même. Ce fut l'opinion du général Weygand et ce fut aussi celle du maréchal Pétain. Je n'étais pas au gouvernement, et les ministres avaient seuls le pouvoir et le devoir de prendre une décision. Les débats du procès Pétain montrent que l'armistice était décidé avant l'arrivée du gouvernement à Bordeaux, et je n'avais eu aucun contact depuis longtemps avec Pétain. C'est de Châteldon, où je résidais, que j'ai gagné Bordeaux après l'arrivée du gouvernement. Si mon nom figurait sur la liste ministérielle présentée par le maréchal Pétain au Président Lebrun, ce fait était manifestement sans aucun rapport avec l'opinion que je pouvais avoir au sujet de l'armistice. Je reste convaincu que le successeur de M. Paul Reynaud, même s'il eût été un autre que Pétain, aurait mis mon nom sur cette liste. J'ai été souvent ministre et parfois président du Conseil à des époques de crises graves, comme en 1935. (Il semble que c'est toujours à ces heures qu'on a l'habitude de faire appel à moi.) J'avais été longtemps aux Affaires étrangères ; j'avais joué un rôle important dans de nombreuses négociations internationales, et il pouvait paraître normal, à ce moment douloureux pour notre pays, de me voir une fois de plus venir au gouvernement. Au surplus, à cette époque, le Maréchal croyait sans doute que ma collaboration lui serait utile en raison de mon expérience du pouvoir. D'ailleurs, comme le constate l'acte d'accusation, je ne fis pas partie de ce gouvernement qui demanda et signa l'armistice. J'avais refusé le portefeuille de la Justice, et, sur l'intervention de M. Charles Roux, le Maréchal ne crut pas devoir me charger des Affaires étrangères (portefeuille déjà attribué à M. Baudouin). Quelques jours après, je fus appelé pour être nommé vice-président du Conseil, fonctions que je partageai avec M. Camille Chautemps.

Bien que n'ayant pas appartenu au gouvernement qui avait demandé l'armistice et signé la convention, je suis inculpé et rendu responsable d'un acte auquel je n'ai pas participé. Je pourrais me contenter de cette constatation, mais je paraîtrais ainsi me dégager d'une décision que j'ai, sinon comme ministre, du moins personnellement comme Français, reconnue nécessaire et même indispensable lorsqu'elle a été prise. Cela ne signifie pas que j'aurais accepté, telle qu'elle nous fut présentée à Rethondes, la Convention d'armistice. On m'a dit ensuite qu'elle nous fut imposée, qu'elle n'avait pu être discutée par nos plénipotentiaires, explication que j'ai toujours jugée insuffisante, car il était indispensable de faire une protestation solennelle contre les clauses qui rendaient la Convention inapplicable. En effet, l'exécution de ces clauses rendait toute vie impossible à notre pays et provoquait son asphyxie. Il aurait suffi d'une simple protestation, ou même d'un simple commentaire fait le jour même, pour justifier, dès le lendemain, l'ouverture d'une négociation sur l'interprétation et l'application de l'armistice. C'est ce qui fatalement devait se produire, mais chaque assouplissement de cette convention devait, dans la suite, servir de prétexte à l'imposition de nouveaux sacrifices, aucune réserve n'ayant été exprimée de façon suffisamment claire au moment de la signature. Si j'avais été au gouvernement, je n'aurais pas manqué de tout faire pour obtenir, à défaut de mieux, un protocole précisant les conditions d'application de l'armistice.

Il importe de justifier d'abord l'armistice. Cette justification incombe au gouvernement qui l'a demandé. Les débats devant la Haute Cour prouvent qu'il était impossible d'échapper à la triste nécessité de demander l'armistice. Il me paraît d'un intérêt moindre qu'à certains de faire la distinction entre le « cessez le feu » et l'armistice.

Dans les deux cas, c'était l'armée prisonnière et la France dans l'impossibilité de se défendre, sauf que, dans le premier, le nombre des prisonniers eût été beaucoup plus élevé. Ce qui est vrai, et ce que certains témoins au procès Pétain ont oublié après coup, c'est que le général en chef ne pouvait même plus faire parvenir ses ordres à l'armée, qui était disloquée, coupée par tronçons, en déroute et en désordre. Weygand signalait le danger de la rapidité de l'invasion et le nombre chaque jour croissant des troupes faites prisonnières. L'idée de faire refluer notre armée vers la Bretagne, où elle aurait pu s'appuyer sur la flotte anglaise, ne pouvait être réalisée. Le réduit breton aurait d'ailleurs été vite écrasé par l'aviation et l'armée allemandes. Restait la solution du prolongement de la lutte en Afrique du Nord.

DECLARATION DE PIERRE LAVAL DEVANT LA HAUTE COUR

(Audiences des 4 et 5 octobre 1945) :

● Vous me dites : vous avez intrigué à Bordeaux. Vous avez intrigué pour l'armistice... Mais, lorsque je suis arrivé à Bordeaux, l'armistice était déjà un fait décidé. Il a été décidé — le procès Pétain le révèle à l'abondance — avant l'arrivée à Bordeaux. Et puis, qu'est-ce donc que ces chefs militaires, ce gouvernement, ce président de la République qui seraient contraints de faire l'armistice parce que Pierre Laval, qui est un isolé, qui n'est à la tête d'aucun parti, aurait une opinion contraire à la leur ! Mais, Messieurs, c'est eux que vous devriez alors traduire ici comme accusés, c'est eux qui auraient attenté aux inté-

rêts supérieurs de la France s'ils avaient manqué à ce point de caractère ! Mais voulez-vous,
Messieurs, que je vous dise mon opinion sur l'armistice ? Je vous la dirai avec une franchise que
n'exprimeraient pas 99 % des Français maintenant : alors, 99 % des Français étaient convaincus que la France ne pouvait plus résister et en
tout cas, c'était l'opinion de tous les parlementaires qui sont venus à Bordeaux ou à Vichy et
qui ont dû traverser pour venir les villes et les
campagnes, qui ont vu l'armée coupée en tronçons, la longue cohorte douloureuse des populations sur les routes... Je n'allais pas dire au
maréchal Pétain : je vous somme de ne pas faire
l'armistice, d'autant que j'étais convaincu de la
nécessité de l'armistice. Mais si vous deviez traduire ici tous ceux des Français qui en ont été
convaincus, il faudrait élargir le cadre de votre
salle d'audience. Tous les Français en étaient
convaincus.

● Vous parlez d'armistice ? Comment ! L'Assemblée Nationale se réunit le 9 juillet, la Chambre d'une part, le Sénat d'autre part, et puis, le
lendemain, les deux Chambres ensemble, en
Assemblée Nationale. Eh bien, j'ai une mémoire
fidèle, est-ce qu'une protestation, une réserve, une
allusion, un rien qui pouvaient mettre en doute
la nécessité de l'armistice se produisent ? Rien
du tout. Il y avait tout de même les commissions
spéciales qui se sont réunies ? Jamais, à aucun
moment, sous aucune forme, je n'ai entendu une
protestation en ce qui concerne l'armistice.

● Tout le monde pouvait déplorer le malheur
qui venait de frapper la France, tout le monde
pouvait regretter la dureté des clauses de l'armistice, mais personne n'a songé — et je dois dire
que personne ne songeait sans doute — à reprocher au gouvernement d'avoir pris une décision
qui paraissait s'imposer parce qu'elle s'imposait

à tous... Jamais à aucun moment, sous aucune
forme, aucun parlementaire ni aucun Français n'a
songé à faire retomber sur moi la responsabilité
d'une décision qui appartenait aux seuls militaires et à un gouvernement auquel je n'appartenais pas. J'ai pu dire à Bordeaux : mais l'armistice s'impose. Si j'ai dit cela, je vous affirme
que j'ai pu l'entendre dire par beaucoup d'autres. Je ne sais pas si je l'ai dit. Mais si je l'ai
dit, cela ne pouvait influer en aucune manière
sur une décision qui, vous le savez par les débats
du procès Pétain, était déjà arrêtée avant que
le gouvernement de M. Paul Reynaud ne vînt à
Bordeaux. Je suis un homme politique. J'ai été
chef du gouvernement. Je sais prendre mes responsabilités. Comment pouvez-vous admettre
qu'on rejette sur d'autres et qu'on rejette sur
moi une décision qui ne devrait concerner que
ceux qui l'ont prise ou qui l'ont laissé prendre ?...
Je n'accuse personne, je n'accable personne, mais
quand je vois un ancien président de la République, quand je vois des chefs de gouvernement,
des ministres, successivement venir ici et rejeter
sur d'autres l'armistice, alors je vous avoue que
je ne comprends pas... Me reprocher l'armistice,
ce n'est pas une injustice : c'est plus grave qu'une
injustice, je vous l'ai dit tout à l'heure, c'est une
offense à la vérité.

Chapitre II

LE DÉPART
EN AFRIQUE DU NORD

1

Les Faits

L'avance des armées allemandes menaçant Bordeaux, la question d'un nouveau transfert du siège du gouvernement se posa. Il en fut discuté au Conseil des ministres du 18 juin 1940 et l'idée d'un départ pour l'Algérie fut émise. Deux tendances se manifestèrent dès ce moment : celle des partisans de l'armistice, comme le Maréchal Pétain et le général Weygand qui ne voulaient pas abandonner le sol national, et celle des opposants, comme M. Lebrun et les présidents de la Chambre des députés et du Sénat qui désiraient continuer la lutte hors de la métropole. Aucune décision ne fut prise par le Conseil des ministres, mais les quatre présidents : le Maréchal Pétain, Président du Conseil, le Président de la République et MM. Herriot et Jeanneney se réunirent en petit comité pour envisager une solution de transition. Le Maréchal Pétain se rangea à l'idée, qui lui fut soumise, de déléguer les pouvoirs de chef du gouvernement au Vice-Président du Conseil qui, accompagné des présidents des Assemblées, le représenterait soit en Algérie soit en un autre lieu à déterminer.

Le Conseil des ministres du 19 juin fut consacré essen-

tiellement à la préparation des pourparlers qui devaient être engagés avec l'Allemagne en vue de parvenir à une cessation des hostilités. Il ne fut pas question du départ de Bordeaux d'une partie du gouvernement et des parlementaires. Cependant, le principe paraissait en avoir été admis puisque l'Amiral Darlan, ministre de la Marine, prévint les présidents des Chambres qu'un bâtiment de guerre serait mis à leur disposition et à celle du Président de la République à Port-Vendres. Il précisa qu'un autre bateau, le Massilia, serait réservé aux parlementaires et aux membres des administrations à partir du 20 juin. Ce jour-là, la discussion reprit au sein du Conseil entre partisans et adversaires du transfert du gouvernement. Il fut finalement décidé, à titre transactionnel, qu'il se rendrait provisoirement à Perpignan, d'où il pourrait, en cas de nécessité, gagner l'Afrique du Nord. Il était prévu que le Président de la République quitterait Bordeaux dans la journée du 20 pour Perpignan où une résidence lui était préparée. Les parlementaires furent avisés par une note de l'Amiral Darlan qu'ils devaient embarquer sans délai sur le Massilia qui les transporterait à Casablanca d'où ils rejoindraient Alger. A la suite de cette décision, M. Herriot fit charger ses bagages sur le Massilia, M. Jeanneney partit en voiture en direction de Port-Vendres, tandis que les parlementaires quittaient Bordeaux en autocar.

Cependant, au moment où le Président de la République s'apprêtait à se rendre à Perpignan, il fut avisé qu'un Conseil de Cabinet allait se tenir et dut ajourner son départ. M. Jeanneney put être rejoint à Toulouse et revint à Bordeaux où se trouvait encore M. Herriot. Au cours de cette réunion, le Maréchal Pétain fit part de sa décision de différer le transfert du gouvernement[1] en attendant des informations de la délégation d'armistice qui était sur le point de rencontrer les représentants de l'Allemagne. Le 21 juin, cet avis d'ajournement fut confirmé. En effet, les délégués

---

1. Les parlementaires qui avaient quitté Bordeaux sur l'ordre du gouvernement n'avaient pas été avisés de la décision d'ajournement par suite de circonstances qui se trouvent hors de propos. Le Massilia avait appareillé emmenant vingt-sept parlementaires.

français avaient pu communiquer avec Bordeaux après leur première prise de contact avec les plénipotentiaires allemands. La journée du 22 juin fut consacrée à l'examen des conditions d'armistice et le projet de transfert du gouvernement se trouva définitivement abandonné.

2

Le Dossier de l'Accusation

L'ACTE D'ACCUSATION

C'est incontestablement Laval l'agent responsable qui, par ses intrigues et ses menaces jusque dans le cabinet du président de la République, empêcha ce dernier, les présidents des deux Chambres, les membres du Parlement et ceux des ministres qui avaient encore souci de la souveraineté nationale, d'aller en Afrique du Nord former un gouvernement à l'abri des pressions allemandes et qui, devant l'Europe et l'Amérique, eût représenté la France et affirmé sa persistance en tant que nation souveraine.

LE REQUISITOIRE

Et d'abord c'est lui qui a exercé une influence décisive pour empêcher le départ en Afrique du Nord du Président de la République, des Présidents des Chambres et d'un nombre important de parlementaires soucieux de conserver à la France une souveraineté soustraite aux pressions allemandes.

Le départ du Président Lebrun, celui du Président Jeanneney, du Président Herriot, et d'un nombre important de

parlementaires, avait été décidé. Ni le Maréchal Pétain, ni
le Général Weygand, n'y voyaient d'inconvénient : au contraire, ils étaient plutôt portés à penser qu'une fois les adversaires de leur politique partis, ils n'en auraient que le
champ plus libre pour instaurer en France un régime de
leur choix.

Mais Laval, plus perspicace, a vu le danger. Le Président
Lebrun, les Présidents des Chambres à Alger, c'est un
Gouvernement légal qui va se constituer là-bas, reconnu
par l'Angleterre, par l'Amérique et alors tombe toute la
combinaison qui a été échafaudée et qui repose première-
ment sur la capitulation de la France, deuxièmement sur
l'abolition du régime représentatif, et troisièmement sur
la collaboration avec l'Allemagne.

Laval, on peut le dire, en signalant le danger au Maréchal
et à l'Amiral Darlan qui, jusqu'alors avait donné son assentiment au départ, mais sur la promesse qu'il serait un jour
super-amiral de la flotte européenne, révoqua les ordres
d'appareillage déjà donnés ; Laval, on peut le dire, a, en
empêchant le départ, été celui grâce auquel un Gouvernement de Vichy, avec tout ce qui en est résulté, a pu se
constituer en l'absence d'un gouvernement qui eût été
réellement le Gouvernement de la France.

Le Premier Président au procès. (Audience du 4 octobre
1945).

Et dans cette même période, parallèlement à votre action
sur le plan extérieur, on vous reproche — et cela ce n'est
pas un climat, ce n'est pas une atmosphère, c'est l'accusation même — on vous reproche, ayant pris contact avec les
différents milieux politiques et spécialement avec les parlementaires, d'avoir freiné un mouvement qui était susceptible,
je le crois, de maintenir notre indépendance nationale. Vous
savez ce que je veux dire, il s'agit du départ en Afrique du
Nord. A ce moment, vous avez agi auprès du président de la
République dans des conditions qui vous seront rappelées
au cours de son témoignage par Albert Lebrun.

LES TEMOINS DE L'ACCUSATION

Déposition de Monsieur Lebrun, ancien Président de la République, au procès (Audience du 6 octobre 1945).

« Quelques jours avant (le 21 juin 1940), — et ceci est la seule chose sur laquelle je puisse apporter un témoignage direct et important — je reçus la visite de M. Laval accompagné d'une délégation de 15 à 20 députés. La veille, s'était tenue à mon cabinet, sur mon initiative, ce qu'on a appelé la réunion des quatre présidents : président du Sénat, président de la Chambre, président du Conseil et moi-même. On avait discuté, envisagé la question si grave du départ du gouvernement en Afrique du Nord pour échapper à l'étreinte des armées allemandes qui se faisait de plus en plus serrée. C'est pour s'opposer à ce départ possible qu'eut lieu la visite de M. Laval et de ses collègues de la Chambre. En termes véhéments — j'emploie ce mot à dessein — appuyé d'ailleurs par plusieurs collègues qui, très surexcités, parlaient en même temps que lui, il m'invita, il me somma, je pourrais dire, de ne point quitter le sol national, sans quoi, le gouvernement et moi-même, on nous accuserait de défection, voire même de trahison. « En tout cas, disait-il, un nouveau gouvernement serait constitué sur le sol métropolitain et nous n'aurions plus aucun pouvoir. Ce serait comme si notre gouvernement n'existait plus. » Voilà la scène, Messieurs, très courte, telle qu'elle se produisit ce jour-là. C'était en somme la même théorie que l'on voulait faire valoir devant les parlementaires qui, rentrant de leurs provinces, arrivaient à Bordeaux et n'étaient pas encore fixés sur l'attitude à adopter. C'était en somme le défaitisme — disons le mot — s'efforçant de briser l'esprit de résistance là où il subsistait encore. Quels étaient les mobiles qui faisaient agir M. Laval ? C'est le secret de sa conscience. Ce que je puis dire, c'est qu'il eût mieux valu pour la France et pour lui-même que le pays fût administré directement par un gauleiter plutôt que par un gouvernement français qui n'allait plus avoir du pouvoir que l'apparence et dont le rôle essentiel consisterait en somme à avaliser toutes les décisions des autorités d'occupation. »

Le procureur général : « Est-ce qu'au cours de cette démarche comminatoire, Pierre Laval ne s'est pas livré à une diatribe des plus violentes contre le président du Sénat ? »

M. Albert Lebrun : « C'est exact. Quand M. Laval m'eut exposé l'objet de sa visite, je lui dis : « Mais vous avez été ministre, vous avez été président du Conseil, vous savez que je ne suis pas tout le pouvoir à moi seul, il y a le gouvernement. » Et je lui rapportai l'écho qu'il connaissait d'ailleurs de la réunion des quatre présidents dont je parlais tout à l'heure ; c'est alors que, dans un mouvement d'indignation, — feinte ou réelle, je l'ignore, — il se livra alors contre M. le président du Sénat à cette diatribe dont vous parlez. Il a dit : « Je le hais, je le hais. »

3

Le Dossier de la Défense

Il y a lieu de déterminer la part de responsabilité de Pierre Laval dans l'annulation du transfert d'une partie du gouvernement et des parlementaires en Afrique du Nord. En effet, s'il est indiscutable qu'il fut l'un des principaux partisans du maintien du gouvernement et des Corps Constitués dans la métropole, il faut rechercher s'il en fut « l'agent responsable » et s'il a eu « une influence décisive » susceptible d'avoir entraîné la décision du gouvernement.

— 1) Le transfert du gouvernement ne pouvait être décidé que par le président du Conseil après une délibération des ministres dont Laval n'était pas. Effectivement, ce fut au cours du Conseil du 20 juin que le départ pour Perpignan d'une partie du gouvernement a été ordonné.

— 2) Cette décision reçut un commencement d'exécution. Il est probable que Laval a pu influencer la détermination de quelques parlementaires, mais son pouvoir de persuasion ne pouvait aller au-delà. Ce ne fut pas lui, notamment, qui amena MM. Lebrun[2] et Herriot[3] à demeurer à Bordeaux le 20 juin, ainsi qu'ils l'exposent eux-mêmes, ni M. Jeanneney à y revenir après en être parti.

— 3) Même au sein du Conseil des ministres, l'indécision régnait ; M. Lebrun[4] en témoigne : « A 10 heures, (le 20 juin 1940), on examine à nouveau la question du départ. Les avis sont partagés. »

— 4) La décision d'ajourner le départ de la délégation gouvernementale, du président de la République et des présidents des Assemblées, fut prise par le Maréchal Pétain dans l'après-midi du 20 juin 1940[5].

— 5) Le 21 juin, cette décision fut confirmée par le maréchal Pétain[6].

— 6) Raphaël Alibert, sous-secrétaire d'Etat à la présidence du Conseil, a reconnu être responsable de la détermination du Maréchal Pétain. Il révéla à M. Fernand Laurent[7] que, se trouvant le 20 juin dans son cabinet, en compagnie du président Lebrun, il lui transmit à des-

2. « Témoignage » par Albert Lebrun. — Plon 1945.

3. « Episodes 1940-1944 » par Edouard Herriot. — Flammarion 1950.

4. Ouvrage cité.

5. Confirmation en est donnée par M. Lebrun dans l'ouvrage cité et par Paul Baudouin, ministre des Affaires étrangères dans le cabinet Reynaud, dans « Neuf mois au Gouvernement ».

6. Témoignages de MM. Herriot et Baudouin dans les ouvrages cités. M. Baudouin écrit : « Vendredi 21 juin. — J'interroge vers 7 h 30 le cabinet du Maréchal Pétain au sujet du départ vers Perpignan. Le Maréchal donne instruction aux ministres de rester à Bordeaux ».

7. M. Fernand Laurent, ancien député, a rapporté le 24 avril 1945 au Président Béteille, chargé de l'instruction du procès Pétain, la confidence que M. Alibert lui avait faite en février 1942.

sein des nouvelles plus rassurantes concernant la situation militaire, qui influencèrent la décision du Maréchal Pétain d'ajourner jusqu'au lendemain le transfert des Corps Constitués.

En ce qui concerne plus particulièrement la pression exercée le 21 juin 1940 par Pierre Laval et divers parlementaires afin d'empêcher le président de la République de se rendre en Afrique du Nord, on constate que :

— 1) En renonçant à son projet, M. Lebrun n'a fait que se conformer à la décision du Maréchal Pétain et des ministres :

a) Il répondit à la délégation conduite par Laval [8] : « Je ne suis pas le seul à être le pouvoir ; il y a un Conseil des ministres. Nous en délibèrerons. D'ailleurs, je fais effort pour convaincre le gouvernement d'avoir à se replier. »

b) Paul Baudouin écrit à la date du 21 juin 1940 [9] : « En compagnie de Bouthillier, je me rends après dîner chez le Maréchal. Il nous déclare qu'il fera connaître sa décision de rester à Bordeaux. Quand je lui demande quelle attitude il adoptera vis-à-vis du président de la République qui, aux dernières nouvelles, paraissait décidé à partir, il me répond : « C'est très simple ; je le ferai arrêter ».

— 2) La démarche de Laval n'eut pas d'influence sur la détermination de M. Lebrun qui le reconnut lui-même :

a) Il déclara devant la Haute Cour au procès Pétain (Audience du 25 juillet 1945) : « Je n'ai pas besoin de dire, Messieurs, que toutes ces argumentations n'eurent aucun effet sur moi, car ma position était bien prise. »

b) Il confirma cette déposition dans son ouvrage « Témoignage » [10] : « Est-il besoin de dire qu'une telle intervention n'avait aucune influence sur moi ? Connaissant les mobiles qui l'avaient inspirée, je ne pouvais qu'y puiser une raison de plus de persévérer dans mon attitude. »

8. Sa déposition au procès Pétain. (Audience du 25 juillet 1945).
9. Ouvrage cité.
10. Page 93.

— 3) La décision de constituer une délégation chargée d'intervenir auprès de M. Lebrun[11] avait été prise, non par Laval seul, mais par un nombre important de parlementaires parmi lesquels se trouvaient diverses personnalités.

— 4) Si l'intervention de Laval fut la plus véhémente, les autres délégués n'intervinrent pas moins dans des termes parfois violents :

a) M. Lebrun a déclaré dans sa déposition au procès Pétain (Audience du 25 juillet) : « Ces messieurs arrivent et je me trouve en présence d'hommes gesticulant, parlant tous à la fois, et je dirai presque ayant perdu le contrôle d'eux-mêmes... D'autres membres de la délégation prirent la parole toujours dans le même sens. L'un d'eux me dit : « Vous voulez quitter la France ! Mais, à peine serez-vous parti qu'on formera un gouvernement ici et vous, là-bas, vous ne serez plus rien, il n'y aura plus de gouvernement français. »

b) Il a également écrit[12] : « Divers membres prennent la parole au milieu d'une agitation grandissante. M. Dommange, notamment, indique que, si le gouvernement actuel quitte la métropole, un autre se constituera qui aura le pouvoir. On parle de défection, d'abandon. »

Après de telles dépositions, il semble superfétatoire d'examiner le dernier point de l'accusation qui a cru voir dans l'opposition de Laval au transfert d'une délégation gouvernementale en Afrique du Nord une manœuvre tendant à permettre la constitution d'un gouvernement présidé par le Maréchal Pétain dont il ferait partie. On ne peut pas, cependant, négliger de faire les remarques suivantes :

— 1) Ce fut M. Reynaud qui fit appel, sans qu'une intervention quelconque de Laval ait eu lieu, au Maréchal Pétain.

— 2) Le gouvernement du Maréchal Pétain a été constitué le 16 juin 1940, alors que l'éventualité du transfert d'une délégation gouvernementale en Afrique du Nord n'était pas encore envisagée.

---

11. Elle fit la même démarche auprès des présidents des Assemblées.

12. Ouvrage cité, page 92.

— 3) Le Maréchal Pétain a, dès le début, manifesté sa ferme intention de ne quitter en aucun cas la métropole.

— 4) Le gouvernement légal devait, de toute façon, demeurer en France. Seuls, certains ministres, sous la direction du vice-président du Conseil, nanti d'une délégation de pouvoirs, et les Corps Constitués auraient été envoyés en Afrique du Nord.

— 5) Si le plan de Laval s'était appuyé sur l'abolition du régime parlementaire, il eût été bien mal inspiré de retenir les membres des Chambres et leurs présidents décidés à le maintenir et qui, en outre, n'étaient pas favorables à son entrée au gouvernement. C'était pour lui une occasion inespérée de les voir s'éloigner et d'écarter ainsi ceux qui entendaient s'opposer à ce que l'accusation a appelé « sa combinaison ».

— 6) M. Lebrun a apporté son témoignage à ce sujet [13] : « J'ai ouï-dire après coup bien des choses sur l'équipée du Massilia ; je sais que certains y ont vu une machination du gouvernement pour se débarrasser du Parlement. C'est possible ; on a assisté à tant d'étrangetés dans cette période troublée. Pour ma part, je n'ai pas eu du tout cette impression à l'époque ».

— 7) M. Baudouin décrit [14] ainsi la réaction qu'eut M. Lebrun lorsque, après la démarche faite auprès de lui, le 21 juin 1940, par la délégation conduite par Laval, il lui fit part de sa conviction que ce dernier avait l'intention de former un gouvernement à Bordeaux si les Corps Constitués s'en éloignaient : « Le président de la République me marque sa stupeur d'une pareille interprétation de l'attitude de M. Pierre Laval. Il m'assure qu'il est absolument impossible qu'il nourrisse des desseins aussi sombres ».

13. Ouvrage cité, page 91
14. Ouvrage cité.

4

Les déclarations de Pierre Laval

*MEMOIRE EN REPONSE
A L'ACTE D'ACCUSATION*

Dès lors, j'aurais, d'après l'acte d'accusation, joué un rôle prépondérant dans les jours qui précédèrent le 10 juillet 1940. Ainsi, nous arrivons sans doute à l'un des griefs les plus importants retenus contre moi. En tout cas, le premier parmi ceux dont l'ensemble constituerait l'inculpation d'attentat contre la sûreté intérieure de l'Etat.

Avant de m'expliquer plus complètement sur les prétendues intrigues auxquelles je me serais livré et sur les menaces que j'aurais proférées jusque dans le cabinet du président de la République, menaces et intrigues dont la conséquence aurait été d'empêcher le départ du Gouvernement et des Chambres pour l'Afrique du Nord, je tiens à faire observer que je n'ai pas eu à m'exprimer comme ministre, mais seulement comme parlementaire, et qu'il est peu vraisemblable d'imaginer que j'aie pu disposer d'un tel pouvoir. Il faudrait admettre, au contraire, une absence totale de volonté de la part de ceux qui voulaient partir, car je ne disposais d'aucune autorité ni d'aucun moyen pour les empêcher de réaliser un tel dessein. J'affirme avec sincérité que, si j'avais été à leur place, ce n'est pas l'opposition de quelques parlementaires, d'ailleurs toute verbale, qui m'aurait arrêté. Je n'aurais pas négligé, en tout cas, d'essayer de convaincre le ou les parlementaires de la nécessité d'une telle décision et, si l'opposition ne s'était pas ralliée à mes arguments, j'aurais passé outre.

Et c'est à moi que l'acte d'accusation vient reprocher aujourd'hui d'avoir empêché le transfert de la souveraineté en Afrique du Nord. Je n'ai été appelé à prendre part à aucune délibération parlementaire sur la nécessité ou l'opportunité du départ du Gouvernement. Je n'ai connu aucun des arguments qui pouvaient être invoqués pour ce départ et je n'ai par conséquent jamais été amené à les réfuter. Si le président de la République, si les présidents des Chambres, MM. Jeanneney et Herriot, estimaient que cette décision était indispensable, pourquoi n'ont-ils pas fait un effort de propagande et de persuasion, à défaut même de séances officielles, pour convaincre ceux qui, comme moi, étaient d'une opinion contraire ?

Le prolongement de la lutte en Afrique aurait dû être prévu par les états-majors ; des mesures préalables eussent été nécessaires : d'abord assurer le transport, et l'amiral Darlan le disait impossible. Je parle du transport des troupes et du matériel, et non pas du transport des Pouvoirs publics. L'Afrique du Nord ne disposait d'aucun moyen de fabrication du matériel de guerre, tout restait à créer au moment où, si une décision de départ eût été prise, la France entière aurait été envahie. Même si la chance eût été faible, on pouvait la tenter, mais, à considérer les événements à cette époque, il n'y avait aucune chance de pouvoir résister à la poussée allemande. Les succès militaires allemands étaient tels, et avaient été si rapides, qu'à ce moment l'armée allemande paraissait invincible. Il n'y a aucun doute que l'Espagne ne se fût opposée, et elle ne le pouvait guère pour de nombreuses raisons, au libre passage des troupes allemandes. L'Angleterre ne songeait alors qu'à défendre son île, à reconstituer rapidement ses forces, à accélérer ses fabrications pour faire face à une tentative d'invasion qu'elle redoutait. Les Soviets et l'Allemagne étaient associés et l'Amérique était neutre.

Nous étions à la période de la guerre-éclair, et je ne crois pas que le seul rocher de Gibraltar eût suffi, avec la supériorité de l'aviation allemande à ce moment, pour retarder longtemps le passage des troupes allemandes vers la rive africaine. On peut pronostiquer, après coup, c'est vrai, mais avec tous les éléments dont disposait l'agression allemande, on peut dire que notre défaite sur le territoire métropolitain aurait été, peu de semaines plus tard, complétée par notre défaite en Afrique du Nord.

On peut alors poser quelques questions importantes : que serait devenu le Gouvernement ? serait-il allé à Londres ? Que seraient devenues les populations restées en France, c'est-à-dire quarante millions de Français ? Elles auraient été administrées par les Allemands, comme les Belges, comme les Hollandais, comme les Polonais. Alors, c'est tout le problème qui se pose de savoir s'il était plus conforme à l'intérêt de la France de la laisser dans le désordre ou sous la domination des vainqueurs, plutôt que d'essayer, par des négociations régulières, d'alléger ses souffrances. On ne pouvait alors prédire combien de temps durerait l'armistice, mais ce qui était vrai pour une courte durée l'était bien plus pour un armistice qui devait se prolonger pendant quatre ans.

Il est une autre question très importante : que serait devenue l'Afrique du Nord aux mains des Allemands ? Un magnifique champ d'opérations à préparer contre l'Egypte, le canal de Suez ; la possibilité d'une jonction avec la marine japonaise, au moins pour les échanges de matières premières. Quelle difficulté effroyable pour les Anglais, soucieux de continuer la guerre et de secourir leur Empire menacé ! Il ne faut pas oublier qu'à ce moment, en 1940, l'Allemagne était l'alliée des Soviets et qu'on peut déduire de ce fait toute une série de conséquences, y compris peut-être la continuation de l'alliance, puisque d'autres champs d'expansion au Moyen-Orient, en Afrique et en Asie s'ouvraient à ces deux gouvernements.

Enfin et surtout, si l'on est de bonne foi, il faut reconnaître que l'Amérique eût dû plus tard chercher ailleurs qu'en Afrique du Nord une plate-forme pour lancer ses attaques contre l'armée allemande.

Le fait de n'avoir pas donné suite au projet de départ du gouvernement français a constitué peut-être la victoire la plus sûre et la plus importante, qui a permis ensuite la pleine victoire des Alliés.

Cette constatation de bon sens, faite de bonne foi, devrait suffire pour faire tomber ce grief relevé à mon encontre ; mais, au surplus, c'est bien le maréchal Pétain qui a eu l'initiative d'empêcher ce départ du gouvernement français quand il a dit, avant d'arriver à Bordeaux, alors qu'il était à Tours, que ceux qui partiraient seraient des « fuyards ». C'est le Maréchal, par ses propos, qui a fixé l'opinion de la plupart de ceux qui pensaient que leur devoir était de rester et qui ne désiraient pas voir partir le Gouvernement. Pétain disposait alors d'une autorité morale qui, ajoutée à son autorité militaire, faisait de lui l'arbitre incontesté de tous les problèmes posés par la situation tragique dans laquelle nous nous trouvions.

Une autre solution pouvait être envisagée par ceux qui ne voulaient pas rester dans la métropole. Ils pouvaient aller à Londres, marquant ainsi leur refus d'accepter l'armistice et leur volonté de continuer la lutte. Mais il fallait, en

1940, que quelqu'un ou quelques-uns sauvent l'Afrique du Nord du raz de marée qui déferlait vers le Sud. Il fallait préserver cette terre d'Afrique que les généraux Giraud et de Gaulle ont trouvée intacte deux ans plus tard, avec une armée commandée par des chefs que la politique pratiquée par le gouvernement de la métropole avait fait libérer des camps d'Allemagne. Il fallait, pendant ces dures années, un gouvernement dans la métropole pour défendre les intérêts de la France pendant l'occupation et, en cas de victoire allemande ou de paix de compromis, pour atténuer et compenser les risques de notre défaite.

Où est l'honneur dans tout cela ?

L'honneur est là. Il est partout où il s'agit, sous quelque forme que ce soit, de défendre l'intérêt de son pays.

CHAPITRE III

LE COMPLOT
CONTRE LA RÉPUBLIQUE
PÉTAIN ET LAVAL

1

Le Dossier de l'Accusation

L'ACTE D'ACCUSATION

— Dès le début de la guerre, il semble s'être posé en négociateur de la paix grâce au crédit qu'il prétendait avoir auprès de Mussolini. Il envisageait en même temps pour la France un changement de régime dont il serait le bénéficiaire ; et il paraît bien avoir compté pour cela sur le concours du maréchal Pétain. Les lettres de Loustaunau-Lacau au Maréchal ne laissent guère de doute à ce sujet, non plus que la déposition de Mlle Petit, ex-secrétaire d'un sieur Giobbe qualifié par elle d' « Abetz italien », avec lequel Laval entretenait, par l'intermédiaire d'un sieur Borra, des relations en vue de s'assurer l'aide de l'Italie, pour faire, disait-il, sortir la France de la guerre et la doter d'un système politique analogue à celui que le Duce avait institué dans la Péninsule.

Le Premier Président au procès (Audience du 4 octobre 1945)

Dans cette période, il y avait un très gros malaise politique et malheureusement dans cette période, avec qui vous voit-on en contact ? Avec un des hommes politiques qui ont une activité un peu trouble et on vous voit également en contact avec un certain nombre de militaires... Dans cette période, il y avait un certain nombre de militaires qui, pour des raisons de politique intérieure, étaient plutôt (ce qui est troublant et paradoxal) dans le camp de ceux que l'on pourrait appeler les pacifistes. Parmi eux, il y avait quelqu'un que nous avons vu ici, le Maréchal Pétain. Durant cette période, on vous dira probablement, — si l'acte d'accusation actuel ne le dit pas, des actes d'accusations antérieurs et l'acte d'accusation Pétain notamment le disent — que c'est dans cette période que vous avez été en contact, sinon très fréquent, du moins assez suivi, avec Pétain. C'est dans cette période du début de la guerre que vous avez décidé que, pour une opération de politique intérieure, il fallait des hommes décidés à faire un certain nombre de choses, des entreprises qui étaient des entreprises de coup d'État, mais pour donner une couverture à l'opération, il fallait quelqu'un ayant du prestige, et c'est dans cette période qu'on vous rappelle que vous auriez déclaré — vous auriez employé cette formule — qu'il vous fallait « un dessus de cheminée ». Ce dessus de cheminée, c'était un bâton de Maréchal. Vous l'avez connu au moment du 6 février. Vous avez continué à avoir quelques contacts avec lui, des contacts assez fréquents. Pendant la période où il était en Espagne et la période où se déroulait cette guerre que j'appelais tout à l'heure la drôle de guerre, il est établi au moins par le témoignage de M. Loustaunau-Lacau qu'il y a eu des contacts entre vous et le Maréchal Pétain.

LES TEMOINS DE L'ACCUSATION

Déposition de M. Loustaunau-Lacau au procès Pétain. (Audience du 30 juillet 1940)

Voici maintenant pour répondre à la question précise des relations du maréchal Pétain et de M. Laval. Toutes ces relations d'avant-guerre, beaucoup moins importantes qu'on ne l'a dit, se basaient au fond sur une phrase. Un jour, dans une réception au quai d'Orsay en 1934, M. Doumergue avait dit au Maréchal Pétain en lui montrant M. Laval qui était dans l'embrasure d'une fenêtre : « La République est pourrie ; ils n'ont plus personne, mais il y a encore celui-là. » Cette phrase, le Maréchal me l'a redite souvent au cours de nos entretiens ou de nos promenades. Je la tiens pour importante. Aucun doute sur le fait que M. Laval voulait se servir un jour ou l'autre d'un képi glorieux pour coiffer une de ses combinaisons politiques. Aucun doute, non plus, que le Maréchal Pétain voyait dans cet homme à l'intelligence féline, dans cet admirable manieur de pâte humaine, un conseiller pour certaines heures. Cela n'est jamais allé plus loin. Et la preuve en est dans l'incident qu'a provoqué la déposition d'un certain Lamarle sur des lettres que j'ai écrites au Maréchal Pétain. Me trouvant à l'ambassade de Saint-Sébastien fin août, le Maréchal me dit avant de partir : « Vous allez à Paris. Voyez un peu ce que pense Laval de la situation. Je manque d'informations à un moment tragique. » Je suis allé chez Laval en arrivant et je répétai in extenso la conversation que j'aie eue avec le futur associé du nazisme. J'entrai dans son appartement. Je lui fis part de la mission qui m'amenait chez lui. « La situation, me répondit M. Laval, elle est simple. Il faut se séparer de Daladier. » Ce n'était pas là une vue très originale étant donné que la plupart des Français à cette époque considéraient que ledit ministre n'avait pas l'étoffe nécessaire pour se trouver au gouvernail dans des circonstances aussi critiques... En sortant de là, j'écrivis au Maréchal Pétain exactement ce que m'avait dit M. Laval, à savoir qu'il fallait renverser M. Daladier et former un nou-

veau gouvernement, dans lequel, avait dit M. Laval, on le
débarrasserait du tout-venant. Je veux ici ouvrir une petite
parenthèse pour déclarer que la façon dont on m'a posé la
question à l'instruction sur ce « tout-venant » qui évidemment signifiait les affaires courantes a pu laisser croire
qu'il s'agissait d'un crime. Il s'agissait simplement de déblayer éventuellement, si le Maréchal acceptait un gouvernement quelconque, dont il n'était pas autrement question,
de l'assurer qu'il n'aurait pas de grands efforts physiques
à faire. C'est tout. Il ne faut pas voir autre chose dans ces
lettres. C'est tout ce que j'ai à dire en ce qui concerne les
relations de M. Laval et du Maréchal Pétain pour autant
qu'il m'ait été donné de les connaître dans cette période.

LES DOCUMENTS DE L'ACCUSATION

*Lettre de M. Loustaunau-Lacau au Maréchal Pétain en date
du 22-9-1939* [1]

Ce 22 septembre 1939.

Monsieur le Maréchal,

Je crois qu'il est de mon devoir de vous adresser les renseignements suivants :

Conséquences de votre refus.

La composition du nouveau ministère a été très mal ac-
cueillie dans les milieux politiques. Les articles du *Temps*
et du *Jour* à ce sujet expriment bien l'opinion parlementaire moyenne. On ne dit pas le principal grief : Daladier
en occupant trois postes à la fois s'est fait des ennemis
mortels. On dit d'abord que ce ministère traduit l'insuffi-

---

1. Le Réquisitoire contient sur ce point une erreur. M. Loustaunau-
Lacau n'écrivit qu'une seule lettre au Maréchal Pétain, celle du
22/9/1939, pour lui rendre compte de son entretien avec Pierre Laval,
ainsi qu'il l'indiqua au magistrat désigné pour l'interroger sur commission rogatoire. La confusion fut commise par la Haute Cour
chargée de juger le Maréchal Pétain.

sance de l'homme. La bataille contre Daladier au Sénat et à la Chambre est ensuite menée sur l'accusation suivante : M. Daladier, qui a exercé pendant quatre ans les fonctions de ministre de la Défense nationale, est responsable, seul responsable, de l'insuffisance de matériel, en particulier d'artillerie lourde que le front accuse gravement et du mauvais rendement actuel de la mobilisation industrielle et des ministères.

Enfin, l'entrée de Delbos, qui a toujours raté ce qu'il a entrepris, et l'affectation du blocus à Georges Pernot, tout à fait incompétent en la matière, apparaissent comme une preuve que Daladier n'a pas compris qu'il lui fallait une équipe de guerre. Les critiques sont générales et violentes, en particulier de Mistler qui ambitionnait les Affaires étrangères.

Daladier a dédaigné de répondre publiquement à ces critiques, mais il a dépêché ses amis, en particulier Clapier, dans les couloirs pour faire connaître que le ministère eût été tout autre si le Maréchal n'avait pas refusé sa collaboration, cherchant ainsi à rejeter sur lui la faute.

Mais, c'est le contraire qui s'est produit. Les parlementaires en ont déduit que le Maréchal avait refusé pour ne pas soutenir de son autorité une combinaison qu'il jugeait médiocre et mal adaptée aux circonstances. Du coup, il n'est plus question que d'un cabinet Pétain dont la répercussion à l'intérieur, et plus encore à l'extérieur, serait immense. La question reste de savoir si la transmission se fera normalement ou s'il faudra, pour y arriver, que de graves circonstances se produisent. Mais, de toute manière, ce cabinet apparaît inévitable à plus ou moins brève échéance. On juge très habile, de la part du Maréchal, de rester éloigné de Paris.

Conséquence : Le Maréchal va être l'objet de pressions multiples de la part de tous ceux qui espèrent se faufiler dans son sillage. Attention.

Cabinet de guerre : La principale faiblesse du cabinet actuel réside dans le fait qu'il n'est pas adapté aux circonstances de guerre. La guerre doit être dirigée par un conseil restreint comprenant :

— le président du Conseil,
— le ministre de la Défense nationale,

— le ministre des Affaires étrangères,
— le ministre de l'Intérieur,
— le ministre de l'Economie nationale ayant les Finances sous sa coupe, toutes les autres directions se trouvant en sous-ordre.

Ce serait une erreur de former ce cabinet avec des techniciens seulement. Il faut que les Chambres et le Pays se sentent représentés au sein de ce Conseil. Il serait heureusement composé par un comité comprenant de grands parlementaires et des techniciens.

Conversation avec Pierre Laval.

J'ai eu, chez des amis communs, une longue conversation, *bien entendu à titre purement personnel*, avec Pierre Laval qui est en très bonne forme.

Voici, les points principaux de cette conversation :

1. — Pierre Laval dispose auprès de Mussolini d'un crédit moral considérable depuis l'affaire d'Ethiopie. Il estime que seul le Maréchal possède en Italie un crédit supérieur au sien.

Pierre Laval a mis ce crédit à la disposition de M. Daladier en précisant qu'il ne demandait rien pour lui-même et qu'il s'effacerait pourvu que toutes les possibilités d'un accord soient épuisées. *Il n'a pas eu l'honneur d'une réponse.* Pierre Laval ne prétend pas ouvrir rapidement les portes de la Lombardie, mais il estime que le Maréchal et lui sont seuls capables d'y parvenir.

2. — Pierre Laval estime avec de nombreux sénateurs que le cabinet Pétain est indispensable pour faire face à la situation intérieure et extérieure. Ce cabinet serait très bien accueilli par l'opinion surtout parce que la présence du Maréchal apporterait l'assurance que le sang français serait ménagé au maximum (très important).

3. — Pierre Laval est entièrement d'accord sur les deux points suivants :
— il faut ouvrir les portes de l'Italie,
— il faut faire un comité de guerre restreint de techniciens et de grands parlementaires, présidé par le Maréchal que l'on déchargerait au maximum des soucis immédiats.

4. — Le Maréchal ayant sauvé en Espagne une partie très mal engagée a montré qu'il était le premier des ambassadeurs. Donc, dans le cabinet qu'il formerait il serait logique qu'il prît le portefeuille des Affaires étrangères, avec le concours, comme secrétaire général, d'un grand diplomate, comme Noël par exemple, qui confectionnerait de bonnes dépêches et le dégagerait du tout venant. La présence du Maréchal aux Affaires étrangères serait d'une portée immense en Espagne et en Italie. D'ailleurs, il serait habile de mettre Franco dans le jeu en lui demandant de servir de tremplin vis-à-vis de l'Italie.

5. — Le Maréchal étant aux Affaires étrangères, les parlementaires qui craignent d'y voir venir Pierre Laval seraient du coup mis hors de cause. Pierre Laval pourrait prendre l'Intérieur où ses fonctions de maire d'Aubervilliers lui permettraient de gagner la classe ouvrière, très flottante depuis les trahisons de Staline. A l'Intérieur seraient rattachés P. T. T. et tous organismes, réfugiés, travail, etc. afin que le comité de guerre ait bien le pays en main. Les préfets suspects seraient mis au pas et changés sans bruit si c'est nécessaire. Cela n'empêcherait pas Laval d'aider le Maréchal sur le plan extérieur, et éventuellement de l'accompagner auprès de Mussolini.

6. — Pour les autres postes du comité, il serait excellent que le général Georges prît la Défense nationale plus importante que ses fonctions actuelles, sans que soit entamée la position du général Gamelin.

7. — Il faut exclure Mandel et l'empêcher de nuire. Mandel a déclaré tout récemment qu'il fallait passer par un cabinet Pétain pour en démontrer l'impuissance et qu'après on serait tranquille.

8. — En somme, ce cabinet pourrait être le suivant :

Président du Conseil et Affaires étrangères	Le Maréchal
Intérieur	Pierre Laval
Défense nationale	Général Georges
Economie nationale	X.

Présidence de la République.

Le président de la République est abattu et passe son temps à geindre. Daladier manque de correction à son égard.

Si le Maréchal juge qu'il faut habituer M. Lebrun à l'idée du cabinet Pétain, il m'est facile, par l'entourage où je compte deux amis très sûrs et qui, eux, sont tout acquis à l'idée, de pousser dans cette voie.

Je voudrais bien préciser, pour terminer, que je n'agis en aucune manière au nom du maréchal Pétain. Je n'ai aucune autorité pour le faire et ne me le permettrais pas. Mais les antennes que je possède me permettent d'être rigoureusement informé. Je sens comme tout cela est mal embarqué et léger. Daladier est un médiocre. N'ayant aucune espèce d'ambition et de besoins, je sers mon pays de toute mon âme et suis prêt à vous servir *sans paraître*, non seulement parce que vous m'avez toujours témoigné de l'intérêt, mais aussi parce que je suis persuadé qu'en l'absence tragique d'hommes de valeur, il faut que vous repreniez le licol de guerre.

Bien entendu, ma modeste action serait plus efficace si vous vouliez bien m'indiquer secrètement, via Bonhomme, le sens de vos désirs.

Soyez bien persuadé que je ne vous mettrai jamais en cause. Je comprends mieux que quiconque, en ce moment, la force de votre silence. Mais, d'autre part, si l'événement doit se produire, il faut que les avenues, en ce qui concerne les personnes, soient nettement dégagées.

Je reviendrai à Saint-Sébastien dans le courant de la semaine prochaine et vous apporterai les renseignements qui vous permettront de faire le point.

Croyez à mon très profond dévouement, Monsieur le Maréchal.

Loustaunau-Lacau.

Extrait de la déposition de Mlle Denise Petit, au procès Pétain. (Audience du 28 juillet 1945.)

Mon patron était, en réalité, l'agent officieux du Palais Chigi, et, si j'en avais douté, quelques mois après l'armistice il m'était impossible d'éprouver le moindre doute à cet égard, puisqu'il avoua, en ma présence, avoir été l'« Abetz italien » à Paris.

Ses premières rencontres avec Laval remontent au mois de janvier 1939. Précisément, le 26 janvier, il le rencontra pour la première fois, à la demande de Laval qui avait entendu parler de lui et qui désirait le rencontrer pour travailler en commun à une politique qui était celle dans laquelle l'Axe désirait voir la France s'engager.

Cette politique comportait, au point de vue intérieur, l'instauration d'une dictature et, en politique étrangère, un renversement des alliances qui, dans l'esprit de Laval, pouvait aller jusqu'à une action militaire conjuguée entre la France, l'Espagne, l'Italie et l'Allemagne, contre l'Empire britannique.

Laval se disait appuyé dans cette entreprise par une haute personnalité militaire, par les 9/10 de l'Etat-Major et par une importante fraction de la Chambre et du Sénat.

Il aurait préféré accéder au pouvoir sans faire de coup d'Etat et il avait compté pour cela sur la réélection présidentielle qui devait avoir lieu quelques mois plus tard.

2

Le Dossier de la Défense

Avant de rechercher si le Maréchal Pétain et Pierre Laval formèrent « un complot contre la République », il est indispensable de connaître l'origine et la nature de leurs rapports dans la période ayant précédé l'armistice.

— 1) Sur l'origine de leurs rapports, une indication a été donnée par deux témoignages :

a) Celui de M. Loustaunau-Lacau au procès Pétain (Audience du 30 juillet 1945) : « Un jour, dans une réception au Quai d'Orsay en 1934, M. Doumergue avait dit au Maréchal Pétain, en lui montrant M. Laval qui était dans l'embrasure d'une fenêtre : « La République est pourrie ; ils n'ont plus personne, mais il y a encore celui-là ». Cette phrase que l'on peut, je pense, faire répéter, si on le désire, au Maréchal Pétain accusé, il me l'a redite souvent au cours de nos entretiens ou de nos promenades. »

b) Celui du général Héring (Audience du 1er août 1945) : « Au début, M. Laval lui avait été recommandé par M. Doumergue lui-même qui lui avait dit : « C'est l'homme qu'il vous faudra un jour. »

— 2) Sur la nature de leurs rapports, nous possédons :

a) Les déclarations du Maréchal Pétain devant la Commission d'enquête parlementaire [2] : Demande : « Que pensez-vous de Laval ? » — Réponse : « Laval était pour ainsi dire mon homme. » — Demande : « Le connaissiez-vous depuis longtemps ? » — Réponse : « Non, depuis assez peu de temps. » — Demande : « Aviez-vous confiance en lui ? » — Réponse : « J'ai eu confiance parce qu'il me donnait des renseignements que personne d'autre ne possédait. »

b) Cette confidence faite par le Maréchal Pétain au président Lebrun qui, en juin 1940, hésitait à signer le décret nommant Laval et Adrien Marquet ministres d'Etat [3] : « Je comprends votre réserve, mais je vous demande de signer le décret, puisque j'ai le droit de choisir mes collaborateurs. Je désire prendre ces Messieurs, ils représentent une force. »

Ces précisions apportées, examinons les questions soulevées par ce chef d'accusation :

— 1 — Pierre Laval a-t-il eu l'intention de se servir du prestige du Maréchal Pétain pour s'emparer du pouvoir par un coup d'Etat ?

2. C.E.P. — Tome 1, page 173.

3. Déclaration de M. Lebrun. — C.E.P. — Tome IV, page 1 027. — Séance du 10 juin 1948.

Le seul document fourni par l'accusation, c'est-à-dire la lettre de M. Loustaunau-Lacau, démontre que :

1) Ce fut le Maréchal Pétain qui envoya un émissaire auprès de Laval sans y avoir été invité par ce dernier [4]. Cette démarche s'explique, car, bien qu'il ait refusé d'être candidat à la présidence de la République et de participer au ministère Daladier, il était sollicité par diverses personnalités politiques, dont Laval ne faisait pas partie, de rentrer au gouvernement. Quelles qu'aient été ses intentions que nous n'avons pas à préciser ici, il recherchait, cependant, des informations. Se trouvant alors éloigné de Paris [5], il demanda à M. Loustaunau-Lacau de profiter d'un de ses voyages en France pour se renseigner auprès de Laval en qui il avait confiance comme informateur.

2) Contrairement aux affirmations du premier président de la Haute Cour, Laval n'avait pas des contacts suivis avec le Maréchal Pétain. On s'expliquerait mal, sinon, que ce dernier ait fait faire cette démarche auprès de lui, alors qu'il lui eut été facile de le rencontrer à l'occasion d'un de ses déplacements à Paris [6]. Rien n'empêchait, non plus, Laval de se rendre à Madrid sans attirer l'attention du pouvoir en place, puisqu'il n'occupait aucun poste officiel en 1939.

3) En admettant qu'il ait eu l'intention de monter un

4. M. Loustaunau-Lacau a confirmé le fait dans sa déposition au procès Pétain à l'audience du 30 juillet 1945 : « Me trouvant à l'Ambassade de St-Sébastien fin août 1939, le Maréchal me dit avant de partir : « Vous allez à Paris. Voyez un peu ce que pense Laval de la situation. Je manque d'informations à un moment tragique ».

5. Le maréchal Pétain avait été nommé ambassadeur en Espagne.

6. Au cours de ses séjours à Paris, pendant son ambassade en Espagne, le maréchal Pétain ne rencontra pas Laval, ainsi qu'il le déclara devant la Commission d'Instruction le 1er janvier 1945. Le fait fut confirmé devant la Haute Cour, à l'audience du 1er août 1945, par le général Georges, lequel, si l'on en croit M. Loustaunau-Lacau, aurait été l'un des bénéficiaires désignés du « coup d'Etat » pour occuper les fonctions de ministre de la Défense Nationale. Il est curieux de constater que le principal « conjuré » d'après l'accusation, c'est-à-dire Laval, n'ait eu de rapports directs ni avec son « chef », le maréchal Pétain, ni avec un membre important de la « conjuration », le général Georges.

complot pour prendre le pouvoir, Laval était un homme politique trop avisé pour se confier à un intermédiaire qu'il ne connaissait pas.

En outre :

1) M. Loustaunau-Lacau lui-même, témoin de l'accusation, a admis qu'il n'y eut aucune collusion entre le Maréchal Pétain et Pierre Laval dans le but de s'emparer du pouvoir à cette époque. Il déclara au procès Pétain (Audience du 30 juillet 1945) : « Aucun doute sur le fait que M. Laval voulait se servir un jour ou l'autre d'un képi glorieux pour coiffer une de ses combinaisons politiques. Aucun doute, non plus, que le Maréchal Pétain voyait dans cet homme à l'intelligence féline un conseiller pour certaines heures. Cela n'est jamais allé plus loin. »

2) M. Loustaunau-Lacau a dépassé le cadre de la mission de simple information que lui avait confiée le Maréchal Pétain. Il écrit dans le dernier paragraphe de sa lettre : « Je voudrais bien préciser, pour terminer, que je n'agis en aucune manière au nom du Maréchal Pétain. Je n'ai aucune autorité pour le faire et ne me le permettrais pas... Ma modeste action serait plus efficace si vous vouliez bien m'indiquer secrètement le sens de vos désirs. »

3) Fait plus grave, il a, en grande partie, interprété à sa manière les propos de Pierre Laval, ainsi qu'il l'avoua plus tard au magistrat qui l'interrogeait[7] : « Cet entretien, tel que je m'en souviens, a consisté pour M. Laval à éreinter M. Daladier... Il est fort possible qu'au cours de la conversation, mais seulement à titre de paroles échangées n'ayant pas le caractère de propositions effectives de quelque ordre que ce soit, M. Laval ait envisagé la formation d'un nouveau gouvernement coiffé par le képi dont il voulait se servir. » On est loin du plan minutieux reproduit dans la lettre de septembre 1939.

4) On peut, par ailleurs, se fier au jugement porté sur cette affaire par M. Noguères dans son étude sur le procès Pétain[8] : « L'examen critique du dossier fait apparaître

7. Interrogatoire du Conseiller Robert sur commission rogatoire.
8. Ouvrage cité.

que le commandant Loustaunau-Lacau, dans sa lettre du 22 septembre 1939, met dans la bouche de Pierre Laval des propos qu'il serait surprenant que celui-ci eût tenus. En effet, le paragraphe qui suit celui du « tout-venant » fait de Pierre Laval, dans un cabinet Pétain, le ministre de l'Intérieur. Il suffit de songer à ce qui s'est passé le 16 juin 1940, lorsque s'est constitué le ministère Pétain, pour comprendre que Pierre Laval n'aurait pas accepté un autre département que celui des Affaires étrangères. Le commandant Loustaunau-Lacau, qui a vu Pierre Laval chez lui, « avenue du Bois », et non « chez des amis communs », a beaucoup plus exposé ses propres sentiments qu'il n'a rapporté les paroles de Pierre Laval. Celui-ci, à suivre les diverses déclarations du commandant Loustaunau-Lacau, a surtout parlé de ses démêlés avec différents hommes politiques, spécialement avec M. Daladier. »

— 2 — Pierre Laval envisageait-il « un changement de régime dont il serait le bénéficiaire » ?

On constate, en lisant la lettre de M. Loustaunau-Lacau, seul élément de preuve, rappelons-le, de l'accusation, que :

1) S'il était fait allusion à l'intention qu'auraient eu certains parlementaires, dont Laval aurait fait partie, de renverser le cabinet Daladier pour mettre à sa place un gouvernement présidé par le Maréchal Pétain, il s'agissait d'un changement d'hommes, mais non de régime.

2) Laval s'effaçait devant le Maréchal Pétain qui aurait cumulé les fonctions de président du Conseil et de ministre des Affaires étrangères. Il se contentait du portefeuille de l'Intérieur, faisant preuve de peu d'exigence pour le principal auteur du « complot ».

3) Le Parlement aurait été maintenu, M. Loustaunau-Lacau offrant ses services pour « habituer M. Lebrun à l'idée du cabinet Pétain. » Il n'était pas question d'installer une dictature Pétain-Laval. L'émissaire du Maréchal écrivait : « Il faut que les Chambres et le pays se sentent représentés au sein de ce Conseil... Il faut faire un comité de guerre restreint de techniciens et de grands parlementaires, présidé par le Maréchal que l'on déchargerait au maximum des soucis immé-

diats... Dans le cabinet qu'il formerait, il serait logique qu'il prît le portefeuille des Affaires étrangères, avec le concours, comme secrétaire général, d'un grand diplomate comme Noël par exemple, qui confectionnerait de bonnes dépêches et le dégagerait du tout-venant ». Interrogé sur le sens de ce terme de « tout-venant » qui prêta à confusion au point que la Haute Cour crut y voir la preuve d'un complot, M. Loustaunau-Lacau a tenu à préciser[9] : « Je veux ici ouvrir une petite parenthèse pour déclarer que la façon dont on m'a posé la question à l'instruction sur ce « tout-venant », qui évidemment signifiait les affaires courantes, a pu laisser croire qu'il s'agissait d'un crime. Il s'agissait simplement de déblayer éventuellement, si le Maréchal acceptait un gouvernement quelconque dont il n'était pas autrement question, de l'assurer qu'il n'aurait pas de grands efforts physiques à faire. C'est tout. Il ne faut pas voir autre chose dans ces lettres. »

— 3 — Pierre Laval chercha-t-il à « s'assurer l'aide de l'Italie pour faire sortir la France de la guerre et la doter d'un système politique analogue à celui que le Duce avait institué dans la Péninsule » ?

Les fondements de ce chef d'accusation sont uniquement un passage de la lettre de M. Loustaunau-Lacau et la déposition de la demoiselle Petit au procès du Maréchal Pétain.

a) — D'après M. Loustaunau-Lacau, Laval aurait voulu faire profiter M. Daladier de son crédit auprès de Mussolini pour maintenir des relations cordiales entre la France et l'Italie. Laval espérait, en effet, qu'il était encore possible en 1939 de ramener l'Italie dans le camp allié contre l'Allemagne[10]. Aucun élément ne permet de déduire, en admettant que M. Loustaunau-Lacau ait rapporté les propos exacts de

---

9. Sa déposition au procès Pétain.

10. En mars 1939, Mussolini hésitait encore à signer une alliance militaire avec l'Allemagne. Ni Londres ni Paris ne surent saisir cette occasion pour empêcher la constitution de l'Axe Rome-Berlin, ce qui fit dire à Ciano : « On fait tout pour nous pousser chaque jour davantage dans les bras de l'Allemagne. »

Laval, ce dont on peut douter après ses déclarations qui
suivirent cette lettre, que Laval aurait eu le désir d'instaurer
en France un régime fasciste.

b) — L'accusation s'appuie principalement sur la déposition de la demoiselle Petit au procès Pétain. Or, ce témoin
était la secrétaire d'un journaliste italien, directeur de *l'Italie
Nouvelle* à Paris, qui aurait noté dans son « journal » les
confidences de son patron. On peut difficilement admettre
que la Haute Cour ait retenu de simples notes d'une secrétaire, qualifiées par le réquisitoire de « documents qui parlent, parce qu'ils expriment la vie, tous les bruits, tous les
propos qui lui étaient rapportés par Giobbe », pour accuser
Pierre Laval d'avoir voulu instaurer en France une dictature
de type fasciste et parvenir à un renversement des alliances
en vue d'une coopération militaire de la France avec l'Axe
contre l'Empire britannique. Là encore, aucune preuve n'a
été apportée par l'accusation.

3

Les déclarations de Pierre Laval

MEMOIRE EN REPONSE
A L'ACTE D'ACCUSATION

S'il ne s'agissait pour moi d'une aussi grave
accusation, je ne pourrais que qualifier d'absolument faux les faits qui sont sérieusement exposés
dans ce document judiciaire, et de fantaisiste l'interprétation qui leur est donnée ; mais j'ai le droit,
puisque ces faits sont retenus, de les discuter.
La réfutation en sera facile.

Je me suis expliqué, dans ma déposition devant
la Haute Cour de justice, sur une lettre de Mon-

sieur Loustaunau-Lacau, qui me mettait en cause.
Ce monsieur s'est présenté à mon bureau, alors
que je n'étais pas ministre, de la part du maréchal Pétain. Je n'ai pas conservé un souvenir exact
de ses propos, que je n'ai même pas éprouvé le
besoin de noter. Je me suis contenté d'enregistrer
la communication qu'il disait être chargé de me
faire, et j'étais naturellement mis en garde contre
lui parce qu'il m'avait paru anormalement agité,
au début de la guerre, en dénonçant d'une manière
anonyme un ministre qu'il qualifiait de traître et
de prévaricateur. Cette plainte et le scandale qu'il
tenta alors de provoquer n'eurent aucune suite,
parce qu'ayant d'abord refusé de dire le nom
de ce ministre, il n'apporta ensuite aucune preuve
contre lui. Il dut être interné par la police française pendant l'occupation et, sollicité par lui
pour sa libération, j'insistai personnellement pour
que satisfaction lui fût donnée, mais je dus y
renoncer, parce que les services s'y opposaient.
Je fus ensuite, à son sujet, l'objet de démarches
qui montraient qu'il ne devait pas figurer parmi
les éléments très actifs de la Résistance.

Il m'aurait fallu manquer du plus élémentaire
esprit critique, même si j'avais eu les intentions
que me prête l'acte d'accusation, pour faire des
confidences de ce genre à M. Loustaunau-Lacau,
dont j'avais été à même d'apprécier le caractère
fantasque.

Je suis obligé, en ce qui concerne Mlle Petit, de
formuler les plus grandes réserves sur son témoignage. J'ai connu un journaliste italien, M. Giobbe,
dont elle aurait été la secrétaire-dactylo. Il est
venu parfois, assez rarement, à mon bureau, beaucoup plus pour m'informer des choses de son
pays que pour obtenir de moi des renseignements. J'ai l'habitude d'être prudent et réservé
avec les journalistes, surtout lorsqu'ils sont étrangers, et, à cet égard, ma réputation est bien
établie. Je n'ai jamais pu considérer que M. Giobbe,

pour reprendre l'expression de Mlle Petit, fût un
« Abetz italien », c'est-à-dire un confident du ministre des Affaires étrangères, qui était M. Mussolini, comme M. Abetz le fut de son ministre,
M. von Ribbentrop. Il était journaliste italien et,
à ce titre, il fréquentait l'ambassade d'Italie. Je
n'aurais éprouvé aucune difficulté, si je l'avais
jugé utile ou opportun, à avoir des entretiens
directs avec l'ambassadeur, sans avoir à me servir
de l'entremise d'un journaliste tel que M. Giobbe ;
à plus forte raison, je n'aurais pas compliqué ces
rapports par l'intrusion de M. Borra, l'autre personne que cite Mlle Petit. Je connais M. Borra
depuis 1935, date à laquelle j'ai signé les Accords
de Rome ; il était garibaldien et paraissait très
actif dans les milieux italiens de la capitale ; en
tout cas, il me le disait. Il m'a amené un jour, vers
cette même époque, le général Ezzio Garibaldi.
Je le prends pour un honnête homme, mais je ne
l'ai et je ne l'aurais jamais chargé d'aucune mission ; je ne crois pas d'ailleurs qu'il aurait eu
l'entregent pour la remplir. Il m'a parlé souvent
d'un prêtre italien, l'abbé Tache Venturi, dont il
se disait l'ami. Je ne le recevais pas toujours lorsqu'il se présentait à mon bureau ; il appartient à
cette catégorie de personnages qui veulent toujours paraître jouer un rôle et dont on se rend
compte très vite que leurs moyens sont limités. Je
l'ai expressément prié, en raison de son agitation,
à différentes reprises, de ne jamais parler en mon
nom aux autorités italiennes, craignant qu'il ne
s'attribue des missions de ma part ou me prête
des projets. Je regrette seulement qu'on invoque,
pour une accusation aussi grave, de tels témoignages.

Ceci m'amène à dire ce que furent vraiment mes
rapports avec les autorités italiennes et ce qu'ils
auraient pu être pendant la période visée à l'acte
d'accusation.

J'avais signé, en janvier 1935, les Accords de

Rome, et j'avais vécu la période difficile des sanctions. Je m'étais toujours efforcé de concilier les obligations de la France vis-à-vis de la Société des Nations, à laquelle nous devions rester fidèles, avec la nécessité de ne pas rompre avec l'Italie, pour sauvegarder les avantages de nos arrangements en Tunisie et ménager une amitié et une alliance utiles à notre sécurité. Il existe aux scellés les copies des lettres que nous avons échangées d'octobre 1935 à janvier 1936, et dont les originaux, pour les lettres signées de Mussolini, et les copies, pour les miennes, doivent se trouver aux archives du Quai d'Orsay, sous enveloppe scellée, où je les ai laissés en abandonnant le pouvoir le 22 janvier 1936. Ce sont des documents infiniment plus sérieux que les témoignages de M. Loustaunau-Lacau et de Mlle Petit. Ils montrent que j'ai eu à cette époque des difficultés graves avec Mussolini ; il n'en reste pas moins que, malgré ces difficultés, j'avais, comme négociateur des Accords de Rome, conservé du crédit en Italie. J'ai reçu à maintes reprises des personnalités italiennes de passage à Paris, et les ambassadeurs d'Italie qui se sont succédé — sauf depuis la déclaration de guerre — n'ont jamais cessé d'entretenir avec moi des rapports de courtoisie. Parmi les personnalités italiennes, il en est deux que je dois citer. M. Puricielli, sénateur, ami du Roi et de Mussolini, est venu me voir plusieurs fois pour regretter les dissentiments nés entre nos deux pays. Il a eu un jour l'occasion de venir à Châteldon, où je l'avais invité, en compagnie de M. Labrousse, sénateur, aujourd'hui membre de l'Assemblée consultative. Il revint, et il me dit être navré de voir son pays allié de l'Allemagne, et il ajouta qu'il fallait à tout prix réconcilier la France avec l'Italie ; il était notamment partisan d'un retour à la politique de 1935 ; il me dit un jour que cela était possible à des conditions très acceptables, et il me demanda expressément de venir à Rome.

ou ailleurs en Italie, pour rencontrer Mussolini. Il dit clairement qu'il avait qualité pour me faire cette communication. Je vis alors l'ambassadeur d'Italie, avec qui j'eus un entretien privé. L'Italie ne formulait aucune de ces revendications territoriales si souvent et si grossièrement affirmées sur la place publique par des orateurs sans mandat. Je n'étais pas au gouvernement et il ne m'appartenait pas de prendre aucune initiative. J'informai immédiatement M. Daladier, alors président du Conseil, au Sénat, et je lui offris, à mes risques et périls, d'accomplir une mission privée, qu'il désavouerait si elle échouait, ou qu'il prendrait à son compte si je lui rapportais les éléments d'un accord. M. Daladier me dit qu'il allait réfléchir et qu'il me répondrait le surlendemain, lundi. Il ne dut pas estimer utile ou opportune cette procédure, et, n'ayant reçu aucune réponse, je ne donnai aucune suite au désir que m'avait exprimé M. Puricielli. En lisant le compte rendu du Sénat, réuni en comité secret en mars ou avril 1940, on doit trouver mention de ce fait important que j'ai rappelé dans mon discours.

Je n'avais donc pas besoin de rechercher des intermédiaires pour avoir des contacts, si je les eusse jugés nécessaires, avec le gouvernement italien.

J'ai également un autre fait à rappeler. Le comte Arduini-Ferretti, que je connaissais beaucoup moins que M. Puricielli, Italien habitant Paris, se disant, et je le crois, très francophile, vint me voir au retour de chacun de ses voyages en Italie, spécialement pendant la guerre, avant la déclaration de guerre de l'Italie à la France. Il s'exprimait comme le sénateur Puricielli et se lamentait sur la position adoptée par l'Italie, alliée de l'Allemagne. Il se présenta le 9 juin 1940 à mon bureau, très ému, me disant qu'il revenait de Rome, que l'Italie était à la veille de déclarer la guerre à la France, que cette déclaration pouvait peut-être être évitée ; que l'Italie, en tout cas, n'attaquerait pas, et il me fit des suggestions pour être transmises au gouvernement français. Je lui demandai si ces renseignements étaient officiels ; alors il me dit me parler de la part du sénateur Aloisi, ancien directeur du cabinet de Mussolini, que j'avais eu comme interlocuteur à Genève, où il était le délégué de l'Italie. Ce sont sans doute les procédés de la diplomatie italienne, mais je compris que la communication pouvait être aussi interprétée comme venant de Mussolini. J'appelai le général Denain, qui avait été ministre de l'Air et qui avait, à ce titre, en 1935, signé des accords militaires avec son collègue italien, et je le priai d'informer M. Albert Lebrun. Celui-ci l'envoya trouver M. Paul Reynaud, qui ne donna aucune suite à cet entretien. Je quittai Paris le jour même, 9 juin 1940. Quant à M. Arduini-Ferretti, il eut l'imprudence de se rendre le lendemain au Quai d'Orsay pour essayer de remplir ce qu'il croyait être sa mission. L'Italie, le jour même, nous déclarait la guerre et M. Arduini-Ferretti fut, comme Italien, aussitôt interné.

Ainsi, en deux circonstances, quand je n'étais pas au pouvoir, j'ai reçu des communications importantes concernant nos rapports avec l'Italie. J'ai agi suivant ma conscience et mon devoir en en faisant part aussitôt au gouvernement français, lui laissant le soin de décider seul, sous sa propre responsabilité, les suites qui devaient être données à ces communications.

Je n'ai rien à cacher de mes actes, ni de mes intentions, mais je ne vois pas quel lien on pourrait établir entre ces faits tels qu'ils existent et le projet, qui m'est prêté dans l'acte d'accusation, d'un changement de régime. A aucun moment, ni de près ni de loin, il ne peut et il ne pouvait être question de mêler une question de régime intérieur français à ce problème éminemment extérieur de

nos rapports avec l'Italie. Il faudrait me supposer bien faible d'esprit pour avoir, dans ce
même moment, émis de telles élucubrations à
M. Loustaunau-Lacau et M. Borra, qui n'ont d'ailleurs jamais connu les faits que je viens d'exposer.

Le sénateur Puricelli est un grand entrepreneur
qui a dû, je crois, construire les plus grands
autostrades italiens ; il devait avoir également
des travaux à l'étranger. Il me souvient de l'avoir
entendu me parler du projet qu'il avait eu de
construire un autosdrade à travers le Corridor
de Dantzig, ce qui eût à ce moment réglé
ou retardé le conflit germano-polonais qui a
entraîné la guerre en Europe. Hitler lui avait
donné son accord ; il avait également obtenu celui
du gouvernement polonais, mais il échoua ensuite
parce qu'il eut le tort de dire aux autorités polonaises qu'Hitler avait promis de payer les cinquante millions que représentait la première dé-
pense. Je cite sans commenter, uniquement pour
présenter la personnalité de M. Puricelli, qui,
par ailleurs, affirmait avec beaucoup de force
ses sentiments d'amitié pour la France. Il avait
conçu l'idée d'un autostrade reliant la France et
l'Italie par un tunnel sous le Mont-Blanc. Par son
caractère et ses goûts, il me disait n'avoir qu'une
admiration modérée pour le régime fasciste ; au
surplus, je ne l'ai jamais questionné à ce sujet.

Quant à M. Arduini-Ferretti, j'ignore s'il avait
des attaches avec le Parti fasciste. Il n'eut pas
à me renseigner à ce sujet et j'eus toujours l'impression que, vivant en France, où il avait, me
disait-il, tous ses intérêts, il avait surtout la préoccupation d'éviter un conflit entre son pays et le
nôtre. Il blâmait la politique militaire de Mussolini, son alliance avec Hitler et, sur ce point,
il partageait la façon de voir de M. Puricelli.

J'ai rappelé mes souvenirs pour les placer en
face de l'acte d'accusation qui précise que, « dès
le début de la guerre, il semble s'être posé en

négociateur de la paix, grâce au crédit qu'il prétendait avoir auprès de Mussolini ».

J'ai dit tout ce que je savais, mais je ne vois pas le lien entre mon action et l'injuste accusation qui m'est faite d'avoir voulu changer le régime.

Cette accusation est développée dans d'autres considérants du réquisitoire et c'est à ceux-là que j'aurai à répondre pour les réfuter ; la recherche de la vérité constituant le principal objet de l'instruction, je n'aurai pas de peine à me justifier parce que la vérité, que fera apparaître une instruction contradictoire, fera en même temps tomber cette accusation dirigée contre moi.

DEPOSITION DE PIERRE LAVAL
AU PROCES PETAIN (Audience du 3 août 1945).

Eh bien, je me disais que des gouvernements qui veulent se soucier des régimes intérieurs des autres pays exposent la paix et je pensais que le Maréchal, qui avait une grande autorité, un grand prestige, pourrait peut-être faire le redressement de notre situation à l'extérieur. Il ne s'agissait pas de rompre avec l'Angleterre, ni avec les Soviets. Il s'agissait au contraire, de renforcer notre position internationale sur tous les plans.

Voilà l'idée maîtresse qui m'a conduit ; c'était mon droit, j'étais parlementaire, j'ai été souvent ministre, souvent chef du gouvernement, j'avais, comme chacun de vous, le souci de tout faire, de tout tenter pour empêcher le pire et je me disais qu'un homme comme le Maréchal pourrait peut-être, par son autorité, remettre de l'ordre dans nos affaires extérieures.

Voilà comment j'en étais arrivé à concevoir l'idée du maréchal Pétain au pouvoir. Je ne m'en suis pas caché à l'époque. Je le disais au Sénat, j'en parlais avec mes collègues ; ce n'était pas un

complot. Mes conversations avec le Maréchal ont
été fort rares et ce qui m'avait intéressé, c'est que
le Maréchal m'avait semblé disposé, si l'occasion
lui en était offerte, à accepter la responsabilité
du pouvoir.

LE PREMIER PRÉSIDENT. — Ma première question
était celle-ci : A quel moment êtes-vous entré en
relations politiques avec le Maréchal ?

PIERRE LAVAL. — La date, je ne peux pas la préciser...

LE PREMIER PRÉSIDENT. — Au moment du cabinet Doumergue ?

PIERRE LAVAL. — Oui, M. Doumergue était vivant à ce moment-là et il ne me venait pas à
l'idée que le Maréchal pouvait lui succéder.

LE PREMIER PRÉSIDENT. — Je voulais savoir à
quelle époque vos relations avec lui ont commencé.

Vos relations se sont nouées à l'occasion du
ministère Doumergue et se sont poursuivies après
le ministère Doumergue ?

PIERRE LAVAL. — Elles se sont interrompues
après le ministère Doumergue et elles ont repris probablement vers 1936, sans que je puisse,
je le répète, préciser la date.

LE PREMIER PRÉSIDENT. — Vos entrevues avec
le Maréchal ont-elles été fréquentes ?

PIERRE LAVAL. — Pas très fréquentes ; j'ai vu
quelquefois le Maréchal.

LE PREMIER PRÉSIDENT. — Vous échangiez des
propos à la fois sur la situation politique intérieure, et sur la politique extérieure ?

PIERRE LAVAL. — Des propos que tous les Français auraient pu entendre.

LE PREMIER PRÉSIDENT. — Alors, au moment de
l'ambassade d'Espagne, est-ce que vous avez continué des relations avec le maréchal Pétain ?

PIERRE LAVAL. — Monsieur le Président, je n'ai
pas vu le Maréchal quand il est parti pour l'Espagne. J'ai appris qu'il avait été nommé ambassa-

deur. Je ne l'ai pas vu avant son départ. Ce simple renseignement que je vous donne doit vous permettre de mesurer l'exagération des propos qui, sans doute, ont été tenus sur mes prétendus rapports avec lui.

Le Premier Président. — Nous avons eu ici deux ou trois personnes, qui ont dit, spécialement M. Lamarle et M. Loustaunau-Lacau, que vous aviez correspondu, non pas directement avec le Maréchal, mais qu'on vous avait touché...

Pierre Laval. — Monsieur le Président, je n'ai jamais écrit au Maréchal. Il ne m'a jamais écrit. Lamarle, je ne le connais pas. Loustaunau-Lacau est venu me voir. Je serais bien incapable de vous dire ce que fut mon entretien avec M. Loustaunau-Lacau. J'ai dû approuver ce qu'il me disait puisqu'il me disait tenir ses propos du Maréchal.

Le Premier Président. — Précisez vos souvenirs. M. Loustaunau-Lacau a dit que, vous ayant rencontré, il avait envisagé avec vous la situation politique intérieure, que vous aviez proposé au Maréchal la constitution d'un Ministère que le Maréchal pourrait présider et dans lequel, selon l'expression de M. Loustaunau-Lacau, vous auriez « débarrassé le Maréchal du tout-venant ».

Pierre Laval. — Je n'en ai aucun souvenir. Si je l'avais tenu, il n'aurait aucun intérêt, si ce n'est pour dire à mon interlocuteur que je ne voulais pas continuer cette discussion avec lui peut-être. J'ai vu M. Loustaunau-Lacau. Il a dit venir me voir de la part du Maréchal. Qu'est-ce qu'il m'a dit ? Je ne m'en souviens plus. Qu'est-ce que je lui ai dit ? Je ne le sais pas davantage. Si j'ai dit à M. Loustaunau-Lacau que je désirais voir le Maréchal chef du gouvernement, je lui ai dit pour moi une vérité évidente. Si j'ai dit à M. Loustaunau-Lacau que telle ou telle personne pouvait être ministre, c'est possible. Si j'ai dit à M. Loustaunau-Lacau que je ferais le gouvernement du Maréchal, c'est inexact.

Chapitre IV

L'ASSEMBLÉE NATIONALE
DU 10 JUILLET 1940

1

Les Faits

Ce fut au cours du Conseil restreint tenu le 2 juillet 1940 dans le cabinet du maréchal Pétain, auquel participaient Pierre Laval, vice-président du Conseil, le général Weygand, ministre de la Défense Nationale, Paul Baudouin, ministre des Affaires étrangères, Yves Bouthillier, ministre des Finances, Adrien Marquet, ministre de l'Intérieur, que fut prise la décision de présenter devant le Parlement un texte de loi proposant une réforme de la Constitution. Le 4 juillet, Pierre Laval lut devant le Conseil des ministres le projet suivant : « Article unique : L'Assemblée Nationale donne tous pouvoirs au gouvernement de la République sous la signature et l'autorité du maréchal Pétain, président du Conseil, à l'effet de promulguer par un ou plusieurs actes la nouvelle constitution de l'Etat français. Cette constitution devra garantir les droits du travail, de la famille et de la Patrie. Elle sera ratifiée par les Assemblées qu'elle aura créées ».

Par décret du 7 juillet 1940, le Sénat et la Chambre des députés furent convoqués en session extraordinaire pour le 9 juillet. Le 8, le Conseil des ministres délibéra sur le projet de loi constitutionnelle qui fut adopté. Les sénateurs an-

ciens combattants avaient rédigé un contre-projet d'après lequel les pleins pouvoirs seraient confiés au maréchal Pétain, mais la Constitution ne serait pas abolie. D'autres motions furent signées dans le même sens.

Le matin du 9 juillet, la Chambre des députés se réunit en session extraordinaire. Par 393 voix contre 3 sur 396 votants, le projet de résolution suivant fut adopté : « Article unique : La Chambre des députés déclare qu'il y a lieu de réviser les lois constitutionnelles. » L'après-midi, devant le Sénat, il recueillit 225 voix contre une sur 226 votants. Le 10 juillet, l'Assemblée nationale, formée de la réunion commune de la Chambre des députés et du Sénat, tint deux séances. L'une privée le matin, au cours de laquelle Pierre Laval, prenant la parole comme mandataire du maréchal Pétain, déclara que le gouvernement acceptait, selon le vœu émis par les sénateurs anciens combattants, que la Constitution nouvelle serait ratifiée par la Nation et non par les Assemblées, comme prévu dans le projet gouvernemental. L'après-midi, se déroula la séance publique. Par 569 voix contre 80 sur 649 votants, le projet de loi constitutionnelle fut adopté par l'Assemblée Nationale.

Mandat donné par le maréchal Pétain à Pierre Laval, vice-président du Conseil, à l'effet de le représenter devant l'Assemblée Nationale : « *Le projet d'ordre constitutionnel, déposé par le gouvernement que je préside, viendra en discussion le mardi 9 et le mercredi 10 juillet devant les Assemblées. Comme il m'est difficile de participer aux séances, je vous demande de m'y représenter. Le vote du projet que le gouvernement soumet à l'Assemblée Nationale me paraît nécessaire pour assurer le salut de notre pays. Veuillez agréer, mon cher Président, l'expression de mes sentiments bien cordiaux.* »

Contre-projet des anciens combattants :

Art. unique. — L'Assemblée Nationale décide : — 1) L'application des lois constitutionnelles des 24-25 février et du 16 juillet 1875 est suspendue jusqu'à la conclusion de la paix. — 2) M. le maréchal Pétain a tous pouvoirs pour prendre par décrets ayant force de loi les mesures nécessaires au maintien de l'ordre, à la vie et au relèvement du pays et à la libération du territoire. — 3) L'Assemblée Nationale confie à M. le maréchal Pétain la mission de préparer en collaboration avec les commissions compétentes les constitutions nouvelles qui seront soumises à l'acceptation de la Nation dès que les circonstances permettront une libre consultation.

La Loi constitutionnelle. (*Journal Officiel du 11 juillet 1940*)

L'Assemblée Nationale adopte,
Le président de la République promulgue la loi constitutionnelle dont la teneur suit :
Article unique : L'Assemblée Nationale donne tous pouvoirs au gouvernement de la République sous l'autorité et la signature du Maréchal Pétain à l'effet de promulguer par un ou plusieurs actes une nouvelle constitution de l'Etat français. Cette constitution devra garantir les droits du travail, de la famille et de la patrie. Elle sera ratifiée par la Nation et appliquée par les Assemblées qu'elle aura créées.
La présente loi constitutionnelle, délibérée et adoptée par l'Assemblée Nationale, sera exécutée comme loi de l'Etat.

Fait à Vichy le 10 juillet 1940.
Par le président de la République : Albert Lebrun.
Le maréchal de France, président du Conseil, Philippe Pétain.

Sénat. — Session extraordinaire de 1940 [1].
Séance du mardi 9 juillet 1940.

— *Le président M. Jeanneney : « J'ai reçu de M. le Ministre de l'Intérieur communication du décret suivant : « Le*

[1]. Journal Officiel du 10 juillet 1940 — Débats parlementaires N° 42.

président de la République Française. Vu l'article 2 de la loi constitutionnelle du 16 juillet 1875 sur les rapports des pouvoirs publics, décrète : 1) Article 1er — Le Sénat et la Chambre des Députés sont convoqués en session extraordinaire pour le mardi 9 juillet 1940. — 2) Article 2e — Le maréchal de France, président du Conseil, et le Ministre de l'Intérieur sont chargés, chacun en ce qui le concerne, de l'exécution du présent décret. Fait à Vichy le 7 juillet 1940. Signé : Albert Lebrun ; le maréchal de France, président du Conseil ; le Ministre de l'Intérieur, A. Marquet. » En conséquence, je déclare ouverte la session extraordinaire du Sénat. »

— Allocution de M. Jeanneney : « ... J'atteste enfin à M. le maréchal Pétain notre vénération et la pleine reconnaissance qui lui est due pour un don nouveau de sa personne. (Vifs applaudissements). Il sait mes sentiments envers lui qui sont de longue date. Nous savons la noblesse de son âme... A la besogne, pour forger à notre pays une âme nouvelle, pour y faire croître force créatrice et foi, la muscler plus fortement aussi, y rétablir enfin, avec l'autorité des valeurs morales, l'autorité tout court ».

— P. Laval : « Messieurs, j'ai l'honneur de déposer sur le bureau du Sénat au nom de M. le maréchal de France, président du Conseil, un projet de résolution tendant à réviser les lois constitutionnelles. »

— L'assentiment fut général pour renvoyer le projet de résolution devant la commission de législation civile et criminelle. L'article 88 du règlement prévoyait un délai minimum d'une heure pour cet examen.

— A la reprise, le président donne la parole à M. Boivin-Champeaux pour le dépôt et la lecture du rapport de la commission.

M. Boivin-Champeaux [2] : « La Chambre, ce matin, a déclaré sur la demande de M. le Président de la République qu'il y avait lieu de réviser les lois constitutionnelles. Vous êtes appelés à vous prononcer à votre tour. La procédure est légale et régulière. Il s'agit de se prononcer sur le principe de la révision et sur ce principe, je crois pouvoir dire

---

2. Rapporteur de la Commission de législation civile et criminelle.

que nous sommes tous d'accord. Après l'effroyable drame où notre pays a été jeté, il faut lui donner une raison de vivre et une espérance... Ce n'est pas sans tristesse que nous disons adieu à la constitution de 1875. »

— Jean Odin : « Le Parlement meurt de ses dessaisissements et de ses carences. »

— M. Boivin-Champeaux : « Messieurs, notre commission de législation vous demande un dernier geste, celui d'adopter le texte proposé. Ce ne sera pas payer trop cher la sauvegarde et le relèvement de la patrie ». (Vifs applaudissements prolongés). Pierre Laval prend alors la parole et propose qu'une réunion ayant un caractère privé ait lieu comme pour la Chambre le jeudi à 9 heures. Puis, il continue : « Nous pourrions ainsi échanger des observations et il me serait possible de faire un exposé, puis de répondre aux questions susceptibles de m'être posées... Sur le texte qui vous est présentement soumis, il vous apparaîtra, après le magnifique rapport que j'ai applaudi avec vous, que toute discussion est inutile puisqu'il s'agit simplement de décider qu'il y a lieu de réviser les lois constitutionnelles. Quant au débat au fond, c'est demain qu'il sera abordé. »

— Alfred Brard intervient pour demander que les discussions et les réponses du gouvernement faites en séance privée figurent dans un procès-verbal scellé et déposé aux Archives Nationales. Pierre Laval n'y voit aucun inconvénient. Le Sénat décide alors de passer sans autre observation à la discussion de l'article unique.

— Le président : « Je donne lecture de l'article unique : « Le Sénat déclare qu'il y a lieu de réviser les lois constitutionnelles. » Avant de mettre aux voix le projet de résolution, je donne la parole à M. Maupoil pour expliquer son vote. »

— Henri Maupoil : « Pour répondre à l'appel de M. le vice-président du Conseil, je renonce à la parole. »

— Le scrutin a alors lieu et le résultat est le suivant :

● Nombre de votants : 226
● Majorité absolue   : 114
● Pour l'adoption   : 225
● Contre   : 1

— *Le président : « Par suite du vote qui a été émis par la Chambre des Députés et par le Sénat, il y a lieu de réunir l'Assemblée Nationale. J'avise le Sénat que cette réunion se tiendra demain mercredi 10 juillet à 14 heures. J'ai informé M. le président de la Chambre des Députés. Personne ne demande la parole ? La séance est levée. »*

Chambre des Députés — Session extraordinaire de 1940 [3]. Séance du mardi 9 juillet 1940.

— *Comme au Sénat, le président Edouard Herriot donne lecture du décret de convocation des Chambres en session extraordinaire. Puis, il déclare : « J'ai reçu de M. le président du Conseil avec demande de discussion immédiate un projet de résolution tendant à réviser les lois constitutionnelles. »*

— *Après une suspension de 9 h 50 à 10 h 50 pour étude de de ce projet par la commission du suffrage universel, le président déclare : « En vertu de l'article 96 du Règlement, le gouvernement demande à la Chambre la discussion immédiate du projet de résolution tendant à réviser les lois constitutionnelles. La parole est à M. Mistler pour déposer et lire le rapport fait au nom de la commission du suffrage universel. »*

— *M. Jean Mistler* [4] : « *Messieurs, dans la stupeur qui a suivi nos désastres, la conscience du pays a senti la nécessité, si nous voulons refaire la France, de réformer profondément les institutions politiques dont la marche déjà difficile en temps de paix s'est révélée tragiquement insuffisante dans l'épreuve... Aujourd'hui, c'est sur le principe même d'une révision des lois constitutionnelles que la Chambre est appelée à statuer à la demande du gouvernement que préside le maréchal Pétain, ce grand soldat qui, dans notre deuil national, porte sur son visage le reflet de nos victoires d'hier, l'espoir de notre renaissance de demain. (Vifs applaudisse-*

3. Journal Officiel du 10 juillet 1940 — Débats parlementaires N° 42.

4. Député radical-socialiste, rapporteur de la commission du Suffrage Universel.

ments unanimes)... En ce moment, la question qui nous est posée est plus simple. Chaque Français estime qu'il faut que bien des choses changent dans notre pays. C'est à nous, parlementaires, de donner forme légale à cet espoir. Aussi, la commission du suffrage universel m'a-t-elle donné à l'unanimité des 23 membres présents mandat de rapporter favorablement l'article unique du projet gouvernemental. »

— Le président : « Il n'y a pas d'opposition à la discussion immédiate ? La discussion immédiate est ordonnée. Dans la discussion générale, la parole est à M. Pierre Laval, vice-président du Conseil. »

— Pierre Laval propose qu'aucun débat au fond n'ait lieu à cette séance, mais le lendemain, dans une réunion générale préliminaire et il précise : « Je répondrai à toutes les questions, à toutes les objections. Ceux d'entre vous qui étaient inscrits ou qui voudraient se faire inscrire pourront demain exprimer librement leur opinion. Je crois que cette procédure est la meilleure. Si vous la rejetiez, vous m'obligeriez à instituer cet après-midi et à recommencer demain le même débat. Il s'agit donc uniquement d'une question de procédure sur laquelle, je pense, aucun désaccord ne s'élèvera entre nous. Je remercie la commission du suffrage universel d'avoir voté à l'unanimité le projet du gouvernement. J'y vois le présage que, sur le fond du projet qui a été déposé et sera soumis demain à l'Assemblée Nationale, la même unanimité se manifestera, ce dans l'intérêt de la France. » (Applaudissements)

— Sur divers bancs : « Aux voix ».

— Le président : « Vous venez d'entendre la proposition de M. le vice-président du Conseil. Dans ces conditions, les orateurs inscrits voudront peut-être renoncer à la parole ? (Assentiment) En conséquence, la discussion générale est close. Je consulte la Chambre sur le passage à la discussion du projet de résolution. » (La Chambre consultée décide de passer à la discussion du projet de résolution.)

— Le président : « Je donne lecture du projet de résolution : « Article unique : La Chambre des députés déclare qu'il y a lieu de réviser les lois constitutionnelles. » Je vais consulter la Chambre. »

— Pierre Laval : « Le gouvernement demande le scrutin. »

— *Le président : « Je mets aux voix par scrutin le projet de résolution. Le scrutin est ouvert. »*

— *Les votes sont recueillis et les secrétaires font le dépouillement.*

— *Le président : « Voici le résultat du dépouillement du scrutin : nombre de votants : 396 — majorité absolue : 199 — pour l'adoption : 393 — contre : 3. La Chambre des députés a adopté. »*

Assemblée Nationale. — Séance du mercredi 10 juillet 1940 [5].
Présidence : Jules Jeanneney.

....

Adoption du Règlement.

— *M. Fernand Bouisson* [6] *: « L'article 50 bis du Règlement de la Chambre dit qu'on doit mettre aux voix sur la demande du gouvernement d'abord les projets du gouvernement. Je demande donc pour éviter un débat très long et inutile, puisque chacun est fixé, de vouloir bien appliquer à l'Assemblée Nationale l'article 50 bis du Règlement de la Chambre indiquant que le projet du gouvernement doit être mis d'abord aux voix. » (Applaudissements sur divers bancs.)*

— *Le président : « Je donne connaissance à l'Assemblée de l'article 50 bis du Règlement de la Chambre des Députés : « Avant l'examen des contre-projets ou de l'article 1ᵉʳ, le gouvernement peut demander la prise en considération en faveur de son texte régulièrement déposé : Il peut, au cours de la discussion, faire la même proposition pour un ou plusieurs articles. Cette demande a la priorité sur les contre-projets ou les amendements. Le débat sur cette demande ne pourra être limité ni pour le nombre des orateurs ni pour la durée du temps de parole, mais la clôture pourra toujours être prononcée. Sur la clôture, la parole ne peut être accordée*

5. Journal Officiel du 11 juillet 1940 — Débats parlementaires nº 43.

6. Député non inscrit, ancien président de la Chambre.

*qu'à un seul orateur qui ne pourra la garder pendant plus de
cinq minutes. » (Très bien, très bien)*

— *Pierre Laval : « Il faut demander l'application à l'Assemblée Nationale du texte réglementaire dont M. le président vient de donner lecture. Il demande, en outre, conformément à ce texte la prise en considération du projet de loi constitutionnelle dont l'Assemblée Nationale est saisie. Cela ne signifie pas que les membres de l'Assemblée qui ont déposé un contre-projet n'auront pas le droit de s'expliquer librement à la tribune. »*

— *Le président : « Le gouvernement donne son adhésion à la proposition de M. F. Bouisson. Il n'y a pas d'opposition ? La proposition est adoptée. Le règlement ainsi modifié est adopté. Je dois aussi rappeler à l'Assemblée les termes de l'article 8 de la loi constitutionnelle du 25 février 1875 : « Les délibérations portant révision des lois constitutionnelles en tout ou en partie devront être prises à la majorité absolue des membres composant l'Assemblée Nationale. Pratiquement, je puis indiquer dès à présent que la Chambre des Députés comportant 618 membres, le Sénat 314, soit au total 932, la majorité constitutionnelle serait de 467. »*

— *Emile Mireaux intervient pour qu'on ne compte pas les membres déchus, empêchés ou absents du sol métropolitain et Pierre Laval appuie cette intervention.*

— *Le président : « M. Mireaux demande la substitution aux mots « la majorité absolue des membres composant l'Assemblée Nationale » de ceux-ci « la majorité absolue des membres actuellement en exercice de l'Assemblée Nationale ». A cet égard, je puis donner une indication à l'Assemblée Nationale : le nombre des députés actuellement en exercice est de 546 et celui des sénateurs de 304, soit au total 850 membres. La majorité constitutionnelle de l'Assemblée Nationale serait donc de 426. »*

— *P. Laval : « Messieurs, il ne faut pas qu'il y ait de malentendu. Or, il semble bien que je me suis mal exprimé ou que j'ai été mal compris. Ce que veut M. Mireaux, ce que demande le gouvernement, c'est que l'Assemblée Nationale soit considérée comme se composant des membres présents (Applaudissements)... et que la majorité soit calculée d'après le nombre des membres présents. C'est sur ce point que je demande à l'Assemblée de se prononcer. » (Nouveaux applaudissements).*

— *M. Mireaux : « Il y a eu un malentendu. Je m'en excuse. La faute est non pas à M. le président, mais à moi-même. Je me rallie à la proposition de M. le président Laval. »*

— *Boivin-Champeaux : « Dans une question aussi importante, il ne faut pas qu'il existe de confusion. Or, on paraît confondre deux questions absolument différentes. » L'orateur explique que, si on adoptait la majorité absolue des membres présents, il faudrait un pointage. Il propose de tenir compte de la majorité absolue des suffrages exprimés. « Je me permets donc, dit-il, de demander à l'Assemblée Nationale de bien vouloir interpréter l'article 8 en ce sens : l'Assemblée Nationale décide que la présente délibération sera prise à la majorité absolue des voix. » (Applaudissements).*

— *P. Laval : « Nous sommes d'accord ».*

— *Le président : « Le gouvernement donne, eu égard aux circonstances, son adhésion à cette formule simple d'interprétation de la loi constitutionnelle. Personne ne demande la parole ? Je consulte donc l'Assemblée Nationale sur la proposition de M. Boivin-Champeaux acceptée par M. Mireaux et le gouvernement, tendant à ramener la majorité constitutionnelle à la majorité absolue des suffrages exprimés. »*

— *Cette proposition fut adoptée.*

Dépôt du projet de loi constitutionnelle.

— *Le président : « La parole est à M. Pierre Laval, vice-président du Conseil, pour le dépôt du projet de loi constitutionnelle. »*

— *Pierre Laval : « J'ai l'honneur de déposer sur le bureau de l'Assemblée Nationale le projet de loi constitutionnelle suivant : « L'Assemblée Nationale donne tous pouvoirs au gouvernement de la République sous l'autorité et la signature du Maréchal Pétain à l'effet de promulguer par un ou plusieurs actes une nouvelle constitution de l'Etat français. Cette constitution devra garantir les droits du travail, de la famille et de la patrie. Elle sera ratifiée par les Assemblées qu'elle aura créées ». Je fais remarquer à l'Assemblée que le texte que je viens de lui lire est différent du texte imprimé qui lui a été distribué. Cette modification est le résultat d'une demande qui a été formulée au gouvernement et qui a fait l'objet du débat de notre réunion de ce jour. » (Voix nombreuses : « Aux voix ».)*

— *Le président :* « *Je dois d'abord consulter l'Assemblée sur l'urgence. Il n'y a pas d'opposition ? L'urgence est déclarée. Aux termes du Règlement, le projet de loi devrait être renvoyé aux bureaux.* »

— *M. de Courtois :* « *Je demande la parole. Messieurs, ainsi qu'il résulte d'un précédent de l'Assemblée Nationale de 1926, et dans le but de gagner du temps et de simplifier, il conviendrait, je pense, de désigner pour examiner le projet de loi constitutionnelle qui vient d'être déposé une commission spéciale composée de 30 membres.* » (*Mouvements divers. Sur de nombreux bancs :* « *Aux voix* ».)

— *M. Piétri :* « *Ne vous semble-t-il pas, Messieurs, que nous perdrions un temps précieux à nommer une commission spéciale de 30 membres et qu'il serait infiniment plus expédient de renvoyer le projet de loi devant la commission de législation civile du Sénat et la commission du suffrage universel de la Chambre des Députés réunies ?* » (*Très bien, très bien*).

— *M. de Courtois :* « *Mon cher collègue, vous êtes allé au devant de ma pensée* ».

— *M. Antoine Cayrel :* « *Messieurs, je crois que, dans les circonstances que nous vivons, notre Assemblée ne doit pas s'embarrasser d'un formalisme périmé. (Applaudissements). Et, autant, après consultation avec M. le président de la commission de législation civile du Sénat, avant notre réunion, j'étais prêt au nom de la commission du suffrage universel à accepter la proposition qu'il me faisait, autant je pense qu'il est utile que notre Assemblée délibère rapidement et je suis certain que j'interprète la pensée de mes collègues membres de la commission que je préside en vous demandant de renoncer à ces prérogatives inutiles et puériles (Applaudissements) et en priant l'Assemblée Na-*

*tionale de se prononcer immédiatement (Nouveaux applau-
dissements).* »

— *P. Laval :* « *Je remercie mon ami M. Cayrel de son
intention, mais je pense que nous pourrions purement et
simplement adopter la proposition qui a été faite par
M. Piétri (Très bien, très bien) et soutenue par notre ami
M. de Courtois et décider sans plus attendre que la commission spéciale chargée d'examiner et de rapporter le projet comprendra les membres de la commission de législation civile du Sénat et ceux de la commission du suffrage
universel de la Chambre. Pourquoi ? Parce que l'une et
l'autre de vos commissions, l'une et l'autre assemblée, ont
déjà examiné notre projet et qu'il leur suffira de désigner
d'un commun accord un rapporteur unique. Je demande à
l'Assemblée d'adopter cette procédure qui permettra de gagner du temps.* » *(Applaudissements).*

— *Le président :* « *Je mets aux voix cette proposition.* »
Elle est adoptée.

— *Jean Taurines :* « *Messieurs, ce matin, vous avez eu
connaissance du contre-projet présenté par les sénateurs
anciens combattants. Dans le but d'obtenir certaines précisions, et indépendamment de la concession qui nous a été
accordée par le gouvernement, nous demandons que la
commission de législation civile du Sénat et celle du suffrage universel de la Chambre veuillent bien entendre nos
délégués qui s'efforceront d'obtenir que figurent dans le
rapport certaines précisions qui vous feront un devoir de
soutenir le gouvernement* ». *(Applaudissements).*

— *P. Laval :* « *J'appuie la proposition de M. Taurines qui
demande, afin de simplifier le débat, que les auteurs du
contre-projet puissent être entendus par la commission dans
l'espoir, d'ailleurs exprimé par M. Taurines, que nous n'aurons pas ensuite à le discuter en séance publique.* »

— *Le président :* « *J'invite donc les membres des deux
commissions à vouloir bien se réunir pour l'examen du projet de loi constitutionnelle. La séance est suspendue.* »

La suspension dure de 14 heures 50 à 17 heures 15.

— *M. Boivin-Champeaux :* « *J'ai l'honneur de déposer sur
le bureau de l'Assemblée Nationale le rapport fait au nom
de la commission spéciale sur le projet de loi constitution-*

nelle. *Messieurs, le texte soumis à vos délibérations tend dans sa brièveté à régler à la fois le présent et l'avenir de la France. Il donne au gouvernement du maréchal Pétain les pleins pouvoirs exécutifs et législatifs. Il les lui donne sans restriction, de la façon la plus étendue. La tâche à accomplir est immense. Nous sommes assurés qu'avec le grand soldat qui préside aux destinées du pays, elle sera menée à bien. Le texte donne, en second lieu, au gouvernement les pouvoirs constituants. Je crois devoir faire ici au nom de mes collègues une déclaration solennelle. L'acte que nous accomplissons aujourd'hui, nous l'accomplissons librement. Si nous vous demandons une réforme, c'est qu'ainsi que les Chambres l'ont manifesté à une immense majorité, nous avons la conviction profonde qu'elle est indispensable aux intérêts de la patrie. Il n'y a rien à ajouter à ce que nous avons dit hier, les uns et les autres, sur cette nécessité absolue. En ce qui concerne les modalités, nous avons deux observations à formuler. Il faut aboutir rapidement. Nous admettons que la constitution soit étudiée et promulguée sous l'égide et l'autorité de M. le maréchal Pétain. Le seul problème est celui de la ratification des institutions nouvelles... La ratification des institutions par ceux-là même qui devaient en être les bénéficiaires était manifestement insuffisante. Nous savons gré au gouvernement, se ralliant à la thèse soutenue par les anciens combattants, d'avoir modifié son texte et décidé que la constitution serait ratifiée par la Nation... Que sera cette nouvelle constitution? Nous ne savons que ce qui nous a été dit par un exposé des motifs dont nous ne pouvons par ailleurs qu'approuver les termes : patrie, travail, famille. L'image de la France ne serait pas complète s'il n'y figurait pas certaines libertés pour lesquelles tant de générations ont combattu (Applaudissements).*

...C'est une France libre, M. le Maréchal, que, il y a vingt ans, vous avez conduite à la victoire. Vous nous demandez un acte sans précédent dans notre histoire. Nous l'accomplissons comme un acte de foi dans les destinées de la patrie, persuadés que c'est une France forte qui sortira de vos mains. (Applaudissements). Enfin, Messieurs, il va falloir régler la période intermédiaire, celle qui va s'étendre jusqu'aux jours où fonctionneront les institutions nouvelles.

M. Pierre Laval a fait à la commission la promesse que, dès cette semaine, serait promulgué un acte laissant subsister les deux Chambres jusqu'au fonctionnement des institutions nouvelles. Etant donné la délégation de pouvoirs, leur activité sera nécessairement réduite. Je suis persuadé, néanmoins, que, dans les circonstances tragiques que nous traversons, leur existence sera pour le gouvernement à la fois une force et un soutien. C'est dans ces conditions que nous vous demandons d'adopter le texte qui a été approuvé par notre commission spéciale... Le parlementarisme tel que nous l'avons connu va peut-être mourir ; les parlementaires demeurent au service de la Nation. » (Vifs applaudissements prolongés).

— *Le président : « Dans la discussion générale, la parole est à M. Margaine. (Voix nombreuses : « La clôture ! Aux voix ! »)*

— *Le président : « J'entends demander la clôture, ce qui signifie la suppression de la discussion générale. » (Voix nombreuses : « Oui ! Oui ! »)*

— *Le président : « Je mets aux voix la suppression de la discussion générale. »*

— *L'Assemblée décide que la discussion générale est supprimée.*

— *Le président : « La discussion générale est supprimée. Je consulte le Sénat sur l'article unique. Auparavant, j'en rappelle les termes... Avant de mettre aux voix l'article unique par scrutin public, je dois donner la parole aux membres de l'Assemblée qui l'ont demandée pour expliquer leur vote. » (Voix nombreuses : « La clôture ! Aux voix ! »)*

— *M. Fernand Bouisson : « Je demande qu'on publie au Journal Officiel les noms des abstentionnistes. »*

— *Le président : « Ceci est une autre question. On a demandé la suppression des explications de vote. Je consulte l'Assemblée ».*

— *L'Assemblée décide la suppression des explications de vote.*

— *Le président : « Nous allons procéder au scrutin dans les conditions réglementaires. »*

— *M. Bouisson demande que les noms des abstentionnistes*

*soient publiés au Journal Officiel. (Sur de nombreux bancs :
« Aux voix ! »)*

— *Le président : « L'Assemblée désire-t-elle discuter la proposition de M. Fernand Bouisson ou passer au vote ? » (Voix
nombreuses : « Aux voix ! »)*

— *Le président : « L'on paraît désirer que les abstentionnistes volontaires fassent au bureau une déclaration qui serait
mentionnée au Journal Officiel (Assentiment). Il en est
ainsi décidé. Je vais mettre aux voix l'article unique du projet
de loi constitutionnelle. »*

— *M. Jacques Masteau : « Je demande la parole pour expliquer mon vote ».*

— *Le président : « L'assemblée a décidé qu'il n'y aurait pas
d'explication de vote. Je mets aux voix l'article unique du
projet de loi constitutionnelle. Le scrutin est ouvert. »*

*La séance est suspendue de 17 heures 45 à 18 heures 55
pour le pointage.*

— *Le président : « La séance est reprise. Voici, Messieurs,
le résultat du dépouillement du scrutin sur l'article unique
du projet de loi constitutionnelle : nombre de votants : 649
— majorité absolue : 325 — Pour l'adoption : 569 — Contre :
80. L'Assemblée Nationale a adopté. » (Applaudissements)*

— *Pierre Laval : « Je voudrais dire un simple mot, M. le
président. »*

— *Le président : « La parole est à M. le vice-président du
Conseil. »*

— *M. P. Laval : « Messieurs, au nom du maréchal Pétain,
je vous remercie pour la France. » (Vifs applaudissements)*

— *M. Marcel Astier : « Vive la République quand même ! »
(Voix nombreuses : « Vive la France. »)*

— *Le président : « L'Assemblée Nationale a épuisé son
ordre du jour. Je déclare la session close. La parole est à
M. Bertrand Carrère, l'un des secrétaires, pour la lecture
du procès-verbal ». Après la lecture : « Il n'y a pas d'observation ? Le procès-verbal est adopté. La séance est levée. »*

2

Le Dossier de l'Accusation

L'ACTE D'ACCUSATION.

C'est Laval qui, à force d'intrigues, de marchandages, de promesses et de menaces, amena le Parlement à remettre au Maréchal le gouvernement de la République. L'inculpation dont Laval est l'objet du chef d'attentat contre la sûreté intérieure de l'Etat se trouve singulièrement renforcée par la déposition de M. de Lapommeraye, secrétaire général du Sénat, relatant la phrase échappée à Laval après le vote du 10 juillet 1940 et la signature des actes constitutionnels promulgués le lendemain : « Voilà comment on renverse la République. » Après cela, que valent ses arguties consistant à dire qu'on ne saurait de ce chef retenir contre lui aucun grief et attendu que les actes en question étaient nuls, faute d'avoir été pris en Conseil des ministres et qu'il le savait bien ?

LE REQUISITOIRE.

Qu'il soit parlementaire ou qu'il soit ministre, nous voyons Pierre Laval, dans cette période troublée qui va du 16 juin 1940 au 10 juillet suivant, jouer un rôle de premier plan. Sûr désormais de la réussite de ses projets, Laval va employer toute son astuce, tout son talent d'intrigue à amener, il faut bien le dire, le Parlement à se passer le lacet dans la journée du 10 juillet 1940.

LES TEMOINS de L'ACCUSATION.

A) AU PROCÈS LAVAL :

— *M. Albert Lebrun,* ancien président de la République. (Audience du 6 octobre 1945)

« On savait, en effet, par les réunions des parlementaires qui se tenaient de jour et de nuit pour préparer l'Assemblée Nationale et par les conversations de couloir, que les jeux étaient faits. Donc, la discussion fut courte. »

— *M. de Lapommeraye,* secrétaire général du Sénat. (Audience du 8 octobre 1945)

« Cinq à six semaines après (le 11 juillet 1940), M. Laval est venu, toujours dans le hall de l'Hôtel du Parc où se trouvait le Maréchal, lui a donné trois ou quatre pièces à signer et en sortant, il me dit le propos que j'ai déjà rapporté au procès du Maréchal : « Et voilà comment on renverse la République. » Je dois dire que j'en ai été un peu étonné. M. Laval a dit depuis que c'était une plaisanterie de mauvais goût ; je lui laisse le soin d'apprécier sa plaisanterie, mais quant à moi, je n'ai pas trouvé que ce fût une plaisanterie. En effet, cela était tout à fait dans la ligne d'une conversation que j'avais eue avec M. Laval, le mardi 3 juillet, je crois. A ce moment-là, M. Laval voulait se renseigner au point de vue constitutionnel sur les possibilités d'une révision de la Constitution. Il me demanda : « Est-ce qu'on peut faire une révision générale ? »

B) AU PROCÈS PÉTAIN :

— *M. Albert Lebrun* (audience du 25 juillet 1945).

Nous voilà donc à Vichy. C'est là que commence le travail de M. Laval... Il sait prendre les gens ! On fait des réunions. Ici, cent députés et cinquante sénateurs ; le lendemain, on se retrouve ailleurs, etc., tout cela pour malaxer la matière et pour préparer l'assemblée finale... Le 10 juillet, réunion de l'Assemblée Nationale... Et là, voilà ce qui se passe : un exposé des motifs très court qui ne dit rien, un long discours de M. Laval qui n'apprend rien non plus. C'est la confirmation de tout ce qu'il dit depuis quelque temps : la France est perdue, cette affaire est tranchée... Par conséquent, il faut payer... Là-dessus, on a voté... Une discussion à peu près nulle puisqu'un ou deux orateurs qui avaient essayé de monter à la tribune ont eu leur voix couverte par les voix diverses. Bref, il était très difficile de savoir — et je crois que l'Assemblée elle-même eût été en peine de le dire — exactement ce qui se passait.

— *M. Jeanneney*, président du Sénat (Audience du 26 juillet 1945).

J'avais à pourvoir à la tenue de l'Assemblée Nationale. J'avais, je dois le dire, de très grandes inquiétudes à ce sujet. Je savais l'atmosphère d'abattement, de prostration que l'on avait créée à Vichy où Laval multipliait ses efforts, remplissant les réunions de son apologie personnelle et aussi de quelques promesses. Il était manifeste que son dessein était d'obtenir de l'Assemblée Nationale un vote ultra-rapide et sans discussion... D'une façon que je considère comme très fâcheuse, la Chambre d'abord, puis le Sénat, admirent la suggestion de Pierre Laval, de renoncer à toutes les conditions, toutes les garanties que donne une discussion parlementaire normale sous la protection d'un règlement et de la publicité des séances... Voilà comment, entre 17 heures 15 et 19 heures, les pleins pouvoirs ont été donnés pour que la France reçoive une constitution nouvelle. Il n'y a aucun doute pour personne qu'un pareil vote a été véritablement extorqué. Je me suis, le soir même, permis une expression que je me permets de réitérer : ce fut un « entôlage ». Je crois que le mot n'a pas cessé d'être véridique... Ce qui est arrivé était fatal et a suivi très vite, les termes très adroitement calculés de la loi constitutionnelle permettaient tout... Les actes constitutionnels furent en vingt-quatre heures d'intervalle en contradiction formelle avec les promesses qui avaient été faites devant la commission.

— *M. Léon Blum* (Audience du 27 juillet 1945).

J'ai dit que le vote du 10 juillet avait été un vote obtenu sous la triple pression des bandes de Doriot dans les rues de Vichy où elles étaient maîtresses, de Weygand à Clermont-Ferrand et, je le répète, des Allemands à Moulins, à 50 kilomètres de Vichy... J'ai toujours dit et répété que l'Assemblée de Vichy n'avait pas été libre... Il est certain que dans l'opération de Vichy, nous n'avons eu en face de nous que Pierre Laval. C'est lui qui avait organisé l'opération et c'est lui qui a mené tout le jeu.

C) DEVANT LA COMMISSION D'ENQUÊTE PARLEMENTAIRE :

— *M. Albert Lebrun.* (Séance du 1ᵉʳ juin 1948)

● Nous voici arrivés aux tristes jours de Vichy où Laval, avec une habileté diabolique, prenait les députés et les sénateurs à part et les préparait à adhérer aux propositions qu'il allait présenter à l'Assemblée Nationale.

● (Au sujet du ministère proposé par le maréchal Pétain). « C'est évidemment lui (Laval) ou quelqu'un de son entourage qui a préparé la liste. »

● Par ailleurs, Laval promettait fermement dans son discours du 10 juillet que la préparation de la constitution se ferait en collaboration avec les commissions compétentes des deux chambres. Cela aussi était fort important.

— *B. Boivin-Champeaux*, sénateur, (séance du 21 février 1950).

J'avoue que, notamment au Sénat, nous avions été épouvantés de l'attitude de M. Pierre Laval et des déclarations qu'il était venu faire devant nous. Il faut dire que les événements lui rendaient son attitude facile... On nous fit ensuite la promesse formelle — et M. Pierre Laval l'a répétée à plusieurs reprises dans ses interventions qui ont précédé le vote du 10 juillet — que les Chambres seraient maintenues.

— *M. Paul Boulet*, député. (Séance du 28 février 1950)

● Il y avait alors, non seulement dans l'Assemblée même, mais également dans les couloirs, une atmosphère qui était ce que j'appelle une « atmosphère de coup d'Etat »... Il y avait des bruits qui couraient, non pas d'une façon précise, officielle, mais on nous disait : « Si vous ne votez pas cela ce soir, le général Weygand va être ici et vous allez être dispersés par la force ». Voilà les bruits qui couraient dans les couloirs.

● A Vichy, nous a été présentée par Laval la nécessité pour la France d'aligner sa Constitution sur celle des vainqueurs. C'était là sa grande idée et il suffit de revoir les textes pour s'en rendre compte.

● Toutes les fois que quelqu'un a voulu prendre la parole, sa voix a été couverte dans la proportion de 400 voix contre 20 ou 30 !... On ne peut pas employer le mot « violence brutale », mais il est certain que nous avions l'impression d'être en présence de « manœuvres » destinées à empêcher l'opposition de parler.

— *M. Vincent Badie*, député. (Séance du 30 mars 1950)

Mes collègues qui pour la plupart venaient de Bordeaux me firent part de leurs inquiétudes. On sentait que l'on avait créé à Vichy, non pas peut-être une atmosphère de terreur, mais une atmosphère propre à impressionner ceux qui allaient être appelés à prendre des responsabilités graves. C'est ainsi que plusieurs de mes collègues me laissaient entendre que le général Weygand préparait un coup d'Etat, que Laval lui-même, de son côté, était décidé à réagir brutalement contre ceux qui essayeraient de se dresser contre ses propres volontés... Moustier avait été lui aussi l'objet des pressions les plus déplacées. Il avait d'abord vu Laval qui lui avait rappelé qu'il appartenait au conseil d'administration des Charbonnages du Nord. Laval lui a dit : « Faites attention ! Si vous ne voulez pas accorder les pleins pouvoirs à Pétain, si vous persistez dans votre attitude, tous ces avantages vous seront enlevés et vous feront regretter votre attitude. »

3

Le Dossier de la Défense

Il devra comporter les éléments de nature à répondre à cette question : les membres de l'Assemblée Nationale ont-ils abdiqué volontairement et en toute connaissance de cause leurs pouvoirs entre les mains du maréchal Pétain ou Pierre Laval a-t-il forcé leur vote « à force d'intrigues, de marchandages, de promesses et de menaces ? »

1. — L'Assemblée Nationale a-t-elle été convoquée régulièrement ?

a) — Déclaration de M. Boivin-Champeaux devant le Sénat le 9 juillet 1940 : « La procédure est légale et régulière. »

b) — Déclaration du président Jeanneney au procès Pétain (Audience du 26 juillet 1945) : « L'Assemblée Nationale a été convoquée régulièrement par un décret, par le pouvoir qui en avait le droit... Les deux Assemblées convoquées séparément ont délibéré... Jusque-là, rien que d'irréprochable... Du point de vue de la forme, les conditions dans lesquelles l'Assemblée Nationale a siégé ont été régulières. »

c) — Témoignage de M. Lebrun [7] : « Il est bien vrai que, dans le déroulement des événements de Vichy, les formes ont été observées... En laissant de côté le point de droit controversé de savoir si l'Assemblée Constituante peut déléguer son pouvoir et si elle ne doit pas l'exercer elle-même, il semble bien que toute cette procédure ait été régulière. »

7. Ouvrage cité.

2. — Le vote des parlementaires fut-il libre ou obtenu par des manœuvres de Laval ?

a) — M. Boivin-Champeaux, qui soutint en 1950, devant la Commission d'enquête parlementaire, que lui et ses collègues avaient été « épouvantés de l'attitude » de Laval, déclara le 10 juillet 1940 : « L'acte que nous accomplissons aujourd'hui, nous l'accomplissons librement. Si nous vous demandons une réforme, c'est qu'ainsi que les Chambres l'ont manifesté à une immense majorité, nous avons la conviction profonde qu'elle est indispensable aux intérêts de la patrie. Il n'y a rien à ajouter à ce que nous avons dit hier, les uns et les autres, sur cette nécessité absolue. »

b) — M. Paul Boulet, député, interrogé par la Commission d'enquête parlementaire dans sa séance du 28 février 1950 [8] sur le point de savoir s'il avait entendu parler de « manœuvres ou de promesses pour lesquelles se seraient largement dépensés soit M. Pierre Laval soit des personnes de son entourage tendant à gagner des voix par des moyens divers dont quelques-uns auraient comporté même certaines assurances personnelles », rapporta une démarche de M. Marquet, ami de Laval, auprès de M. Badie, mais ne fit pas allusion à Laval.

c) — *Témoignage de M. Noël Pinelli* [9] *au procès Pétain (audience du 6 août 1945).*

— Me Isorni [10] : « Avez-vous eu l'impression que l'Assemblée délibérait sous la crainte des baïonnettes ? »

— M. Pinelli : « Je crois avoir une vision assez directe de l'Assemblée du 10 juillet 1940, car je suis arrivé à Vichy la veille au soir... J'y ai vu des quantités de collègues et pas une seconde, je n'ai eu l'impression qu'une menace quelconque pesât sur le Parlement ni ce jour ni le lendemain... Pas une seconde non plus, je n'ai eu le sentiment qu'on voulait faire un coup d'Etat contre la République... J'ai trouvé une

---

8. C.E.P. — Tome VII.

9. M. Pinelli, député, était sous-secrétaire d'Etat à la Marine Marchande dans le Cabinet Reynaud.

10. Avocat du maréchal Pétain.

atmosphère de bonne volonté générale, bonne volonté patriotique de redresser le pays... Pas un instant, je n'ai eu ce jour-là ni les suivants l'idée, une minute, que l'on fût sous la pression d'une force et d'une violence quelconque...

— M. Joseph Roux [11] : « Le témoin n'a-t-il pas entendu dire que, dans une assemblée privée au Petit Casino, Laval avait déclaré : « Ceux qui ne me feront pas confiance auront à faire à Hitler et à Mussolini ? »

— M. Pinelli : « C'est la première fois que je l'entends dire ».

— M. Roux : « Est-ce que vous n'avez pas entendu dire, le jour de l'Assemblée, que le principal argument de Laval pour faire voter les parlementaires était le suivant : « Il faut sauver le pouvoir civil contre la dictature militaire » désignant nommément le général Weygand. N'y a-t-il pas eu, à ce sujet, une propagande dans les couloirs du Casino ? »

— M. Pinelli : « M. le président, cette propagande ne m'a pas touché... Pour donner un exemple de ce qu'il n'y avait pas ce jour-là une menace, j'ai dit à l'instruction que je me suis trouvé à la séance préparatoire du matin, assis immédiatement derrière M. le président Edouard Herriot... Je suis persuadé que, si le républicain, qu'était le président Herriot, avait eu à ce moment-là le sentiment que nous délibérions sous une menace ou que nous faisions un mauvais coup contre la République, certainement il aurait fait autre chose, en me parlant, que de me communiquer ces papiers (le désignant comme otage des Allemands), pour émouvants que ces papiers aient été... Jamais je n'ai eu la sensation de représenter autant l'opinion de mes électeurs, l'opinion de mes mandants, que je l'ai eue à Vichy lorsque j'ai voté ».

d) — *Témoignage du général Weygand au procès Pétain (Audience du 31 juillet 1945).*

Lorsqu'un juré lui demanda : « Le témoin sait-il qu'à Vichy, au moment de la réunion de l'Assemblée Nationale, Laval faisait mener dans les couloirs par ses agents une campagne tendant à faire passer le général Weygand pour un homme dangereux afin de ramener les voix sur sa personne », le géné-

---

11. M. Roux était l'un des jurés parlementaires suppléants

ral répondit : « Si ces paroles ont été prononcées, elles ne sont venues à mes oreilles qu'à l'occasion d'un démenti que leur a donné, dans un journal du Midi, un parlementaire très connu, M. Barthe ».

e) — Déclaration du Président Lebrun devant la Commission d'Enquête Parlementaire (séance du 17 juin 1948) [12].

« On se demande parfois dans quelle atmosphère s'est tenue cette réunion du 10 juillet 1940. Les uns font valoir qu'il y avait des troupes de police formidables dans Vichy et que l'opinion même n'était pas libre ; d'autres évoquent les baïonnettes allemandes qui n'étaient pas loin, c'est entendu. Mais dans cette séance privée, il était bien naturel qu'on évoquât l'armistice. Or, on ne prononce même pas le mot. On a devant soi le gouvernement qui l'a conclu. On n'interroge pas. Qui plus est, on prononce en faveur de l'homme principal responsable dudit armistice des paroles que je ne veux pas rappeler, que tout le monde connaît ».

f) — Déclaration de M. Léon Blum au procès Pétain. (Audience du 27 juillet 1945) : « J'ai vu là pendant deux jours des hommes s'altérer, se corrompre comme à vue d'œil, comme si on les avait plongés dans un bain toxique. Ce qui agissait, c'était la peur, la peur des bandes de Doriot dans la rue, la peur des soldats de Weygand à Clermont-Ferrand, la peur des Allemands qui étaient à Moulins. »

3. — Le vote du 10 juillet 1940 fut-il le résultat d'un complot monté par Laval pour amener le maréchal Pétain au pouvoir ?

a) — Rappelons pour mémoire que Laval n'occupait aucune fonction publique lorsque le président de la République demanda au maréchal Pétain de remplacer Paul Reynaud à la tête du gouvernement.

b) — Au procès Pétain, le procureur général n'a pas requis du chef d'un complot pour porter au pouvoir le maréchal Pétain. Il a déclaré à l'audience du 1er août 1945 : « Ce que je n'abandonne pas, c'est l'attentat contre la Répu-

12. C.E.P. — Tome IV.

blique qui a été commis le 11 juillet 1940 [13] et peu importe qu'il ait été précédé d'un complot pour lequel je reconnais que je n'ai pas des éléments de nature à préciser le rôle des personnages qui y ont pris part. »

c) — Devant la Commission d'enquête parlementaire, M. Lebrun a expliqué comment son choix s'était porté sur le maréchal Pétain [14] : « Reynaud m'a dit : Appelez Pétain, il a en poche son cabinet, d'après ce que l'on dit,... C'est comme cela que mon esprit s'est orienté dans cette direction. »

d) — Quand la Commission [15] demanda à M. Reynaud si quelqu'un lui avait conseillé de faire appel au maréchal Pétain, il s'écria : « Personne, personne ne me l'a conseillé. C'était dans l'air et c'était tellement dans l'air que ceux d'entre vous qui voudront prendre la peine de se reporter à mon livre trouveront des extraits de toute la presse, sauf la presse communiste, exaltant le choix du maréchal Pétain. »

e) — Les déclarations faites par les parlementaires les 9 et 10 juillet 1940 démontrent que ce choix répondait à leur sentiment et qu'un complot n'était pas nécessaire pour emporter leurs suffrages en faveur du maréchal Pétain :

● M. Jeanneney au Sénat le 9 juillet : « J'atteste enfin à M. le maréchal Pétain notre vénération et la pleine reconnaissance qui lui est due pour un don nouveau de sa personne. »

● M. Herriot à la Chambre le 9 juillet : « Autour de M. le maréchal Pétain, dans la vénération que son nom inspire à tous, notre nation s'est groupée en sa détresse. » Au procès Pétain (Audience du 30 juillet 1945), il ne renia pas ces paroles.

● M. Boivin-Champeaux traduisit par ces mots le sentiment de ses collègues devant l'Assemblée Nationale : « Vous nous demandez, M. le Maréchal, un acte sans précédent dans notre Histoire. Nous l'accomplissons comme un acte de foi

13. Date des Actes Constitutionnels signés par le maréchal Pétain. (Se reporter au chapitre suivant).

14. C.E.P. — Tome IV — Séance du 10 juin 1948.

15. C.E.P. — Tome IX — Séance du 26 avril 1951.

dans les destinées de la patrie, persuadés que c'est une France forte qui sortira de vos mains. »

f) — Après que la roue ait tourné, ces mêmes hommes politiques ont confirmé que leur vote ne leur avait pas été extorqué par des manœuvres ou un complot :

● Témoignage de M. Jeanneney au procès Pétain (Audience du 26 juillet 1945) : « Nous étions à un moment de désarroi complet où chacun cherchait un guide et où tout le monde se montrait heureux d'en avoir découvert un, qui fût mauvais, mais qui était le seul qui existât à ce moment-là... Et puis, avait-on le choix ? Il est incontestable qu'à ce moment, tous les yeux étaient tournés vers le maréchal Pétain. Il était une sorte de bouée de sauvetage vers laquelle toutes les mains se tendaient. Il était certainement le seul nom autour duquel on pouvait faire l'union et la concorde dans notre pays. » A la question de Mᵉ Lemaire[16] : « Est-ce que, lorsque le président Lebrun a confié le gouvernement au Maréchal Pétain, vous avez eu le sentiment que c'était le résultat d'un complot ? », il répondit : « Je n'ai pas entendu parler de complot, je n'en ai eu aucun sentiment à ce moment. » Il déclara aussi, Mᵉ Isorni lui demandant si certains des quatre-vingts parlementaires hostiles au maréchal Pétain ne lui avaient pas adressé une motion de confiance : « J'ai eu, en effet, connaissance d'un projet de motion destiné à l'Assemblée Nationale où l'on s'exprimait en termes très largement confiants envers le Maréchal. »

● Déclaration de M. Boivin-Champeaux devant la Commission d'enquête parlementaire[17] : « Quand je suis arrivé à Vichy, que s'y passait-il ? Il y avait un texte gouvernemental qui circulait, dont on nous avait donné officieusement connaissance. D'autres motions circulaient également... Ce qui est frappant dans ces différentes motions, quels qu'en fussent les signataires, c'est que toutes étaient d'accord sur un point, à savoir qu'il fallait donner les pleins pouvoirs au maréchal Pétain... Quant aux pleins pouvoirs, nous les donnions volontiers au maréchal Pétain... Vous parlez d'une

---

16. Avocat du maréchal Pétain.

17. C.E.P. — Tome VII, page 2 198 — Séance du 21 février 1950.

« indignation » ! S'il y a eu « indignation », permettez-moi de vous dire qu'elle était singulièrement muette. »

● Déclaration de M. Vincent Badie, député, devant cette Commission [18] : « On a paru nous reprocher par la suite d'avoir donné un coup de chapeau au maréchal Pétain. Mais il nous semblait que Pétain, avec son glorieux passé, méritait encore l'estime du pays. Le témoignage de gratitude que nous lui apportions nous paraissait conforme à la vérité historique et je ne renie rien de ce que j'ai pensé et écrit. »

4. — Les parlementaires qui votèrent le 9 juillet 1940 au Sénat et à la Chambre et le 10 juillet à l'Assemblée Nationale connaissaient-ils le sens du vote qui leur était demandé ou ont-ils été abusés par les déclarations de Laval ?

a) La nécessité d'une révision de la constitution de 1875 trouvait au sein du gouvernement un accord quasiment total. Nous citerons en exemple ce témoignage de Paul Baudouin, ministre des Affaires étrangères [19] : « On ne peut gouverner que par décrets-lois pendant une mise en congé prolongée du Parlement. Les circonstances commandent des pouvoirs exceptionnels. » Le 8 juillet 1940, le projet de loi constitutionnelle qui devait être soumis aux Chambres fut adopté en Conseil des ministres à l'unanimité. L'exposé des motifs de la loi précisait : « Il faut que le gouvernement ait tout pouvoir pour décider, entreprendre et négocier, tout pouvoir pour sauver ce qui doit être sauvé, pour détruire ce qui doit être détruit, pour construire ce qui doit être construit. »

b) Afin de pouvoir juger s'il y eut une manœuvre de la part de Laval, il est utile de relire ses principales interventions à la tribune au cours des séances des 9 et 10 juillet 1940 :

— Devant la Chambre des députés, à la séance du 9 juillet, la discussion du projet de loi déposé par le gouvernement ayant été décidée :

« Je répondrai à toutes les questions, à toutes les objections.

18. C.E.P. — Tome VIII, page 2 271 — Séance du 30 mars 1950
19. « Neuf mois au gouvernement », page 219.

Ceux d'entre vous qui étaient inscrits ou qui voudraient se faire inscrire pourront demain exprimer librement leur opinion. Je crois que cette procédure est la meilleure. Si vous la rejetiez, vous m'obligeriez à instituer cet après-midi et à recommencer demain le même débat. Il s'agit donc uniquement d'une question de procédure sur laquelle, je pense, aucun désaccord ne s'élèvera entre nous. »

— Devant l'Assemblée Nationale, le 10 juillet 1940 :

⬤ « Il faut demander l'application à l'Assemblée Nationale du texte réglementaire dont M. le président vient de donner lecture. Il demande, en outre, conformément à ce texte, la prise en considération du projet de loi constitutionnelle dont l'Assemblée Nationale est saisie. Cela ne signifie pas que les membres de l'Assemblée qui ont déposé un contre-projet n'auront pas le droit de s'expliquer librement à la tribune. »

⬤ A propos du calcul de la majorité :

« Messieurs, il ne faut pas qu'il y ait de malentendu. Or, il semble bien que je me suis mal exprimé ou que j'ai été mal compris. Ce que veut M. Mireaux, ce que demande le gouvernement, c'est que l'Assemblée Nationale soit considérée comme se composant des membres présents et que la majorité soit calculée d'après le nombre des membres présents. C'est sur ce point que je demande à l'Assemblée de se prononcer. »

⬤ En donnant lecture du projet de loi constitutionnelle :

« J'ai l'honneur de déposer sur le bureau de l'Assemblée Nationale le projet de loi constitutionnelle suivant : « L'Assemblée Nationale donne tous pouvoirs au gouvernement de la République sous l'autorité et la signature du maréchal Pétain à l'effet de promulguer par un ou plusieurs actes une nouvelle constitution de l'Etat français. Cette constitution devra garantir les droits du travail, de la famille et de la patrie. Elle sera ratifiée par les Assemblées qu'elle aura créées ». Je fais remarquer à l'Assemblée que le texte que je viens de lui lire est différent du texte imprimé qui lui a été distribué. Cette modification est le résultat d'une demande qui a été formulée au gouvernement et qui a fait l'objet du débat de notre réunion de ce jour. »

c) L'examen des débats parlementaires fait apparaître que les membres de l'Assemblée Nationale qui accordèrent les pleins pouvoirs au maréchal Pétain avaient pleine conscience de la signification de leur décision. Leurs déclarations ne laissent aucun doute à ce sujet :

● M. Jeanneney devant le Sénat le 9 juillet : « A la besogne, pour forger à notre pays une âme nouvelle, pour y faire croître force créatrice et foi, la muscler plus fortement aussi, y rétablir enfin, avec l'autorité des valeurs morales, l'autorité tout court. »

● M. Mistler devant la Chambre le 9 juillet : « Chaque Français estime qu'il faut que bien des choses changent dans notre pays. »

● M. Boivin-Champeaux, rapporteur de la commission spéciale ayant étudié le projet de loi, devant l'Assemblée Nationale : « Messieurs, le texte soumis à vos délibérations tend dans sa brièveté à régler à la fois le présent et l'avenir de la France. Il donne au gouvernement du maréchal Pétain les pleins pouvoirs exécutifs et législatifs. Il les lui donne sans restriction de la façon la plus étendue... Le texte donne en second lieu au gouvernement les pouvoirs constituants... Nous admettons que la constitution soit étudiée et promulguée sous l'égide et l'autorité de M. le maréchal Pétain... Que sera cette nouvelle constitution ? Nous ne savons que ce qui a été dit par un exposé des motifs dont nous ne pouvons par ailleurs qu'approuver les termes... Etant donné la délégation de pouvoirs, l'activité des Chambres sera nécessairement réduite... Le parlementarisme tel que nous l'avons connu va peut-être mourir... » M. Boivin-Champeaux sera donc bien mal venu de prétendre dix ans plus tard, dans sa déclaration devant la Commission d'enquête parlementaire, qu'il a voté sous « l'épouvante » et dans l'ignorance du sens de son vote.

d) La même constatation peut être faite à la lecture des travaux de la Commission d'enquête parlementaire :

— M. Jean-Albert Sorel, membre de la Commission, fit remarquer au cours de la séance du 21 février 1950 [20] :

« Donc il me paraît que M. Laval, prenant la parole à la

20. C.E.P. — Tome VII — page 2 209.

séance privée de l'Assemblée Nationale avant le vote sur le projet de délégation du pouvoir constituant, donnait l'interprétation du gouvernement sur le sens qu'il entendait donner à ce vote, à savoir que la délégation du pouvoir constituant emportait délégation des pleins pouvoirs au maréchal Pétain et à son gouvernement...

... Dans l'esprit des membres de l'Assemblée Nationale, il ne devait plus, après cette déclaration de M. Laval, subsister de doutes quant à l'interprétation que le gouvernement entendait donner à son texte. » Et, M. Boivin-Champeaux, qui était interrogé ce jour-là, répondit : « C'est exact ».

— M. Paul Boulet, député, précisa lorsqu'il fut entendu le 28 février 1950 [21] :

« Justement, le second argument essentiel présenté par ceux qui n'ont pas voté ce texte était que ce texte, tel qu'il était à notre avis, comportait non seulement l'abandon des pouvoirs constitutionnels de l'Assemblée Nationale entre les mains d'un seul homme, mais également la remise à cet homme de pleins pouvoirs pour faire une constitution ».

LES TEMOINS DE LA DEFENSE.

— François Piétri, député républicain de gauche, ambassadeur de France à Madrid de 1940 à 1944 (HI — II — 698).

Je me trouvai à Bordeaux lors de l'Armistice.

J'affirme qu'à ce moment-là la presque unanimité du Parlement et l'immense majorité du public étaient désireuses :

1º de voir cesser une lutte qu'il était impossible de prolonger ;

2º de maintenir le gouvernement en France ;

3º de confier les pleins pouvoirs au maréchal Pétain, seul qualifié par son passé pour traiter tant bien que mal avec les Allemands et limiter les dégâts de l'occupation.

Je n'en veux pas de meilleure preuve que les objurgations

21. C.E.P. — Tome VIII — page 2 217.

solennelles qui nous furent adressées par M. Herriot, Président de la Chambre, et par M. Jeanneney, Président du Sénat, pour remettre les rênes de l'Etat au maréchal Pétain et pour convoquer le Congrès à Vichy.

C'est une tromperie que d'avoir prétendu par la suite que l'armistice, la réunion de l'Assemblée Nationale et l'octroi des pleins pouvoirs au Maréchal avaient été l'œuvre d'une « camarilla » et le résultat de certaines intrigues. Il est indéniable que M. Laval s'était mis à la tête d'un mouvement dans ce sens, mais ce mouvement correspondait nettement à l'impulsion générale du Parlement et de la masse populaire. Aucune pression de l'occupant n'est intervenue dans ce sens, et la preuve en est que les 80 parlementaires qui votèrent contre le changement de régime restèrent librement en zone non occupée, sous la sauvegarde de la loi française. Ceux qui, plus tard, furent inquiétés, à tort ou à raison, ne le furent aucunement pour ce motif.

— Ernest Laroche, député S.F.I.O. du Puy-de-Dôme (HI — I — 380)

Je suis arrivé à Vichy le 7 juillet au matin, venant directement, après trois jours de péripéties assez mouvementées, d'une unité de l'armée des Alpes, qui n'avait connu la défaite et l'exode des réfugiés que par la radio, puisque les combats n'ont duré que quelques jours.

Je fus complètement épouvanté de la cohue désordonnée de ce qui restait du Parlement et de l' « autorité ».

Lebrun était larmoyant. Jeanneney et Herriot presque tremblants. Paul Reynaud, qui s'était arrêté à Puy-Guillaume, avait la tête entourée d'un énorme pansement. Paul Boncour, agité, cherchait à jouer à tout prix un rôle. Le maréchal Pétain était entouré d'une nuée de généraux venant du sud.

Nous fûmes convoqués le même soir au Petit Casino, dans cette salle construite par mon ami Zaïs, qui n'aurait jamais cru qu'elle serait la scène d'un tel spectacle.

C'est là que je retrouvai mes amis du Puy-de-Dôme, qui me mirent rapidement au courant du désordre qui régnait dans les esprits. Léon Blum était livide et impénétrable. Auriol s'épongeait le crâne. Nous étions là 200, et personne n'osait prendre une initiative. Seul, au milieu de cette veulerie collective, Pierre Laval garda son sang-froid et sa lucidité. Alors que déjà des manœuvriers cherchaient à masquer leur impuissance derrière une révision de la Constitution, Pierre Laval prit la parole, et je l'entends encore dire : « Notre armée est prisonnière. Des millions de Français errent à l'aventure, cherchant à se loger. Nous devons former un Gouvernement... »

Aucune voix ne s'éleva alors pour proposer une autre solution. Ceux qui eurent la parole ne firent qu'approuver, ou discuter sur des questions de procédure. Le lendemain 8 juillet, ce fut la répétition de la séance de la veille, et le 9 juillet, sous la présidence d'Herriot et sur son instance, la Chambre, à l'unanimité, décidait de confier les pleins pouvoirs à Pétain.

Un fait important se place ici, qui n'a été signalé par personne : en sortant du Petit Casino, après cette séance mémorable, le groupe parlementaire socialiste se réunit à l'*Hôtel des Colonies*. Blum, Auriol, Dormoy étaient là. Spinasse prit la parole et indiqua nettement que, quelle que soit la nouvelle orientation du parti, sa position ne changerait pas et que nous avions fait notre devoir en répondant à l'appel de Pierre Laval. Rivière et Février étaient encore Ministres. Devaient-ils attendre des instructions, démissionner, ou attendre qu'une décision soit prise à leur égard par le Maréchal ? Blum resta muet. Villedieu, Andraud se joignirent alors à moi pour attendre Blum à la sortie. Notre décision était irrévocable, mais nous voulions savoir ce que pensait le chef, qui avait subitement perdu la parole. Il leva les bras au ciel, sans nous répondre.

Le 10, ce fut le discours de Flandin. Les fameux 80 étaient là. Tout le monde fut unanime. Aucune voix ne s'est élevée et nous n'avons appris que par la presse et le *Journal Officiel* qu'il n'y avait pas eu unanimité.

Si, plus tard, le Maréchal, qui n'a pas trahi la France, devait trahir la République, il n'en fut pas de même du Président Laval, qui défendit passionnément la France et sauva en ces temps-là, la République.

4

Les déclarations de Pierre Laval

MEMOIRE EN REPONSE
A L'ACTE D'ACCUSATION

L'acte d'accusation retient maintenant ce qui, sans doute, est considéré comme l'un des griefs les plus graves : mon activité qui aurait amené le Parlement à remettre au maréchal Pétain le Gouvernement de la République.

Pour apprécier sainement, sans l'esprit de polémique qui paraît inspirer tout au long l'acte d'accusation, il faut se replacer dans la situation où se trouvait la France en juin-juillet 1940, et on comprendra comment le Parlement, sans que fussent nécessaires les marchandages, les intrigues, les menaces et les promesses qui me sont gratuitement et injustement prêtés, décida, le 10 juillet 1940, de confier au Maréchal des pouvoirs exceptionnels comme le pouvoir constituant. Le Parlement ne remit pas en effet au Maréchal le Gouvernement de la République, comme le dit par erreur l'acte d'accusation. C'est de M. Albert Lebrun, président de la République, que le Maréchal avait reçu le Gouvernement de la République, et les débats du procès Pétain révèlent que M. Albert Lebrun avait pris cette décision sur le conseil de M. Paul Reynaud. Le Gouvernement disposait alors de pouvoirs exceptionnels en vertu d'une loi de 1939, et il pouvait agir sans le concours des Chambres.

N'oublions jamais que nous sommes en juin 1940 et que nous sommes à Bordeaux. Pour arriver jusqu'à cette ville, la plupart des parlementaires ont pu, pendant leur voyage difficile, mesurer l'étendue du désastre qui vient de frapper notre pays. Une armée disloquée, des unités souvent abandonnées par leurs chefs, des soldats isolés, tel est, à côté d'actes d'héroïsme qu'illustrèrent toujours des Français au combat, le désolant spectacle militaire qu'ils venaient de voir. Quant aux populations civiles, elles fuyaient vers le Sud dans un douloureux cortège, mitraillées sur la route. Ils étaient peu nombreux alors chez nous, ou en tout cas ils restaient silencieux, ceux qui croyaient à un redressement rapide de cette situation désespérée. Dans le pays, comme au Parlement, il y eut alors un grand élan vers Pétain, qui apparaissait comme un sauveur, et une colère sourde contre ceux qui nous avaient aussi légèrement entraînés dans cette guerre que nous venions de perdre. Que chacun fasse son examen de conscience, et qui osera sérieusement, honnêtement, prétendre que les choses ne se passaient pas ainsi et que d'autres sentiments animaient les foules ? Il y eut certes des Français qui ne désespéraient pas ; il y eut une poignée d'hommes qui acceptèrent quatre années d'une bataille sans répit. Les événements finirent par leur donner raison, mais à ce moment ils étaient rares ceux qui, en France, partageaient leur optimisme. Il y eut aussi ceux qui avaient une responsabilité et qui ne pouvaient se résoudre à admettre que leur carence ou leurs fautes nous avaient conduits jusqu'à cet abîme de malheur.

Le Parlement avait sa part dans cette responsabilité. Certes, il avait voté les crédits militaires, mais le résultat était là, et c'était une catastrophe. Il avait laissé prescrire un droit, le plus essentiel de la constitution républicaine, celui qui garantissait au peuple de n'être engagé dans la guerre qu'avec l'assentiment de ses représentants. Il aurait dû, avant de laisser le Gouvernement jeter notre pays dans l'aventure, lui demander des comptes sur nos effectifs, sur notre matériel, sur nos alliances, sur nos risques et sur les chances qui restaient encore de trouver une solution pacifique au conflit déjà commencé à l'Est. Il ne le fit pas, et je me souviens de cette séance du Sénat, le 2 septembre 1939, où je voulais demander sa réunion en comité secret et où la parole me fut refusée. J'avais compris que le Gouvernement nous demandait des crédits, mais qu'il se refusait à laisser le Parlement discuter sur l'opportunité de déclarer la guerre.

Avoir engagé le pays dans la guerre sans une déclaration officielle votée par le Parlement, c'était une violation si flagrante de la Constitution de 1875 qu'on peut dire que ce fut une sorte de coup d'Etat.

Avoir auparavant, c'est mon avis personnel, supprimé leur droit de représentation aux députés communistes, était aussi une violation flagrante de nos droits constitutionnels ; ils n'avaient pas la majorité, mais ils exprimaient l'opinion d'une partie importante de nos populations.

Avoir engagé le pays dans la guerre, sans avoir les moyens matériels pour pouvoir la gagner ou même l'entreprendre, constituait une faute lourde pour le Gouvernement, mais dont les parlementaires, qui avaient fait preuve de faiblesse ou de complaisance, devaient partager la responsabilité. Voici d'ailleurs ce que j'ai dit à Vichy, le 9 novembre 1943, parlant aux maires du Cantal, parmi lesquels se trouvaient quelques parlementaires, et leur rappelant la séance du Sénat du 2 septembre 1939 :

« Qu'est-ce que je voulais demander aux sénateurs ? Je voulais leur demander de se réunir en

comité secret et de ne pas voter la guerre. Qu'est-
ce qu'il y avait en effet dans la Constitution ? Il
y avait pour moi une chose importante et sacrée : la France ne pouvait pas, ne devait pas
entrer dans la guerre sans un vote du Parlement.
Or, jamais le Sénat, ni la Chambre n'ont été appelés à voter pour ou contre la guerre. Républicains
que vous êtes tous et qui avez le souci de la
légalité, n'oubliez jamais ce que je viens de vous
dire : nous sommes entrés illégalement dans la
guerre. »

A Bordeaux, députés et sénateurs, dans leur immense majorité, se rendaient compte que Hitler
serait impitoyable s'il avait à traiter avec certains
hommes politiques français. Chacun n'avait
qu'une seule préoccupation : essayer par tous les
moyens de sauver ce qui pouvait l'être et de
réduire au minimum les conséquences de notre
désastre. Et le nom de Pétain était sur toutes
les lèvres. C'est par un sentiment patriotique honorable que les parlementaires acceptaient d'abandonner leur pouvoir au Maréchal pendant toute
la période qui serait nécessaire pour assurer le
maximum de redressement de notre pays. C'est
le même sentiment patriotique qui les animait
en leur faisant admettre qu'il fallait réformer
profondément nos institutions pour éviter le retour d'erreurs et de fautes qui nous avaient
conduits au bord de l'abîme. D'ailleurs, en dehors
de Pétain, on ne voyait personne qui pût remplir
la mission providentielle que tout le monde désirait lui voir confiée. J'ai partagé cette opinion
avec beaucoup d'autres, et si j'ai déployé alors
plus d'activité que certains autres, c'est qu'il est
dans mon caractère de travailler activement au
succès d'une idée quand je la crois juste, et
surtout quand je la crois utile à notre pays. Je
n'avais besoin ni d'intriguer, ni de promettre, ni
moins encore de menacer ; je ne manquais d'au-

cun argument pour convaincre mes interlocuteurs.

J'avais sans doute alors, pour parler à mes collègues, un peu plus d'autorité que d'autres. J'avais fait au Sénat des appels désespérés pour la paix. J'avais souvent prédit le désastre qui allait s'abattre sur la France si on ne faisait pas la chaîne autour de l'Allemagne, et les événements, hélas, me donnaient raison.

Enfin, j'étais ministre, et le Maréchal me demandait de m'occuper personnellement de régler cette question importante, et de même que, quelques jours après, il me demanda de le représenter auprès des autorités allemandes, il me priait alors de le représenter devant le Parlement. C'est d'ailleurs ce qu'il dit à la délégation des parlementaires anciens combattants venus pour l'entretenir, le 6 juillet 1940, du projet qui allait être mis en discussion devant l'Assemblée nationale. MM. Jacquy, Chaumié, Paul-Boncour et Taurines ont rédigé le même jour un procès-verbal de leur entretien avec le Maréchal, et, dans le procès-verbal, je relève cette phrase : « Venant à l'objet direct de notre visite, il nous a déclaré qu'il avait chargé le Président Laval d'être l'avocat, devant le Parlement, du projet de gouvernement, désirant lui-même ne pas participer au débat. »

Ainsi, il s'agissait d'un projet de gouvernement que je devais présenter et défendre devant les Chambres et devant l'Assemblée en vertu du mandat que m'en avait donné le Maréchal. Une lettre signée de lui se trouve aux scellés, qui confirme les propos tenus par Pétain aux parlementaires anciens combattants. Il ne s'agit donc pas d'une initiative personnelle que j'aurais prise, mais bien d'une mission dont j'avais été chargé par le Gouvernement et par son chef, le maréchal Pétain.

Il fallait d'abord, aux termes des lois de 1875, obtenir un vote de chacune des deux Chambres pour pouvoir ensuite convoquer l'Assemblée nationale et lui soumettre le projet du Gouvernement.

Il est intéressant de savoir ce que fut, le 9 juillet 1940, l'accueil des sénateurs et des députés, réunis séparément, pour mesurer l'exactitude et la portée de certaines dépositions qui furent faites au cours du procès Pétain. La Chambre et le Sénat étaient appelés à statuer sur un projet de loi signé Philippe Pétain et Albert Lebrun, ainsi libellé :

Article unique. — Le projet de résolution dont la teneur suit sera présenté à la Chambre des députés par le Maréchal de France, président du Conseil, qui est chargé d'en soutenir la discussion :

La Chambre des députés déclare qu'il y a lieu de reviser les lois constitutionnelles.

Le même texte était soumis au Sénat le même jour.

A la Chambre, il fut adopté par trois cent quatre-vingt-quinze voix contre trois (MM. Roche, Biondi et Margaine).

Au Sénat, il n'y eut qu'une seule opposition, M. de Chambrun ayant voté contre.

Les débats ne révélèrent aucune hostilité au projet du Gouvernement.

M. Jeanneney, président du Sénat, prononça dans son discours ces paroles : « J'atteste enfin à M. le maréchal Pétain notre vénération et la pleine reconnaissance qui lui est due pour un don nouveau de sa personne. »

M. Herriot, président de la Chambre, s'exprima dans des termes semblables.

Le lendemain 10 juillet, il y eut dans la matinée une réunion privée secrète de l'Assemblée nationale pour permettre une discussion plus libre du projet qui devait être soumis dans l'après-midi à la séance officielle. Un compte rendu sténographique de la séance fut pris pour être versé aux Archives nationales. Voici le texte du projet du Gouvernement tel qu'il fut soumis à l'Assemblée nationale :

L'Assemblée nationale donne tous pouvoirs au
Gouvernement de la République, sous l'autorité
et la signature du maréchal Pétain, à l'effet de
promulguer par un ou plusieurs actes une nouvelle constitution de l'Etat français ; cette constitution devra garantir les droits du travail, de
la famille et de la patrie. Elle sera ratifiée par
la nation et appliquée par les assemblées qu'elle
aura créées.

On dit aujourd'hui que le vote de la loi constitutionnelle fut escamoté. On a même, à l'audience de la Haute Cour, employé l'expression
plus imagée d'« entôlage ». Est-il sérieux de faire
une telle affirmation ? Chaque parlementaire a
eu au moins trois fois la possibilité de faire
connaître son opinion à la séance du 9 juillet
ou à l'une des séances du 10 juillet.

Il y eut d'ailleurs le contre-projet des anciens
combattants qui donna lieu à un large débat et
qui permit de modifier le texte du projet gouvernemental, qui n'avait pas prévu la même
formule de ratification, et, sur ce point, les parlementaires anciens combattants obtinrent satisfaction. Le projet fut rédigé comme il a été dit
plus haut et soumis ainsi à la discussion et au
vote de l'Assemblée nationale.

A la séance privée, le débat eut un plus large
développement. Aucune protestation ne se fit
entendre ; aucune réserve ne fut faite. Il est
étrange qu'il ait fallu attendre quatre années
pour dire que le vote fut escamoté. Une telle
opinion eût été plus forte si elle avait été exprimée à ce moment. (Le texte fut voté par cinq
cent neuf voix contre quatre-vingts ; il y eut
dix-sept abstentions.) La lecture des débats du
procès Pétain m'a surprise. En août 1945 parlent
des témoins qui restèrent silencieux tant à Bordeaux qu'à Vichy. C'est pourtant à ce moment-
là, en juin et en juillet 1940, que les déclara-

tions auraient pu influencer ou modifier des décisions contre lesquelles ils élèvent aujourd'hui de tardives et inopportunes protestations.

J'ignore sur quels témoignages ou plutôt sur quels racontars l'acte d'accusation a pu se baser pour me reprocher des manœuvres, des intrigues, des promesses ou des menaces dont je me serais servi pour faire voter la loi constitutionnelle. Il est sans doute opportun, sinon facile, après coup, et toujours quatre années plus tard, quand les événements ont changé, d'expliquer son vote, mais, en mon absence, le projet présenté par un autre ministre aurait été voté de la même façon.

Il me paraît plus judicieux de retenir et de discuter le témoignage de M. Léon Blum devant la Haute Cour. C'est sous la triple pression, a-t-il dit, des bandes de Doriot à Vichy, de Weygand à Clermont-Ferrand et des Allemands à Moulins, que fut obtenu le vote du 10 juillet. Je n'ai pas vu s'agiter à ce moment les bandes de Doriot à Vichy, mais il est vrai que les Allemands étaient à Moulins. J'ignorais tout de leurs intentions, car mon premier contact avec eux n'eut lieu, à Paris, que le 20 juillet, et je ne sais dans quelle mesure ils s'intéressaient aux débats de l'Assemblée nationale. J'avais, comme M. Léon Blum, entendu parler du risque d'un putsch militaire, car je suppose que c'est le sens qu'il donne à son propos « Weygand à Clermont-Ferrand ». Personnellement, je n'y croyais guère, mais beaucoup de parlementaires, je le reconnais, paraissaient inquiets. Cela ne saurait signifier en aucune manière mon accord avec le général Weygand, car il reportait sur moi, dans nos rapports, les sentiments qu'il avait pour tous les parlementaires. On a fait, au cours du procès Pétain, un sombre tableau du climat politique de Vichy ce jour-là. Je n'étais pas ministre de l'Intérieur, mais je ne perçus aucun bruit qui pût justifier ce pessimisme. Je n'ai pas besoin de dire, en tout cas, que les bandes de

Doriot me considéraient comme leur ennemi ; elles me l'ont prouvé pendant les quatre années d'occupation et ont eu souvent la velléité d'employer à mon égard une mesure définitive.

Le climat politique qui existait à ce moment était dû à la défaite, aux misères des populations errantes sur les routes, tentant de rejoindre leurs foyers, ce qu'elles ne pouvaient faire encore puisque l'armistice avait coupé la France en zones infranchissables. Mais il est un point, je l'ai dit, sur lequel l'immense majorité du Parlement était d'accord : c'était sur la nécessité de réformer nos lois constitutionnelles. Mon rôle fut celui d'un ministre mandaté par le chef du Gouvernement pour soutenir devant le Parlement la discussion du projet. Parce que j'ai réussi ce qu'eût fait un autre à ma place, il n'est pas nécessaire d'en déduire que j'ai employé des manœuvres ou que je me suis livré à des intrigues. Il faudrait imaginer, pour le soutenir, que la majorité était contre le projet, alors qu'elle en réclamait l'adoption, ou imaginer que j'avais assez d'ascendant pour impressionner et suggestionner les deux Chambres. Ce ne serait pas en tout cas faire l'éloge de ceux qui auraient dû me combattre et qui sont alors restés silencieux.

Je pourrais montrer que le contre-projet des parlementaires anciens combattants était beaucoup plus grave que le projet gouvernemental. Si j'avais eu la moindre intention de faciliter un coup d'Etat, j'aurais repris ce contre-projet, qui prévoyait la suspension des lois constitutionnelles de 1875 jusqu'à la conclusion de la paix, qui ne visait pas le Gouvernement de la République, mais le maréchal Pétain seul, et qui prévoyait naturellement une nouvelle constitution.

Tout ce que je viens de dire établit à l'évidence qu'il n'était besoin ni de menaces, ni de promesses, pour aboutir au vote de l'Assemblée nationale et que, sur ce point, aucun grief ne peut être retenu contre moi pour l'adoption d'une loi qui était réclamée ou acceptée par l'immense majorité des représentants du pays (la convocation des Chambres, celle de l'Assemblée nationale furent légales ; les débats furent réguliers et le vote qui suivit ne fut et ne pouvait être entaché d'aucune nullité).

Extrait d'un MEMOIRE rédigé par Pierre Laval pendant son exil en Espagne en 1945. (Document inédit non produit devant la Haute Cour).

● L'Assemblée nationale était libre de concevoir comme elle l'entendait l'exercice de son droit. Aucune modification aux lois constitutionnelles n'aurait été possible si la souveraineté de l'Assemblée nationale n'eut été entière. Au cours des débats qui eurent lieu tant devant la commission spéciale nommée par l'Assemblée pour examiner et rapporter le projet de loi que dans les séances privées ou publiques, aucune voix ne s'éleva ni contre la régularité de la convocation de l'Assemblée ni contre l'usage qu'elle faisait de son pouvoir constituant. Les seules discussions à retenir portèrent sur la question du quorum de la majorité et sur l'interprétation qu'il faudrait donner à la loi, et notamment sur les conditions d'adoption de la nouvelle constitution par la Nation. M. Jeanneney, en ce moment ministre d'Etat, présidait l'Assemblée nationale. MM. Edouard Herriot, Léon Blum, Paul Reynaud y assistaient. Parmi les opposants qui sont seuls admis aujourd'hui à faire partie de la nouvelle Assemblée Consultative, aucune protestation ne s'éleva pour contester le principe et l'objet de la réunion de l'Assemblée.

● Les lois constitutionnelles de 1875 ont prévu qu'elles pourraient être modifiées par la Chambre et le Sénat réunis en Assemblée nationale. Suivant la procédure instituée par ces lois, le Sénat et la Chambre furent convoqués à Vichy par le gouvernement pour statuer sur le projet de loi qui leur était soumis de leur réunion en Assemblée nationale. Ce projet fut voté par chacune des deux Chambres et l'Assemblée nationale fut aussitôt constituée.

Chapitre V

LE « COUP D'ÉTAT »
DU 11 JUILLET 1940

1

Les Faits

Le 11 juillet 1940, le maréchal Pétain signa trois Actes Constitutionnels :

— Par l'Acte N° 1, il déclarait assumer les fonctions de chef de l'Etat Français.

— Par l'Acte N° 2, il déterminait ses pouvoirs.

— Par l'Acte N° 3, il ajournait le Sénat et la Chambre des députés jusqu'à la formation des Assemblées prévues par la loi constitutionnelle du 10 juillet 1940.

Le 12 juillet 1940, il signa l'Acte Constitutionnel N° 4 par lequel il désignait Pierre Laval pour exercer les fonctions de chef de l'Etat, en cas d'empêchement de sa part, jusqu'à la ratification de la nouvelle constitution.

Les trois Actes Constitutionnels du 11 juillet 1940 furent publiés au Journal Officiel du 12 juillet et le quatrième le fut le 13 juillet 1940.

Voici ces textes :

Acte Constitutionnel N° 1 :

Nous, Philippe Pétain, Maréchal de France,
Vu la loi constitutionnelle du 10 juillet 1940,
Déclarons assumer les fonctions de chef de l'Etat Fran-
çais ;
En conséquence, nous décrétons :
L'article 2 de la loi constitutionnelle du 25 février 1875
est abrogé.
Fait à Vichy le 11 juillet 1940. Signé : Ph. Pétain.

Acte Constitutionnel N° 2 :

Nous, Maréchal de France, chef de l'Etat Français,
Vu la loi constitutionnelle du 10 juillet 1940,
Décrétons :
Article 1er :
1) Le chef de l'Etat Français a la plénitude du pouvoir
gouvernemental ; il nomme et révoque les ministres et se-
crétaires d'Etat qui ne sont responsables que devant lui.
2) Il exerce le pouvoir législatif en Conseil des Ministres :
a) Jusqu'à la formation des nouvelles Assemblées. — b)
Après cette formation, en cas de tension extérieure ou de
crise intérieure grave, sur sa seule décision et dans la même
forme. Dans les mêmes circonstances, il peut édicter toutes
dispositions d'ordre budgétaire et fiscal.
3) Il promulgue les lois et assure leur exécution.
4) Il nomme à tous les emplois civils et militaires pour
lesquels la loi n'a pas prévu d'autre mode de désignation.
5) Il dispose de la force armée.
6) Il a le droit de grâce et d'amnistie.
7) Les envoyés et ambassadeurs des puissances étrangè-
res sont accrédités auprès de lui. Il négocie et ratifie les
traités.
8) Il peut déclarer l'état de siège dans une ou plusieurs
portions du territoire.
9) Il ne peut déclarer la guerre sans l'assentiment préala-
ble des Assemblées législatives.

Article 2ᵉ :

Sont abrogées toutes dispositions des lois constitution-nelles des 24 février 1875, 25 février 1875 et 16 juillet 1875 incompatibles avec le présent acte.

Fait à Vichy le 11 juillet 1940. Signé : Ph. Pétain.

Acte Constitutionnel N° 3 :

Nous, Maréchal de France, chef de l'Etat Français,
Vu la loi constitutionnelle du 10 juillet 1940,

Décrétons :

Article 1ᵉʳ : Le Sénat et la Chambre des Députés subsis-teront jusqu'à ce que soient formées les Assemblées pré-vues par la loi constitutionnelle du 10 juillet 1940.

Article 2ᵉ : Le Sénat et la Chambre des Députés sont ajournés jusqu'à nouvel ordre. Ils ne pourront désormais se réunir que sur convocation du chef de l'Etat.

Article 3ᵉ : L'article 1ᵉʳ de la loi constitutionnelle du 16 juillet 1875 est abrogé.

Fait à Vichy le 11 juillet 1940. Signé : Ph. Pétain.

Acte Constitutionnel N° 4 :

Nous, Maréchal de France, chef de l'Etat Français,
Vu la loi constitutionnelle du 10 juillet 1940,

Décrétons :

Article 1ᵉʳ : Si pour quelque cause que ce soit, avant la ratification par la Nation de la nouvelle constitution, nous sommes empêché d'exercer la fonction de chef de l'Etat, M. Pierre Laval, vice-président du Conseil des Ministres, l'assumera de plein droit.

Article 2ᵉ : Dans le cas où M. Pierre Laval serait empêché pour quelque cause que ce soit, il serait à son tour remplacé par la personne que désignerait à la majorité de sept voix le Conseil des Ministres. Jusqu'à l'investiture de celle-ci, les fonctions seraient exercées par le Conseil des Ministres.

Fait à Vichy le 12 juillet 1940. Signé : Ph. Pétain.

2

Le Dossier de l'Accusation

L'ACTE D'ACCUSATION

— C'est Laval qui, en tant que vice-président du Conseil, héritier présomptif du Maréchal, fut le premier bénéficiaire du coup d'Etat réalisé le 11 juillet par la suppression de la présidence de la République, le cumul des pouvoirs entre les mains de Pétain et la prorogation sine die du Parlement.

— A ce titre, l'inculpation d'attentat contre la sûreté intérieure de l'Etat relevée contre Laval se trouve pleinement justifiée. Lui-même en a fait l'aveu, non sans une fierté qui n'est pas dans sa manière, lorsque, s'adressant aux instituteurs dans son allocution du Mayet-de-Montagne, il disait : « Vous m'accorderez que l'acte le plus important de la Révolution nationale, c'est moi qui, sous l'égide du Maréchal, l'ai accompli le 10 juillet 1940 ».

— Un régime comme le sien et celui de Pétain, confinant à l'absolutisme, ne pouvait s'établir en France qu'en s'appuyant sur l'envahisseur et en s'inspirant de ses méthodes.

— M. de Lapommeraye a également rapporté un propos ne laissant aucun doute sur le genre de collaboration qu'envisageait Laval dans ses rapports avec le vainqueur : « Il faut que nous adaptions notre constitution aux institutions des Allemands ».

LE REQUISITOIRE

Laval s'est défendu d'avoir dit au Mayet-de-Montagne qu'il avait été le principal artisan de ce qu'il appelait « la Révolution Nationale ». Soit ! Je veux bien qu'il n'ait pas prononcé cette phrase ; en voici une autre que je relève dans le message de Pétain du 19 avril 1942 : « C'est avec M. Laval que j'ai, au moment le plus tragique de notre désastre, fondé l'ordre nouveau. »

Et vous savez ce qu'il faut entendre par l'ordre nouveau : c'est l'abolition du régime parlementaire, l'entente du vaincu avec le vainqueur, ordre nouveau qui n'a pu s'instituer que grâce à un coup d'Etat — car je ne peux pas qualifier autrement les trois actes constitutionnels du 11 juillet 1940 — coup d'Etat facilité par ce que, dans une autre audience, j'appelais et j'appelle encore un abus de confiance au mépris du mandat donné au Maréchal et que je vais analyser devant vous. L'analyse en sera brève. Il suffit de se reporter à la résolution votée le 10 juillet 1940.

On a dit à maintes reprises — c'est comme un slogan — que le Parlement avait remis tous ses pouvoirs entre les mains du Maréchal. Mais c'est une erreur profonde. Reportez-vous au texte de la résolution.

L'Assemblée nationale donne tous pouvoirs au Gouvernement de la République, sous l'autorité et la signature du Maréchal, à l'effet de préparer une constitution qui devra être ratifiée par la Nation.

Donc, tous pouvoirs sont donnés non pas au Maréchal, mais au Gouvernement de la République.

Or, le lendemain, trois actes constitutionnels sont promulgués : aux termes du premier, l'élection du Président de la République est supprimée ; aux termes du second, tous les pouvoirs sont concentrés entre les mains de Pétain. Lui seul nomme les Ministres, et les Ministres ne sont responsables que devant lui. Quant au parlement, dont l'existence devait être respectée, auquel on devait faire appel — ce sont les déclarations mêmes de Pierre Laval, à l'Assemblée préparatoire du 10 juillet — l'acte numéro trois supprime de la Constitution les articles aux termes desquels, lorsque les membres des deux Chambres décident de se réunir, cette réunion doit avoir lieu de plein droit. Le maréchal Pétain décide que le Parlement ne se réunira que lorsqu'il voudra bien le convoquer.

J'appelle cela un coup d'Etat compliqué d'abus de confiance, et dans le Gouvernement constitué ensuite par le Maréchal figure Pierre Laval comme vice-président du Conseil. C'est au moins être complice sinon être co-auteur. Lors du procès Pétain, il s'est, à ce sujet, réfugié dans des arguments de mauvais agent d'affaires.

Il a dit : « On me fait grief d'avoir profité d'un abus de confiance, d'un coup d'Etat qu'on aurait commis en promulguant les actes du 11 juillet. Mais ces actes étaient nuls », parce qu'ils n'avaient pas été pris en Conseil des Ministres. Ils étaient nuls, et c'est ce qui m'enlevait tout scrupule pour participer au Gouvernement qui en était issu. Quel grief peut-on m'en faire ?

Le grief ? mais c'est d'avoir, précisément, participé à un Gouvernement issu d'actes nuls.

Et puis, ils n'étaient pas nuls seulement en la forme, ils étaient nuls comme constituant, je le répète, un abus de confiance en même temps qu'un crime contre le régime légal. Et dès lors, il me suffit que Pierre Laval s'y soit associé, et en ait été bénéficiaire, en qualité de vice-président du Conseil du nouveau Gouvernement et d'héritier présomptif du Maréchal, pour prouver la part qu'il a prise au coup d'Etat du 11 juillet 1940.

S'il m'était besoin d'une autre preuve, je vous rappellerais le cri imprudent qui lui est échappé devant M. de Lapommeraye : « C'est ainsi que l'on renverse la République. »

Mais il lui en était échappé un autre bien plus cynique : « Il ne nous reste maintenant qu'à adapter notre Constitution aux institutions du vainqueur. »

On avait consommé l'attentat contre la République : on va maintenant consommer l'attentat contre la Nation.

L'attentat contre la Nation ? M. Noël, au début de cette audience, vous a exprimé ses scrupules et dit pourquoi il ne voulait pas déposer. Je considère, pour ma part, qu'il a cependant déposé, puisqu'il s'est référé intégralement aux déclarations qu'il avait antérieurement faites. Eh bien, ces déclarations, quelles étaient-elles ?

Dès le premier jour, a-t-il dit, j'ai compris dans quelle politique on s'engageait.

Puis, il a précisé : « J'ai eu une longue conversation avec M. Laval, j'ai essayé de le détourner de cette politique dans laquelle je le voyais s'engager. Ce qu'il fallait faire, c'était s'en tenir à la lettre même de l'armistice, mais ne jamais aller au-delà. » C'était, vous a-t-il dit, s'y cramponner — j'ai retenu l'expression. Et si l'on était forcé de céder aux injonctions, à la pression, à la force du vainqueur, faire une protestation publique, dernière ressource dont doit user le vaincu pour sauvegarder sa dignité.

Et M. Noël a ajouté — je reprends les propres termes de sa déposition :

... Cette politique était possible. Elle eût sauvegardé la dignité de la France. Mais à cette politique nationale, j'ai tout de suite compris que le Gouvernement de Vichy tournait le dos. Pierre Laval considérait la victoire de l'Allemagne comme un fait définitif devant lequel il ne restait plus qu'à s'incliner en s'y adaptant.

Je dis « en s'y adaptant », car cela confirme, dans la bouche de M. Noël, ce que vous a dit ici M. de Lapommeraye, à savoir qu'il ne restait plus à la France qu'à s'adapter aux institutions de son vainqueur...

Il a prétendu ne pas s'être associé à la politique rétrograde du gouvernement suspendant les Conseils Généraux et supprimant l'élection des maires dans les villes de plus de 2 000 habitants. Il s'y est associé, quoique n'ayant pas signé ces lois, puisqu'il était vice-président du Conseil. Il s'y est associé puisqu'il a été l'un des artisans de l'Ordre Nouveau. Il fallait petit à petit faire une administration française à l'image de l'administration nazie, comme il fallait adapter notre constitution aux institutions de l'Allemagne.

Le Procureur Général au procès. (Audience du 5 octobre 1945)

— Je vais vous dire, moi, ce que je vous reproche. C'est, après ce que vous avez qualifié très exactement de détournement de la loi votée le 10 juillet 1940, de vous

être associé à ce détournement en qualité de vice-président
du gouvernement.

— Je prends précisément ce que vous avez dit, il y a un
instant. Vous avez été étonné, stupéfait même, du détournement qui a été fait par les actes constitutionnels
du 11 juillet. Je n'ai jamais dit que ces actes constitutionnels fussent votre œuvre propre ; c'est l'œuvre du
Maréchal. Seulement alors, le grief que je vous adresse,
sachant que ces actes constitutionnels étaient un détournement, un véritable abus de confiance — que, moi, je
qualifie d'attentat contre le régime légal — vous acceptez la vice-présidence du Conseil dans un gouvernement
qui est issu de cet abus de confiance et de cet attentat
contre le gouvernement légal. Voilà le grief que je vous
adresse. Vous avez commencé à appliquer une politique
raciale, à l'exemple de l'Allemagne. Alors, je voudrais
que vous vous expliquiez.

LES TEMOINS DE L'ACCUSATION

Déposition de M. de Lapommeraye au procès (Audience du
8 octobre 1945)

« A ce moment-là (3 juillet 1940), M. Laval voulait se
renseigner au point de vue constitutionnel sur les possibilités d'une révision de la constitution. Il me demanda : « Est-
ce qu'on peut faire une révision générale ? » Je lui dis : « Jusqu'ici cela ne s'est jamais fait, on a toujours circonscrit
très étroitement le point sur lequel pouvait donner lieu
la révision. Mais, dans la loi de 1875, rien ne s'oppose à ce
qu'il y ait une révision générale. » En effet, l'article 8 est
très général. « C'est cette dernière hypothèse que j'envisage, m'a-t-il dit, car — et je rapporte textuellement ses
propos ici, car je les ai inscrits au sortir de cet entretien —
nous sommes battus comme nous ne l'avons jamais été.
Dans six semaines, l'Angleterre est à genoux et sera obligée
comme nous de capituler. Si nous voulons avoir une paix
moins dure, il faut que nous créions un climat favorable
et que nous adaptions notre constitution aux institutions

allemandes. » Je pense que M. Laval ne contestera pas ces propos qui m'ont été confirmés encore, tout au moins l'esprit, récemment. Je me disais en effet : je me suis peut-être trompé, j'ai peut-être exagéré les propos ; mais hier, j'ai lu le livre de M. le président Lebrun, « Témoignages », et j'y ai trouvé une citation qu'il avait probablement emprunté au livre de M. Montigny « Un mois tragique de notre Histoire de France » : « La démocratie parlementaire a voulu combattre le fascisme et le nazisme, elle a perdu le combat, elle doit disparaître... Un régime nouveau, audacieux, autoritaire, social, national, doit lui succéder. »

Le Procureur Général : « Est-ce qu'il n'a pas ajouté, d'après votre déposition, quelques développements sur ce que comportait cette adaptation aux institutions allemandes ? » — Le témoin : « Non, M. le Procureur Général. Tout au moins, des choses extrêmement vagues. » — Le Procureur : « Parce que j'ai saisi les mots de « national-socialisme ». — Le témoin : « Ah, non ! Jamais M. Laval n'a prononcé ce mot-là devant moi. » — Le Procureur : « Je voudrais faire préciser si c'est dans la bouche de M. Laval ou dans une autre bouche qui a interprété, car je viens de l'entendre dans votre bouche. » — Le témoin : « Non, M. le Procureur, je viens de dire textuellement ce que j'ai déposé devant la commission d'instruction et ce que j'ai noté après cet entretien avec M. Laval. » — Le Procureur : « Il est donc bien acquis que ce que vous avez noté, c'est simplement ceci : « Il faut adapter notre constitution aux institutions allemandes. Un point, c'est tout ». — Le témoin : « Oui, c'est tout. »

Déposition de M. Albert Lebrun, au procès (Audience du 6 octobre 1945)

Quant aux actes constitutionnels, c'est toute la question qui est posée. La loi votée disait : le Maréchal a qualité pour faire une nouvelle constitution, mais elle n'entrera en application que quand elle aura été approuvée par la nation. Alors, vous voyez la difficulté pour l'existence de ce pays entre le moment où le Maréchal avait reçu cette mission et celui où la constitution allait apparaître. Il y avait là un vide. Dans quel état était-on ? Cela reste une question de débat pour l'avenir. En tout cas, c'est ce que j'ai dit, je crois, dans ma déposition pour le procès Pétain, en réponse à la commission rogatoire : le devoir était, puisqu'on ne pouvait pas faire approuver quoi que ce soit par la France, par les électeurs, dans la situation d'occupation de l'ennemi, de faire un régime intermédiaire qui s'éloignât le moins possible des lois et décrets régissant l'administration de la France avant l'Assemblée nationale. Or, au lieu de cela, on vit apparaître des actes constitutionnels, comme vous dites, qui renversaient en somme tout le gouvernement, qui changeaient toute l'administration de ce pays. Eh bien, je considère pour ma part que c'était excessif parce qu'encore une fois, un acte nouveau ne pouvait entrer en application qu'après approbation. Il n'avait pas l'approbation de la France pour des actes constitutionnels, donc en fait ces actes n'auraient pas dû régir le pays. Evidemment, il y avait du nouveau ; comme conséquence du vote de l'Assemblée nationale, il y avait du nouveau dans l'administration, mais pas au point de créer les actes constitutionnels sur lesquels je n'ai pas à revenir... La nouvelle constitution, prise dans son embryon, car en somme, les actes constitutionnels, c'était presque une constitution, ce n'était pas encore la constitution, mais il a été révélé depuis qu'il y avait une constitution, en fait, qui était préparée, mais les actes constitutionnels étaient un véritable embryon de constitution, c'en était, si je puis dire, la partie constructive, la partie essentielle. Les actes constitutionnels, puisque la loi votée par l'Assemblée nationale exigeait l'adhésion de la France à cette constitution nouvelle, ne pouvaient pas, ne devaient pas être mis en activité, en action, avant cette approbation. Il aurait donc fallu qu'on trouve un moyen de continuer l'existence sur un ensemble de lois, un régime très voisin de celui qui existait antérieurement et par conséquent, la disparition des Chambres. C'est mon opinion très nette.

Le Procureur Général : « Comment concilier ces actes constitutionnels avec le mandat, les pouvoirs qui avaient été expressément remis par l'Assemblée nationale entre les mains du gouvernement de la République ? » — Le témoin :

« Il n'y a pas de moyens de les accommoder et de dire qu'ils étaient réguliers. » — Le Procureur : « Par conséquent, en droit commun, cela peut s'appeler un abus de mandat. » — Le témoin : « Si vous voulez ».

LES DOCUMENTS DE L'ACCUSATION

Extrait de l'ouvrage « Témoignage » [1] *de M. Lebrun.*

« Ces dispositions (la mise en sommeil des Chambres) ont-elles été préméditées ? Sont-elles l'effet du hasard ? Il semble qu'on en trouve les prémices dans certaines paroles du président Laval. Au cours d'une séance d'information des députés, il déclare : « Puisque la démocratie populaire a voulu engager le combat contre le nazisme et le fascisme et qu'elle a perdu ce combat, elle doit disparaître. Un régime nouveau, audacieux, autoritaire, social, national, doit lui être substitué. » N'est-ce pas là l'annonce du régime national-socialiste ? Dans son discours à l'Assemblée nationale, M. Laval dit encore : « Certains prétendent que le projet apporté par le gouvernement, c'est la continuation du régime parlementaire. Je proclame qu'il n'en est rien, car c'est la condamnation non pas seulement du régime parlementaire, mais de tout un monde qui a été et qui ne peut plus être ». En somme, le gouvernement allait vers l'instauration d'un régime autoritaire soustrait à l'emprise de la Nation. »

---

1. « Témoignage » par Albert Lebrun — Plon 1945 — Page 126.

3

Le Dossier de la Défense

L'accusation reproche à Laval d'avoir été le complice et le premier bénéficiaire du « coup d'Etat » qu'aurait accompli le maréchal Pétain le 11 juillet 1940 en promulguant les Actes Constitutionnels et en établissant un régime politique « confinant à l'absolutisme, adapté aux institutions nazies, aux préjugés, aux méthodes et aux haines du National-Socialisme ».

1. — Pierre Laval a-t-il été complice du « coup d'Etat du 11 juillet 1940 » ?

a) Les Actes Constitutionnels du 11 juillet 1940 ont été promulgués sous la seule signature du maréchal Pétain.

b) Le procureur général a déclaré à l'audience du 5 octobre 1945 en s'adressant à Laval : « Je n'ai jamais dit que ces Actes Constitutionnels fussent votre œuvre propre ; c'est l'œuvre propre du Maréchal. »

c) La préparation des Actes Constitutionnels n'a donné lieu à aucune délibération en Conseil des ministres.

d) Selon le témoignage de M. Baudouin [2], ces Actes furent rédigés par Raphaël Alibert, ministre de la Justice, qui les soumit à Laval, en qualité de vice-président du Conseil.

2. Ouvrage cité. — Le fait a été confirmé par le chef de cabinet de M. Alibert. (« La mort de la troisième République » par E. Beau de Loménie. Editions du Conquistador. Paris 1951.)

e) — En s'arrogeant « la plénitude du pouvoir gouvernemental » et l'exercice des pouvoirs législatif et exécutif, le maréchal Pétain n'a pas outrepassé ses droits[3]. En effet, ils lui avaient été conférés par l'Assemblée nationale. Le rapport de la commission spéciale précisait bien d'après l'exposé qu'en fit M. Boivin-Champeaux : « Le texte soumis à vos délibérations donne au gouvernement du maréchal Pétain les pleins pouvoirs exécutifs et législatifs. Il les lui donne sans restriction, de la façon la plus étendue... Le texte donne, en second lieu, au gouvernement les pouvoirs constituants »[4].

f) — Ce fut l'Assemblée nationale qui estima nécessaire d'abroger la Constitution de 1875 en décidant qu'il y avait lieu de réviser les lois constitutionnelles :

— Session extraordinaire du Sénat :

● « Il s'agit de se prononcer sur le principe de la révision et sur ce principe, je crois pouvoir dire que nous sommes tous d'accord... Ce n'est pas sans tristesse que nous disons adieu à la Constitution de 1875 ». (Intervention de M. Boivin-Champeaux).

● « Le Parlement meurt de ses dessaisissements et de ses carences ». (M. Jean Odin).

● Résultat du vote de l'article unique : « Le Sénat déclare qu'il y a lieu de réviser les lois constitutionnelles » : — Votants : 226. — Pour l'adoption : 225.

— Session extraordinaire de la Chambre des députés :

● « Dans la stupeur qui a suivi nos désastres, la conscience du pays a senti la nécessité, si nous voulons refaire la France, de réformer profondément les institutions poli-

3. On pourra nous reprocher d'aborder certains aspects du procès Pétain. Cependant, l'accusation ayant estimé que Pierre Laval avait été le complice du Maréchal Pétain dans ce qu'elle a appelé le « coup d'Etat » du 11 juillet 1940, il était indispensable de sortir des limites du dossier Laval dans ce domaine.

4. Intéressé au premier chef par la suppression de la Présidence de la République, M. Lebrun a écrit (Témoignage) : « J'ai toujours considéré que mon effacement était le fait, non d'une invitation du Maréchal, mais du vote de la loi ».

tiques dont la marche déjà difficile en temps de paix s'est révélée tragiquement insuffisante dans l'épreuve. » (Intervention de M. Mistler).

● Résultat du vote : — Votants : 396. — Pour l'adoption : 393.

— Le contre-projet présenté par les sénateurs anciens combattants, dont l'adoption fut soumise à l'Assemblée Nationale, comportait cette proposition : « L'application des lois constitutionnelles des 24-25 février et du 16 juillet 1875 est suspendue jusqu'à la conclusion de la paix. »

g) — En ajournant la Chambre des députés et le Sénat, le maréchal Pétain a agi conformément au vœu de l'Assemblée Nationale :

● « Nous admettons que la Constitution soit étudiée et promulguée sous l'égide et l'autorité de M. le maréchal Pétain... Il va falloir régler la période intermédiaire, celle qui va s'étendre jusqu'au jour où fonctionneront les institutions nouvelles. M. Pierre Laval a fait à la commission la promesse que, dès cette semaine, serait promulgué un acte laissant subsister les deux Chambres jusqu'au fonctionnement des institutions nouvelles. Etant donné la délégation de pouvoirs, leur activité sera nécessairement réduite. » (Intervention de M. Boivin-Champeaux).

h) — Parlant au nom du maréchal Pétain, Pierre Laval avait en effet déclaré au cours de la séance privée de l'Assemblée Nationale, afin qu'il n'y ait pas de confusion dans l'esprit de ses membres : « Il est un engagement que je prends au nom du maréchal Pétain : un acte fixera la position nouvelle du Parlement. Les Chambres subsisteront jusqu'à ce que soient créées les Assemblées prévues par la Constitution nouvelle. J'ai préféré dire : « jusqu'au moment où seront créées les Assemblées » plutôt que de dire : « jusqu'au traité de paix », comme certains le demandaient [5], car ainsi, il n'y aura pas un hiatus entre le moment où d'autres Chambres entreront en fonction et le moment où celles-ci disparaîtront. Les Chambres, je le dis pour qu'il n'y ait pas de

---

5. Il était fait allusion aux sénateurs anciens combattants.

malentendus entre nous, en raison même des pleins pouvoirs que vous donnez au maréchal Pétain et à son gouvernement, auront une activité nécessairement réduite. Je dis, au nom du maréchal Pétain, pour qu'il n'y ait pas chez vous le moindre doute, que l'engagement que je prends sera tenu. »

i) — Il ne rentrait dans les prérogatives de Laval ni de préparer la nouvelle Constitution ni de convoquer ou d'ajourner les Chambres.

j) — Les Actes Constitutionnels du 11 juillet 1940 et le décret du 12 juillet 1940 relatif à la composition du gouvernement ne donnèrent pas à Laval des pouvoirs plus étendus que ceux qu'il avait déjà en tant que vice-président du Conseil.

k) — Sa qualité de vice-président du Conseil désignait Laval pour exercer la fonction de chef de l'Etat en remplacement du maréchal Pétain jusqu'à la promulgation de la nouvelle Constitution en cas d'indisponibilité de sa part. Le maréchal Pétain était libre de ce choix en vertu des pouvoirs que lui conférait le vote de l'Assemblée Nationale.

2. — Pierre Laval a-t-il participé à l'institution d'un régime politique « confinant à l'absolutisme, adapté aux institutions nazies, aux préjugés, aux méthodes et aux haines du National-Socialisme » ?

1) Pierre Laval n'avait aucun pouvoir législatif ou exécutif, celui-ci étant, en vertu de l'Acte Constitutionnel n° 2, la prérogative du chef de l'Etat qui disposait de la plénitude du pouvoir gouvernemental.

2) Pour accuser Laval d'avoir voulu instaurer en France un tel régime, la Haute Cour a fondé son argumentation sur le seul témoignage de M. de Lapommeraye. Or :

a) — Le témoin a reconnu loyalement que, doutant de sa mémoire, il s'était reporté au livre du président Lebrun « Témoignage », dans lequel celui-ci rapporte certains propos de Laval.

b) — Ces propos ne correspondent pas à la phrase qu'il a attribué à Laval : « Il faut que nous adaptions notre constitution aux institutions allemandes ». En effet, Laval avait déclaré le 8 juillet 1940 devant les députés : « Nous délibérons dans une salle de cinéma et l'armée allemande est à quelques dizaines de kilomètres de nous. C'est le plus grand désastre que la France ait connu. J'appartiens au Parlement depuis 1914 et je n'oublie pas que je sors du peuple ; mais, puisque la démocratie parlementaire a voulu engager le combat contre le nazisme et le fascisme et qu'elle a perdu ce combat, elle doit disparaître. Un régime nouveau, audacieux, autoritaire, social, national doit lui être substitué. Les humbles, les travailleurs doivent être défendus et mieux protégés... C'est sous le triple signe du travail, de la famille et de la patrie que nous devons aller vers l'ordre nouveau... Vous redoutez la dictature ? Rassurez-vous. Je suis ici devant vous pour défendre le pouvoir civil. Je vous propose, je vous demande de faire prévaloir, selon les vœux du pays, le pouvoir civil, afin que nous sauvions de nos libertés ce qui peut en être sauvé. »

3) Les déclarations faites par Laval au cours de la séance privée de l'Assemblée Nationale n'annonçaient pas l'institution d'un pouvoir absolu ni celle d'un régime calqué sur le National-Socialisme :

● « Aucune brutalité, aucun régime de force ne pourra jamais faire fléchir là fierté de notre race... La France était heureuse ; elle usait et abusait de la liberté. Par exemple, dans certaines de nos écoles, un mot était trop souvent proscrit du vocabulaire, c'est le mot « Patrie ». Eh bien, il faudra le faire revivre, il faudra le restaurer, il faudra qu'il soit la foi de demain. Regardez nos voisins : En Italie, avant le fascisme, c'était l'anarchie ; en Allemagne, c'était la défaite, la défaite qui, hélas, amène avec elle la misère, et la misère qui, hélas, amène avec elle les troubles. Dans ces deux pays, qu'a-t-on fait ? On a restauré l'idée de la patrie. On a d'abord appris à la jeunesse qu'elle doit aimer son pays, que son pays, c'est la famille, c'est le passé, c'est le village où l'on est né. C'est tout cela que certains instituteurs avaient omis d'apprendre à nos enfants. »

● « La Constitution sera ratifiée par un vote de la Nation tout entière. On me dit un plébiscite ? Non, car on l'a vu, dans notre pays, le plébiscite, c'est l'Empire. La consultation sera la plus large possible. »

● « Quand on fait une Constitution, à moins d'être léger, on ne peut pas envisager une Constitution qui ne soit pas l'expression des mœurs, des désirs, de la volonté d'un pays, car on ferait œuvre vaine ; on ferait une œuvre qui serait emportée par les événements. Ce n'est pas l'œuvre à laquelle nous vous convions. »

● « La Constitution envisagée ne peut pas être une Constitution réactionnaire. Dans l'état où se trouve la France, étant donné le tempérament français, on ne peut plus regarder vers le passé et y retourner. C'est vers l'avenir qu'il faut aller. »

● « Si la Constitution doit être, au point de vue social, large, aérée, humaine et généreuse, il y a un point sur lequel il ne faut pas que vous vous mépreniez, c'est que l'autorité de l'Etat ne sera plus jamais bafouée. »

4) On ne peut pas ne pas faire le rapprochement de ce projet de Constitution de Laval avec les vœux exprimés par les parlementaires les 9 et 10 juillet 1940 :

● celui de M. Jeanneney : « A la besogne pour forger à notre pays une âme nouvelle,... y rétablir enfin, avec l'autorité des valeurs morales, l'autorité tout court. »

● celui de M. Boivin-Champeaux : « Si nous vous demandons une réforme, c'est qu'ainsi que les Chambres l'ont manifesté à une immense majorité, nous avons la conviction profonde qu'elle est indispensable aux intérêts de la patrie... Que sera cette nouvelle Constitution ? Nous ne savons que ce qui nous a été dit par un exposé des motifs dont nous ne pouvons, par ailleurs, qu'approuver les termes : patrie, travail, famille. »

4

Les déclarations de Pierre Laval

MEMOIRE EN REPONSE
A L'ACTE D'ACCUSATION

L'acte d'accusation ne retient pas seulement les conditions du vote de la loi, mais il vise aussi — et je dirai surtout, car j'ai répondu au premier grief en le réfutant — l'application illégale qui aurait été faite de cette loi constitutionnelle.

J'ai déclaré devant la Haute Cour mon désaccord total et profond avec le Maréchal sur la politique intérieure et je ne puis accepter pour moi-même des critiques ou des griefs qui le concernent seul ou qui concernent ceux qui l'ont conseillé ou assisté dans des actes que j'ai réprouvés.

Le Maréchal commit une première faute, qu'il renouvela sans cesse depuis, en ne soumettant jamais ses actes constitutionnels aux délibérations du Conseil des ministres.

Dès le lendemain du vote et dès la signature du premier acte constitutionnel avec la formule « Nous, Philippe Pétain », je compris l'immensité de l'erreur que j'avais commise et que je partageais avec tous ceux, au Parlement ou en dehors, qui n'avaient pu prévoir le caractère personnel que le Maréchal allait imprimer à son pouvoir.

La signature qu'il donna à l'acte me conférant

sa succession, au cas où il serait empêché pour quelque cause que ce soit, s'explique par le fait qu'au Parlement il était implicitement admis par les votants que les choses devraient se passer ainsi au cas où le Maréchal viendrait à mourir et si les circonstances restaient les mêmes. J'aurais pu, d'accord avec le Maréchal, sans opposition des ministres à ce moment, insérer dans le projet de loi constitutionnelle mon nom dans les mêmes termes que dans l'acte signé par le Maréchal, et il ne fait aucun doute que le texte eût été voté.

Les parlementaires, M. Léon Blum l'a rappelé, craignaient une entreprise militaire contre le pouvoir civil, et cette seule crainte eût suffi à assurer une majorité à l'adjonction de mon nom au texte. Aucune critique ne fut alors formulée contre cet acte signé par le Maréchal, par aucun des votants de l'Assemblée Nationale.

Si le Maréchal eût été empêché de continuer à exercer sa fonction et si j'avais dû accepter la responsabilité du pouvoir, j'aurais eu de mon rôle une conception tout autre. Malgré les circonstances nées de l'occupation, c'est vers le Parlement que je me serais tourné. C'était d'ailleurs la seule direction que je pouvais suivre pour trouver des concours et un appui. Je n'aurais jamais accepté cette succession sans la collaboration active et partagée des représentants politiques les plus qualifiés, en attendant le retour à des circonstances normales. Au surplus, la solidité de cet acte constitutionnel était bien fragile, puisqu'il fut révoqué le 13 décembre par une simple signature.

Ce qui prouve que je ne m'y étais guère attaché, c'est qu'en revenant au pouvoir, en 1942, j'aurais pu demander, et j'aurais certainement obtenu, qu'un nouvel acte me restituât la qualité de successeur qui m'avait été enlevée le 13 décembre. Je n'en fis rien parce que les circonstances n'étaient plus les mêmes qu'au lendemain du vote de l'Assemblée nationale. Au surplus, je tenais d'autant moins à ce titre de successeur qu'après la mort de Darlan l'acte signé par le Maréchal ne me conférait le pouvoir que pour un mois, pendant lequel le Conseil des ministres devait choisir le successeur et fixer les pouvoirs respectifs du chef de l'Etat et du chef du Gouvernement. Je croyais à la nécessité de la présence d'un président de la République et d'un chef du Gouvernement.

Le Maréchal avait reçu du Parlement la mission de promulguer une nouvelle constitution, et il ne l'a jamais remplie. Je lui ai souvent rappelé son devoir à ce sujet ; il me répondait toujours par de vagues formules, mais notre désaccord sur les principes essentiels ne lui permettait pas de traiter ce problème avec moi. Il avait de nombreux collaborateurs, occasionnels souvent, ou permanents, comme l'amiral Fernet, qui travaillait et accumulait des projets qui ne voyaient jamais le jour ; sauf pourtant le 13 novembre 1943, lorsqu'il voulut lire un message annonçant qu'il avait préparé une nouvelle constitution (message dont la radiodiffusion fut interdite par les Allemands). C'est le projet de constitution qui a été produit au cours de son procès ; il prévoyait la République après sa mort, car le Maréchal n'a jamais admis qu'il pouvait être remplacé de son vivant. Comme chef du Gouvernement, je n'avais eu aucune connaissance de ce projet, mais j'ai appris par un colonel, collaborateur du Maréchal, qu'il avait été fait en prévision du retour au pouvoir de M. Camille Chautemps.

Quand je me suis expliqué devant l'Assemblée Nationale, dans la séance privée du 10 juillet 1940, j'ai très nettement marqué que la nouvelle constitution ne pourrait être réactionnaire, ne pouvait nous ramener vers un passé périmé, et souligné qu'elle devait être l'expression des vœux, du désir et de la volonté du pays. J'avais ajouté que toute constitution qui ne répondrait pas aux aspirations précises du peuple serait artificielle et ne pourrait être ratifiée. J'ai parlé un langage, devant le Parlement, si clair qu'il ne pouvait laisser aucun doute sur le caractère républicain de l'œuvre à construire. Devant la commission spéciale chargée de rapporter le projet de loi constitutionnelle, j'avais pris l'engagement que les présidents de la Commission du suffrage universel de la Chambre, de la Commission des législations civiles du Sénat, des Commissions des finances de la Chambre et du Sénat, participeraient de droit à l'élaboration de la nouvelle constitution. J'avais précisé que leur participation consacrait l'obligation de rédiger une nouvelle constitution dans l'esprit de nos lois républicaines, qui garantissaient au surplus le contrôle financier des dépenses publiques.

Ainsi donc, on ne trouve rien dans les débats et dans les travaux préparatoires de la loi du 10 juillet 1940 qui pourrait laisser planer le moindre doute sur mon intention de violer ou de vouloir porter atteinte à la légalité républicaine. Et pourtant l'acte d'accusation ne craint pas de relever un propos que j'aurais tenu un jour, au Mayet-de-Montagne, devant des instituteurs, disant que j'avais, le 10 juillet, accompli le premier acte de la Révolution nationale. Je me souviens avoir parlé au Mayet-de-Montagne, non pas devant des instituteurs, mais devant les délégués à la propagande du Maréchal. Pour la plupart, ils venaient de partis d'extrême-droite et ne professaient pour moi ni admiration ni dévouement. Je me souviens leur avoir fait, sur le ton d'une conversation, un exposé assez complet de la politique extérieure de la France avant la guerre, mais nullement de leur avoir préconisé une révolution nationale. Il me souvient, au contraire, d'avoir ironisé, devant eux et ailleurs, très souvent, dans mes conversations, sur la Révolution nationale dans laquelle chacun situait son idéal, ses fantaisies ou ses ambitions. Je l'ai dit aux Légionnaires ; je l'ai dit aux maires, aux préfets. D'ailleurs, il était de notoriété publique que j'étais l'adversaire résolu de cette conception réactionnaire. Je ne manquais jamais, dans mes déclarations radiodiffusées, de parler de la République, et je le faisais d'autant plus que je voulais ainsi rappeler au Maréchal, à ses collaborateurs, aux aventuriers, aux royalistes, que le pays ne pouvait accepter un autre régime que la République. Les journaux de Paris ne manquaient jamais non plus de m'attaquer lorsque je tenais un pareil langage, et les partis de la Collaboration me combattaient avec férocité. Pour les journalistes parisiens, j'étais « le républicain musclé », parce que j'avais dit dans une déclaration à la *United Press,* en mai 1941 : « Une République neuve, plus forte, plus musclée, plus réellement humaine, cette République, nous la voulons et nous la construirons. » J'avais ajouté le même jour : « Les libertés ? Elles ne sauraient être menacées dans un pays qui en fut le berceau. » Et en septembre 1942, j'ai dit : « Une République libre, nous ne pourrons la construire que lorsque nous serons pleinement libres. »

La suppression de la présidence de la République et les pleins pouvoirs que le Maréchal s'attribua résultaient d'actes constitutionnels, auxquels je n'ai jamais été appelé à collaborer. C'est M. Alibert, qui était conseiller politique du Maréchal, avec d'autres sans doute, et je ne fus jamais consulté à ce sujet. Je réalisais d'ailleurs aussitôt l'abus que ces actes représentaient, mais je savais qu'ils ne pouvaient avoir qu'un caractère temporaire, l'armistice, à ce moment, ne paraissant pas devoir durer quatre ans. Je fus systématiquement écarté de toutes les consultations qui avaient trait à la direction politique du Gouvernement ; ma seule qualité de parlementaire me rendait suspect. C'est ainsi que j'appris un jour, au

Conseil des ministres, par une communication du général Weygand, que la Légion des combattants était créée et qu'étaient dissoutes toutes les autres associations. Le nouveau groupement allait constituer la seule force politique officiellement organisée et il relevait uniquement de l'autorité du Maréchal. C'est ce groupement qui allait donner naissance à la Milice. Les préfets et les ministres eurent à compter désormais avec la Légion, dont les initiatives ne furent pas toujours heureuses. J'ai pu dire quelquefois que la Légion était la revanche des « battus aux élections ». En tout cas, elle allait jouer un rôle prépondérant dans la politique intérieure de l'Etat.

Il est donc injuste de m'attribuer une responsabilité dans des actes auxquels je n'ai pris aucune part et que j'ai désapprouvés. La convocation, la réunion, le vote de l'Assemblée Nationale se firent dans la légalité, et aucun grief valable ne peut être relevé contre moi à ce sujet. Il m'eût été difficile de tromper sept cents parlementaires. Aucun, à ce moment, ne protesta, pas même ceux qui furent surpris par le vote et par l'ampleur de la majorité. Quant aux abus qui furent commis dans l'application de la loi constitutionnelle, il n'en est aucun qui le fût par moi ou avec ma complicité. Le Maréchal, je le répète, était trop jaloux de son autorité pour me laisser intervenir dans un domaine qu'il disait être le sien, et je lui étais trop suspect au point de vue politique pour qu'il songeât à me demander le moindre conseil.

J'ai souvent fait observer que substituer une municipalité à une autre, celle-là élue, régulièrement élue, constituait un acte d'arbitraire. Je l'ai d'autant mieux fait remarquer que mes amis étaient souvent victimes de ces mesures, dans le Puy-de-Dôme ou dans la Seine. Ces substitutions étaient en outre inspirées par une méconnaissance totale de l'esprit des populations. Révoquer, par exemple, un homme comme Betoulle, maire de Limoges depuis si longtemps, était une faute lourde. Je me serais d'autant moins permis de porter atteinte aux Conseils municipaux qu'une telle action était contraire à l'attitude que j'avais eue à l'Assemblée Nationale. C'est la Légion, en zone sud, qui avait la mission de prendre ces initiatives, que les préfets ou le ministre de l'Intérieur devaient ensuite ratifier.

Les Conseils généraux furent supprimés en 1941, alors que je n'étais plus au gouvernement. Cette suppression constituait une violation flagrante de l'esprit dans lequel avait été votée la loi du 10 juillet 1940.

Un Conseil national fut créé, également après mon départ, et je le supprimai à mon retour au pouvoir.

J'essayai de rétablir progressivement les Conseils généraux ; le nom seul était provisoirement changé en Conseil départemental, mais les attributions restaient les mêmes. Je dus subir parfois les exigences de la Légion pour le choix des membres, mais je pris le plus grand nombre de conseillers généraux élus et j'avais donné aux préfets l'ordre de me proposer, dès qu'ils le pouvaient, la nomination d'anciens conseillers généraux. C'est le moyen que j'imaginai pour faire revivre ces corps élus que le Maréchal avait supprimés.

Le pouvoir personnel du Maréchal ne fut pas mon œuvre. Ceux qui ont connu mes rapports avec le Maréchal, l'atmosphère de Vichy, savent parfaitement que cette politique n'était pas la mienne et qu'elle était souvent dirigée contre moi. La substitution de l'Etat français à la République, dans les documents officiels, n'était pas mon fait. L'enlèvement des bustes de la République, le serment, que je n'ai d'ailleurs jamais voulu prêter, l'effigie sur les timbres-poste, toutes les autres mesures ridicules et illégales du même ordre provenaient de ceux qui voulaient consacrer ce pouvoir personnel du Maréchal. A l'Hôtel Matignon, j'ai continué à écrire sur du papier à lettre avec la mention « République française ».

J'ai su que le Garde des Sceaux avait été invité, un jour où il déjeunait chez le Maréchal, à changer l'appellation de « procureur de la République » en celle de « procureur de l'Etat ». Je lui fis reproche de ne pas m'en avoir parlé, parce ce que je serais allé aussitôt protester auprès du Maréchal. D'ailleurs il ne le fit pas, en invoquant la nécessité où il se trouverait alors de modifier un trop grand nombre d'articles du Code. J'aurais purement et simplement refusé, en invoquant la violation de la loi constitutionnelle.

Au cours des débats du procès Pétain, un juré a demandé si j'avais promis le maintien de l'indemnité parlementaire. Je n'ai pas le souvenir qu'il en fût question, mais, en tout cas, je n'ai pas compris « qu'en accord avec le Gouvernement, les parlementaires aient reçu une retraite ». L'indemnité pouvait être réduite du fait que les députés et les sénateurs n'avaient plus à se rendre à Paris, mais le principe de la retraite n'était pas admissible et, pour ma part, j'ai toujours refusé de toucher mon indemnité sous cette nouvelle forme qui paraissait un acquiescement à la suppression des Chambres. Ce simple fait montre mieux encore quel était mon état d'esprit au regard du Parlement et de la légalité de sa survivance.

Enfin, l'acte d'accusation dit qu'un tel absolutisme ne pouvait s'établir qu'en s'appuyant sur l'envahisseur et en imitant ses méthodes.

Il serait plus exact de dire que la loi du 10 juillet 1940 fut l'une des conséquences de notre défaite et l'un des moyens envisagés pour essayer de mieux défendre les intérêts de notre pays. Il serait injuste de soutenir que je fus le metteur en œuvre de ce pouvoir personnel du Maréchal, que l'acte qualifie d'absolutisme. J'en fus au contraire, et presque au lendemain du 10 juillet 1940,

exactement le 13 décembre 1940, la victime. Quant
à l'acte constitutionnel qui me confiait la succession du chef de l'Etat, il fut justifié par les débats
eux-mêmes devant l'Assemblée. Je n'ai jamais eu
à l'appliquer et j'ai le droit d'affirmer que, dans
ce cas, je me serais, je l'ai déjà dit, tourné vers
le Parlement. Il constituait un privilège bien pré-
caire, puisqu'il fut retiré le 13 décembre 1940 et
motiva sans doute mon arrestation, pour satisfaire
l'ambition de l'amiral Darlan. Comme je l'ai déjà
dit, si j'avais été désireux de le faire, à mon
retour, le 18 avril 1942, j'aurais pu reprendre ce
titre « d'héritier présomptif ». Je n'en fis rien, et
cela prouve que je n'avais aucun goût particulier
pour recueillir la succession du Maréchal. L'amiral
Darlan, qui avait vécu dans les milieux parlementaires et ministériels, fils d'un ancien ministre,
était d'opinion républicaine, et je n'avais aucune
raison de mettre en doute son intention de respecter la légalité républicaine quand les circonstances
de l'occupation seraient modifiées. En parlant devant l'Assemblée Nationale, en représentant le
Maréchal, j'avais assumé une grande responsabilité devant mes collègues ; j'étais en quelque sorte
le garant des engagements que j'avais été amené
à prendre et je ne doutais pas, en les prenant,
pas plus que mes collègues n'en doutaient en
votant, qu'ils seraient respectés par le Maréchal.
Je ne pouvais, et personne ne pouvait supposer
que, dès le lendemain du vote, le Maréchal donnerait ou laisserait donner à l'exercice de son
pouvoir un caractère aussi nettement personnel.

Je n'avais été appelé à prendre aucune part
dans le choix des ministres et moins encore,
naturellement, dans celui de ses collaborateurs.
Le Maréchal, je le constatai aussitôt, était l'homme que la légalité républicaine n'intéressait à
aucun titre. Je le vis dans la formule préten-
tieuse et surannée qui figurait en tête des premiers actes constitutionnels : « Nous, Philippe

Pétain », beaucoup plus encore dans l'étendue des pouvoirs qu'il s'attribuait, car ils avaient forcément un caractère provisoire, et, comme presque tout le monde, je croyais que l'occupation serait de courte durée.

Une propagande et une publicité formidables furent organisées dans le pays pour magnifier le Maréchal. Il incarnait, disait-on, la France. Il pouvait seul sauver le pays. Ses photos, son buste étaient partout. Les journaux, la radio, le cinéma ne parlaient que de lui ; ses moindres gestes primaient dans la chronique tous les autres événements. Il y eut le chant national *Maréchal, nous voilà*. Il y eut la décoration, l'Ordre du Maréchal, avec la francisque. Des organismes étaient créés pour diffuser dans le pays les mots d'ordre du Maréchal : les Amis du Maréchal dans la zone occupée, et la Légion dans la zone libre. Je ne crois pas que l'Histoire révèle un aussi grand effort de propagande fait en France au profit d'un homme.

Mes rapports avec le Maréchal étaient corrects, courtois, mais non intimes, et, sous les influences qui s'exercèrent dès le lendemain du vote de l'Assemblée Nationale, le Maréchal me tint à l'écart des décisions qu'il prenait dans le domaine de la politique intérieure. Loin d'être son conseiller, mon avis, si je le donnais, paraissait systématiquement devoir être écarté. Ainsi, j'ai le droit d'affirmer que les mesures prises par lui ne peuvent m'être reprochées, car elles furent prises à mon insu, contre mon gré, et quelquefois malgré mon opposition. Le Maréchal était alors chef du Gouvernement et, sans égard pour les traditions ministérielles qu'il ignorait, comme les ignoraient les nouveaux ministres qu'il avait choisis, il travaillait directement avec eux, et les questions les plus importantes étaient seulement soumises au Conseil pour une ratification de forme. N'ayant aucun portefeuille, je ne prenais aucune part dans l'élaboration des textes, qu'il s'agît de comités professionnels, de la Charte du travail, de mesures concernant les Juifs ou les sociétés secrètes. Le Maréchal était jaloux de son autorité et une velléité d'opposition n'eût pas été tolérée par lui. Telle fut la situation politique au lendemain du 10 juillet 1940.

On comprend mieux alors, peut-être, que, responsable devant l'Assemblée Nationale, je n'aie pas repoussé à ce moment le titre « d'héritier présomptif » qui m'eût permis, le jour où le Maréchal n'aurait pu continuer ses fonctions, de revenir à une situation normale et légale. Ce titre me valut d'ailleurs aussitôt l'hostilité que provoque l'ambition, et je crois que ce fut la cause véritable et profonde de mon éviction et de mon arrestation, le 13 décembre 1940.

La mesure prise contre moi ce jour-là prouve à l'évidence que mon pouvoir était très faible et qu'il n'impressionnait guère les ministres.

Quant à l'intention que l'accusation me prête aujourd'hui, elle ne pourrait se motiver que si j'avais été dément. J'ai une trop grande expérience politique pour avoir cru que la France, retrouvant sa liberté après l'occupation, tolérerait longtemps un régime de force et de police. Pour remplir ce rôle de dictateur, il faut rechercher d'abord la popularité, et j'ai toujours agi sans me soucier d'elle. Les tâches que j'ai assumées, quand les chefs politiques refusaient le pouvoir à certains moments difficiles, me permettaient d'accomplir mon devoir vis-à-vis de notre pays, mais n'attiraient pas sur moi cette popularité indispensable. La plus simple observation des événements auxquels j'ai été mêlé atteste que je n'ai jamais recherché ni la popularité, ni la dictature.

L'occupation allemande nous a contraints à prendre un certain nombre de mesures comme celles concernant les Juifs ; elles ne furent jamais

de mon initiative et mes interventions eurent
toujours comme objet de les atténuer. Je m'en
suis déjà expliqué devant le juge en répondant
à certaines de ses questions visant les Juifs et
les sociétés secrètes. Ces mesures n'étaient, dit
l'acte d'accusation, que le premier pas dans
l'imitation servile de nos envahisseurs.

Je n'ai pas rédigé de loi concernant les Juifs,
dont je reparlerai en répondant au treizième considérant, pas plus que celle visant les sociétés secrètes ; mais qui oserait soutenir que ces textes ne
furent pas imposés par les Allemands ? Je pouvais
partir — abandonner notre pays à certains aventuriers de la Collaboration ou le laisser à la discrétion du vainqueur.

Avais-je le droit de le faire ? Je montrerai que
non en répondant à un autre considérant.

C'est dans ces termes que le problème devrait se
poser.

*

Je ne pensais pas voir revenir M. de Lapommeraye à l'audience. Il paraît qu'au propos qu'il me
reprocha, en me le rappelant au procès Pétain,
il doit en évoquer un autre : j'aurais dit que nous
devions faire un régime qui ressemble au régime
allemand.

Il est pour le moins étrange que M. de Lapommeraye ait attendu cinq ans pour apparaître sou-
dainement dans mon affaire. Appelé au cours du
procès Pétain par un juré à qui il avait fait sans
doute ses confidences, il vient, aujourd'hui, sollicité par le procureur général, témoigner au sujet
d'un nouveau propos que j'aurais tenu et qu'il n'a
pas cité à la dernière audience.

J'ai déjà dit au procès Pétain que mes rapports
avec M. de Lapommeraye n'étaient pas bons. Cela
ne suffit pas pour expliquer son acharnement contre moi. J'ai jugé souvent importunes les immix-

tions de M. de Lapommeraye dans nos entretiens politiques, entre sénateurs, dans les couloirs de la Haute Assemblée et je le lui ai dit quelquefois. J'étais alors dans une position plus forte, mais je n'accepte pas maintenant que ce fonctionnaire à la retraite vienne aussi tardivement soulager sa conscience pour accabler la mienne. Il satisfait peut-être une de ses vengeances mesquines pour mon attitude d'autrefois à son égard, sans mesurer assez aujourd'hui l'énormité de son propos. Si j'avais à recommencer ma vie, je ne plaisanterais plus avec des gens comme M. de Lapommeraye.

Quand j'ai été confronté avec lui à l'audience, j'ai simplement opposé la réalité de mes sentiments à l'intention sérieuse qu'il mettait dans un propos que j'ai cru fantaisiste et que je n'ai même pas voulu contredire.

Aujourd'hui, M. de Lapommeraye récidive, et, sa mémoire ou son service de renseignements ayant de nouveau fonctionné, il m'accuse d'avoir désiré, pour notre pays, un régime semblable au régime allemand.

Je ne me soucie plus du serment qu'il prête — car, outre que sa passion d'apparence tranquille peut l'aveugler, il peut aussi se tromper, et le serment n'apporte pas toujours avec lui l'exactitude et la sincérité.

A ses allégations fantaisistes, je vais opposer les paroles que j'ai prononcées le 10 juillet 1940 et qui ne peuvent, elles, être contredites, parce qu'elles furent prononcées devant l'Assemblée Nationale, qu'elles furent sténographiées et qu'elles ont aujourd'hui un caractère officiel :

« Aucune brutalité, aucun régime de force ne pourra faire fléchir la fierté de notre race. Si nous sommes résolus, si nous voulons nous refaire une autre âme, de ce grand mal qu'a été la défaite un grand bien peut sortir pour notre pays...

» ... Quand on fait une constitution, à moins d'être léger, on ne peut pas envisager une constitution qui ne soit pas l'expression des mœurs, l'expression des désirs, l'expression de la volonté d'un pays, car on ferait œuvre vaine : on ferait une œuvre qui serait purement artificielle et qui serait emportée par les événements. Ce n'est pas là l'œuvre à laquelle nous vous convions...

» ... La constitution envisagée ne peut pas être une constitution réactionnaire. Dans l'état où se trouve la France, étant donné le tempérament français, on ne peut plus regarder vers le passé et y retourner. C'est vers l'avenir qu'il faut aller. Il faut donner au monde du travail, et pas seulement sous la forme électorale que nous avons connue, des droits, de vrais droits sous un contrôle impartial, celui de l'Etat...

» ... Il y a autre chose à quoi nous pensons ; nous pensons au patrimoine moral auquel nous tenons, nous pensons à la famille, aux droits de la personne humaine et tout ce qui fait la raison de vivre... »

Je pourrais poursuivre les citations de cette nature, mais celles-ci suffiront. Mes paroles sont assez claires pour ne laisser place à aucune fausse interprétation. On y relève à chaque ligne la pensée contraire à celle que me prête M. de Lapommeraye. Je ne m'inclinais pas devant le nazisme ou devant le fascisme puisque je disais : « Aucune brutalité, aucun régime de force ne pourra faire fléchir la fierté de notre race », et j'ajoutais : « Nous ne voulons pas imposer à la France une constitution qui ne serait pas l'expression de sa volonté, car on ferait ainsi une œuvre vaine qui serait emportée par les événements. »

Je n'envisageais pas une constitution réactionnaire et mon langage était plus net encore lorsque j'affirmais « qu'on ne peut plus regarder vers le passé et y retourner ».

Peut-on plus franchement marcher vers la république et condamner la dictature ? Le doute n'est plus permis lorsque j'ajoute : « Nous pensons au patrimoine moral auquel nous tenons, nous pensons aux droits de la personne humaine et tout ce qui fait notre raison de vivre. »

Comment pourrait-on voir dans ces paroles la préfiguration du régime allemand ? Comment pourrait-on déceler dans ces propos le désir d'imiter, je ne dis pas servilement, mais même d'imiter de loin la politique du vainqueur allemand ?

Ces paroles sont les seules qui puissent m'être opposées parce que seules elles portent le caractère officiel et non contestable de mes déclarations devant l'Assemblée Nationale. Elles sont aussi expressives que probantes. Que peuvent compter en face d'elles les propos faux ou fantaisistes rapportés par M. de Lapommeraye ?

Une objection peut m'être faite. « Vous disiez cela devant l'Assemblée Nationale pour surprendre son vote, mais après, vous ne parliez pas ainsi. » Mon langage n'avait jamais varié.

Ma première déclaration publique sur notre politique intérieure, je l'ai faite à Paris, le 25 mai 1941, à M. Heinzen, représentant en France de la *United Press*. C'est d'ailleurs dans cette déclaration que l'accusation relève le passage sur l'Alsace-Lorraine.

Qu'ai-je dit ce jour-là, près d'une année après la réunion de l'Assemblée Nationale ? J'ai précisé ma pensée :

« Les libertés ? Elles ne sauraient être menacées dans un pays qui en fut le berceau. La démocratie ? Si c'est celle que nous avons connue, qui nous a fait tant de mal... nous n'en voulons plus et nous ne voulons pas qu'on nous demande de nous battre pour elle. Mais une République neuve, plus forte, plus musclée, plus réellement

humaine, cette République nous la voulons et
nous la construirons. Ceux qui dans mon pays
peuvent rêver d'un retour en arrière se trompent. La France ne peut pas et ne veut pas
reculer. Avec tous les grands Etats d'Europe, elle
devra remplir deux tâches : bâtir la paix d'abord,
et ensuite, pour briser le chômage, les misères et
les désordres, construire le socialisme. »

Le 5 juin 1943, dans un message radiodiffusé,
parlant de la paix future, et bien que le territoire
français fût alors occupé tout entier, j'avais l'audace de dire :

« L'individualité des peuples devra être respectée. Aucun pays ne pourra imposer ses mœurs,
sa religion, son régime aux autres pays. Mais,
n'en doutez pas, tous les régimes auront un trait
commun. Ils seront à base populaire. Le travail
aura partout la primauté qui lui revient, et sans
laquelle toute institution politique serait vaine
puisque l'adhésion profonde des masses lui manquerait. »

Comment pourrait-on retrouver dans tous ces
propos la volonté d'imiter le régime allemand ?
N'est-ce pas plutôt le langage si souvent exprimé
depuis la Libération — et n'étaient-elles pas pro-
phétiques ces phrases qui sont, sous des formes
variées, si répandues aujourd'hui ?

Comment ne pas sentir en les relisant qu'elles
portent l'affirmation d'une doctrine républicaine :
« Une République neuve, plus forte, plus musclée,
plus réellement humaine !... »

Comment ne pas voir dans ces mots une
condamnation de la politique du Maréchal : « Ceux
qui dans mon pays peuvent rêver d'un retour
en arrière se trompent. La France ne peut pas
et ne veut pas reculer. »

J'ajouterai au cours des débats d'autres citations puisées dans d'autres discours, pour qu'il soit établi de la manière la plus nette, et une fois pour toutes, que je n'ai jamais accepté ni même envisagé aucune transaction possible sur le principe républicain.

Mon dernier geste, avant d'être contraint par les Allemands de quitter Paris, ne fut-il pas précisément de tenter de préparer la réunion de l'Assemblée Nationale !

Après le débarquement en Normandie, la défaite en France des Allemands paraissait certaine. Leurs armées reculaient sans cesse et il était évident qu'ils devraient bientôt abandonner Paris. J'avais eu l'occasion, à maintes reprises, de protester auprès de l'ambassade d'Allemagne contre les déportations des Français, et, en particulier, contre celles des hommes politiques. J'avais souvent demandé le retour de certains d'entre eux et j'avais insisté spécialement en faveur du Président Herriot. J'avais fait valoir la nécessité de convoquer le Parlement pour qu'il se réunisse en Assemblée Nationale. Des circonstances exceptionnelles avaient motivé la réunion du 10 juillet 1940 qui avait permis l'attribution de pouvoirs réguliers au maréchal Pétain et au Gouvernement de la République. De nouvelles circonstances devaient mettre un terme à ces pouvoirs, et il me paraissait indispensable que l'Assemblée Nationale recouvrât par des voies normales les pouvoirs qu'elle avait délégués.

C'est le mercredi 9 août, à huit heures du matin, que je suis arrivé à Paris.

Trois problèmes me préoccupaient :

1. — le ravitaillement de la capitale ;
2. — la négociation avec le gouvernement allemand d'une convention pour que Paris ne soit pas défendu.
3. — la convocation de l'Assemblée Nationale.

Ainsi j'aurais eu le moyen de rendre compte des conditions dans lesquelles le Gouvernement avait été amené à agir pendant l'occupation, et, ce qui me paraissait encore beaucoup plus important, les pouvoirs légaux et constitutionnels de la France eussent été régulièrement transférés. C'était là, à mon sens, la seule façon, après le bouleversement de la guerre, de créer un climat de concorde et d'union dans le pays.

Dès les premières heures de la matinée, je convoquai à Matignon les bureaux du Conseil municipal et du Conseil départemental de la Seine. Je fis part de mes intentions aux membres dont la plupart étaient d'anciens élus, sénateurs ou députés, et le lendemain 10 août je fis publier le communiqué suivant :

Arrivé hier de Vichy, le Président Laval a reçu M. Taittinger, président du Conseil municipal de Paris, et M. Constant, président du Conseil départemental de la Seine, accompagnés des bureaux des deux assemblées. Il leur a dit les raisons de son retour à Paris et sa volonté de rester au milieu de la population parisienne.

Le vendredi 11, à dix-huit heures, après m'être entretenu avec d'anciens parlementaires, qui se sont ralliés à ma façon de voir, je reçus à Matignon les quatre-vingt-sept maires de Paris et des communes de la banlieue de la Seine (la majorité de ces derniers étaient d'anciens élus). Ceux-ci, à l'unanimité, m'exprimèrent leur confiance en me remettant une motion dont voici le texte :

Les membres de l'Union des maires de la Seine adressent au Président Laval, chef du Gouvernement, l'hommage de leur affectueuse et fidèle amitié. Ils lui disent leur confiance entière en son action, persuadés qu'il trouvera dans son amour pour la patrie blessée les voies de salut qui

conduiront le pays vers sa résurrection. Profondément dévoués à sa personne, ils sont heureux de
pouvoir donner par leur cohésion l'exemple de la
discipline et de l'union, et n'ont pour seule ambition que de servir le pays.

Peu après la réception des maires, je reçus longuement l'ambassadeur Abetz. Je lui fis valoir
tous les arguments en faveur du retour du Président Herriot. L'ambassadeur se rendit à mes
raisons en m'indiquant que je pouvais, si je le
voulais, aller annoncer moi-même au président
de la Chambre qu'il était libre. C'est ainsi que,
le 12 ou le 13 août 1944, j'allai à Nancy, me proposant de ramener le Président Herriot à Paris.
Je l'informai des démarches que j'avais faites,
du résultat que j'avais obtenu et de mon désir
de faire convoquer l'Assemblée nationale suivant
les formes légales prévues dans la loi de 1875.
Après une longue détention, le Président Herriot
fut justement et, je le pensai aussi, heureusement
surpris de la nouvelle que je lui apportais. Il
pouvait craindre en effet d'être, en raison des
méthodes allemandes et des circonstances militaires, déporté en Allemagne. Au lieu de la direction de Berlin, c'est la route de Paris qui lui était
ouverte.
De mon côté, j'avais obtenu la garantie de l'ambassadeur d'Allemagne que je pourrais rester à
Paris. J'avais refusé catégoriquement de partir
vers l'Est. Comme chef du Gouvernement, et quels
que pussent être les risques à courir, j'estimais
n'avoir point le droit d'abandonner mon poste
avant d'avoir fait procéder à un transfert régulier de mes pouvoirs. Devant mon attitude décidée et ma résolution de ne pas céder aux demandes de l'ambassadeur d'Allemagne, celui-ci me
donna son accord.
Le Président Herriot s'installa à la Préfecture
de la Seine, en attendant que lui soient remis les

locaux de la Présidence de la Chambre, encore occupés. (L'ordre fut donné aux services allemands d'évacuer les locaux pour le jeudi 17 août au soir.)

Je devais m'enquérir également au sujet du président du Sénat, M. Jeanneney, qui se trouvait dans la région de Grenoble. Sur le conseil de M. Herriot, je vis M. Blondeau, conseiller d'Etat, directeur du cabinet du Sénat, et je lui demandai, ce qu'il me dit être disposé à faire, de se préparer à partir pour aller chercher M. Jeanneney. Il était impossible de communiquer par téléphone avec Grenoble, tous les circuits téléphoniques étant coupés. M. Blondeau n'eut pas à faire son voyage. (Je ferai d'ailleurs citer comme témoins M. Herriot et M. Blondeau.)

Dans le même temps, je négociais avec les Allemands et le consul de Suède pour épargner à Paris des destructions inutiles. Le même jour, vers vingt-deux heures, l'ambassadeur vint m'annoncer que la *Wehrmacht* donnerait l'ordre à ses troupes de ne pas défendre Paris. Par deux vigoureuses interventions, j'avais empêché la veille la destruction des centrales électriques et téléphoniques de la capitale. Quelques moments plus tard, vers vingt-deux heures trente, je fus informé, par un appel téléphonique d'un des inspecteurs mis à la disposition de M. Herriot, que la police allemande venait d'arriver à la Préfecture de la Seine et se disait chargée de reconduire M. Herriot à Maréville, près de Nancy, où j'étais allé le chercher quelques jours auparavant. Je me rendis immédiatement à la Préfecture de la Seine pour protester contre cette nouvelle arrestation, et j'expliquai au capitaine Nosseck que la mission dont il était chargé constituait pour moi la plus grave offense. Je m'opposai à l'exécution et je priai, par téléphone, M. Abetz, ambassadeur, de venir conférer avec moi et avec M. Herriot à la Préfecture. L'un et l'autre, nous élevâmes une énergique protestation contre un tel procédé et un tel manquement à la parole donnée. L'ambassadeur tenta d'expliquer qu'il avait pris sur lui, en accord avec les services de police, de faire libérer M. Herriot, mais qu'il venait de recevoir de son gouvernement l'ordre formel de rapporter sa décision. Il s'en excusait, mais prétendait ne rien pouvoir faire pour se soustraire à cet ordre. Dans le but de gagner du temps et dans l'espoir de faire revenir le gouvernement allemand sur sa décision, je remis une lettre à l'ambassadeur, adressée à Hitler. Je remis également à Abetz la lettre de protestation suivante :

Paris, le 17 août 1944.

Monsieur l'Ambassadeur.

J'ai été informé par vous que je pouvais annoncer au Président Herriot qu'il était libre. Je suis allé à Nancy pour le lui dire et je l'ai ramené à Paris.

La nouvelle de son arrestation et de son nouveau transfert à Nancy ou en Allemagne, que je viens d'apprendre, m'affecte profondément.

Si cet ordre était maintenu, il constituerait pour moi la plus grave offense. On ne manquerait pas de m'imputer une duplicité qui, vous le savez, n'a jamais été dans mon caractère.

Je devrais vous demander de me considérer comme prisonnier au même titre que le Président Herriot et, dans tous les cas, vous me placeriez dans la nécessité de renoncer immédiatement à l'exercice de mes fonctions.

Veuillez agréer, Monsieur l'Ambassadeur, l'assurance de ma très haute considération.

PIERRE LAVAL.

M. Herriot écrivit en même temps la lettre qui suit :

Paris, le 16 août 1944.

A Son Excellence
l'Ambassadeur d'Allemagne à Paris.

Après avoir été informé à Nancy par M. le Président Laval que j'étais libre, sans aucune démarche de ma part, après avoir été ramené à Paris où, pour des raisons de prudence et d'intérêt général, je me suis privé de cette liberté qui m'était annoncée, sans commettre le moindre acte qui puisse m'être reproché, je suis de nouveau emmené je ne sais où avec ma femme qui a volontairement et courageusement suivi mon sort.

Je n'ai aucun moyen de résister à la force lorsqu'elle s'oppose à la parole donnée. Mais je laisse cette protestation solennelle entre les mains de M. le Président Laval, chef du Gouvernement, en le priant de la transmettre à M. l'ambassadeur d'Allemagne à Paris.

EDOUARD HERRIOT.

Il fut alors convenu que M. et Mme Herriot passeraient la nuit à la Préfecture et que le lendemain 17, dans la matinée, ils iraient à l'ambassade où ils seraient, me dit l'ambassadeur, garantis contre une nouvelle intervention de la police allemande, avant que vienne la réponse de Berlin à la lettre que j'avais remise. Je devais moi-même aller les rejoindre à l'ambassade le lendemain à midi — ce que je fis.

C'est le matin du 17 que le préfet de police, M. Bussière, me téléphona pour m'aviser du départ pour l'Est de Déat, Darnand et de Brinon.

L'ambassadeur me dit avoir reçu le matin même des instructions qui ne permettaient pas de lais-

ser séjourner à Paris M. Herriot et qu'il devait,
dans la journée même, être reconduit à Maréville. Je protestai de nouveau avec vivacité et
M. Abetz m'informa alors que les mêmes instructions lui enjoignaient de me faire partir, le jour
même, avec les membres du Gouvernement, à
Belfort. Il me précisa que le Maréchal devait partir également et que le ministre allemand,
M. Renthe-Fink, était chargé de l'aviser et de
faire exécuter l'ordre. Je rappelai alors l'engagement que l'ambassadeur avait pris vis-à-vis de
moi. Je lui précisai que j'avais annoncé publiquement ma volonté de ne pas quitter Paris, que
j'accomplissais un devoir impérieux, que j'en acceptais tous les risques pour ma personne, et
j'ajoutai que le gouvernement allemand n'avait
aucun droit de disposer de ma personne et de
celle des ministres. Je lui dis que j'avais l'intention de convoquer un Conseil des ministres, dans
l'après-midi, et que je lui ferais part de la réponse du Gouvernement. A la réunion, tous les
ministres présents approuvèrent la protestation
que j'avais faite et le refus de partir que j'avais
opposé. J'écrivis aussitôt une lettre à l'ambassadeur, à laquelle il répondit en disant qu'il userait
au besoin de la contrainte pour faire exécuter
l'ordre qu'il avait reçu. Je réunis de nouveau les
ministres pour les mettre au courant, et ils approuvèrent les termes de la lettre que j'adressai
à l'ambassadeur d'Allemagne, dans laquelle je lui
faisais connaître que le Gouvernement cessait
l'exercice de ses fonctions. Quelques ministres,
MM. Cathala, Grasset et Chasseigne, me firent
connaître leur intention de ne pas partir et réussirent à se cacher. Dans la soirée, vers dix heures, l'ambassadeur allemand se présentait à
l'Hôtel Matignon avec le chef de la police allemande — des voitures de la Gestapo station-
naient devant la porte — et vint me notifier
l'ordre. C'est dans ces conditions que je dus quit-

ter Paris. Les deux préfets et les deux présidents des assemblées de Paris et de la Seine étaient présents. Je remis aux uns et aux autres des instructions avant de monter dans ma voiture. Précédés et suivis par des voitures de la Gestapo, nous fûmes emmenés vers Nancy, où je devais retrouver le Président Herriot. De là, nous fûmes dirigés sur Belfort, où le Maréchal devait nous rejoindre deux jours plus tard.

J'ignore ce qui a pu être dit ou écrit au sujet de l'initiative que j'avais prise concernant la libération de M. Herriot et de mon désir de faire convoquer l'Assemblée nationale. J'ai seulement lu dans la *Tribune de Genève*, en octobre ou novembre 1944, la reproduction d'un article d'un journal de Lyon qui, d'une manière tendancieuse et romancée, présentait les faits. Ils sont tels que je viens de les rappeler et ils attestent mon intention d'avoir voulu respecter les lois constitutionnelles de notre pays. J'avais songé à faire prévenir l'état-major des armées alliées qui marchaient sur Paris de mon projet autant que de la présence à Paris de MM. Jeanneney et Herriot. Je n'en eus pas le loisir puisque les Allemands m'avaient contraint, avec le Gouvernement, à quitter Paris. J'avais dit au Président Herriot que j'allais également en faire part au maréchal Pétain — ce qui lui paraissait, à lui, de moindre importance.

Au cours des entretiens que j'eus avec le Président Herriot, il me demanda pourquoi il avait été interné à Evaux par ordre du gouvernement français. Je lui expliquai que M. Angeli, préfet régional de Lyon, avait été chargé de lui demander l'engagement écrit de ne pas partir, de ne pas quitter la région où il habitait. M. Herriot, froissé par une telle demande, avait refusé d'écrire cette lettre, et c'est ce qui avait motivé la mesure d'internement. Les services de la police allemande, autant que l'ambassade, étaient frappés par le nombre sans cesse croissant de parlementaires qui quittaient la France à destination de l'Angleterre ou de l'Algérie. A maintes reprises, et en dernier lieu d'une manière pressante et sans équivoque sur leur intention de faire procéder à son arrestation, ils me demandèrent où se trouvait M. Herriot. Je leur affirmai que le Président Herriot n'avait certainement pas l'intention de quitter la France, que je m'en portais garant. C'est dans ces conditions, et dans l'espoir de le soustraire définitivement à la menace d'arrestation qui aurait été certainement exécutée, que je suggérai de demander au Président Herriot de prendre l'engagement de rester dans sa région. Peut-être n'a-t-on pas donné à M. Herriot tous les renseignements qui lui eussent fait comprendre et admettre que le Gouvernement n'agissait pas, en cette matière, comme en tant d'autres, de son plein gré, et c'est ce qui explique le refus qu'il opposa. Les Allemands redoutaient beaucoup son action, en raison de son autorité personnelle, et je crois pouvoir dire que, sans mes protestations et mes craintes exprimées sur les conséquences de leur décision, ils n'eussent pas manqué depuis longtemps de le déporter en Allemagne. Ils l'ont d'ailleurs fait plus tard, sans nous prévenir, et n'ont tenu aucun compte des démarches pressantes et répétées que j'ai faites à maintes reprises pour que M. Herriot échappe à leur emprise et à son internement. Nous avons eu les plus grandes difficultés à obtenir l'adresse de son lieu de résidence. Quand j'étais en Allemagne, j'ai tenté, sans succès, de savoir où il se trouvait. J'ai fini par l'apprendre, l'ambassadeur Abetz m'ayant dit avoir reçu de lui une lettre protestant contre un article blessant paru dans un journal allemand. J'en avais profité pour demander son adresse, que jusque-là M. Abetz m'avait dit ne pas connaître. J'ignore dans quelles conditions M. et Mme Herriot ont séjourné en Allemagne, mais j'ai toutes raisons de penser qu'elles devaient singulièrement ressembler à celles qui nous furent imposées à ma femme et à moi.

J'ai éprouvé un sentiment pénible de regret quand M. Herriot se plaignit à moi de son arrestation, un sentiment d'humiliation, dans l'impuissance où se trouvait le gouvernement français en face des exigences allemandes — exigences qui augmentaient au fur et à mesure que la situation militaire de l'Allemagne s'aggravait. En de telles circonstances qui se renouvelaient trop souvent, je ne pouvais faire plus, ni faire moins. Je pouvais m'en aller. J'aurais été certainement arrêté à mon tour — et mon sort n'aurait pas été pire que celui des autres déportés, — mais j'aurais abandonné la France entre quelles mains ? Et quelles mesures auraient été prises ? Mon intérêt aurait dû me faire quitter le pouvoir, mais mon devoir était de rester. Si j'avais écouté mon intérêt, et manqué à mon devoir vis-à-vis de notre pays, je ne serais pas ce soir dans cette cellule où je rédige cette note.

Et maintenant qu'on connaît le rôle que j'ai joué, en août 1944, pour défendre les principes républicains et assurer sans trouble la passation des pouvoirs, que reste-t-il de la déposition de M. de Lapommeraye ? Le mauvais souvenir d'une mauvaise action — et cette certitude pour moi, qui n'est pas nouvelle, qu'il m'a fallu du courage pour servir la France à cette époque.

Déposition de Pierre Laval au procès Pétain. (Audience du 3 août 1945)

— Je ne dis pas que j'ai eu à défendre la République. Je dis que, dans ma pensée, quand vous avez parlé de coup d'Etat, il ne pouvait pas en être question, car si j'avais voulu faire un coup

d'Etat, je n'aurais pas mis les mots « La République » dans le texte et ce texte aurait été sans
doute voté quand même parce qu'on n'y aurait
pas pris garde. J'ai mis « La République » à dessein pour bien souligner, pour bien marquer que
le principe républicain n'était pas entamé et que
c'est sur un principe républicain que la nouvelle
constitution devait être rédigée et soumise à la
ratification de la Nation.

— Quand je faisais un discours ou une déclaration radiodiffusée, systématiquement je parlais
de la République. C'était là comme un rappel pour
bien souligner qu'il était impossible de concevoir un autre régime.

— Je ne conçois pas un autre régime pour
mon pays que le régime républicain. Si, pendant une période de malheur, nous avons dû priver les Français de leur liberté sous la contrainte
de l'occupation et si nous avons dû subir des
humiliations, à plus forte raison, j'aime ce régime
qui nous donnait ces libertés et j'abhore ceux
qui nous les enlèvent.

LIVRE 2

LA POLITIQUE
DE COLLABORATION DE 1940

Chapitre I

MONTOIRE

1

Les Faits

Le gouvernement avait admis la nécessité d'entrer en rapport avec les autorités d'occupation allemandes afin d'obtenir un assouplissement des conditions d'application de la Convention d'armistice. Quatre problèmes principaux le préoccupaient : le ravitaillement de la population, la reprise de l'activité industrielle, le sort des prisonniers et la ligne de démarcation qui coupait la France en deux parties dont l'existence séparée était menacée. La violation des clauses de l'armistice par les Allemands dans le Nord et l'Est du territoire national avaient aggravé ces difficultés.

Pierre Laval, avec l'accord et le mandat du gouvernement, s'était rendu à Paris où il s'entretint le 19 juillet 1940 avec Otto Abetz, conseiller à l'ambassade d'Allemagne. Il le revit au mois d'août. Bien qu'entre-temps, il ait été nommé ambassadeur par Hitler, Abetz n'avait pas qualité pour discuter des demandes formulées par le gouvernement français. Il intervint auprès du ministre des Affaires étrangères allemand afin qu'il acceptât de recevoir Laval. Le 22 octobre, lui annonçant que Ribbentrop avait consenti à le rencontrer à l'occasion du voyage qu'il faisait en France,

Abetz emmena Laval en voiture en direction de Tours. Après avoir dépassé cette ville et à proximité de Montoire, il lui apprit qu'il verrait non seulement Ribbentrop, mais Hitler.

La conversation entre Laval et Hitler a été rapportée dans le compte rendu allemand établi par le ministère des Affaires étrangères [1]. *En voici le passage concernant les rapports franco-allemands : « Monsieur Laval déclara avoir l'intention, en face du Führer, de parler en toute liberté et par là même de souligner l'espoir qu'il mettait en la collaboration franco-allemande... Il avait été déjà, avant la guerre, partisan d'une collaboration franco-allemande et se trouvait donc en mesure, sans complexe, de suivre maintenant à nouveau la même ligne politique. Il regrettait simplement que cette occasion se présentât à un moment où la France était dans une situation si inquiétante. Il était d'avis que la politique de la France devait s'édifier sur la collaboration avec le Reich. L'Allemagne avait conquis la victoire. Si elle le voulait, elle pouvait abuser de sa victoire, puisque la France n'était pas capable de la moindre réaction et serait bien obligée d'accepter toutes les souffrances qui lui seraient imposées. Mais il doutait que, si elle agissait ainsi, l'Allemagne puisse s'assurer tous les avantages matériels et moraux qu'elle était en droit d'attendre de sa victoire... Le Führer répondit qu'il avait jugé nécessaire d'avoir une entrevue avec M. Laval au moment où d'importantes consultations internationales devaient avoir lieu. Il était évident, cependant, que ce premier entretien ne devait pas permettre de déterminer les rapports franco-allemands, mais seulement de tenter d'en établir les idées directrices. D'elles dépendrait l'examen des problèmes intéressant la France. Le Führer avait en outre à en tenir compte avant de pren-*

1. Aucun compte rendu officiel de l'entretien de Pierre Laval avec Hitler à Montoire le 22 octobre 1940 n'a été publié du côté français. On le comprend facilement puisque Pierre Laval ne fut avisé que la veille par Abetz du rendez-vous qu'il avait obtenu pour lui avec Ribbentrop et qu'au surplus la présence de Hitler lui avait été cachée. Les archives allemandes comportent le compte rendu officiel rédigé d'après les notes manuscrites prises au cours de l'entretien par l'interprète en chef du ministère des Affaires étrangères allemand, le Dr. Paul Schmidt. Elles ont été publiées en Angleterre dans « Documents on German Foreign Policy » — Tome XI — Séries D.

dre d'autres décisions [2]. ... En effet, il fallait que M. Laval
comprenne que quelqu'un devait assumer la responsabilité
des frais de la guerre et en supporter les conséquences...
Militairement parlant, la France était le premier pays vaincu
et, par suite, un ennemi responsable de la guerre... En principe, le Führer abordait ces problèmes sans passion, car
il avait tenté sans succès pendant de nombreuses années de
parvenir à une collaboration entre la France et l'Allemagne.
Il était encore prêt à choisir cette voie si des conditions
favorables se présentaient... Laval admit que le moment
n'était pas venu de discuter des détails d'une politique
franco-allemande commune. Il comprenait donc le désir du
Führer de limiter l'entretien d'aujourd'hui... Il voyait bien
aussi qu'il ne pourrait y avoir de règlement définitif entre
la France et l'Allemagne tant que la guerre durerait... Il
émettait l'espoir pourtant qu'au cours de la discussion des
détails de la collaboration envisagée, il lui serait permis de
défendre les intérêts de son pays... Si l'Allemagne, ainsi
que le Führer venait de le déclarer, ne voulait pas de paix
vengeresse, tout était possible... Dans cet ordre d'idée, le
Führer déclara qu'il n'était pas possible de fixer les rapports franco-allemands tant que la guerre ne serait pas
terminée. Tant que l'issue de la guerre n'était pas certaine,
le problème de savoir qui aurait à payer les frais de la
guerre demeurait. Si l'Allemagne trouvait l'occasion de
conclure par ailleurs [3] un compromis équitable, il ne fallait pas s'attendre à ce qu'elle continuât de combattre
seulement pour épargner la France. Il devait le déclarer
froidement, car les rapports futurs des deux pays en dépen-
daient. ... Il était de la plus grande importance de savoir,
en fait, si la France, dans le cas d'une mobilisation générale contre l'Angleterre, adopterait une attitude positive ou
expectative. Cette question était capitale, car l'extension du
front contre l'Angleterre, en tenant compte de la position
de la France, serait influencée par le respect ou la négligence de ses intérêts. En principe, le Führer pensait que la
meilleure paix entre l'Allemagne et la France serait obliga-

2. Il faisait allusion aux opérations envisagées contre l'Angleterre.
3. Avec l'Angleterre.

toirement conclue aux dépens de l'Angleterre, car elle ne
pouvait être qu'une paix respectant tous les intérêts de
l'Allemagne en Europe et en Afrique... Il n'attendait pas
que M. Laval répondît de façon définitive à cette proposition. Il le priait seulement de communiquer au Maréchal
le contenu de l'entretien. Peut-être, une entrevue personnelle
entre le Maréchal et le Führer serait-elle possible par la
suite. Le Führer devait avoir le lendemain un entretien
avec le général Franco et si le maréchal Pétain acceptait
son invitation, celle-ci pourrait avoir lieu après... Laval
répondit qu'il pouvait répondre affirmativement au nom du
Maréchal et accepter cette invitation... En ce qui concernait
les intérêts de l'Allemagne en Afrique, il se voyait obligé
de souligner que la France avait édifié un empire colonial
au prix de bien des souffrances et d'efforts et qu'elle le
considérait comme une part irréductible de sa propre chair
et de son propre sang. Il croyait et espérait qu'il serait
possible de trouver une forme de collaboration capable
d'assurer à l'Allemagne et aux autres pays intéressés leur
part légitime de matières premières, sans pour cela diminuer la souveraineté de la France dans son empire colonial...
Il ne devrait jamais rien arriver qui puisse porter préjudice à l'honneur français ou porter atteinte à la sensibilité française et à la fierté raciale française... Le Führer
fit seulement remarquer que la fierté raciale française ne
pourrait être ménagée que si la paix était signée aux dépens
de l'Angleterre. » Le 24 octobre 1940, au cours de l'entretien [4] qu'il eut avec le maréchal Pétain et Laval, Hitler
proposa de nouveau la collaboration, sans cependant laisser
percevoir le sens qu'il entendait donner à ce terme ni en
préciser les conditions et la portée. Tout en acceptant le
principe d'une collaboration franco-allemande, le maréchal
Pétain et Pierre Laval demeurèrent très réservés de leur
côté.

Le mercredi 30 octobre 1940, le maréchal Pétain prononça

---

4. Le maréchal Pétain avait manifesté le désir d'avoir un entretien avec Hitler pour lui exposer ses revendications concernant les
conditions de la Convention d'armistice dont il entendait obtenir
un assouplissement.

une allocution dans laquelle il dit notamment : « J'ai rencontré jeudi dernier le Chancelier du Reich. Cette rencontre a suscité des espérances et provoqué des inquiétudes. Je vous dois, à ce sujet, des explications... Cette première rencontre entre le vainqueur et le vaincu marque le premier redressement de notre pays... Une collaboration a été envisagée entre nos deux pays. J'en ai accepté le principe. Les modalités en seront discutées ultérieurement... Celui qui a pris en mains les destinées de la France a le devoir de créer l'atmosphère la plus favorable à la sauvegarde des intérêts du pays. C'est dans l'honneur et pour maintenir l'unité française, une unité de dix siècles, dans le cadre d'une activité constructive du nouvel ordre européen, que j'entre aujourd'hui dans la voie de la collaboration. Ainsi, dans un avenir prochain, pourrait être allégé le poids des souffrances de notre pays, amélioré le sort de nos prisonniers, atténuée la charge des frais d'occupation. Ainsi pourrait être assouplie la ligne de démarcation et facilités l'administration et le ravitaillement du territoire. Cette collaboration doit être sincère. Elle doit être exclusive de toute pensée d'agression ; elle doit comporter un effort patient et confiant... La France est tenue par des obligations nombreuses vis-à-vis du vainqueur ; du moins, reste-t-elle souveraine. »

De son côté, Pierre Laval fit la déclaration suivante, devant la presse, le 31 octobre : « J'ai eu aujourd'hui, assisté de deux membres du gouvernement, des conversations avec les autorités militaires et civiles allemandes. Elles font suite aux entrevues, désormais historiques, de Montoire. Nous nous sommes engagés dans l'intérêt de la France et pour que l'harmonie règne en Europe dans une politique qui doit nous permettre de relever notre pays... Nous avons encore un long chemin à parcourir pour arriver au règlement de tous les problèmes qui nous sont communs. Ce n'est pas, en effet, en quelques jours ni même en quelques semaines, que pourront être réparés tous les dégâts et relevées toutes les ruines accumulées par une guerre aussi dangereusement engagée... Le Maréchal et son gouvernement mesurent la gravité de ces problèmes et de tout leur cœur, s'emploient à les résoudre. Bientôt, la France pourra apprécier la nature et l'étendue des efforts qui ont été accomplis. Elle nous jugera sur les résultats que nous aurons obtenus. Des deux entrevues de Montoire, auxquelles j'ai participé, je conserverai toujours un émouvant souvenir. Tout au long de leur histoire, deux grands peuples se sont heurtés. Quand j'ai vu le maréchal Pétain face à face avec le Führer Adolf Hitler, j'ai compris que l'on pourrait, autrement que par des batailles, régler le sort de nos deux nations. »

Un projet de protocole faisant suite aux entretiens de Montoire fut préparé par le ministère des Affaires étrangères allemand. Mais il ne fut jamais adressé au gouvernement français pour approbation. De même, les modalités d'application de la collaboration proposée par Hitler ne furent pas déterminées par ce dernier. C'est qu'en fait, il n'avait fait cette proposition au gouvernement français que pour l'amener à entraîner la France dans la guerre contre l'Angleterre aux côtés de l'Allemagne. Devant le refus du maréchal Pétain et de Pierre Laval lors des entretiens de Montoire, il renonça à « collaborer » avec la France.

Compte rendu allemand des entretiens de Montoire des 22 et 24 octobre 1940.

I. — *Entretien du 22 octobre 1940 entre Hitler et Laval :*

Le Führer : *Tout d'abord, il était simplement possible de discuter les principes, chose importante pour les décisions et les conversations prochaines qu'il aurait à diriger. Il était essentiel de savoir si la communauté européenne, et pour une part extra-européenne, qui se constituait actuellement devait être créée en tenant compte des intérêts de la France ou en négligeant la France.*

Dans la question des frais de guerre, le Führer a signalé que certains milieux mettaient leurs espoirs en France dans une prolongation de la lutte (en déclarant formellement que Laval n'identifiait pas les milieux politiques dirigeants). En faisant ressortir que la victoire sur l'Angleterre avait certes été retardée dans certains cas par le temps, mais qu'elle ne pouvait plus être mise en doute, et que les frais croissaient chaque semaine, il a déclaré qu'il fallait bien que l'on comprenne qu'un peuple ne pouvait pas déclarer et mener une guerre, sans raison, et, après avoir perdu la guerre, essayer d'éluder la responsabilité. Au sujet de la répartition des frais de guerre, il était en principe d'avis que l'Angleterre, étant le principal coupable, devait aussi en supporter la charge principale. Mais on ne pouvait pas attendre de lui qu'il renonce à terminer la guerre par un compromis « bon marché », uniquement pour décharger par là la France du fardeau principal de la guerre perdue. Pour cette raison, il n'était possible de régler définitivement la question qu'après la fin de la guerre ; il fallait que quelqu'un fît les frais du compromis matériel et territorial nécessaire.

Laval : Reconnaît l'intérêt de la France à ne pas voir la guerre durer longtemps et se terminer par un compromis germano-anglais aux frais de la France, car ce serait alors la France qui aurait à en faire les frais.

En discutant le problème colonial *avec Laval, le Führer a déclaré que la paix exigeait que l'on tînt davantage compte de certains intérêts de l'Allemagne en Europe et en Afrique, et, par-delà ces intérêts, que l'on conçoive sur un plan plus européen la représentation des intérêts légitimes d'une série de nations en Afrique. Laval exprime le désir de voir la France conserver sa souveraineté en Afrique et, en la circonstance, il mentionne comme argument les efforts faits par la France depuis des siècles dans les colonies, les relations de ces colonies avec la France et les sentiments des indigènes. Le Führer répond un peu cyniquement en rappelant 1918, époque à laquelle on n'a tenu aucun compte de considérations analogues, mais il a ensuite déclaré qu'il n'était pas nécessaire « de réduire essentiellement l'ensemble de la position française ».*

II — Entretien du 24 octobre 1940 entre Hitler et le maréchal Pétain :

Pétain : A déclaré qu'il ne lui était pas encore possible de préciser dès à présent les limites exactes de la collaboration de la France avec l'Allemagne. Il ne pouvait que se prononcer sur le principe d'une collaboration. *Il voyait dans la collaboration une « fenêtre de la France ouverte sur ses colonies ».*

Il fallait d'abord qu'il discute en conseil des ministres la nature de la collaboration, et il fallait ensuite discuter cette collaboration dans les détails. D'abord une collaboration économique renforcée engageant davantage l'industrie française des armements serait sans doute la chose la plus intéressante qui soit, même pour l'Allemagne. La mentalité française exigeait, dans l'intérêt d'une évolution durable de la collaboration, que l'on procédât lentement. Pour cette raison, Pétain ne croyait pas qu'il fût alors déjà possible de déclarer du côté français la guerre à l'Angleterre ; autrement, le résultat très grand et positif qui devait certainement découler de la présente conversation serait très vite anéanti. Pétain a exprimé le désir de collaborer avec l'Allemagne en direction de Dakar pour maintenir et reconquérir l'Empire colonial français ; lui Pétain, il ferait tout ce qu'il pourrait pour assurer à la France la conservation de ses territoires.

Le Führer : En rappelant une partie de ce qui avait été mentionné au paragraphe a), le Führer a signalé encore une fois qu'il fallait tenir compte des exigences vitales de quelques peuples d'Europe, et qu'une communauté continentale naturelle dressée contre l'Angleterre découlerait du règlement des frais matériels de la guerre, qui se produirait nécessairement au moment de dresser le bilan de la guerre ; la question était de savoir jusqu'à quel point la France était disposée à s'associer à cette communauté.

En terminant, le Führer a résumé comme suit *l'entretien qu'il avait eu avec Pétain (procès-verbal du ministre plénipotentiaire Schmidt) :*

« Pétain se déclare prêt en principe à admettre l'idée d'une collaboration avec l'Allemagne dans le sens indiqué par le Führer. Les modalités de cette collaboration seront réglées et tranchées en détail au fur et à mesure des événements. Pétain espère obtenir pour la France un règlement plus favorable de la guerre. Le Führer s'est déclaré d'accord. »

Projet de protocole faisant suite aux conversations de Montoire.

Conscients des intérêts continentaux des principales puissances européennes, et se référant aux pourparlers qui ont eu lieu le 24 octobre 1940 entre le Führer du Reich allemand et le chef de l'Etat français, l'Allemagne, l'Italie et la France conviennent de ce qui suit :

1. — En accord avec le Duce, le Führer a exprimé sa volonté de garantir à la France, la place qui lui revient dans l'Europe nouvellement constituée, et au peuple français le droit de participer à la coopération — indispensable à l'avenir — des peuples européens.

2. — Les puissances de l'Axe et la France ont un intérêt commun à une défaite aussi rapide que possible de l'Angleterre. En conséquence, le gouvernement français soutiendra, dans la mesure du possible, les mesures prises à cet effet par les puissances de l'Axe. Les détails de cette collaboration seront consignés dans une convention spéciale entre l'Allemagne et l'Italie, d'une part, et la France d'autre part.

3. — Dans ces conditions, l'Allemagne et l'Italie se déclarent prêtes à concéder à la France, pour la poursuite de ses opérations en Afrique, des renforcements militaires dépassant la convention d'armistice et les accords d'application. Les détails seront réglés par les commissions d'armistice avec les délégations françaises.

4. — Le Führer a exposé au chef de l'Etat français qu'après la défaite de l'Angleterre et la rétrocession des colonies allemandes, il devra être prévu, dans le traité de paix, un nouveau règlement général des possessions coloniales d'Afrique. Ce règlement devra tenir compte, dans le cadre d'un équilibre des intérêts réciproques, des nécessités politiques et des besoins économiques des Etats qui y participeront. Pour cette répartition entreront notamment en ligne de compte les quatre puissances suivantes : l'Allemagne, l'Italie, la France et l'Espagne. Dans la mesure où cet ordre nouveau en Afrique impliquera des modifications territoriales des colonies françaises actuelles, les puissances de l'Axe se chargeront, lors de la conclusion de la paix avec l'Angleterre, de faire bénéficier la France de compensations équivalentes, de telle sorte que la France conserve en Afrique, en fin de compte, des possessions coloniales correspondant, en substance, à la valeur actuelle de ses possessions.

Annexe :

L'Allemagne se déclare prête à apporter des allégements au régime actuel de l'armistice :

a) Les départements du Nord et du Pas-de-Calais, dépendant actuellement du commandement militaire allemand en Belgique, seront rattachés au commandement militaire allemand en France.

b) L'Allemagne renonce à mettre des forces de protection aux frontières françaises. Un contrôle sera fait par voie aérienne.

c) Les frais d'occupation seront diminués.

d) En ce qui concerne les questions des réquisitions civiles et militaires et du retour des prisonniers, une certaine compensation doit être trouvée dans la recherche de travail pour les ouvriers français. Fait en trois originaux allemand, italien et français.

Montoire, le 24 octobre 1940.

2

Le Dossier de l'Accusation

L'ACTE D'ACCUSATION.

L'entrevue de Montoire, machinée par Laval, et les accords qui suivirent en vue d'une collaboration, mettant nos ressources et nos moyens à la discrétion de l'Allemagne, marquent à l'évidence le caractère d'une politique, en tout point conforme aux intérêts de l'ennemi, et qui ne peut se définir que par les termes même de l'article 75 du code pénal. Par ailleurs, la déposition du général Doyen, insistant sur les capitulations du gouvernement de Vichy devant les exigences formulées par les Allemands au-delà de ce qu'autorisait la Convention d'armistice, éclaire d'un jour significatif la collaboration telle que l'entendait Laval.

LE REQUISITOIRE.

Je ne crois pas, pour ma part, que la première entrevue de Laval ait été pour lui une surprise. Elle avait été préparée de longue date et là encore, je fais appel à la déposition de M. l'ambassadeur Noël lorsqu'il a dit : « J'ai tout de suite compris que l'on s'engageait sur la voie qui devait nous conduire à Montoire ». Et s'il fallait une autre preuve, je la trouve dans la bouche de Pierre Laval lui-même lorsque, le 2 avril 1942, à la veille de son retour au pouvoir, il fait à la presse la communication suivante : « Initiateur de la politique de Montoire et estimant que la situation extérieure de la France s'aggrave de jour en jour, j'ai cru qu'il était

de mon devoir de m'en entretenir avec le maréchal Pétain. »
Initiateur de la politique de Montoire ! Que Pierre Laval
en garde donc la responsabilité et qu'il la partage avec le
maréchal Pétain. Responsabilité d'une politique dont le premier article était l'acceptation définitive de la défaite, dont
la conséquence était l'intégration de la France dans un ordre
européen régi par Hitler et pendant la guerre, l'aide apportée
à nos ennemis contre nos alliés de la veille. Voilà ce qu'était
la politique de Montoire : l'asservissement à l'Allemagne,
asservissement que devait consacrer définitivement l'entrevue projetée de Pétain et de Hitler devant le cercueil de
l'Aiglon.

Le Procureur Général au procès. (Audience du 6 octobre
    1945)

Ce que vous avez à juger aujourd'hui, c'est la politique
que nous avons subie pendant quatre ans et que je qualifie
de criminelle par cela même qu'elle était la politique que
vous savez. Voilà le procès contre Pierre Laval. Qu'est-ce
que l'on reproche à Pierre Laval ? Le reproche, je l'ai
résumé dans une question que je lui posais hier en quelques
mots et à laquelle il n'a pas répondu : comment, si vous
étiez adversaire de la politique suivie par le Maréchal, au
lendemain de ce que vous avez vous-même qualifié d'abus
de pouvoir, de détournement de pouvoir, comment avez-vous
accepté de rester au gouvernement en qualité de vice-
président du gouvernement ? Comment vous êtes-vous associé à une politique que vous décriez et que vous repoussez
à cette barre ? Il est trop tard ; il ne fallait pas s'y associer.
Comment avez-vous, quelques semaines après notre écrase-
ment, au détriment de notre allié auquel les lois élémen-
taires de l'honneur nous commandaient de rester fidèles,
comment, en réponse à la réannexion de l'Alsace-Lorraine
par les Allemands, avez-vous répondu par l'accord, à la face
du monde, avec celui qui nous tenait sous sa botte ? Voilà
le procès.

LES TEMOINS DE L'ACCUSATION.

Déposition du général Doyen au procès. (Audience du 8 octobre 1945)

Toute politique ayant pour objet d'aider l'ennemi, qu'elle s'appelle collaboration ou autre, était une politique criminelle contre le pays. Montoire a été la première manifestation officielle de cette politique. Montoire, un beau matin, a éclaté comme un coup de foudre. L'entrevue avait été soigneusement cachée, camouflée. Personne n'en a rien su jusqu'au moment où elle est devenue officielle. Il n'a pas été possible, par conséquent, aux gens avertis de prendre des mesures pour la torpiller. Qu'est-ce qui s'est dit à Montoire ? Je ne l'ai jamais su, mais une chose est certaine, c'est que c'est M. Laval qui a été l'artisan de cette entrevue avec son ami M. Abetz et que, à la suite de cette entrevue, les Allemands n'ont plus eu dans la bouche que le mot « collaboration ». Entendons-nous bien. Les Allemands se sont chargés de nous définir exactement ce qu'ils entendaient par collaboration : collaboration à sens unique. Quant deux parties collaborent entre elles, c'est pour leur avantage mutuel, mais là, les Allemands nous ont bien précisé qu'il s'agissait d'une collaboration à sens unique, c'est-à-dire que nous devions leur donner tout ce qu'ils nous demanderaient et ils nous en tiendraient compte beaucoup plus tard, quand la guerre serait finie. On sait ce que valent les promesses des Allemands. C'était nous renvoyer aux calendes grecques. Pendant toute cette période du mois de septembre au mois de décembre, pendant laquelle, alors que M. Laval était ministre des Affaires étrangères, je me trouvais président de la Commission d'armistice, M. Laval séjournait pour ainsi dire d'une façon permanente à Paris. Son intimité avec les Allemands était totale. Je dirai même qu'elle était indécente à un moment où nous avions plus d'un million et demi de prisonniers qui souffraient derrière des fils barbelés. Cette intimité, si elle ne rapportait pas beaucoup aux Allemands, M. Laval, dans ses entretiens avec eux, démolissait tout ce que ceux qui résistaient à Wiesbaden pouvaient faire pour défendre la France. La politique de collaboration, telle que l'a instituée M. Laval, était une politique criminelle qui ne pouvait conduire qu'au démembrement et à la destruction de la France.

Déposition de M. Noël, ambassadeur, au procès Pétain. (Audience du 2 août 1945)

Laval était entré en pourparlers avec les Allemands en dehors de moi et j'avais senti tout de suite qu'il s'était engagé sur la voie qui allait nous conduire à Montoire et ailleurs. Dans une longue et émouvante conversation, je lui ai dit ma façon de penser. J'estimais qu'après l'armistice et malgré lui, une politique s'imposait à la France ; il fallait refuser son consentement à toutes les exigences nouvelles de l'Allemagne. Et lorsqu'en fait nous serions obligés de subir à nouveau la loi du vainqueur, il fallait prendre toutes les dispositions nécessaires pour bien marquer, dans chaque cas, que nous réservions nos droits, que nous ne cédions qu'à la force et au besoin, il fallait protester solennellement. Cette politique était possible... J'ai senti tout de suite, en causant avec Laval, en observant ce qui s'était passé dès mon arrivée à Paris, que le nouveau gouvernement tournait le dos délibérément à cette politique nationale.

3

Le Dossier de la Défense

1. — Pierre Laval a-t-il été l'initiateur de la politique de Montoire ?

Pierre Laval a reconnu qu'en 1940, il avait estimé nécessaire de rechercher une politique de rapprochement et d'entente avec l'Allemagne. « L'intérêt de la France à ce moment-là, a-t-il déclaré, eût été de trouver avec l'Allemagne une formule qui nous fasse échapper aux conséquences de la défaite. » Le but qu'il poursuivait était double : d'une part, obtenir un assouplissement des conditions de l'armistice qui empêchaient la France de vivre ; d'autre part, préparer une paix acceptable qui n'imposât aucun sacrifice territorial. Car, et il faut le souligner, Laval était persuadé que l'Allemagne avait déjà gagné la guerre. Il l'a dit au procès du maréchal Pétain : « Croyez-vous qu'en 1940, un homme de bon sens pouvait imaginer autre chose que la victoire de l'Allemagne ? »

Partant de cette constatation, Laval chercha à prendre contact avec les autorités allemandes. Il est établi aujourd'hui qu'en entreprenant ces démarches, Laval n'agissait pas seulement en son nom personnel, mais comme porte-parole du gouvernement :

1) On constate à la lecture des Mémoires de Paul Baudouin [5] que le Conseil des ministres avait pris la décision de négocier avec l'Allemagne et mandaté Pierre Laval dans ce but auprès de ses représentants à Paris :

5. Ouvrage cité.

— 5 juillet 1940 : « A la réunion quotidienne, j'obtiens du Conseil restreint que des instructions soient envoyées au général Huntziger pour qu'il suggère aux autorités allemandes l'élargissement des contacts avec les autorités françaises. Nous devons, sans nous précipiter dans les bras des Allemands, que ceux-ci ne nous ouvrent pas, essayer d'obtenir un adoucissement des clauses de l'armistice concernant le désarmement. »

— 18 juillet : « L'Allemagne demeure hostile à tout ce qui est la France et le gouvernement français... Pierre Laval partira demain matin à Paris où il aura un entretien avec Abetz. Nous n'attendons pas grand-chose de ce contact. »

— 26 juillet : « Malgré la disparité des conditions actuelles de la France et de l'Allemagne, l'une vainqueur, l'autre vaincue, la France ne doit pas renoncer à une négociation véritable, c'est-à-dire conduite avec une liberté suffisante. Cette négociation dans la dignité et dans l'honneur, abordée et poursuivie avec une fermeté patiente et jamais démentie, peut seule permettre une construction de l'Europe nouvelle. »

— 4 août : « Je monte à 10 h. 30 dans le cabinet de Pierre Laval auquel j'indique les préoccupations que j'ai exposées au Maréchal hier soir. J'ajoute que le Maréchal estime qu'il n'est plus possible de rester plus longtemps dans l'inaction, que le temps presse, que nous sommes en train de perdre non seulement Paris, mais encore la France occupée. Pierre Laval comprend ces sentiments, mais il lui paraît impossible d'agir avant qu'il ait reçu la réponse qu'il attend d'Abetz. »

— 8 août : « Pierre Laval est à Paris et n'a pas encore vu M. Abetz. Nous sommes, de notre côté, impatients de savoir quel sera l'aboutissement de ces négociations engagées depuis près de trois semaines. »

2) Des pourparlers furent également engagés entre les délégations d'armistice française et allemande. Au cours de la séance de travail du 19 août 1940[6], le général Hunt-

6. « La Délégation française auprès de la Commission allemande d'armistice » (D.F.C.A.A.) — Alfred Costes éditeur. — Tome 1, page 131. — Annexe au compte rendu N° 15. — D.F.C.A.A./E.M.2.

ziger, président de la délégation française, déclara au nom du gouvernement à son homologue allemand, le général von Stülpnagel : « Nous trouver en face des exigences du vainqueur ne nous effraie pas, mais ce qui est beaucoup plus grave, c'est de recevoir sans cesse des exigences nouvelles, tantôt ici, tantôt là... Je crois que personne n'a intérêt à bâtir l'avenir sur des sentiments comme ceux qui naissent actuellement. Fonder l'avenir sur la haine n'est pas une bonne conception... Dans la situation invraisemblable où nous sommes, qui nous conduit à lutter contre l'Angleterre qui est aussi votre ennemi, vous avez bien voulu me dire qu'il pourrait être intéressant que des conversations en dehors de l'exécution stricte de la convention d'armistice puissent avoir lieu. Si j'avais le moyen d'entrer en contact avec mon interlocuteur de Rethondes, ce serait peut-être le moyen d'entamer ces conversations et d'arriver à un meilleur résultat. » Le 21 août 1940, le général Huntziger fit remarquer à M. Hemmen, délégué allemand aux Affaires économiques, que la collaboration économique entre la France et l'Allemagne ne devait pas être celle « du cheval et du cocher ». Il précisa : « Si l'Allemagne n'entend pas réduire la souveraineté de la France, le gouvernement français est prêt, pendant toute la période de l'armistice, à collaborer avec le gouvernement allemand... Le gouvernement français ne veut pas dépasser certaines limites. » Un entretien privé réunit les mêmes interlocuteurs le 12 septembre 1940 [7]. « Si vous êtes persuadé, déclara le général Huntziger, que cette entente est indispensable et que certaines conditions doivent y être mises, qu'en particulier la France doit conserver sa dignité, alors nous devons pouvoir arriver à des résultats satisfaisants. Evidemment, ceux-ci ne se produiront pas sans qu'une marge de temps suffisante se soit écoulée. »

3) De son côté, le ministre des Affaires étrangères français prit contact avec l'ambassade d'Allemagne à Paris et eut avec Otto Abetz, le 14 septembre 1940, un entretien duquel aucun résultat ne ressortit [8]. On peut lire au sujet de cette

7. D.F.C.A.A. — Tome 1, page 267.

8. « Neuf mois au gouvernement » par Paul Baudouin.

démarche ce passage de l'ouvrage « La France sous l'occupation » [9] :

« L'esprit de collaboration était, en juillet 1940, certainement très répandu parmi les hommes politiques français.
Laval n'était pas le seul à rechercher des contacts avec
les autorités d'occupation ; dans une lettre du 15 juillet 1940,
Abetz dressait la liste de quinze parlementaires français, les
uns de droite, d'autres du centre, certains communistes avec
lesquels, sitôt après l'armistice, son service était parvenu
à entrer en contact... En fait, Baudouin n'avait aucune raison de se scandaliser des contacts pris par Laval avec les
Allemands ; il pouvait seulement trouver déplaisant que
celui-ci lui ait coupé l'herbe sous les pieds. Car ce fut
Baudouin et non Laval qui inaugura officiellement, le 9 juillet 1940, la politique de collaboration en faisant parvenir
aux Allemands le message suivant : « La France comprend
sa situation de vaincue et n'a pas l'intention de s'en évader,
même si les circonstances lui permettent d'apparaître comme « l'associée » des vainqueurs. La France ne manque pas
de reconnaître qu'elle doit payer pour sa défaite ; elle désire
seulement que l'Allemagne et l'Italie comprennent son attitude loyale et examinent s'il ne serait pas possible de modifier les dures stipulations de l'armistice en ce qui concerne la
vie intérieure de la France et de rendre moins rude la
sujétion de ce pays. »

2. — Pierre Laval a-t-il provoqué la rencontre franco-allemande de Montoire ?

Si Laval espérait s'entretenir avec Ribbentrop auprès
duquel Abetz lui avait proposé de s'entremettre, ce dernier
n'était même pas certain que le ministre des Affaires étrangères du Reich consentît à voir le représentant du gouverne-

9. « La collaboration » par A. Sherer in « La France sous l'occupation ». — Esprit de la Résistance. — Presses Universitaires de
France 1959. — Cet ouvrage, publié pour répondre aux témoignages
rendus publics par le Hoover Institute sous le titre « La vie de la
France sous l'occupation », contient des articles rédigés par des
historiens désignés par le comité « Esprit de la Résistance ».

ment français. Les milieux politiques allemands étaient, en effet, hostiles à une recherche de contacts avec lui, entendant s'en tenir à la convention d'armistice, dont ils désiraient retirer tous les avantages. Hitler, persuadé que la Grande-Bretagne s'inclinerait devant sa victoire, tournait déjà ses regards vers la Russie et négligeait le secteur méditerranéen. Ce fut Abetz qui l'amena à modifier ses vues, lorsque, devant la résistance de la Grande-Bretagne, il décida d'en tourner les défenses par Gibraltar. Abetz parvint à lui faire admettre qu'il aurait intérêt à négocier avec le gouvernement français, afin d'obtenir, en échange de quelques concessions, l'aide en Afrique qui lui avait été refusée en juillet 1940. Quoique hésitant, Hitler accepta de voir Laval et le maréchal Pétain à l'occasion du déplacement qu'il devait faire sur le territoire français pour se rendre à la frontière espagnole où il rencontrerait Franco. Abetz a, d'ailleurs, reconnu qu'il avait été le principal responsable de ce revirement de Hitler qui devait amener les entretiens de Montoire [10].

3. — Qu'entendait Pierre Laval par la politique de Montoire ?

1) **Laval** a précisé dans son mémoire en réponse à l'acte d'accusation (cf infra) le but qu'il poursuivit en se rendant le 24 octobre 1940 à Montoire avec le maréchal Pétain pour y rencontrer Hitler.

2) Il a défini devant la Haute Cour comment il avait conçu la politique de Montoire [11] : « J'ai eu comme objectif : ne jamais déclarer la guerre aux Anglo-Saxons, ne jamais contracter une alliance militaire avec l'Allemagne et ne jamais lui prêter une collaboration militaire, empêcher que des aventuriers ne s'emparent du pouvoir en France, essayer d'alléger, pendant la période de l'occupation, les souffrances des Français ».

3) Dans sa déposition au procès Pétain, il déclara [12] :

10. « D'une prison » et « Histoire d'une politique franco-allemande ».
11. Audiences des 4 et 5 octobre 1945.
12. Audience du 3 août 1945.

« L'intérêt de la France à ce moment-là (en 1940) eût été, d'évidence, de trouver avec l'Allemagne une formule qui nous fasse échapper aux conséquences de la défaite. Qu'est-ce que nous désirions ? Ne pas perdre un mètre carré de notre territoire... Le prestige de la France en Europe centrale, en Europe orientale, partout, me faisait croire que la politique que je faisais n'était pas dangereuse, car j'étais sûr que, le jour où l'Allemagne aurait mis bas les armes, la France retrouverait sa place... La politique de collaboration était la seule politique qui permît à la France de ne pas être meurtrie. »

4. — Dans son application, la politique de Montoire fut-elle « en tous points conforme aux intérêts de l'ennemi, l'asservissement à l'Allemagne, l'aide apportée à nos ennemis contre nos alliés, l'intégration de la France dans un ordre européen régi par Hitler ? »

Il est important de noter que, si le maréchal Pétain et Pierre Laval avaient admis dans le principe la proposition que leur avait faite Hitler de collaborer, les modalités d'application de cette politique ne furent jamais précisées par Berlin. C'est que le mot « collaboration » n'avait pas le même sens pour les deux parties. Hitler avait cru qu'il entraînerait la France aux côtés de l'Allemagne dans la guerre contre l'Angleterre et qu'il lui suffirait de promettre quelques vagues concessions relatives à la convention d'armistice pour obtenir l'accord du maréchal Pétain et de Laval. Or, ces derniers avaient refusé. « La France, avait répliqué Laval, est disposée à montrer sa bonne volonté pour coopérer avec l'Allemagne dans tous les domaines autres que militaires ».

1) La politique de Montoire fut-elle, en fait, concrétisée par « des accords mettant nos ressources et nos moyens à la discrétion de l'Allemagne ? »

Pour permettre d'en juger, nous nous en remettrons à l'appréciation de M. Scherer [13] : « La collaboration économique, au contraire de la collaboration politique, était

13. Article cité.

plus ou moins inévitable. Il était indispensable de maintenir la production française pour permettre aux Français de vivre. En zone occupée, les Allemands étaient les maîtres ; ils pouvaient, comme ils le voulaient, étrangler ou réglementer la vie industrielle française. Mais en zone non occupée, ils n'avaient, de leur propre aveu, aucun moyen direct de coercition. Il était donc normal jusqu'à un certain point, que le gouvernement de Vichy essayât d'obtenir un droit de regard sur la vie industrielle dans la zone occupée en livrant aux Allemands certains produits de la zone non occupée... Il n'est pas douteux que des importations en provenance d'Allemagne furent faites en 1940-1941. Elles étaient même d'un volume assez considérable : de l'armistice au 31 janvier 1942, elles s'élevèrent à une valeur de 400 millions de Reichsmark [14]. Elles consistaient essentiellement en charbon, carburant, huile de graissage, buna, asphalte, le tout nécessaire aux fabrications allemandes en France. A quoi, il faut ajouter 112 000 tonnes de pommes de terre, dont 50 000 pour la semence, et 30 000 tonnes de sucre. Mais en regard de ces importations, il faut noter que les exportations françaises vers l'Allemagne s'élevèrent, pendant la même période, à un milliard soixante millions de Reichsmark. Or, ces exportations étaient en grande partie constituées par des matières premières : 5 000 000 de tonnes de fer et d'acier, 225 000 de cuivre, 140 000 d'alumine, 200 000 de bauxite, 270 000 de phosphates, 71 000 de laine, 16 000 de caoutchouc, 950 000 peaux de moutons. Ces marchandises, non seulement furent livrées, mais furent inscrites sur le compte de clearing et non payées. A cela s'ajoutaient les livraisons de matériel : 3 000 locomotives, 50 000 wagons, 16 484 machines-outils, 8 000 moteurs, 108 909 camions, sans compter les livraisons de produits alimentaires faites en surplus de celles dues pour l'entretien des troupes d'occupation. »

Il apparaît donc que le terme de contrainte puisse être employé pour qualifier les « échanges » commerciaux réa-

---

14. Il nous a paru intéressant de donner ces chiffres, bien que, pendant la période à laquelle ils se rapportent, Pierre Laval n'ait plus appartenu au gouvernement.

lisés à cette époque entre la zone non occupée et l'Allemagne. Dès le 6 juillet 1940, les Allemands créèrent auprès de la Commission d'armistice de Wiesbaden une commission économique dont le rôle consistait à placer le potentiel économique de la zone non occupée au service de l'économie de guerre allemande. Des bureaux d'achat allemands pillèrent la zone libre. Les services français tentèrent de lutter vainement contre cette emprise économique de l'Allemagne. « Si la France se refuse à une collaboration, je ne donnerai pas cher d'elle », avait dit le Dr Hemmen au général Huntziger. En même temps que s'effectuaient ces « achats » de produits et matières premières, les Allemands réquisitionnaient tout le matériel ferroviaire, routier et industriel disponible. Comme l'écrit M. Michel, « à la collaboration administrative qui était inscrite pour la zone occupée dans la convention d'armistice, s'ajoutait une collaboration économique imposée par le Reich »[15].

2) La politique de Montoire, telle que la concevait Laval, fut-elle « l'aide apportée à nos ennemis contre nos alliés de la veille ? »

Laval a-t-il voulu que la France s'engageât aux côtés de l'Allemagne dans sa lutte contre l'Angleterre ? Il y avait deux possibilités pour le gouvernement français de parvenir à ce but : soit déclarer la guerre à l'Angleterre, soit accorder des facilités à l'Allemagne, notamment en Afrique. Déclarer la guerre à l'Angleterre ? Laval a opposé à Hitler un refus formel lors des entretiens de Montoire. Après avoir nettement indiqué que la France ne pourrait collaborer avec l'Allemagne que dans des domaines autres que militaires, Laval avait précisé : « Il lui serait en effet difficile de déclarer la guerre à l'Angleterre. Le peuple français aime la paix ». Accorder des facilités à l'Allemagne, notamment en Afrique ? Laval avait été d'avis de rejeter en juillet 1940 la demande de Hitler tendant à une implantation de la Wehrmacht en Afrique du Nord. En fait, il n'y avait pas eu rejet pur et simple, mais selon la tactique adoptée par le gouvernement, renvoi de la décision à une négociation générale. Pourquoi, s'il avait voulu aider l'Allemagne dans

15. « Vichy année 40 ». — Laffont 1966.

sa lutte contre l'Angleterre, Laval n'aurait-il pas cédé après Montoire les bases réclamées par Hitler ? C'était l'occasion de montrer la « bonne volonté » de la France. De même, en novembre et décembre 1940, lors des conférences militaires franco-allemandes, Laval, qui se déclara partisan d'une reconquête des colonies passées à la dissidence, ne prit aucune décision hâtive, démontrant par là qu'il n'avait pas l'intention réelle d'engager la France dans une collaboration militaire avec l'Allemagne en Afrique. Il présenta, avec le général Huntziger, le plan préparé par le gouvernement, que le représentant allemand, le général Warlimont, qualifia de « retardateur ». Nous en trouvons la preuve dans deux témoignages d'Abetz. L'un est une déclaration qu'il fit à son procès (audience du 13 juillet 1949) : « Laval était adversaire d'une alliance militaire avec l'Allemagne ». L'autre est extrait de son ouvrage « D'une prison » : « Il y a lieu de remarquer que Laval n'avait jamais été très chaud pour un engagement actif des forces armées françaises en vue du maintien ou du rétablissement de l'autorité gouvernementale dans les possessions d'Outre-Mer ».

En terminant, nous citerons :

a) — Ce jugement sur la politique de Laval porté par M. Teitgen, Garde des Sceaux, dans une déclaration qu'il fit à ses avocats le 8 octobre 1945 [16] : « Je sais très bien tout ce que M. Laval a fait pour son pays. Mais toute la question est de savoir si, pour défendre le corps de la France, il fallait perdre son âme. »

b) — L'appréciation de trois chefs allemands sur la portée de la rencontre de Montoire :

● Ribbentrop : « Il ne s'est passé rien d'important à Montoire. » [17]

● Abetz : « Montoire fut un jour sans lendemain. » [18]

● Dr Hemmen : « Quoi qu'il en soit, après la rencontre,

16. « Dans la cellule de Pierre Laval » par Jacques Baraduc, Editions Self.

17. Archives de la Wilhelmstrasse.

18. « D'une prison ».

il apparut que le résultat de la conversation avait été insignifiant. » [19]

LES TEMOINS DE LA DEFENSE.

— Pierre Taittinger, président du Conseil Municipal de Paris de 1943 à 1944 (HI-I-538)

En ce qui concerne les sentiments politiques de M. Pierre Laval qui, au surplus, sur bien des points, n'étaient pas les miens, je crois devoir signaler les modifications qui se sont produites, dans la manière d'envisager les choses, de l'ancien Président du Conseil.

Pendant quelques mois, au début de l'occupation, M. Pierre Laval crut possible une politique d'entente et de collaboration avec le vainqueur momentané, mais il s'est rendu compte qu'une tentative de ce genre était vouée à un échec total.

Il a ensuite essayé de limiter les dégâts. Il s'est efforcé, enfin, de protéger la population française dans toute la mesure de ses forces, en maintenant en France un pouvoir légal. Il y a plus ou moins bien réussi, et l'Histoire, à cet égard, plus tard, sera peut-être pour lui plus indulgente que l'opinion de ses contemporains.

— Yves Bouthillier, ministre des Finances [20]. (HI-III-1419.) 1419)

La politique de Pierre Laval, ce grand dessein qu'il avait formé depuis l'armistice, et qui avait pris tout à coup, à Montoire, une force irrésistible, assouvissait en lui une passion en même temps qu'elle avait l'autorité d'un devoir. Comment le hardi Laval eût-il hésité ? Sa politique sert le

19. Archives de Nuremberg. — Procès de la Wilhelmstrasse (Audience du 25 mars 1948).

20. M. Bouthillier fut ministre des Finances dans le cabinet Reynaud à compter du 5 juin 1940 et dans le gouvernement du maréchal Pétain de 1940 à 1942.

pays ; il suffit, point n'est besoin de réfléchir davantage. La France a le choix entre l'Europe de Hitler ou le chaos, c'est-à-dire le néant. « Nous ne sommes pas battus, répétait-il, nous sommes écrasés. »

En 1942, il dira : « Je souhaite la victoire de l'Allemagne parce que sans elle le bolchevisme triompherait partout. » En 1940, il n'eût point tenu un tel langage. Il ne souhaitait pas alors la victoire de l'Allemagne, il la *constatait*. Et il en tirait les conséquences.

— Ernst Achenbach, Conseiller de l'Ambassade d'Allemagne à Paris. (HI-III-1758)

Je n'ai pas l'intention de faire un récit complet de tous mes souvenirs se rapportant à mes conversations très nombreuses avec le Président Laval. Je ne parlerai que de quelques-unes qui m'ont particulièrement frappé et dans lesquelles les qualités de l'homme se révélaient d'une façon toute particulière. Dans cet ordre d'idée, je voudrais mentionner le fait que j'ai accompagné le Président après ses conversations de Montoire, à Vichy. Il me faisait le récit de son entrevue avec le Chancelier Hitler. Là encore, j'arrivais pour mon compte à la conclusion que personne n'aurait pu défendre la cause française d'une façon plus convaincante et plus habile que le Président l'avait fait. Il avait tout naturellement parlé à Hitler d'égal à égal.

« De 1940 à 1943, je crois avoir été parmi les Allemands, en France, celui qui a vu le Président Laval le plus souvent. Il me parlait en confiance, sachant mon attachement à l'idée d'une réconciliation entre la France et l'Allemagne.

» Pierre Laval était un réaliste. Il ne m'a jamais caché que, dans la situation où se trouvait son pays, il lui semblait nécessaire qu'il y eût quelqu'un pour défendre les intérêts français sur place, vis-à-vis des Allemands, et quelqu'un d'autre — en la personne du Général de Gaulle — pour les défendre vis-à-vis des Alliés.

— Rudolf Schleier, ministre d'Allemagne à Paris. (HI-III-
   1749).

Les deux entrevues à Montoire-sur-Loir le 22 et le 24 octobre 1940 avec Hitler ne furent pas initiées par M. Laval. Il est
exact qu'au cours de ses entrevues avec l'Ambassade il avait
exprimé le désir de pouvoir parler de vive voix avec les
plus hautes Autorités allemandes pour plaider la cause de
son pays ; il avait pensé au premier plan à une entrevue
avec le Ministre des Affaires étrangères, M. von Ribbentrop.
Mais M. Laval a appris le fait de l'entrevue avec Ribbentrop quelque part en France à la veille *de l'entrevue* et le
fait qu'il rencontrerait Hitler lui-même seulement après le
départ de Tours pour Montoire, le 22 octobre après l'heure
du déjeuner.

— Paul Schmidt, ministre allemand, traducteur officiel lors
   de la rencontre. (Témoignage déposé à l'Institut Hoover
   sous le N° 323 — texte inédit —).

« Plusieurs années plus tard, j'ai rencontré de nouveau
le Président Laval. C'était le 22 octobre 1940, lors de la
première entrevue de Montoire. C'était un entretien préparatoire entre Hitler et Laval. On avait amené le Président du Conseil français sans lui dire qui il allait rencontrer. Et, à la grande surprise du Président, c'était Hitler
lui-même qui se dressait devant lui à la gare de Montoire. Laval me salua très amicalement, éprouvant visiblement un soulagement en apercevant au moins un visage
connu, et dans le cours de son entretien avec Hitler, il
fit appel à mon témoignage pour démontrer que dès 1931,
il s'efforçait d'opérer un rapprochement entre son pays et
l'Allemagne. Dans cette conversation de Montoire qui se
déroula dans une atmosphère assez amicale, en présence
de Ribbentrop, il n'apparut aucun élément nouveau. « Comme Laval l'écrivit dans ses notes rédigées en prison, il relata
au Chancelier sa conception d'une paix juste, une paix qui
en tout état de cause conservait à la France l'intégralité de
son Territoire et de son Empire ».

4

Les déclarations de Pierre Laval

MEMOIRE EN REPONSE A L'ACTE D'ACCUSATION

L'entrevue de Montoire machinée par Laval et les accords qui suivirent en vue d'une collaboration mettant nos ressources et nos moyens à la discrétion de l'Allemagne marquent à l'extérieur le caractère d'une politique en tous points conforme aux intérêts de l'ennemi et qui ne peut se définir que par les termes mêmes de l'article 75 du Code **pénal**.

Tel est ce grief qui fait passer l'accusation de crime contre la sûreté intérieure de l'Etat à celle d'intelligences avec l'ennemi, c'est-à-dire à la trahison.

Ce mot de trahison m'atteint comme un outrage et me fait souffrir plus que la détention que je subis et plus que les menaces que l'accusation fait peser sur moi.

Avant de répondre à ce considérant, avant de m'expliquer et de me justifier, n'ai-je pas le droit de poser cette question : pourquoi donc aurais-je trahi ? Pour de l'argent ? Ce serait le crime le plus abominable. Il ne m'est pas reproché, et mon indépendance matérielle était largement assurée. Pour satisfaire une vanité, pour satisfaire une ambition ? Je ne compte plus les postes ministériels que j'ai occupés et j'ai été plusieurs fois président du Conseil. J'ai eu la fierté de représenter notre pays et de parler en son nom quand il était fort et victorieux. Si j'ai accepté, alors que je n'avais aucune responsabilité, ni dans la guerre, ni dans la défaite, de le représenter quand il était vaincu, faible et malheureux, c'était pour le défendre et non pour le trahir.

Et maintenant, voici les faits.

En juillet 1940, avant la réunion de l'Assemblée nationale, j'ai reçu à Vichy la visite d'un journaliste, M. Fontenoy, qui me fit part du désir exprimé par M. Abetz, ambassadeur d'Allemagne, d'avoir à Paris un entretien avec moi. J'informai le Maréchal, et c'est ainsi que vers le 20 juillet, après avoir été chargé par lui d'assurer les rapports du Gouvernement avec l'ambassade d'Allemagne, je me rendis à Paris. Le premier contact avec M. Abetz fut correct et assez froid. Je ne le connaissais pas et il se tint sur une défense naturelle. La Convention d'armistice était si dure qu'appliquée dans son texte et dans son esprit elle mettait notre pays dans l'impossibilité de vivre. Je devais donc parler et agir pour essayer de desserrer l'étreinte allemande. Je devais en outre m'efforcer, tant la victoire de l'Allemagne paraissait alors écrasante, d'obtenir pour la France qu'elle ne fût pas maltraitée quand on signerait la paix, et, dans ma pensée, cela signifiait qu'elle ne devait pas perdre un mètre carré de son territoire ou de son Empire. Et cela, j'ai eu le courage de le dire publiquement plusieurs fois sous l'occupation.

Le courant que j'avais à remonter était rude. J'avais le souvenir de *Mein Kampf*, et nous pouvions tout craindre de l'ambition d'Hitler. Les occupants avaient alors une attitude correcte et ils paraissaient avoir le souci, parce que sans doute ils en avaient reçu la consigne, de ne rien faire qui pût blesser inutilement les Français. Je dois dire qu'aucune parole ne fut prononcée par mes interlocuteurs allemands que j'aie eu, à ce moment, à relever, sauf le jour où le général Medicus me rappela que nous avions été battus, à quoi je répondis que je n'aurais pas à discuter avec lui s'il en avait été autrement.

Abetz ne me cacha pas que la paix serait peut-être dure. Il me tint ce propos en me conduisant à Fontainebleau, chez le maréchal von Brauchitsch, en ajoutant : « Il n'est pas juste que ce soit vous qui alliez faire cette visite à un maréchal allemand dans une ville française. » L'ambassadeur me rappela son effort depuis de longues années pour un rapprochement entre nos deux pays. « Je n'ai pas changé d'avis, dit-il, mais il est des Allemands puissants qui pensent autrement. » Je lui demandai de faciliter ma tâche en obtenant pour la France des avantages. Il s'agissait tout d'abord de la libération des prisonniers, de la ligne de démarcation du Nord et du Pas-de-Calais, et des frais d'occupation. Il me promit de m'aider dans ce sens et de provoquer un entretien avec son ministre, M. de Ribbentrop, au cours duquel je devais renouveler toutes mes demandes. C'est ainsi que quelques semaines plus tard, vers le 20 octobre, je fus prévenu par lui que M. de Ribbentrop venait en France et que je le verrais. Il me pria de garder le secret le plus absolu sur cette rencontre. « Sauf, lui dis-je, vis-à-vis du Maréchal », que j'informai aussitôt. Je quittai Paris le mardi matin 22 octobre, en compagnie d'Abetz. Nous prîmes la direction de Rambouillet, mais M. Abetz refusa de me faire connaître le lieu précis de la rencontre, prétextant l'ignorer lui-même : « C'est à Tours que nous allons, et, de là, nous serons conduits auprès de M. de Ribbentrop. » C'est seulement le soir, vers six heures et demie, après avoir quitté Tours, que l'ambassadeur me prévint que c'était le Chancelier Hitler qui allait me recevoir, assisté de son ministre. J'aurais alors prononcé ces mots : « Sans blague ? » que des journaux ont reproduits.

Il n'y eut donc aucune machination de ma part, comme le soutient l'acte d'accusation, et les faits se sont passés comme je viens de les relater.

Etait-il possible d'éviter cette rencontre ?

N'était-il pas naturel et souhaitable que je puisse avoir un entretien avec le chef allemand pour défendre les intérêts de notre pays ?

Si l'on soutient que l'armistice était une faute, alors je comprends le reproche qui m'est fait d'avoir assisté à cette rencontre. Je n'avais pas signé l'armistice, mais il existait et la *Wehrmacht* occupait notre pays. Elle en avait occupé une partie de 1914 à 1918. En me rendant à Montoire, j'avais le souvenir des ravages alors causés à nos départements du Nord et de l'Est. Je crois que ceux qui, alors et depuis, ont critiqué mon action à Londres et à Washington, ont oublié cette époque douloureuse où les populations de ces provinces étaient déportées en masse après le vol du mobilier et du cheptel. Si, en 1914, au cours d'une guerre dont l'Allemagne avait pris l'initiative en la déclarant, telle avait été l'attitude des *Kommandanturs,* qu'allait-elle être, qu'aurait-elle pu être en 1940, puisque, cette fois-ci, la France avait déclaré la guerre et que les armées allemandes étaient victorieuses ? Qu'on fasse aujourd'hui un effort de réflexion et on conviendra que chaque Français honnête, placé au poste que j'occupais en 1940, aurait tout tenté pour éviter, par des conversations avec le vainqueur, le recommencement, sur l'ensemble du territoire, des ravages causés par la violence allemande, dans quelques départements, de 1914 à 1918.

J'avais accepté la lourde tâche de défendre nos intérêts, d'assurer nos rapports avec le gouvernement allemand. Comment pouvais-je mieux essayer de remplir ma mission qu'en parlant à Hitler, et, au surplus, comment aurais-je pu refuser, dans les circonstances où nous nous trouvions, de me rendre à une invitation que je n'avais pas provoquée ?

J'ai dit devant la Haute Cour de justice comment le Maréchal fut à son tour invité, et j'ai ajouté qu'il ne fit aucune difficulté pour se rendre à Montoire le surlendemain, jeudi 24 octobre.

Après avoir parlé avec moi, Hitler s'était rendu à Hendaye pour y rencontrer Franco, et j'ai appris par M. Abetz qu'au cours de leur entrevue Hitler avait refusé à Franco de satisfaire ses revendications sur une partie du Maroc français. J'ai eu ce renseignement peu de temps après et je me suis alors félicité d'avoir au moins obtenu ce résultat, que j'attribuais à mon entrevue avec Hitler.

Si l'on veut bien situer Montoire à sa vraie date et tenir compte des circonstances de cette époque, il est impossible de considérer ces événements autrement que comme normaux et naturels. Il en va autrement si on soutient que l'armistice n'était pas nécessaire, qu'il fallait continuer le combat en Afrique, mais, dans ce cas, ce n'est pas Montoire qui fut une faute, mais l'armistice qui fut un crime. J'ai déjà dit que j'étais entré au gouvernement après l'armistice et, quelle que fût mon opinion au sujet de la nécessité de celui-ci, elle n'eut et ne pouvait avoir aucune influence sur une décision que les débats du procès Pétain révèlent comme ayant été prise avant l'arrivée du Gouvernement à Bordeaux. J'étais alors chez moi, à Châteldon, sans contact d'aucune sorte avec le Gouvernement. Comme je l'ai déjà indiqué en répondant aux quatrième et cinquième considérants, je persiste néanmoins à soutenir qu'il était impossible de se soustraire à l'armistice, qu'en le signant l'Afrique du Nord fut sauvée, tandis qu'à vouloir y continuer le combat elle serait finalement tombée aux mains des Allemands et qu'elle n'aurait pu servir plus tard de plate-forme à l'armée américaine. On peut même soutenir que l'aspect de la guerre aurait pu en être complètement modifié, si on tient compte qu'à ce moment la Russie était l'alliée de l'Allemagne. Rien n'interdit de penser que la bataille aurait été transportée en Egypte et aux Indes et qu'Hitler n'aurait peut-être plus été amené à attaquer plus tard les Soviets, ce qui constitua, pour lui, l'une des fautes capitales qui lui ont fait perdre la guerre. Pouvait-on, en juin ou octobre 1940, être certain qu'Hitler ferait une telle faute ? On peut naturellement envisager après coup toutes les hypothèses et faire des pronostics, mais c'était un fait que nous étions battus et qu'avec notre flotte et les effectifs qui nous restaient nous ne pouvions sérieusement envisager alors un redressement militaire.

Il est facile, cinq ans plus tard, de réfuter théoriquement les situations, mais il est injuste d'accuser d'intelligences avec l'ennemi ceux qui, comme moi, se proposaient de défendre notre pays et qui n'avaient, pour le faire, d'autre moyen que la négociation.

Il n'y eut donc aucune machination, et Montoire fut l'aboutissement logique de l'armistice. des circonstances et des faits de cette époque. L'armistice de 1918 avait été conclu pour une durée de trente-six jours ; celui de 1940 le fut sans limitation de durée et devait demeurer valable jusqu'à la conclusion du traité de paix. Il est vrai que les Allemands et beaucoup d'autres pouvaient croire à une prochaine défaite de l'Angleterre, et, par conséquent, à un armistice de courte durée. Les plénipotentiaires français avaient, sur l'ordre du Gouvernement, sans avoir pu obtenir de réponse, demandé aux Allemands les conditions de paix. Les clauses de cet armistice, non limité dans le temps, étaient dures et subordonnaient la vie économique de la France à des décisions militaires d'une commission allemande.

Quoi de plus normal, donc, et de plus nécessaire pour le gouvernement français, que de saisir une occasion comme celle de Montoire pour essayer de connaître au moins la véritable pensée et les intentions de l'Allemagne en ce qui concernait le présent et l'avenir de notre pays ? Il n'est pas besoin de chercher une autre explication pour justifier cette entrevue de Montoire, et moins encore d'imaginer une intention criminelle, quand il s'agissait seulement d'assurer la défense des intérêts français.

Parler d'intelligences avec l'ennemi à l'occasion de Montoire et viser un crime de trahison est pire qu'un outrage, c'est une offense à la vérité.

Je n'ai jamais encore été interrogé par un juge sur ce qui s'était dit à Montoire, aucune curiosité ne m'a été manifestée à cet égard et ce serait pourtant, il me semble bien, une question naturelle.

Sur les entrevues du 22 octobre, où j'assistais seul du côté français, et du 24 octobre, où j'avais accompagné le Maréchal, j'ai conservé des notes qui se trouvent aux scellés de mon dossier.

Au cours de ces deux entretiens, Hitler affirma qu'il avait offert la paix à la France et qu'elle avait déclaré sans raison la guerre à l'Allemagne ; que celle-ci ne voulait pas supporter les frais de cette guerre, qu'ils s'élevaient tous les jours à des chiffres considérables ; que la France était libre d'attendre la fin des hostilités et même d'espérer l'épuisement de l'Allemagne. Il ajoutait : « Si, dans ce cas, l'Angleterre m'offrait entre-temps une paix de compromis, je n'ajouterais pas aux souffrances de l'Allemagne pour ménager la France. » Il prononça le mot de « collaboration » et n'en précisa pas le sens. Il se déclara absolument sûr de la victoire dans un délai très rapide et il énuméra les moyens dont il disposait en effectifs et en matériel, en insistant sur le potentiel de fabrication des usines d'armement de l'Allemagne. Il parla aussi, et assez longuement, de l'Afrique.

Comme il avait parlé du sang allemand qui coulait en Europe, je répondis que l'Afrique était pour la France une terre sacrée parce qu'elle avait été arrosée de sang français. Il parla d'une collaboration économique, mais, là encore, il ne fournit aucune précision.

Un colloque s'était élevé le 22 octobre entre lui et moi. « Vous pouvez nous écraser, vous êtes le plus fort. Nous souffrirons, nous subirons, mais, parce que c'est une loi de la nature, un jour nous nous révolterons. Vous nous avez battus, mais nous vous avons également battus dans le passé. Si vous voulez nous humilier, alors, à une date et dans des conditions que j'ignore, le drame entre nous recommencera. Nous avons assez de victoires sur nos drapeaux. Si, au contraire, vous nous offrez une paix juste, qui tienne compte de notre honneur et de nos intérêts, tout est possible. » — « Je ne veux pas faire une paix de vengeance », me répondit-il.

J'ai cité ces propos qui ont été d'ailleurs publiés pendant l'occupation dans une interview que je donnai à la *United Press* en mai 1941. Ils montrent que je n'avais pas pris une position humiliée pour parler au vainqueur ; je n'ai jamais conçu comme une paix juste celle qui nous aurait pris la moindre parcelle de notre territoire ou de notre Empire.

Dans ses propos, Hitler avait parlé de collaboration. Il n'avait pas dit ce qu'il entendait par ce mot ; il s'agissait sans doute d'une collaboration économique, mais, par une prudence naturelle, il avait été convenu, avant de nous rendre à Montoire, que le Maréchal se réservait d'en parler aux ministres avant de prendre un engagement. C'est ce qui explique les termes du communiqué que fit publier le Maréchal après l'entrevue.

La Collaboration serait une expression nouvelle et une politique tirées des entrevues de Montoire. Et, aujourd'hui, on qualifie d'intelligences avec l'ennemi des actes dont le principe est contenu dans la Convention d'armistice, non seulement le principe y est affirmé, mais le terme même y est employé. L'article 3 de la Convention est ainsi libellé :

Dans les régions occupées de la France, le Reich allemand exerce tous les droits de la puissance occupante ; le gouvernement français s'engage à faciliter par tous les moyens les réglementations relatives à l'exercice de ce droit et à leur mise en exécution avec le concours de l'administration française. Le gouvernement français invitera immédiatement toutes les autorités et tous les services administratifs français du territoire occupé à se conformer aux règlements des autorités militaires allemandes et à collaborer avec ces dernières d'une manière correcte. (Suivent d'autres paragraphes.)

Il ne fait donc aucun doute que les Allemands, avec un tel texte, pourront exiger la collaboration (le mot et la chose) du Gouvernement et des administrations publiques. Ils ne s'en priveront pas et, l'occupation se prolongeant et leurs besoins s'accroissant, ils aboutiront vite à des dépassements et à des abus dans l'application de cet article 3, qu'ils invoqueront désormais à chaque exigence nouvelle.

Il est facile à ceux qui sont allés à Rethondes, en oubliant de faire la réserve que j'ai indiquée en répondant aux quatrième et cinquième considérants, de dire aujourd'hui que cette convention nous fut imposée, mais ne sentent-ils pas ce qu'il y a d'illogique pour eux à accabler ceux qui, dans la suite, furent obligés au respect des engagements souscrits par eux ?

Ce n'est pas Montoire qui a inauguré la politique de collaboration, c'est la Convention d'armistice qui nous l'a imposée.

Il y eut des abus, mais pouvait-on les empêcher ? Ce fut la lutte constante du gouvernement français qui, pendant quatre ans, tenta, chaque jour et chaque heure, de réduire et de contenir les exigences allemandes.

Si l'armistice avait duré quelques semaines, voire quelques mois, nous n'aurions pas eu à subir autant d'exactions et de dureté des occupants. Mais il a duré quatre ans et nous n'avions aucune force, aucun moyen autre que la négociation, qualifiée aujourd'hui d'intelligence avec l'ennemi, pour essayer de faire barrage à la rapacité et à la cruauté allemandes.

L'exemple le plus saisissant de la violation de la Convention d'armistice fut le franchissement de la ligne de démarcation par l'armée allemande, le 11 novembre 1942. Comme je protestais solennellement, il me fut immédiatement répondu que nous avions violé nous-mêmes l'article 10 de cette convention, dont le premier et le troisième paragraphe étaient ainsi libellés :

1° Le gouvernement français s'engage à n'entreprendre à l'avenir aucune action hostile contre le Reich allemand avec aucune partie des forces armées qui lui restent, ni d'aucune autre manière.

3° Le gouvernement français interdira aux ressortissants français de combattre contre l'Allemagne au service d'Etats avec lesquels l'Allemagne se trouve encore en guerre. Les ressortissants qui ne se conformeraient pas à cette prescription seront traités par les troupes allemandes comme francs-tireurs.

Les événements militaires de l'Afrique du Nord marquaient sans doute pour nous le point de départ de la libération, mais c'est un argument qu'il était difficile alors d'exprimer aux Allemands. Nous n'avions aucun moyen de rompre, et, quels que fussent les abus, nous ne pouvions abandonner la France à la discrétion du vainqueur, dont la dureté s'accentuait au fur et à mesure que ses déconvenues militaires augmentaient.

Le 8 novembre 1942, on s'est étonné que le Gouvernement n'ait pas démissionné, que le Maréchal et moi-même n'ayons pas rejoint Alger. On ne s'est pas posé la question de savoir ce qui serait advenu si, au lieu de nous faire injurier sans cesse à la radio, les chefs à Alger avaient alors essayé de prendre des contacts avec nous. Nous aurions certainement pu trouver des formules pratiques d'accord entre ceux qui, comme eux, de l'extérieur, combattaient pour libérer la France, et ceux qui, comme nous, à l'intérieur, faisaient tout pour essayer de la protéger. L'entente aurait dû se faire, et c'était là l'intérêt supérieur du pays.

On me proposa de partir, à cette époque. On me dit même que j'acquerrais ainsi la popularité ; mais lorsque je révélai à mes interlocuteurs quelles seraient, dans bien des domaines, les conséquences de mon départ, alors ceux qui étaient venus me donner ce conseil me répondirent : « Vous avez raison, restez ! » C'est en effet le 11 novembre 1942 que je pus obtenir des Allemands, après de longues discussions, que les Alsaciens-Lorrains résidant en zone sud, avec leurs institutions, seraient protégés, de même que les quatre-vingt mille prisonniers évadés et les six cent cinquante mille prisonniers en congé de captivité ne seraient pas inquiétés.

Le Gouvernement, en abandonnant le pouvoir, aurait transformé la France en un vaste maquis ; de combien de milliers et de milliers de morts aurions-nous dû payer cette politique ! Que des hommes courageux, que des patriotes n'aient pas craint de s'exposer aux risques d'une action qui, aux termes de l'article 10 de la Convention d'armistice, pouvait les faire considérer et traiter comme des francs-tireurs par les occupants, on

le comprend. Mais était-il possible, pour le chef
du Gouvernement, d'imposer ce sacrifice immense
et sanglant à toutes les populations françaises ?
Tout nous ramène donc à l'armistice. S'il n'y
avait pas eu de convention, nous n'aurions pas
eu à l'appliquer, et moins encore à en subir les
dépassements et les abus, mais cette question,
sur le plan judiciaire, ne me concerne pas. Même
si j'ai reconnu, quand il fut signé, que l'armistice
était indispensable dans l'intérêt de la France,
j'ai partagé cette opinion, à l'époque, avec la
quasi-totalité des Français, mais mon opinion
n'a pas influé sur une décision qui était virtuellement prise avant mon arrivée à Bordeaux.
Cela résulte des débats du procès Pétain et je
n'ai pris, n'étant pas encore au gouvernement,
aucune part à la négociation et à la conclusion
de l'armistice.

J'ai dû, comme ministre, tenir compte de la
Convention d'armistice dans mon action, et j'éta-
blirai, sans contestation possible, que j'ai tout
fait pour essayer d'en atténuer les effets, en particulier chaque fois que les Allemands ont émis
des prétentions qui en violaient le sens ou l'ag-
gravaient. J'aurai à en faire la démonstration en
discutant, pour les réfuter, d'autres considérants
de l'acte d'accusation, et plus spécialement le
quinzième, qui mentionne contre moi le grief
d'avoir « procuré des hommes pour remplacer,
dans les usines du Reich, les ouvriers qu'Hitler
a mobilisés ».

CHAPITRE II

LA COLLABORATION
ÉCONOMIQUE

L'accusation a retenu à charge contre Laval, comme
« exemple type de la collaboration telle qu'il l'entendait »,
la cession à des groupes allemands de la participation française dans l'exploitation des mines de BOR, en Yougoslavie,
et d'une partie des actions des sociétés Hachette et Havas.

A. — *LA CESSION DES MINES DE BOR.*

1

Les Faits

*Les mines de cuivre de Bor, en Yougoslavie étaient ex-
ploitées par une société française constituée en 1904*[1]. *En
raison des accords économiques existant entre l'Allemagne
et la Yougoslavie, le gouvernement allemand avait obtenu en
1939 l'arrêt du transfert du minerai en France. Après la
signature de l'armistice, il bloqua les actions. Ces mesures*

1. En 1938, près de 800 000 tonnes de minerai avaient été extraites.

ne suffirent cependant pas aux services financiers allemands qui entendaient s'emparer des mines. Un administrateur provisoire et un directeur furent désignés[2], sans l'accord du gouvernement français auquel ces nominations furent notifiées le 19 août 1940. A la suite de sa protestation contre cette violation de la Convention d'Armistice, le Dr Hemmen, président de la délégation allemande pour l'Economie, informa le président de la délégation économique française à Wiesbaden de l'intention de son gouvernement d'acquérir les actions des mines de Bor. Le gouvernement français fit répondre que la cession des actions ne serait pas traitée par lui en dehors des problèmes généraux économiques et politiques discutés entre les deux gouvernements[3]. Le 27 septembre, M. Hemmen donna connaissance à M. de Boisanger du télégramme qu'il avait reçu de Berlin à ce sujet. Il y était dit[4] : « L'Allemagne tient à acquérir les actions de la société sans égard aux observations juridiques qui lui ont été exposées du côté français. Elle obéit, en effet, à d'impérieuses considérations d'ordre économique. Elle soupçonne que les mines de Bor continuent à livrer du cuivre à l'Angleterre et elle est absolument décidée à se rendre maîtresse de ces mines ». Le 16 octobre, des instructions précises furent adressées par le ministre des Finances français à la délégation de Wiesbaden. Elle ne devait pas examiner les demandes de cessions présentées isolément, mais les ajourner à une négociation générale. Certains échanges éventuels pouvaient être envisagés dans des conditions à débattre, mais aucune cession ne serait acceptée sans une contrepartie

2. Une ordonnance des autorités allemandes avait nommé le Dr Kuntz comme commissaire administrateur ; il avait délégué ses pouvoirs au consul général Neuhausen, chargé de diriger l'exploitation en Yougoslavie et en Bulgarie. Dans une note du 11 septembre 1940, la délégation française auprès de la Commission allemande d'armistice avait protesté contre cette décision contraire à la Convention d'armistice.

3. Entretiens à Wiesbaden entre M. de Boisanger, président de la section Finances de la délégation spéciale française pour les Questions économiques, et M. Hemmen, ministre plénipotentiaire, président de la délégation économique allemande.

4. Annexe VI au compte rendu N° 25 (N° 5 011/E.M.).

constituée par des biens allemands, une participation équivalente dans des entreprises allemandes ou des intérêts allemands à l'étranger. Cependant, M. Hemmen se fit menaçant : « Voyez encore si le gouvernement français ne veut pas reconsidérer sa position, dit-il à M. de Boisanger, sinon, nos relations deviendront très difficiles. Si vous refusez, les conséquences seront d'une gravité extrême. »

Les Allemands tentèrent alors de négocier directement la cession en s'adressant aux dirigeants des mines de Bor à Paris par l'intermédiaire du consul général d'Allemagne à Belgrade. Ceux-ci se retranchèrent derrière leur gouvernement. Un décret du 10 octobre 1940 soumettait désormais à l'autorisation du ministère des Finances la cession de titres représentant des biens français situés à l'étranger. Se basant sur ce décret, le ministre des Affaires étrangères donna à M. Champin, vice-président de la société des mines de Bor, l'instruction de transmettre aux négociateurs allemands le refus du gouvernement français d'accepter cette cession en dehors d'un règlement général. C'est alors qu'intervint Abetz, à la demande pressante de Gœring qui voulait aboutir à tout prix. Abetz fit pression sur Laval, tentant de lui démontrer l'intérêt qu'il y aurait à satisfaire Gœring pour obtenir en contrepartie d'autres avantages plus importants. Laval donna son accord pour la cession. Un protocole fut signé le 6 novembre. Une partie du capital fut cédé directement et il fut convenu qu'une publicité serait faite auprès des particuliers porteurs des autres actions pour les inviter à les vendre au groupe allemand qui se rendait acquéreur. L'accord définitif fut réalisé le 4 février 1941. Il comprenait deux actes sous-seing privé, l'un dénommé Convention Principale passé entre le consortium allemand de Bor, la Praussusche Staatsbank de Berlin, et le conseil d'administration de la Compagnie française des mines de Bor, l'autre dénommé Contrat d'Exécution entre le même consortium et la compagnie française Mirabaud et Cie, l'un des deux organismes banquaires qui contrôlaient la société des mines de Bor. Sur 600 000 actions, 490 447 furent cédées [5].

5. Les mines de Bor, exploitées depuis 1939 au profit de l'Allemagne, furent, après la guerre, nationalisées par le gouvernement yougoslave et définitivement perdues pour la France.

2

Le Dossier de l'Accusation

L'ACTE D'ACCUSATION

La cession de la participation française à l'exploitation des mines de Bor, au mois de novembre 1940, est un exemple type de la collaboration telle que l'entendait Laval.

LES TEMOINS DE L'ACCUSATION

Déposition du général Doyen au procès. (Audience du 8 octobre 1945)

Le cas le plus typique de cette période est l'affaire des mines de Bor. Ce sont les mines de cuivre les plus riches d'Europe. Elles sont situées en Yougoslavie. Le cuivre est un métal excessivement précieux pour les fabrications de guerre et l'Allemagne en avait un besoin urgent. Aussi, la délégation allemande à la Commission d'Armistice pressait la délégation française de lui céder ces mines qui étaient la propriété d'un consortium français. Je me rappelle que l'unique entrevue que j'ai eue avec M. Hemmen, chef de la délégation économique allemande, entretien qui a duré environ une heure et demie et au cours duquel il m'a exposé la doctrine allemande sur l'Armistice et ses conséquences, a porté au moins pendant trois quarts d'heure sur la question des mines de Bor, ce qui montre bien l'importance que l'Allemagne attachait à la possession du métal précieux qui se trouvait dans ces mines et dont elle ne pouvait disposer puisque la Yougoslavie n'était pas en guerre

avec elle et que le métal était extrait par des Français.
M. Hemmen a essayé de me démontrer par tous les moyens
que les Balkans rentraient désormais dans l'espace vital de
l'Allemagne, que tout ce qui se trouvait dans les Balkans
devait devenir propriété allemande et que, par conséquent,
nous devions leur céder les mines de Bor. Il ajoutait même
que, si nous ne voulions pas traiter à l'amiable avec eux à ce
moment-là, eh bien, au traité de paix, ils nous les prendraient
purement et simplement sans aucune indemnité. Je répondais à M. Hemmen que je n'avais pas qualité pour disposer
de la moindre parcelle du patrimoine de la France et qu'il
ne fallait pas qu'il compte sur la Commission d'Armistice
de Wiesbaden pour lui céder le moindre droit sur ces mines
et sur, en général, tout ce que pouvait posséder la France
dans le monde. J'eus un entretien très violent avec ce Monsieur qui me dit : « Mais vous ne comprenez donc pas que
la France est un pays vaincu et que si vous ne faites pas
tout ce que nous vous demandons maintenant, au traité de
paix nous vous broierons ». Il n'avait pas besoin de me le
dire, je le savais d'avance. Pendant tout le mois de septembre, le mois d'octobre, le mois de novembre, les Allemands
revinrent à la charge un nombre incommensurable de fois
pour obtenir la cession de ces mines. La Commission d'Armistice resta toujours inébranlablement sur ses positions,
refusant de la façon la plus nette la cession demandée.
Quelle ne fut pas ma stupéfaction, au début du mois de
décembre, lorsque j'appris que les mines de Bor avaient
été cédées aux Allemands, à Paris, par M. Laval. Je me
rendis à Paris pour avoir confirmation de cette nouvelle.
Elle n'était, hélas, que trop vraie. La chose était d'importance. La cession de ces mines augmentait d'une façon
considérable le potentiel de guerre de l'Allemagne en lui
donnant le cuivre qu'elle n'avait pas.

Déposition de M. Bouthillier au procès Pétain. (Audience du
    7 août 1945)

La cession des actions de Bor a été décidée au mois de
novembre 1940, à une époque où, pour des raisons de poli-

tique générale, on souhaitait au gouvernement donner certaines satisfactions aux demandes allemandes pour créer
un climat favorable de discussion. Je n'ai été saisi de cette
affaire qu'après qu'elle ait été décidée par le principal membre du gouvernement, M. Laval. Je n'ai pu, à ce moment-là,
qu'entériner la chose, avec les très vifs regrets que j'avais
de voir la façon dont elle avait été engagée et réglée. J'ai
dû me borner à indiquer aux industriels et aux négociateurs
français d'essayer d'obtenir, en contrepartie, des cessions
d'avoirs allemands à l'étranger pour que le patrimoine de
la France à l'étranger ne soit pas appauvri. Il est évident
que cette affaire-là a été fort regrettable.

Déposition du général de La Laurencie [6] *au procès Abetz.*

Toutes les questions intéressantes étaient réglées directement entre M. Laval, son compère ou complice de Brinon,
et Otto Abetz. D'abord, la question des mines de Bor. M. Laval en dessaisit successivement la Commission d'Armistice
de Wiesbaden et ensuite la Délégation Générale de Paris. Il
m'enleva cette question pour la régler avec M. Abetz. La
rumeur publique a été assez méchante à ce moment-là. J'ai
l'idée que cela ne s'était pas passé sans des profits importants, mais comme je n'avais pas de preuves, je ne prends
pas cette accusation à mon compte.

*Interrogatoire de M. Fay, directeur des mines de Bor, par
le juge Martin, le 24 novembre 1944 :*

J'ignore absolument si, comme le bruit en a couru à tort
ou à raison, M. Laval a eu un intérêt pécuniaire ou a tiré
un profit personnel de cette affaire. Tout ce que je puis
dire, c'est que le docteur Richier, le laryngologiste chez lequel j'étais en traitement en juin ou juillet 1941, m'a dit
avoir entendu dire que Laval avait gagné 3 500 000 francs en

---

6. Il fut délégué général du gouvernement en zone occupée jusqu'en décembre 1940.

spéculant sur les actions de Bor par achats dans la période des négociations pour revendre au prix fixé par l'accord passé avec le groupe allemand.

Interrogatoire du docteur Jacques Richier par le juge Martin le 28 décembre 1944 [7] *:*

Le propos, que vous a rapporté M. Fay qui est en effet un client, est exact. Des renseignements que j'ai pu recueillir à l'époque, il résulte que Laval qui était un intime de deux conseillers de l'ambassade d'Allemagne, les sieurs Wenstrick et Arrenbach, fut chargé par ceux-ci de négocier avec le maréchal Pétain la cession des mines de Bor dont l'Allemagne voulait prendre le contrôle. Laval aurait vu le Maréchal qui aurait terminé la conversation par les mots : « Ce sera vu » ou quelque chose d'approchant, le dernier mot se terminant par « u » et que Laval aurait interprété par « c'est entendu ». Toujours est-il qu'il revint à Paris et déclara à l'ambassade d'Allemagne que l'affaire était faite. A ce moment-là, ses relations de l'ambassade lui firent savoir que, s'il avait un paquet d'actions de Bor à vendre, il jouirait d'un tarif préférentiel qui aurait été environ de 7 000 frs par action. Cela devait se passer vers la fin du mois d'octobre, ce qui laissa à Laval un bon mois pour faire acheter des actions Mines de Bor. Je n'ai pas de renseignements précis sur la personnalité qui a effectué ces achats, mais il paraîtrait que ceux-ci ont été enregistrés à un compte Siaume à la banque Lambert et Biltz. Je vous signale que Siaume, décédé il y a deux mois, était un ami d'enfance de Laval et avait de gros intérêts à l'imprimerie Desfossés, quai Voltaire. Pour l'instant, je ne puis vous préciser les personnes desquelles je tiens ces renseignements. Si je puis rassembler des précisions à ce sujet, je vous les donnerai.

---

7. Cité par l'expert Caujolle dans son rapport (page 268). Il s'agissait de l'instruction relative au rachat par les Allemands des actions de la Société des mines de Bor.

3

Le Dossier de la Défense

Pour établir la responsabilité de Pierre Laval, il y a lieu de rechercher : 1) Si cette cession s'est faite sur la pression des Allemands. — 2) Si Laval en a pris seul l'initiative. — 3) Si Laval a retiré un profit personnel de cette opération.

1. — La cession s'est-elle faite sur la pression des Allemands ?

En nommant sans l'accord du gouvernement français un administrateur et un directeur de la société des mines de Bor, les Allemands le mirent devant le fait accompli, dans l'espoir qu'il se verrait contraint de leur céder ses droits d'exploitation. Devant son refus, nous savons par le général Doyen qu'ils employèrent, dès le 15 septembre 1940, des moyens d'intimidation : « M. Hemmen a essayé de me démontrer que nous devions céder les mines de Bor. Il ajoutait même que, si nous ne voulions pas traiter à l'amiable avec eux à ce moment-là, au traité de paix, ils nous les prendraient purement et simplement sans aucune indemnité. J'eus un entretien très violent avec ce Monsieur, qui me dit : « Mais, vous ne comprenez pas que la France est un pays vaincu et que si vous ne faites pas tout ce que nous vous demandons maintenant, au traité de paix, nous vous broierons. »

Au cours de l'entretien qu'il eut avec M. de Boisanger le 4 octobre 1940 [8], le Dr Hemmen fut encore plus catégorique, lorsque le délégué français lui fit savoir que le

8. D.F.C.A.A. — Compte rendu N° 26 (N° 5 404/E.M.).

gouvernement français était opposé à cette transaction : « Je regretterais, répliqua-t-il, de transmettre une telle réponse à mon gouvernement. Voyez encore si le gouvernement français ne peut pas reconsidérer son attitude, sinon nos relations deviendront très difficiles. Mon gouvernement est pressé d'aboutir sur ce point. Si vous refusez, les conséquences seront extrêmement graves. J'attends votre réponse d'ici demain. Je finis par perdre confiance. » Dans son compte rendu à la délégation de Wiesbaden, M. de Boisanger ne cacha pas la gravité de l'incident [9] : « Je ne dois pas dissimuler que, selon les avertissements ou plutôt les menaces formulées par M. Hemmen, l'ensemble des relations franco-allemandes se trouvera, en cas de réponse négative, sérieusement affecté. » Le 10 octobre [10], la menace se précisa : « J'ai proposé que l'on négocie ici, déclara le Dr Hemmen. Cette réponse se fait trop attendre. L'affaire est urgente ; pour les mines de Bor, nous voulons tout. »

Au procès Abetz, la contrainte exercée par l'intermédiaire de l'ambassade allemande sur les autorités françaises pour obtenir cette cession a été retenue à charge contre lui. Le troisième articulat de l'ordonnance de transmission rendue par le juge d'instruction est ainsi conçu : « Attendu qu'il est constant qu'en France, en 1940 et 1941, en tout cas en temps de guerre, les titres de la société des mines de Bor ont été pillés, en réunion ou en bande, et à porte ouverte. Qu'il résulte de la procédure prévention suffisante contre le nommé Abetz d'avoir en France, en 1940 et 1941, en tout cas en temps de guerre, par abus d'autorité ou de pouvoir, provoqué cette action ou donné des instructions à la commettre ».

2. — Laval a-t-il pris seul l'initiative de cette cession ?

Le ministre des Finances, M. Bouthillier, lutta dès le début contre la prétention allemande. Il multiplia les protestations

9. Lettre à la D.S.A. du 4.10.1940 (Lettre n° 5 275/D.E.).
10. D.F.C.A.A. — D. E. 115.

et les arguments juridiques. Pour empêcher des négociations directes, il décida de soumettre à l'autorisation de son ministère la cession des titres représentant des biens français à l'étranger. Mais sachant que le gouvernement ne pouvait que retarder le moment où il lui faudrait bien se résoudre à la cession, il chercha à la faire rentrer dans le cadre d'un règlement général avec l'Allemagne, afin d'obtenir au moins des contreparties. C'est ce qu'il explique [11] : « Je fis répondre que la cession de Bor ne serait pas traitée en dehors des problèmes généraux économiques et politiques discutés entre les deux gouvernements... Préoccupé de la convoitise allemande, j'avais fait adresser le 16 octobre à notre délégation de Wiesbaden des instructions prescrivant de ne point examiner les demandes de cession présentées isolément, mais de les ajourner à une négociation générale. J'ajoutais qu'aucune cession ne pourrait être acceptée sans une contrepartie constituée par des biens allemands... Nous n'envisagions point de cession particulière, mais certains échanges éventuels dans des conditions à débattre. » Ce fut dans ce sens qu'il adressa le 7 novembre une lettre circulaire pour renforcer les instructions données à Wiesbaden. Elle ordonnait, « que toutes les affaires touchant à une cession éventuelle d'entreprises à l'Allemagne devaient être centralisées, étudiées et contrôlées par un service administratif spécial, la Direction des Finances extérieures de mon département (service de M. Couve de Murville). Cette lettre précisait que les cessions ne pourraient être envisagées que dans le cas où elles trouvent dans leurs modalités mêmes une justification suffisante, par exemple, en cas d'échanges de participations ou dans une négociation d'ensemble avec les autorités allemandes moyennant les contreparties jugées indispensables ».

Telle était la position du gouvernement au moment où Pierre Laval, auprès duquel était intervenu Abetz à la demande de Gœring, donna son accord pour la cession des actions de Bor. Abetz avait persuadé Laval que, s'il facilitait cette cession qui ne faisait qu'entériner une situation de fait, Gœring lui en serait reconnaissant et il obtiendrait plus

11. « Le drame de Vichy » — Plon 1950-51.

facilement l'assouplissement des conditions de l'armistice au cours des négociations ouvertes à Paris le 31 octobre. Laval a expliqué les motifs qui l'avaient amené à se résoudre à céder à la pression allemande [12] : « Les mines de Bor étaient l'une des clefs qui me permettaient d'ouvrir la porte des concessions allemandes. J'avais en vue la libération de nos prisonniers, la réduction de nos frais d'occupation, l'assouplissement de la ligne de démarcation et le rattachement à Paris de l'administration des départements du Nord et du Pas-de-Calais. Cette négociation à laquelle nous ne pouvions nous soustraire aurait pu être fructueuse... Il est certain qu'en face de ces problèmes, la question des mines de Bor me paraissait moins importante. Nous n'avions d'ailleurs aucune possibilité de contrôle sur les mines en Yougoslavie occupée par l'armée allemande. Tous ces faits montrent que le gouvernement français a agi du mieux qu'il pouvait, dans l'impossibilité où il était de faire autre chose en 1940. Cette autorisation de cession a été donnée rapidement parce qu'une fois la décision de principe prise, il n'y avait plus de raison pour attendre, mais des avantages, au contraire, à en tirer, le plus vite possible, sur le plan de la politique générale. »

Trois questions sont à examiner :

a) — Laval a-t-il pris une décision contraire aux vues du gouvernement ? Les déclarations de M. Bouthillier permettent de répondre que le gouvernement était prêt à négocier la cession de ces actions à l'Allemagne ; il la subordonnait à une négociation générale et à l'obtention de contreparties.

b) — Cette décision fut-elle désapprouvée par le gouvernement ? M. Bouthillier a déclaré dans sa déposition au procès Pétain : « La cession des actions de Bor a été décidée au mois de novembre 1940, à une époque où, pour des raisons de politique générale, on souhaitait au gouvernement donner certaines satisfactions aux demandes allemandes pour créer un climat favorable de discussion. »

c) — La décision de Laval constitua-t-elle « un précédent fâcheux » ?

12. Mémoire en réponse à l'acte d'accusation.

S'il peut être reproché à Laval d'avoir pris la décision
de céder les actions de Bor sans attendre la négociation
générale à laquelle le gouvernement entendait la soumettre,
il serait inexact de prétendre qu'elle ait entraîné les cessions d'intérêts français qui furent faites par la suite,
comme celle de la Banska, établissement bancaire de
Bohême, qui se négocia en novembre 1940 et dans laquelle
Laval n'intervint pas, ou celles des participations françaises
en Roumanie, en Hongrie et en Norvège, qui se traitèrent
en février-mars 1941 et en Pologne, en novembre de la
même année, alors que Laval ne faisait plus partie du gouvernement.

3. — Laval a-t-il retiré un profit personnel de cette opération ?

Le seul témoin entendu devant la Haute Cour ne fit aucune allusion au profit que Pierre Laval aurait retiré de cette
négociation. Le général de La Laurencie, qui déposa au procès Abetz, eut la franchise de reconnaître qu'il n'avait
recueilli aucune preuve de la « rumeur publique assez méchante » qui courut, selon lui, à ce sujet. Quant à M. Fay,
directeur de la société des mines de Bor, interrogé en 1944,
il répéta ce que lui avait dit le docteur Richier, avouant qu'il
ignorait tout de la question. Enfin, le témoin le plus précis, le
docteur Richier, rapporta des propos infondés. En effet, non
seulement il n'a pu indiquer la source de ses informations,
mais il prétendit que Laval aurait été chargé par deux
conseillers de l'ambassade d'Allemagne de négocier « avec
le maréchal Pétain » la cession, alors qu'il a été reproché
à Laval d'avoir pris cette décision sans l'accord du gouvernement.

Il sera répondu à cette question par les deux remarques
suivantes :

a) — Laval ne pouvait acquérir, même par personnes
interposées, des actions de la Société des mines de Bor, car
leur négociation était interdite. Le décret du 10 octobre 1940
avait, en effet, soumis à une autorisation du ministre des
Finances la cession de tous les titres représentant des biens

français situés à l'étranger. De leur côté, les services allemands avaient bloqué les actions.

b) — A la suite des « révélations » du Dr Richier, l'expert Caujolle vérifia ses déclarations. Il se rendit à la banque Lambert et Biltz pour examiner le compte ouvert au nom de M. Siaume qui aurait agi pour le compte de Laval. « L'étude des opérations enregistrées à ce compte, a-t-il constaté, montre que le crédit n'a pas été alimenté par la cession d'actions Mines de Bor, mais par la vente d'actions Energie Industrielle, d'actions Desfossés et de parts Petit Parisien ». Il alla aussi au siège de la Société des mines de Bor « pour y rechercher si, ultérieurement à l'opération du rachat, les Allemands n'avaient pas rémunéré certains concours dont ils auraient bénéficié à cette occasion ». Il conclut : « Il n'y a pas eu de rémunération au bénéfice de M. Siaume ou de M. Pierre Laval ».

LES TEMOINS DE LA DEFENSE.

— Rudolf Schleier, ministre d'Allemagne à Paris. (HI-III-1749)

Si je suis bien renseigné, on a reproché au Président Laval, à l'occasion de son procès, qu'il s'est enrichi personnellement par la transaction connue sous le nom des « Mines de Bor ».

J'ai assisté aux négociations à l'Ambassade traitant cette affaire, et je me rappelle que finalement M. Laval, en accord avec le Ministre des Finances de l'époque, et avec l'approbation du maréchal Pétain, Chef de l'Etat, avait accepté le principe de cette cession des actions des Mines de Bor se trouvant en possession française.

Il avait espéré que Gœring — comme le Plénipotentiaire de celui-ci le laissait entrevoir — qui s'intéressa à cette transaction pour les besoins industriels allemands, accepterait des concessions allemandes très substantielles en faveur de la France, et d'une importance beaucoup plus grande que la valeur monétaire des actions des Mines de Bor.

Les possesseurs des actions furent d'ailleurs largement indemnisés, dépassant de loin la valeur nominale et commerciale à cette époque.

Après l'occupation de la Yougoslavie au printemps 1941, les Autorités allemandes auraient exploité les mines comme propriété ennemie avec ou sans accord de la part des actionnaires français, comme Tito a plus tard exproprié tous les participants étrangers en Yougoslavie. Cependant cette possibilité n'était pas à prévoir au moment de la cession.

Le reproche qu'il s'est enrichi personnellement par cette transaction est un mensonge. C'est à mon avis le reproche le plus infâme, qu'un Homme d'Etat aurait profité de ses pouvoirs pour s'enrichir personnellement au moment le plus douloureux de son pays, occupé après une défaite par les forces militaires de l'adversaire.

4

Les déclarations de Pierre Laval

MEMOIRE EN REPONSE
A L'ACTE D'ACCUSATION

Poursuivant l'examen et la réfutation de l'additif à l'acte d'accusation, j'en arrive à la déposition du général Doyen retenue contre moi, concernant « la cession de la participation française à l'exploitation des mines de Bor » comme une des « capitulations du gouvernement de Vichy devant les exigences formulées par les Allemands au-delà de ce qu'autorisait la Convention d'armistice ».

Je suis d'autant plus à l'aise pour aborder ce grief que je fus pendant longtemps l'objet d'une grossière calomnie, répandue après le 13 décembre 1940, tendant à faire croire que j'avais eu un intérêt personnel dans cette cession.

M. Caujolle, expert, n'a pas manqué de procéder à cet égard à toutes les investigations et à tous les contrôles, et son rapport constate naturellement le néant de ses recherches.

Il était naturel qu'il en fût ainsi, car je n'ai jamais possédé aucun titre de cette société, et il était fatal qu'il en fût ainsi, car je n'ai jamais usé de mes fonctions à des fins d'intérêt personnel.

L'accusation qui a été portée contre moi par des hommes comme le général Doyen, à l'occasion de la cession des Mines de Bor, était aussi sordide que misérable. Elle déshonore à mes yeux ceux qui ont osé, sans preuve, porter de telles accusations.

Je pourrais au contraire établir par des exemples (et je n'en ai d'ailleurs aucun mérite) que l'exercice de mes fonctions a souvent compromis mon intérêt personnel, en raison de ma délicatesse naturelle et de la notion que j'ai toujours eue de mon devoir.

J'ai donc la satisfaction aujourd'hui de constater que la calomnie dont j'avais été l'objet s'est évanouie. J'avais, au surplus, dès mon retour au pouvoir en 1942, prié M. Cathala, ministre des Finances, de faire procéder à une enquête pour révéler quel avait été le mouvement des titres de la Société des mines de Bor, à l'effet de connaître quels avaient pu être les bénéficiaires de cette cession. Je sais qu'il fut procédé à cette enquête par le renseignement que m'en a donné récemment M. Martin, juge d'instruction, chargé d'instruire contre le directeur d'une banque au sujet des mines de Bor.

Cette initiative que j'avais prise ne portait pas la marque de la crainte que j'avais de me voir reprocher une malversation. Le rapport de Monsieur Caujolle fut d'ailleurs concluant et complètement négatif.

L'additif à l'acte d'accusation ne fait aucune mention d'un intérêt personnel que j'aurais eu. Si j'ai tenu à relever l'insinuation du général Doyen, c'est pour stigmatiser la fantaisie et la malveillance de son propos.

J'ai été interrogé par trois magistrats instructeurs au sujet de la cession des Mines de Bor, MM. Lancier, Gibert et Martin.

Je me contenterai, pour répondre à cette accusation, de reproduire ici deux de mes déclarations, celles que j'ai faites à M. Lancier et à M. Martin.

Je n'avais pas été mis au courant des pourparlers qui avaient déjà eu lieu à la Commission de Wiesbaden. Celle-ci était placée sous le contrôle du général Huntziger. Je sus seulement que le cuivre des mines de Bor, dès avant la guerre de 1939, ne venait pas en France, qu'il était cédé par le gouvernement yougoslave à l'Allemagne et à l'Italie.

Les procès-verbaux de l'instruction pourraient à l'audience être heureusement complétés par le rapport rédigé par M. Février sur les questions financières et économiques. On y lira en particulier que M. de Boisanger, notre délégué à Wiesbaden, avait indiqué à son interlocuteur allemand que le gouvernement français était disposé, dans la mesure où cela dépendait de lui, à interdire l'exportation de cuivre vers l'Angleterre. J'ai tout ignoré de cette tractation, mais il ne me semble pas que la Commission de Wiesbaden, que dirigeait le général Doyen, ait été très ferme dans sa résistance à la demande essentielle du gouvernement allemand tendant à interdire l'exportation de cuivre à destination de l'Angleterre.

Ainsi, on connaît maintenant la vérité sur les conditions dans lesquelles a eu lieu la cession des titres de la Société des mines de Bor.

Il est vrai que la Convention d'armistice ne contient aucune clause qui nous obligeât à cette cession. Il est non moins vrai que la Convention d'armistice, telle qu'elle avait été composée, acceptée ou subie, ne permettait pas à la France de vivre. Je l'ai déjà, je crois, suffisamment démontré. Il fallait donc négocier avec l'occupant. Cette cruelle nécessité nous obligeait parfois à des concessions.

C'est pour essayer d'obtenir plus que j'ai parfois consenti à donner moins. Les mines de Bor étaient l'une des clefs qui me permettaient d'ouvrir la porte des concessions allemandes. J'avais en vue la libération de nos prisonniers, la réduction de nos frais d'occupation, l'assouplissement de la ligne de démarcation et le rattachement à Paris de l'administration des départements du Nord et du Pas-de-Calais.

Je n'avais pas prévu le 13 décembre ni le fantasque de la politique du Maréchal et de son entourage, qui laissait s'accomplir des sacrifices sans attendre les contreparties qui les avaient motivés et les auraient largement justifiés.

Cette négociation, à laquelle nous ne pouvions nous soustraire, aurait pu être fructueuse. C'est à d'autres et non à moi qu'incombe un échec que je fus le premier à déplorer. Dans l'échelle de nos sacrifices, les mines de Bor, qui étaient situées à l'étranger, contrôlées non par nous, mais par un gouvernement étranger, ne représentaient qu'un faible élément dans l'immensité des avantages que j'avais le ferme espoir et la quasi-certitude d'obtenir des occupants. Si les Allemands gagnaient la guerre, nous devions céder ces titres un jour. S'ils la perdaient, nous pourrions retrouver nos droits. Notre risque était donc limité.

L'accusation parle de la cession des Mines de Bor, pour laquelle les actionnaires ont d'ailleurs reçu un prix double par rapport à la valeur cotée en Bourse. Si cette cession ne s'était pas produite, les mêmes actionnaires se trouveraient aujourd'hui en face de l'Etat yougoslave, qui a pris, il y a quelques mois, un décret de confiscation des sociétés étrangères.

L'accusation, qui ne se réfère qu'à la vente des titres d'une seule société, se garde bien de parler de ma politique financière générale qui a consisté, pendant les deux dures années où j'étais au pouvoir, à défendre avec M. Cathala, ministre des Finances, souvent malgré elles, les sociétés anonymes contre les prises de participations allemandes et italiennes. En subordonnant les acquisitions à de multiples autorisations (Offices des changes, autorisation du ministre, etc.), nous sommes arrivés à empêcher complètement ces prises de participations et à protéger de la mainmise allemande les capitaux de toutes les sociétés anonymes françaises. Il convient de souligner que les seules cessions importantes eurent lieu en 1941 sous le gouvernement Darlan (Havas 47,6 % du capital cédé en mai 1941 — Francolor 51 % en mai 1941 — Société Mumm 51 % en mai 1941 — Carburants Français 33 % en mai 1941).

A mon retour au pouvoir, je donnai l'ordre de refuser toutes les propositions d'achat allemandes et italiennes. Ainsi, le capital de plus de trente mille sociétés anonymes fut défendu par le Gouvernement.

Procès-verbal de l'interrogatoire de Pierre Laval par le juge Lancier, membre de la Commission d'Instruction de la Haute Cour de Justice (Audition du 4 septembre 1945)

— *Demande :* Parmi les griefs formulés contre Yves Bouthillier, ancien ministre, secrétaire d'Etat aux Finances, figure celui d'avoir cédé aux Allemands de multiples participations financières dans nos entreprises françaises à l'étranger.

Au nombre de ces cessions se trouve celle des actions appartenant à la Compagnie Française des Mines de Cuivre de Bor en Yougoslavie. Yves Bouthillier m'a déclaré qu'il n'avait été saisi de cette affaire qu'après que la cession eut été déclarée par le vice-président du Conseil.

Ensuite il a témoigné à l'audience de la Haute Cour de justice qu'il s'agissait d'une affaire fort regrettable décidée par vous.

Avez-vous des observations à présenter sur cette première question, celle de savoir qui a donné l'autorisation de céder ces actions aux Allemands ?

— *Réponse :* Je suis heureux d'être enfin interrogé au sujet de la cession au gouvernement allemand des actions des mines de Bor appartenant à un groupe français. J'ai été l'objet, spécialement après le 13 décembre 1940, de calomnies que je vais réduire à néant en répondant à vos questions.

A une date que je ne saurais préciser, mais qui se situe dans tous les cas avant le 13 décembre 1940, j'ai été informé par l'ambassadeur d'Allemagne du très vif désir qu'avait exprimé le maréchal Gœring de se rendre acquéreur de ces actions appartenant à des Français. Sur l'étonnement que je lui en manifestai, M. Abetz me dit tout l'intérêt qu'il y avait pour le gouvernement français à régler des questions de cet ordre, d'ailleurs secondaires, selon lui, afin de faciliter des négociations politiques beaucoup plus importantes pour la France.

J'ignorais tout des mines de Bor ; je ne savais même pas, avant mon entretien avec l'ambassadeur, où elles étaient situées. Je ne savais pas à quels actionnaires et à quelles banques appartenaient les titres. Je devais me renseigner et je me proposai d'en parler au Maréchal : telle fut ma réponse à M. Abetz.

Quand à la question précise que vous me posez, la cession ne pouvait être faite et négociée que par les soins du ministre des Finances ou de ses services. Il va de soi que le ministre des Finances devait être couvert, pour s'engager dans une

telle négociation, par un avis conforme du ministre des Affaires étrangères. Il le fut, car le Maréchal, à qui j'avais exposé la question telle qu'elle
m'avait été présentée par l'ambassadeur d'Allemagne, convint qu'il était impossible de résister à cette demande, d'autant plus que, satisfaite, elle devait faciliter des négociations plus
importantes.

J'eus sans doute l'occasion de faire cette réponse
à M. Abetz, et, très clairement, je mis alors au
courant M. Bouthillier. Je crois me souvenir que
celui-ci me dit qu'il lui fallait, pour agir, une
lettre signée du ministre des Affaires étrangères,
que j'étais, ce qui situe ces entretiens après le
24 octobre 1940, car, auparavant, je n'occupais
pas cette fonction.

Je crus devoir en parler un jour au Conseil
des ministres, et c'est seulement après avoir obtenu l'agrément, d'abord, du Maréchal, sans opposition du Conseil des ministres à qui j'en
avais parlé, que je pus donner et que je donnai à
M. Bouthillier cette lettre signée de moi qui allait
lui permettre d'engager officiellement sa négociation. C'est à lui qu'il appartenait, et c'est d'ailleurs sans doute ce qu'il fit, de se mettre en
rapport avec la Banque Mirabaud qui contrôlait
ces titres que l'Allemagne voulait acheter. C'est à
lui également qu'il appartenait de discuter avec
cette banque et avec les Allemands le prix de cession de ces actions.

Je n'ai donc eu, en aucune manière, à négocier
cette cession.

— *Demande :* A qui, selon vous, incombait la
responsabilité d'accorder cette autorisation de
cession ?

— *Réponse :* J'ai déjà répondu. Il appartenait
au ministre des Affaires étrangères de donner
son avis au ministre des Finances et, dans cette
affaire, il m'a paru indispensable d'avoir à la
fois l'agrément du Maréchal, chef de l'Etat, et

l'avis du Conseil des ministres. Si le Conseil des ministres avait refusé, le ministre des Finances aurait été dans l'impossibilité d'agir.

— *Demande :* Etes-vous d'accord avec moi sur ce fait que la Convention d'armistice ne nous obligeait à céder aux Allemands aucune des participations financières françaises à l'étranger ?

— *Réponse :* Je n'ai pas la Convention d'armistice, mais je pense en effet qu'elle ne nous contraignait pas à faire des cessions de ce genre. Je n'étais pas au gouvernement quand la Convention d'armistice a été signée.

— *Demande :* Alors, pourquoi avez-vous autorisé la cession de ces actions ?

— *Réponse :* Parce qu'il m'était impossible de faire autrement. Si toutes les clauses de la Convention d'armistice avaient été appliquées, notre pays n'aurait pu vivre et aurait été frappé d'asphyxie.

Mon rôle a consisté précisément à obtenir des Allemands l'assouplissement de la Convention, ce qui m'amenait parfois, mais obligatoirement, à faire des concessions.

— *Demande :* Cette cession n'a-t-elle pas eu lieu dans des conditions irrégulières, puisque vous avez dit à l'audience de la Haute Cour de justice que la négociation avait un caractère financier et qu'un rapport préalable du ministre des Finances était nécessaire ?

Aviez-vous ce rapport quand vous avez pris votre décision ?

— *Réponse :* Devant la Haute Cour de justice, j'ai fait une déclaration incomplète. J'avais rendu compte au Maréchal des entretiens que j'avais eus avec l'ambassadeur d'Allemagne comme je l'ai fait ensuite devant le Conseil des ministres. Quant à la négociation elle-même, c'est-à-dire la discussion des modalités de la cession, elle appartenait au ministre des Finances. J'ai commis l'erreur d'employer le mot « préalable ».

— *Demande :* Pourquoi cette autorisation a-t-elle été aussi rapidement donnée ?

— *Réponse :* La demande allemande était pressante. Après avoir pesé les avantages et les inconvénients de la satisfaire, j'ai dû faire une réponse de principe rapide.

— *Demande :* Vous avez laissé entendre que cette cession n'était pas importante, qu'il s'agissait d'actions n'appartenant pas à l'Etat, mais à un groupe de Français, que l'Allemagne occupait la Yougoslavie, que nous n'avions aucun contrôle à exercer et qu'enfin les actions avaient été achetées beaucoup plus cher qu'elles ne valaient.

Mais pourquoi les Allemands étaient-ils si pressés de mettre la main sur ces actions et d'obtenir une autorisation du gouvernement français pour ce faire ?

— *Réponse :* J'ai coutume d'établir une hiérarchie entre les questions que j'ai à traiter.

J'essayais alors d'obtenir la libération des prisonniers, l'assouplissement de la ligne de démarcation, le rattachement à Paris des départements du Nord et du Pas-de-Calais, enfin la réduction des frais d'occupation. Il est certain qu'en face de ces problèmes la question des mines de Bor me paraissait moins importante. Les Allemands ne m'ont pas fait connaître la raison de la hâte qu'ils mettaient à conclure cette affaire.

Nous n'avions d'ailleurs aucune possibilité de contrôle sur les mines en Yougoslavie, occupée par l'armée allemande.

— *Demande :* Au sujet de vos observations rappelées dans la question précédente, je crois que la cession des actions des mines de Bor était au contraire très importante, puisque les Allemands la considéraient telle, qu'elle portait sur plus d'un milliard et demi et qu'elle nous faisait perdre sur des valeurs de cuivre de multiples avantages à l'étranger, financièrement, industriellement et politiquement, et que, d'autre part, une politique d'économie dirigée à outrance commandait la surveillance de tous groupes et de toutes sociétés, surtout quand ceux-ci pouvaient tenter de céder des participations financières à l'étranger ; qu'enfin les actions dont il s'agit ont été acquises par les Allemands à bon marché, puisqu'elles ont été payées par eux au moyen du crédit que nous leur avons consenti, au titre des frais d'occupation (quatre cents millions de francs par jour), crédit dépassant de beaucoup leurs dépenses réelles pour l'entretien de leurs troupes en France. Ils n'ont pas payé cher comme vous le dites. Ils ont payé avec le boni, c'est la France qui a fait les frais de l'opération.

— *Réponse :* Votre observation serait judicieuse si la France ne s'était pas trouvée en 1940 dans la situation où elle était. L'Allemagne était forte, paraissait assurée de la victoire, nous étions battus et nous n'étions plus libres. C'est un fait que, même aujourd'hui, on aurait tort d'oublier pour apprécier sainement les actes du Gouvernement à cette époque. Je reconnais que les frais d'occupation que nous payions dépassaient les besoins allemands en France. Ce n'est pas moi qui ai demandé l'armistice ni qui l'ai signé. Ce n'est pas moi qui ai fixé à quatre cents millions de francs par jour les frais d'occupation, et je viens de vous dire précisément que je négociais pour obtenir une réduction massive. J'ai regretté le 13 décembre, non pas seulement pour moi, mais pour la France, car je n'ai pu ainsi rencontrer M. Ribbentrop le 22 décembre 1940, date de l'entretien où, d'après ce que m'a dit plus tard l'ambassadeur d'Allemagne, j'aurais enregistré une réduction des frais d'occupation de quatre cents millions à cent quatre-vingts millions de francs par jour. Je ne puis contester que les

Allemands aient payé les actionnaires français en prélevant sur leur compte ouvert à la Banque de France, mais j'ajoute que, pour nous prémunir contre l'acquisition par eux d'une partie du patrimoine français, et pour les empêcher de prendre des participations dans les sociétés anonymes françaises, le Gouvernement a édicté des mesures de protection de la propriété immobilière. S'il y a eu des exceptions, elles ont été extrêmement rares et elles ne portent pas sur plus de 1 % de l'actif de nos sociétés françaises.

Je profite de cette occasion pour remarquer qu'en d'autres circonstances, alors que la France était libre et qu'elle était puissante, le gouvernement français, auquel je n'appartenais pas, a cédé les grands ateliers de fabrication de matériel de guerre Skoda en Tchécoslovaquie, dès avant la guerre. Or, dès avant la guerre, la Tchécoslovaquie était transformée en protectorat allemand. Enfin, si le renseignement qui m'a été donné est exact, le gouvernement yougoslave aurait décidé la confiscation de toutes les sociétés étrangères se trouvant en territoire yougoslave, confiscation sans indemnité si elles sont allemandes, avec compte bloqué en monnaie yougoslave si elles sont d'autres pays. Ce serait là une décision récente prise par le gouvernement du maréchal Tito.

Tous ces faits montrent que le gouvernement français a agi du mieux qu'il pouvait, dans l'impossibilité où il était de faire autre chose en 1940.

— *Demande :* J'attire votre attention sur ce qu'a déclaré le général Doyen en Haute Cour de justice. Il a dit qu'il avait refusé net à Hemmen la cession des Mines de Bor, que si la politique menée par la délégation française à la Commission d'armistice était toute de résistance aux prétentions allemandes, la politique du gouvernement de Vichy était très différente et consistait à démolir ce que la délégation française préparait à Wiesbaden. Il a été dit également que la cession dont je viens de parler avait été accordée « dans des conditions dans lesquelles Pierre Laval et son ami Abetz avaient dû trouver leur compte ». D'autres ont parlé de Gœring.

Quelles sont vos observations au sujet de cette accusation ?

— *Réponse :* J'ai lu la déclaration qu'avait faite le général Doyen à la Haute Cour de justice dans un autre procès. Il ne s'est pas contenté d'affirmer, il a voulu m'injurier. Pour qu'il ait émis de telles hypothèses malhonnêtes en ce qui me concerne, il faut que sa moralité le lui permette. Sa déposition contient d'ailleurs un certain nombre d'erreurs matérielles, et il n'est pas exact notamment qu'Hitler dût venir à Paris à l'occasion du transfert des cendres du duc de Reichstadt, pas plus qu'il n'est exact que l'arrestation du général Doyen ait été motivée par la connaissance que j'aurais eue d'une note remise par lui à la Commission de Wiesbaden. Son arrestation a été décidée plusieurs années après, à la demande du préfet de la Haute-Savoie, le général Marion. C'est au moins le souvenir que j'en ai.

Il est évident que, lorsque je fus chargé par le Maréchal des rapports du gouvernement français avec l'ambassadeur d'Allemagne, certaines questions importantes furent directement traitées de cette manière, sans autre recours à la Commission de Wiesbaden que pour l'enregistrement des demandes qui nous étaient présentées et des décisions qui étaient prises. Le gouvernement français avait naturellement le droit d'agir ainsi, la Commission de Wiesbaden n'était qu'un organisme de transmission de ses ordres ou de ses communications à la commission allemande de Wiesbaden. C'est un rouage que nous avions intérêt quelquefois à ne pas faire fonctionner, pour donner plus de force aux négociations entreprises par le gouvernement français.

Quant à l'accusation si légèrement et si malhonnêtement portée contre moi par le général Doyen, je la repousse avec mépris. Je n'ai jamais été, à aucun moment, ni directement, ni par personne interposée, possesseur d'aucune action des mines de Bor, et je n'ai jamais eu, cela va de soi, aucun intérêt personnel d'aucune sorte dans la cession des titres de cette société. M. Caujolle n'a pas d'ailleurs négligé de rechercher ce qu'il pouvait y avoir de fondé dans cette accusation qui avait déjà été portée contre moi. Je ne suis pas surpris de constater que toutes ses recherches ont été vaines. Je suis heureux, comme je vous l'ai dit tout à l'heure, d'avoir eu enfin l'occasion de protester contre cette calomnie, et de constater aujourd'hui le néant de cette accusation.

— *Demande :* Pouvez-vous résumer vos réponses à cet interrogatoire ?

— *Réponse :* 1° — C'est au nom du Maréchal et sans opposition du Gouvernement que j'ai pu, comme ministre des Affaires étrangères, donner au ministre des Finances l'autorisation de négocier les Mines de Bor.

2° — La responsabilité d'accorder cette autorisation m'incombait comme ministre des Affaires étrangères, mais je ne l'ai engagée qu'avec l'avis conforme du Maréchal et du Gouvernement. Quant à M. Bouthillier, il ne peut se prévaloir de la qualité d'un fonctionnaire exécutant. Il agissait dans la plénitude de ses attributions de ministre des Finances.

3° — Dans sa lettre, la Convention d'armistice ne nous obligeait pas à céder des participations financières à l'étranger, mais pour son application, tant ses clauses étaient rigides, nous avons été tenus, dans l'intérêt de la France, de faire des concessions.

4° — Cette cession a eu lieu dans des conditions régulières. Comme je l'ai dit tout à l'heure, c'est par erreur que j'ai parlé en Haute Cour d'un rapport préalable, le Maréchal, alors chef du Gouvernement, pouvait, s'il le désirait, demander un rapport au ministre des Finances. D'ailleurs, il n'est pas d'usage de faire des rapports, chaque ministre étant responsable.

5° — Cette autorisation de cession a été donnée rapidement, parce qu'une fois la décision de principe prise il n'y avait plus de raison pour attendre, mais des avantages, au contraire, à en tirer, le plus vite possible, sur le plan de la politique générale.

6° — J'ignore ce que valaient les actions en Bourse, le prix auquel elles ont été cédées, de même que j'ignore le mode de paiement utilisé par les Allemands.

7° — Sur la politique suivie par le gouvernement de l'Etat français à la Commission d'armistice, je ne suis certainement pas d'accord avec le général Doyen, et je constate qu'il y est resté longtemps après mon départ en 1940, et qu'il a dû, au nom du gouvernement français, accepter des décisions beaucoup plus graves. Il n'a quitté la Commission que congédié par le général Huntziger.

8° — Je réitère la protestation que j'ai faite tout à l'heure contre les calomnies et accusations dirigées contre moi par le général Doyen dans une affaire où je n'ai jamais eu aucun intérêt personnel, et à propos de laquelle il est impossible de formuler contre moi la moindre imputation visant un fait précis. Je constate, une fois de plus, qu'aucun document, qu'aucun témoignage n'ont été produits contre moi, et que toutes les recherches de l'expert Caujolle sont restées naturellement vaines.

9° — Je n'ai rien à dire de plus en ce qui concerne le rôle de M. Bouthillier.

*Procès-verbal de l'interrogatoire de Pierre Laval
par le juge Martin, juge d'instruction près la
Cour de Justice du département de la Seine.
(Audition du 25 septembre 1945)*

J'ai été entendu longuement par M. Lancier,
membre de la commission d'instruction de la
Haute Cour, au sujet de la cession à l'Allemagne
des titres de la Compagnie des Mines de Bor
appartenant à des Français.

Il vous suffira de vous procurer la copie de
mes déclarations pour avoir toutes les réponses
à toutes les questions que vous pourriez me poser
à ce sujet. Il est un point cependant où je vous
dois une précision. J'ai effectivement reçu la visite de M. Champin, de la Banque Mirabaud, et
je l'ai mis au courant de la demande qui m'avait
été faite, au nom du maréchal Gœring, par
M. Abetz et de la nécessité d'y souscrire pour
les raisons que je lui ai indiquées et que j'ai fait
connaître à M. Lancier. Je n'ai pas pu lui dire
que j'avais vu le maréchal Gœring, car jamais
je n'ai eu à m'entretenir avec lui de cette affaire, pas plus que je n'ai pu lui parler de M. Neuhausen, dont j'entends prononcer le nom pour
la première fois. Il ne m'appartenait pas de lui
donner un ordre et j'accomplissais mon devoir
en le renseignant. Je n'avais pas à pénétrer dans
une négociation qui, sur le plan technique, devait
être faite par le ministre des Finances.

Je suis très surpris des explications fournies
par M. Bouthillier. Il parle aujourd'hui comme
s'il était un fonctionnaire qui s'était borné à
exécuter un ordre de son ministre, alors qu'il
était lui-même le ministre. Je n'avais pas une
qualité supérieure à la sienne, puisque j'agis-
sais dans cette affaire comme ministre des Affaires étrangères, et lui comme ministre des Finances. Relisez d'ailleurs ma lettre du 26 novembre 1940 ; vous y constaterez trois choses : que
c'est un désir que j'exprime, que le Conseil des

ministres a été saisi et qu'il s'agissait bien par cette cession de faciliter d'autres négociations plus importantes avec l'Allemagne. Si M. Bouthillier disait vrai, il lui eût été alors loisible de contester que le Conseil des ministres avait été saisi et de demander que cette affaire lui fût soumise. S'il ne le fit pas, c'est qu'aujourd'hui sa mémoire est infidèle. Il se trompe également quand il m'attribue la qualité de chef du Gouvernement, car c'était alors le Maréchal qui exerçait cette fonction. S'il avait vraiment voulu s'opposer à cette cession, que je ne pouvais pas traiter moi-même et qui ne pouvait l'être que par lui, il lui eût été facile d'obtenir du Maréchal un veto, car il était de notoriété publique qu'il exerçait sur celui-ci une influence décisive.

Sur interpellation :

Je ne peux pas me rappeler les termes exacts de mon entretien avec M. Champin. Je ne puis que maintenir mes déclarations.

Extrait d'une lettre adressée par Pierre Laval au Premier Président. (Lecture en fut faite à l'audience du 9 octobre 1945)

« Comme président de la Commission d'Armistice, le général Doyen n'a pas pu ignorer l'engagement qui avait été pris par le général Huntziger de ne pas laisser livrer aux Anglais le cuivre des mines de Bor. Il ne put l'ignorer puisque c'est la commission de Wiesbaden, qu'il présidait, qui fut chargée de faire connaître cet engagement aux Allemands. N'était-ce pas là une action de nature à nuire aux Alliés, à laquelle il participait ? J'ai ignoré cet engagement que j'ai connu, il y a quelques jours, par la lecture d'un rapport d'expert. Les réponses que j'ai faites aux magistrats instructeurs sur la cession des titres des mines de Bor sont assez claires et pertinentes pour être opposées aux affirmations du général Doyen. »

B) LES NEGOCIATIONS RELATIVES
AUX SOCIETES HACHETTE ET HAVAS

1. *LES MESSAGERIES HACHETTE*

1

Les Faits

Ayant, du fait de l'armistice, le droit de contrôler la presse française, les autorités d'occupation s'intéressèrent, dès leur installation en France, au moyen de diffusion que représentait la société des Messageries Hachette. Elles nommèrent un commissaire pour en surveiller l'administration, manifestèrent leur intention de prendre une position majoritaire dans l'affaire, et réquisitionnèrent les locaux des Messageries. Devant le fait accompli, Pierre Laval transigea. Les services allemands respecteraient l'indépendance de la branche Editions, mais en compensation, ils obtiendraient des participations dans la branche Messageries, à raison de 49 % du capital du département intérieur et de 51 % du capital du département extérieur, au bénéfice du groupe Mundus. Ce projet d'arrangement fut soumis à l'approbation du conseil d'administration des Messageries Hachette en octobre 1940. Celui-ci chercha à gagner du temps et subordonna sa réponse à l'examen des clauses de l'accord. Devant ce refus déguisé, l'ambassade d'Allemagne, chargée de la négociation, com-

*mença à employer des moyens de pression. En janvier 1941,
le conseil n'ayant toujours pas cédé, Berlin posa un ultimatum qui fut rejeté. A la suite de quoi, les Allemands
voulurent exiger en vain du gouvernement la réquisition
de la société ou l'intervention des Domaines pour contraindre
le conseil d'administration à accepter l'accord envisagé. Ce
nouvel échec les amena à nommer un administrateur provisoire en février 1941 et à suspendre le conseil. Cependant
les pourparlers continuèrent, retardés dans la mesure du possible. Afin d'en sortir, le délégué général aux relations économiques franco-allemandes décida de soumettre les difficultés à l'arbitrage de M. Laurent-Atthalin, président de la
banque de Paris et des Pays-Bas, qui jugea irréalisable le
projet d'accord prévu. Il en élabora un nouveau qui ne reçut
pas l'agrément des services allemands. Les discussions traî-
nèrent en longueur, sans aboutir, jusqu'à la fin de l'occupation et le contrôle des Messageries Hachette, convoité par
les Allemands, ne se réalisa pas.*

2

Le Dossier de l'Accusation

LE REQUISITOIRE

Affaire trouble... Il n'y a pas eu que celle des mines de
Bor, mais je ne veux retenir comme échantillon que celle
dont M. le président du conseil d'administration des Messageries Hachette vous entretenait au début de cette audience.
Pressions éhontées de Laval pour la cession des Messageries
Hachette à un groupe allemand, pressions qui se sont exercées depuis 1940 et contre lesquelles le conseil d'administration a résisté jusqu'en 1945 ; ultimatum de Laval comportant
à la fois des promesses et des menaces : si vous cédez, je

vous concède un monopole, si vous ne voulez pas céder, j'institue un autre monopole dont vous serez exclus. Voilà deux échantillons d'affaires bien troubles dans lesquelles je relève l'intervention de Pierre Laval.

LES TEMOINS DE L'ACCUSATION

Déposition du général Doyen au procès (Audience du 8 octobre 1945)

En même temps que la cession des Mines de Bor, j'appris que des tractations étaient engagées pour céder aux Allemands Hachette et Havas, c'est-à-dire pour leur céder en somme la pensée française et la propagande française à l'étranger. Je trouvai que la mesure était comble. Ceci à Paris se passait le 9 ; le 11, j'étais à Vichy où je faisais part au Maréchal de tout ce que je pensais de l'attitude scandaleuse et néfaste pour le pays de M. Laval à Paris. Je lui indiquai le danger qu'il y avait, car les Mines de Bor, Hachette et Havas, n'étaient qu'un commencement qui pouvait être suivi de choses beaucoup plus graves encore. Le Maréchal, ainsi que je l'ai indiqué dans un précédent procès, eut une très vive réaction et deux jours après, M. Laval sortait de l'Hôtel du Parc à Vichy entre deux gendarmes.

Déposition de M. Edmond Fouret, président du conseil d'administration de la librairie Hachette, au procès. (Audience du 9 octobre 1945)

Il n'y a pas eu de cession. Voici la situation. En juin 1940, les locaux des Messageries Hachette ont été réquisitionnés par les autorités occupantes. Elles y ont installé une coopérative des journaux français qui remplaçait les Messageries Hachette. Celles-ci étaient donc dépossédées. Dans les premiers jours de septembre 1940, les autorités occupantes firent savoir au conseil d'administration de la société Hachette qu'elles désiraient prendre une participation majoritaire dans la société tout entière. Le conseil refusa. Pour étayer son refus, il s'adressa alors à la Délégation Générale près les Territoires occupés pour lui demander quelle serait la position de la Délégation. Le général de La Laurencie fit répondre au conseil d'administration qu'il était dessaisi et que c'était M. Laval qui, en qualité de ministre de l'Information, suivrait désormais ces négociations. Quelques temps après, nous apprîmes que, sans que l'intervention de Laval ait été sollicitée, M. Laval avait cru devoir traiter en notre nom et les conditions étaient les suivantes : la librairie Hachette, maison d'éditions, était indemne de toute participation allemande. En ce qui concerne les Messageries de journaux et les départements étrangers, deux sociétés devaient être constituées, lesquelles sociétés recevraient une participation allemande. Le conseil refuse. A la suite de ce refus, différentes pressions sont exercées sur lui par les différentes personnes de l'ambassade allemande, et ceci nous mène jusqu'au début de janvier 1941. A cette époque, des personnalités allemandes viennent de Berlin, « décidées à aboutir », disent-elles. Plusieurs rendez-vous ont lieu, à la suite desquels un ultimatum est décerné à la Maison Hachette, lui disant que si elle n'a pas signé le surlendemain avant 11 heures, les pourparlers étaient considérés comme rompus. Le conseil refusa de signer ce qui lui était demandé. Quelques jours après, au début de mars 1941, le conseil entier fut suspendu de ses fonctions et il fut interdit à ses membres d'entrer dorénavant dans les locaux de la société. Il lui fut interdit d'avoir aucun rapport avec le personnel de la société. L'ordre lui fut donné de ne pas quitter Paris pour rester à la disposition des autorités allemandes. Le conseil continua à refuser toute intervention nouvelle.

Ceci nous mène, à la suite de pressions répétées — plusieurs pressions ont été exercées — ceci nous mène jusqu'au mois de novembre 1941, époque à laquelle M. Barnaud, chargé des négociations entre les deux gouvernements, fit appeler le président du conseil, dans l'espèce moi, et nous indiqua que les Allemands désiraient aboutir rapidement. Le même refus lui fut opposé et ce refus se perpétua malgré de nouvelles réclamations, malgré de nouvelles exigences qui furent formulées au début de 1942. Toujours même refus du conseil. Rien n'était signé et rien ne serait signé. En janvier 1943, M. Laval me fit appeler et me dit qu'il était décidé à créer des Messageries d'Etat si nous n'aboutissions pas à une entente avec les Allemands. Il nous dit alors que, si nous avions abouti à une entente avec les Allemands, un service de Messageries serait créé en notre faveur, donnant un monopole pour la distribution de la presse. Le conseil refuse. En fin novembre 1943, nouvelles pressions allemandes, lesquelles eurent lieu notamment sur le département étranger dans lequel ils voulaient également avoir une participation. Toujours, refus du conseil. Et c'est ainsi que, de refus en refus, le conseil d'administration de la société Hachette a pu arriver à ce qu'elle soit indemne de toute cession allemande et n'ait eu aucune participation allemande dans son capital qui est resté exclusivement français comme il l'était avant 1939.

Déposition du général de La Laurencie au procès Abetz.

Grâce à l'énergique résistance de M. Fouret, président du conseil d'administration de la société des Messageries Hachette, j'avais pu arriver à résister, je crois, assez victorieusement, aux autorités allemandes. J'étais sur le point de réussir quand M. Laval me retira brutalement l'affaire pour la traiter à son compte et je n'ai plus rien su de cette affaire.

3

Le Dossier de la Défense

1) L'action menée par Laval au cours des négociations concernant la société Hachette fut différente de son intervention dans la cession des Mines de Bor. Les deux « affaires », pour reprendre un terme employé par l'accusation

en 1945, ne se présentaient pas, en effet, de la même manière. La Société de Bor exploitait des mines situées à l'étranger, dans un pays occupé par l'Allemagne, et dont la France ne retirait plus de bénéfices depuis 1939. Laval réalisa une vente dont le principe avait déjà été admis par le gouvernement français sous certaines conditions. La société Hachette était, au contraire, exploitée en France. Si les messageries avaient été remplacées par une coopérative de journaux placés sous le contrôle des services de la propagande allemande, la branche Editions avait échappé à cette réquisition, sans cependant que le danger d'une mainmise totale fût écarté pour autant. La transaction engagée par Laval consistait à reconnaître la situation de fait existante en cédant des participations à un groupe allemand dans la branche Messageries pour tenter de sauvegarder l'indépendance de la branche Editions.

2) A la lecture du témoignage du président du Conseil d'administration de la société, on peut constater que :

a) Si M. Fouret a fait allusion à des pressions exercées sur le Conseil à la suite de son refus d'accepter le projet de compromis, il n'a pas accusé Laval d'en être l'auteur, mais a précisé qu'elles émanaient de « différentes personnes de l'ambassade d'Allemagne ».

b) Laval ne força pas le Conseil à céder aux pressions allemandes.

c) Nous savons par le témoignage de M. Fouret qu'un ultimatum parvint de Berlin, en janvier 1941, alors que Laval n'était plus au gouvernement.

d) Les négociations continuèrent après le départ de Laval et en dehors de lui.

e) Le Conseil d'administration fut suspendu de ses fonctions en mars 1941 et soumis à « des pressions répétées » auxquelles Laval était donc étranger.

f) Revenu au pouvoir en avril 1942, Laval ne participa de nouveau aux transactions qu'en janvier 1943, mais sans prendre de décision.

g) Les dernières pressions exercées sur le Conseil en novembre 1943 furent le fait des autorités allemandes.

h) Aucune cession ne fut imposée à la société par le gouvernement avant la fin de l'occupation.

LES TEMOINS DE LA DEFENSE

— André Lenard, avocat à la Cour d'Appel de Paris. (HI-III-1534)

Ayant été chargé par la Société de la Librairie Hachette de la défendre contre une mainmise allemande, et ce, dès le mois de novembre 1940 — j'ai été amené à cette occasion, pendant l'occupation, à avoir divers contacts tant avec le Président Laval qu'avec M. Pierre Cathala, Ministre des Finances.

Le Président Laval avait dû, au début de l'occupation, consentir à l'occupant la promesse de faire passer, dans une société qui pouvait être contrôlée par l'ennemi, le service des Messageries Hachette.

J'ai, à diverses reprises, exposé au Président Laval les raisons qui déterminaient le refus obstiné de la part de la Librairie Hachette et de moi-même de nous prêter à une semblable formule.

Le Président Laval, qui était pris entre notre refus de tenir les engagements souscrits par le Gouvernement de Vichy et la pression ennemie, a certainement cherché à faire traîner les choses en longueur, en vue de nous permettre d'échapper à la réalisation d'une opération qui aurait pu permettre à l'Allemagne d'exercer une pression accrue par la voie de la presse sur l'opinion française.

Je n'en veux pour preuve que les conversations que j'ai eues avec M. Pierre Cathala, au mois de mars 1944. Le Ministre des Finances, m'ayant convoqué, m'a indiqué — de la part du Président Laval — que la pression allemande s'accentuait chaque jour, et que la situation — en présence de mon refus — du Président Laval devenait véritablement intenable.

J'ai répondu à M. Cathala, auquel m'unissait une vieille amitié remontant à ma petite enfance :

« Je te prie de répondre à Laval que je n'accepterai cer-
« tainement pas de céder en mars 1944, à l'Allemagne bat-

« tue, ce que je lui ai refusé en novembre 1940, quand elle
« était victorieuse. »

M. Cathala m'a répondu :

« Est-ce ton dernier mot, et dois-je ajouter à Laval que
« tu te refuses, en conséquence, à toute conversation avec
« lui sur ce point ? »

Sur ma réponse affirmative, M. Cathala prit contact
avec le Président Laval et me convoqua deux jours plus
tard pour me transmettre la réponse de ce dernier.

Elle était la suivante :

« Tu diras à Lenard qu'il a raison et qu'il n'a qu'à
persister. »

2. L'AGENCE HAVAS

1

Les Faits

L'Agence Havas déployait deux branches d'activité : l'In-
formation et la Publicité. Dès avant la guerre, le gouver-
nement avait manifesté le désir de contrôler la branche
Information. Après l'armistice, les autorités allemandes
voulurent prendre une participation financière dans l'af-
faire pour s'en assurer le contrôle. Afin d'éviter de leur
céder la branche Information qui les intéressait plus par-
ticulièrement, le gouvernement, par la loi du 27 septembre
1940, autorisa l'Etat français à acquérir une partie de

l'actif de l'Agence Havas, dont il exploiterait la branche In-
formation, sous le nom d'Office Français d'Information.
Une seconde société serait créée, Havas-Publicité, dont une
partie de l'actif serait cédée à l'Allemagne. Une convention
fut signée en mars 1941 entre l'Etat et l'Agence, aux termes
de laquelle il devenait propriétaire de la branche Information
pour une somme de 25 millions et souscrivait à 67,66 % du
nouveau capital de la société. La société allemande de pu-
blicité Mundus acquérait 47,66 % du capital de la branche
Publicité.

2

Le Dossier de la Défense

Répondant, dans sa lettre au Premier Président, aux accusations portées contre lui par le général Doyen, Pierre Laval
faisait remarquer : « Les titres de la minorité de l'Agence
Havas-Publicité ont été cédés, en 1941, par l'amiral Darlan,
à une époque où je n'étais pas au gouvernement ». Laval
n'a pas eu à donner d'autres explications puisque, et il est
important de le souligner, l'acceptation d'une participation
financière allemande dans la société de l'Agence Havas-Publicité ne lui a pas été reprochée. Il était cependant nécessaire
de rétablir la réalité des faits, car la déclaration du général
Doyen pouvait laisser croire que cette décision avait dépendu
de Laval seul. S'il a eu à en connaître en tant que membre
du gouvernement et ministre des Affaires étrangères, Laval
n'a pas mené les négociations et n'a fait aucune pression
en faveur du groupe allemand qui désirait prendre une participation dans l'affaire. En fait, la décision appartenait au
gouvernement [13] qui, ne pouvant s'opposer à la mainmise

13. En 1938, à la suite d'un accord entre le ministre des Affaires
étrangères et les dirigeants de la société, les services d'information
de l'Agence Havas étaient passés sous son contrôle.

allemande sur les affaires économiques françaises [14], s'efforça de la limiter. La loi de septembre 1940 permit de sauvegarder l'activité essentielle de l'Agence Havas et le rapport de la Cour des Comptes démontre que l'Office Français d'Information exerça librement ses fonctions jusqu'en août 1942.

D'autres constatations s'imposent : — 1) L'accord réalisé en novembre 1940 entre l'Etat et l'Agence Havas ne fut concrétisé qu'en mars 1941, alors que Laval ne faisait plus partie du gouvernement. — 2) S'il en avait été le seul auteur et s'était trouvé en opposition avec ses collègues, l'accord n'aurait pas été simplement entériné, mais aurait donné lieu, après son départ, à de nouvelles négociations avec les autorités allemandes, comme ce fut le cas pour les Messageries Hachette. — 3) Si Laval avait tenu à satisfaire les Allemands dans le cadre de sa politique, comme on le lui a reproché, il aurait exigé que la convention de cession fût signée immédiatement ou dans des délais plus brefs. Il s'est contenté d'intervenir dans la négociation et de ramener à 47,66 % la participation en capital consentie au groupe Mundus afin qu'il soit en minorité. — 4) De nouveau au pouvoir, Laval ne revint pas sur les mesures prises par le gouvernement en dehors de lui. Notamment, il ne fit pas modifier les dispositions du décret du 21 mars 1941 prévoyant que, dans les assemblées, le nombre de voix appartenant aux actionnaires étrangers (en l'espèce, allemands) ne pourrait, en ce qui concerne le capital représenté, se trouver, par rapport au nombre de voix appartenant aux actionnaires français, dans une proportion supérieure à celle existant entre le capital possédé par les actionnaires étrangers et celui des actionnaires français. Les Allemands firent faire une démarche par leur ambassade en mars 1944, se plaignant de ce que « ces dispositions privent les actionnaires étrangers de la jouissance des principaux droits sociaux qu'ils tiennent légalement de leur participation et attachés à leurs titres » et demandèrent l'abrogation du décret. Dans une note

14. La contrainte exercée par Abetz pour obtenir une participation des services allemands dans la gestion de l'Agence Havas a été retenue à charge contre lui lors de son procès.

du 3 avril 1944, le commissaire du gouvernement auprès de l'Agence Havas, M. Jeauffre, répondit que cette question lui paraissait relever de l'appréciation du chef du gouvernement, donc de Laval, et il ajoutait : « Ce dernier a eu l'occasion de manifester l'intérêt qu'il attache à l'existence des dispositions dont l'abrogation est aujourd'hui demandée ». Laval avait en effet refusé de faire droit à cette requête de l'ambassade, prouvant par là qu'il n'entendait pas faciliter les Allemands.

LES TEMOINS DE LA DEFENSE

— J. Jeauffre, Commissaire du gouvernement près l'Agence Havas. (HI-I-60)

La présence de l'occupant précipita la réforme de l'Agence Havas qui eut, à ce moment-là, le mérite de soustraire la branche Information à l'influence directe du groupe allemand devenu actionnaire. Le chef du gouvernement eut l'occasion de me confier que telle avait bien été sa préoccupation lorsqu'il avait amorcé les préparatifs de cette scission de l'Agence... L'Agence Havas, entreprise de publicité, avec ses sociétés filiales et ses succursales de province, pouvait devenir un auxiliaire de la propagande des occupants. Il n'en a cependant rien été. En trois circonstances seulement, les Allemands tentèrent d'exploiter à leur profit les possibilités de l'entreprise. En ces trois circonstances, l'opposition formulée par le commissaire du gouvernement, sur les instructions de ses chefs, et plus spécialement de M. Pierre Laval, fut suivie par les administrateurs français et les propositions du groupe allemand furent finalement abandonnées... On peut donc aujourd'hui, pour conclure, affirmer que rien de positif ne put être obtenu par les Allemands dans la gestion de l'affaire. Cette collaboration forcée se limita à une cohabitation désagréable, mais en définitive, platonique, au sein du conseil d'administration, et à une participation des actionnaires allemands aux dividendes. La gestion elle-même ne fut en rien, et à aucune époque, de 1941 à 1944, affectée par cette présence.

CHAPITRE III

LE 13 DÉCEMBRE 1940

1

Les Faits

Dès sa formation, l'accord ne fut jamais réel au sein du gouvernement du maréchal Pétain. Une scission s'était produite, due non à des causes politiques, mais à une question de personnes. Les ministres du maréchal Pétain n'avaient pas accepté facilement la présence de Pierre Laval, dont ils jalousaient les prérogatives. Certains lui étaient vraiment hostiles et ne s'en cachaient pas, menant campagne contre lui auprès du chef de l'Etat. Ils l'accusaient de suivre une politique personnelle, dangereuse pour l'avenir du pays. Son entretien avec Hitler à Montoire et les négociations qu'il avait engagées avec les autorités allemandes furent pour eux des arguments de poids. L'harmonie entre ces hommes nouveaux et la personnalité politique de Laval ne pouvait se créer et ajoutait au malaise. Le maréchal Pétain se laissait influencer par les arguments des adversaires de Laval.

Ceux-ci, résolus à obtenir le renvoi de Laval, profitèrent de leur présence à ses côtés en petit comité, au cours de son voyage dans le midi de la France, en décembre 1940 pour convaincre le Maréchal de la nécessité devant laquelle il se trouvait de se séparer de lui. Ils parvinrent à ébranler la

confiance qui lui avait fait désigner Laval comme son
successeur. Afin d'emporter sa décision, ils le persuadè-
rent que la politique suivie par Laval entraînerait la France
dans une guerre contre l'Angleterre et qu'il tirait les ficel-
les des mouvements ultra-collaborationnistes de Paris dont
les articles de presse l'irritaient. Paraissant décidé, le maréchal Pétain convoqua à Vichy Pierre-Etienne Flandin, sur
lequel son choix s'était porté pour remplacer Laval, mais
il ne prit aucune décision. Le 9 décembre 1940, il prépara
une lettre à l'intention de Hitler, dans laquelle il expliquait
les motifs du renvoi de Laval, puis se ravisa.

C'est alors qu'eut lieu « l'affaire » du retour des cendres.
Laval transmit de Paris l'invitation faite au maréchal
Pétain par Hitler de présider la cérémonie de la remise
à la France des cendres de l'Aiglon. D'abord hésitant, le
chef de l'Etat se laissa convaincre par Laval, revenu le
13 décembre 1940 à Vichy. Les adversaires de Laval parvinrent à faire croire au maréchal Pétain qu'il s'agissait
d'un complot monté par lui dans le but de l'éloigner de
Vichy afin de prendre sa place en constituant un gouvernement à Paris. Ce dernier argument eut raison de ses hési-
tations et l'amena à accepter l'arrestation de Laval. Celle-ci
eut lieu le 13 décembre 1940, à l'issue d'un Conseil des
ministres extraordinaire au cours duquel il fut invité à
démissionner.

2

Le Dossier de l'Accusation

L'ACTE D'ACCUSATION.

Cependant, une révolution de palais devait bientôt amener le départ de Laval, précédé, de la part de Pétain, d'un

congédiement brutal, voire même d'une arrestation, tout au moins d'une mise en état de surveillance dont on ne sait quelle eût été finalement l'issue si l'ambassadeur Abetz n'eût pris sous sa protection, pour le ramener à Paris, le prisonnier de Châteldon.

Pendant plusieurs semaines, on put alors assister à l'une des campagnes les plus violentes menées par les journaux de l'Axe en vue d'imposer au Maréchal le rappel de l'ex-président du Conseil. Laval acceptait, sans protestation, de se voir ainsi proclamé l'homme de France en qui l'Allemagne mettait sa confiance de préférence à tous autres.

Déclaration du maréchal Pétain devant la Commission d'Enquête Parlementaire. (Séance du 10 juillet 1947)

— *Demande :* Dans quelles circonstances avez-vous été amené à vous séparer de Laval ?

— *Réponse :* Je croyais qu'il n'exécutait pas ce que je lui disais.

— *Demande :* Etait-il en désaccord politique avec vous ?

— *Réponse :* Cela avait dégénéré en désaccord politique.

— *Demande :* Quand s'est manifesté ce désaccord ?

— *Réponse :* Je ne pouvais pas être partout. Il réunissait de temps en temps les ministres. Il prenait alors des décisions sur lesquelles je n'étais pas d'accord.

— *Demande :* Quelles étaient les différences essentielles entre la politique de Laval et la vôtre ?

— *Réponse :* Il ne prenait pas assez de précautions. Il n'étudiait pas suffisamment les affaires. C'était toujours « jeté ». Je ne sentais pas la préparation.

— *Demande :* Et en matière de politique internationale ?

— *Réponse :* Il ne s'en occupait pas beaucoup. Il s'occupait surtout de sa politique à lui, de la politique française.

— *Demande :* Je veux parler de ses rapports avec l'Allemagne.

— *Réponse :* Alors oui. Il n'était pas toujours très tranchant.

— *Demande :* Aviez-vous une conception différente sur le problème de nos rapports avec l'Allemagne ?

— *Réponse :* Oui, ma politique était plus sévère. Je ne

permettais pas toujours. Je n'adhérais pas toujours à ses idées. Il s'avançait trop. Je ne peux pas préciser parce que cela ne me vient plus à l'esprit. Mais il y a eu des petits conflits entre nous deux.

3

Le Dossier de la Défense

1. — Les motifs imprécis qui amenèrent le maréchal Pétain à se séparer de Pierre Laval en décembre 1940 obligent à se demander si cette action était justifiée et à rechercher la valeur des arguments invoqués pour l'expliquer.

1) Laval menait-il une politique personnelle contraire aux vues du maréchal Pétain et du gouvernement ?

a) — La décision d'engager des négociations avec les autorités d'occupation avait été prise par le gouvernement en juillet 1940.

b) — Laval avait accompagné le maréchal Pétain à Montoire avec son accord.

c) — S'il est certain que Laval avait des contacts personnels et fréquents avec les autorités d'occupation depuis Montoire, il ne l'est pas moins qu'il agissait alors en tant que représentant du gouvernement qui lui avait donné le mandat de continuer les négociations faisant suite à cette entrevue.

d) — Ces démarches ne dépassaient pas le cadre de ses prérogatives.

e) — Il est permis de constater en prenant connaissance des Mémoires des ministres de l'époque[1], et notam-

1. Les procès-verbaux des délibérations des Conseils des ministres n'étaient pas régulièrement établis.

ment de ceux de Paul Baudouin [2], que Laval rendait compte en Conseil des ministres du déroulement de ces négociations.

f) — Aucun désaveu officiel ne lui fut opposé jusqu'au 13 décembre 1940.

2) Laval avait-il pris des engagements désapprouvés par le gouvernement au cours des négociations engagées à Paris après la rencontre de Montoire ?

a) — Laval ne prit aucun engagement personnel ; il faisait partie d'une délégation comprenant l'amiral Darlan, le général Huntziger et Fernand de Brinon.

b) — Cette délégation agissait en se conformant aux instructions que le gouvernement lui avait données.

c) — Si le maréchal Pétain et les ministres avaient estimé que Laval menait une politique personnelle non conforme à la leur, ils ne l'auraient pas mandaté pour participer à la réunion du 10 décembre 1940, alors que la décision de le renvoyer du gouvernement avait été prise par le maréchal Pétain quelques jours auparavant [3].

2. — Laval fut-il, après son renvoi, « l'homme de France en qui l'Allemagne mettait sa confiance de préférence à tous autres » ?

a) — Nous savons par Abetz que le renvoi de Laval avait contrarié Hitler, non qu'il tînt spécialement à ce qu'il fasse partie du gouvernement, — il le dit ouvertement à Darlan le 25 décembre 1940, — mais parce qu'il considérait que le fait par le maréchal Pétain de s'en être séparé, après en avoir fait son porte-parole à Montoire, constituait un affront qu'il ne pouvait accepter. « La destitution de Laval au 13 décembre 1940, a écrit Abetz [18], ne manqua pas de surexciter la méfiance de Hitler. A partir de cet événement, il se cantonna dans une attitude réservée et attentiste et ne porta

2. Ouvrage cité.

3. Il avait pressenti Flandin le 7 décembre pour prendre la place de Laval et préparé le 9 une lettre dans laquelle il avisait Hitler de sa décision.

plus guère intérêt aux questions françaises... Dans son for intérieur, Hitler n'était peut-être pas si mécontent d'avoir ainsi une raison toute trouvée pour se dérober désormais à des concessions au profit de la France et à une discussion de fond avec le gouvernement français. »

b) — Laval était, d'après Abetz[4], « l'homme politique français le plus combattu par les extrémistes du parti national-socialiste. »

c) — Le seul Allemand qui désirât le retour de Laval à Vichy était Abetz. Il jouait la carte de la collaboration et espérait bien réussir dans son entreprise afin d'asseoir sa position auprès des milieux politiques allemands. Or, le renvoi de Laval avait rendu impossible la continuation de cette tentative.

d) — Abetz intervint à Berlin en faveur d'un rappel de Laval par le maréchal Pétain, mais il se heurta à un refus catégorique. Il écrit : « Alors que l'ambassade s'employait de toutes ses forces à un retour de Laval au pouvoir, elle reçut le 5 février 1941 cet ordre bien révélateur de Ribbentrop : « Conformément aux instructions qui vous ont été données à Fuschl[5], je vous prie de faire en sorte que Laval reste en zone occupée et que l'affaire Laval soit traitée avec Vichy de telle façon qu'aucune entente ne se réalise pour le moment entre Laval et Vichy. »

4

Les déclarations de Pierre Laval

MEMOIRE EN REPONSE
A L'ACTE D'ACCUSATION.

C'est à Paris, où je me trouvais le 12 décembre, que je reçus, comme ministre des Affaires étran-

4. « D'une prison ».
5. Résidence d'été de **Ribbentrop**.

gères du gouvernement dont le Maréchal était le chef, la visite de M. Abetz, ambassadeur d'Allemagne. Il m'informa que le Chancelier Hitler avait décidé de restituer à la France les cendres de l'Aiglon, que la cérémonie aurait lieu le samedi 14 aux Invalides et que le Maréchal était invité à y assister ; il me dit que ce geste d'Hitler avait une haute signification politique, qu'en l'accomplissant le chancelier allemand espérait qu'il serait interprété et apprécié par la France comme un acte de sympathie d'une grande portée historique, marquant sa volonté d'une réconciliation et d'une entente entre nos deux pays. Il ajouta que le Maréchal, qui viendrait pour la première fois dans la capitale depuis l'armistice, aurait ainsi, pour ce premier contact avec la population parisienne, à présider cette cérémonie nationale, et l'ambassadeur me remit la lettre du Chancelier Hitler invitant le Maréchal. Cet entretien eut lieu à l'Hôtel Matignon.

Je fis remarquer — nous étions le 12 — que le délai donné au Maréchal était très court, puisque la cérémonie devait avoir lieu le surlendemain, que le Maréchal était âgé, que la température était particulièrement rigoureuse et qu'il y aurait peut-être des difficultés à ce qu'il acceptât une invitation aussi brusquée. Je promis de téléphoner à Vichy aussitôt, pour faire part au Maréchal de la communication que j'avais reçue, et de le tenir au courant de la réponse qui me serait faite.

C'est M. du Moulin de Labarthète qui reçut mon message. Il me rappela pour me dire que le Maréchal ne pouvait accepter une telle invitation, que sa brusquerie la rendait incorrecte, qu'on ne devait pas traiter ainsi un homme comme le Maréchal, que son état de santé ne lui permettait pas ce déplacement, qu'il fixerait lui-même, quand il le jugerait utile, la date de sa rentrée dans « sa » capitale, qu'il n'avait pas été prévenu du retour

des cendres de l'Aiglon, et qu'il n'assisterait pas
à la cérémonie.

J'informai aussitôt M. Abetz, qui revint me voir
à l'Hôtel Matignon ; il me dit qu'il regrettait
lui aussi que l'invitation ait été aussi tardive,
mais qu'il l'avait transmise dès qu'il l'avait reçue,
qu'elle était dans la manière dont le Chancelier
Hitler prenait parfois ses décisions ; qu'il convenait seulement de retenir l'intention amicale qui
l'avait inspirée et qu'un refus comme celui que
je lui transmettais (et dont j'avais d'ailleurs un
peu atténué les termes) risquait d'avoir de graves conséquences. Il insista et me demanda de
faire revenir le Maréchal sur son refus, pour
ne pas compliquer et aggraver les rapports franco-
allemands. Je lui promis de transmettre sa communication au Maréchal.

Avant de connaître la réponse du Maréchal,
j'avais convoqué le général de La Laurencie, délégué du Gouvernement, et M. Langeron, préfet de
police, pour examiner avec eux les conditions matérielles de la réception du chef de l'Etat, pour
voir notamment s'il pourrait s'installer à Versailles, où ses appartements lui avaient été préparés
pour son retour éventuel, ou s'il descendrait à
l'Elysée (la question du chauffage devait notamment être réglée). Au cours de notre entretien, le
général de La Laurencie désapprouva nettement
ce voyage du Maréchal et sa présence à une
cérémonie où figureraient des officiers et des soldats allemands. Je ne pus que lui confirmer les
communications que j'avais reçues.

Il fut reconnu, pour des raisons matérielles,
qu'il était impossible de recevoir le Maréchal à
Versailles ou à l'Elysée. Dans le cas où il viendrait,
je décidai de lui remettre l'Hôtel Matignon, que je
quitterais pendant sa présence à Paris.

L'entretien que je venais d'avoir avec M. Abetz
et la menace non déguisée des conséquences graves
que pourrait entraîner le refus du Maréchal me

déterminèrent à repartir pour Vichy. J'avais le devoir de mettre le Maréchal au courant, quelle que fût d'ailleurs la décision qu'il prendrait et qui n'appartenait qu'à lui seul. M. de Brinon, qui avait assisté aux conversations que j'avais eues avec l'ambassadeur d'Allemagne, m'accompagna.

Nous arrivions à Vichy le vendredi 13 décembre vers midi quarante-cinq. Je rencontrai le Maréchal, qui rentrait de sa promenade, et nous prîmes rendez-vous pour quinze heures.

J'eus avec lui un entretien qui dura jusqu'à quinze heures quarante-cinq. Je lui répétai exactement tous les propos de M. Abetz et je fus très surpris du contraste existant entre l'attitude du Maréchal et les messages de refus qu'en son nom M. du Moulin de Labarthète m'avait transmis la veille. Le Maréchal acceptait de venir à Paris : il descendrait à l'Hôtel Matignon, et nous convînmes d'un déjeuner officiel avec un petit nombre d'invités. Notre conversation avait été empreinte de cordialité.

Je rentrai à mon cabinet, où je reçus M. de Lequerica, ambassadeur d'Espagne. Puis je présidai, à dix-sept heures, un Conseil ordinaire de cabinet ; tous les ministres étaient présents.

Ensuite, j'allai chez M. du Moulin de Labarthète, qui devait me remettre la réponse écrite du Maréchal à l'invitation du Chancelier Hitler. Je lui fis seulement observer que la formule de politesse n'était pas opportune ni protocolaire : le Maréchal assurait le Chancelier « de ses meilleurs sentiments » ; il y substitua la formule « ses sentiments de haute considération ».

Pendant que j'étais dans mon bureau, le général Laure entra et me dit que la réunion du Conseil des ministres avait lieu à vingt heures. Je ne savais pas que ce Conseil avait été convoqué ; M. du Moulin de Labarthète prétendit également ne pas le savoir. Je supposai que le

Maréchal voulait informer les ministres de son départ pour Paris. Je m'y rendis ; et à peine étais-je arrivé que le Maréchal entrait, accompagné de M. Baudouin. Il paraissait très agité, était pâle, et dit : « Je demande à tous les ministres de signer et de me remettre leur démission. » Je signai comme les autres, croyant (le Maréchal étant alors en désaccord avec M. Belin) qu'il voulait procéder ensuite au remplacement du ministre du Travail. Le Maréchal se retira pendant quelques instants, au cours desquels je ne pus rien savoir ; les ministres, que j'interrogeai, avaient une attitude qui me parut étrange. Le Maréchal revint et dit : « Les démissions de M. Laval et de M. Ripert sont seules acceptées. » Je le priai de me faire connaître les raisons de la décision qu'il venait de prendre, d'autant plus que nous avions eu dans l'après-midi une entrevue très amicale. Il me dit qu'il ne savait jamais, quand j'allais à Paris, quelle mauvaise nouvelle l'attendait à mon retour, que j'avais fait obstacle à son installation à Versailles, que j'inspirais les articles de M. Déat qui injuriait les ministres. Je lui expliquai en quelques phrases que je lui rendais un compte exact de mes voyages à Paris, qu'il n'était pas, hélas ! en mon pouvoir d'empêcher les Allemands de prendre des décisions souvent désagréables, que je passais mon temps à intervenir en sens contraire, que j'avais essayé de faciliter son installation à Versailles, jusque-là différée par les Allemands, et que je n'inspirais en aucune manière les articles de Déat. J'ajoutai : « Je souhaite, monsieur le Maréchal, que vos décisions successives et contradictoires ne fassent pas trop de mal à notre pays. »

Je rentrai à mon bureau. J'informai mes collaborateurs et je fis empaqueter mes papiers et mes dossiers personnels. Une grande animation régnait à l'Hôtel du Parc. Les couloirs, me disait-on, s'emplissaient de policiers, surtout de nouveaux dénommés G.P. (Groupe de protection, recruté dans la Cagoule). M. Rochat, secrétaire général des Affaires étrangères, se trouvait avec moi dans mon bureau. A différentes reprises, le Dr Ménétrel et M. du Moulin de Labarthète vinrent me rendre visite sans pouvoir, me dirent-ils, m'expliquer les raisons de la décision du Maréchal. Les communications téléphoniques étaient coupées. Je crois pourtant me souvenir avoir pu avoir Châteldon dès que je fus arrivé à mon bureau, mais je ne pus ensuite obtenir aucune communication. Mon intention était de rentrer chez moi, à Paris, avec ma femme et ma fille, le soir même, le train partant vers minuit ; ma voiture devait me suivre, emportant mes bagages et dossiers qui y étaient déjà chargés. Vers dix heures et demie, un journaliste américain de mes amis, M. Ralph Heinzen, représentant en France la *United Press*, pénétrait essoufflé dans mon bureau, ayant eu toutes les difficultés et à subir toutes les bousculades pour arriver jusqu'à moi, ce qu'il avait pu faire en invoquant sa qualité de journaliste américain. Il me dit que mon chauffeur venait d'être arrêté et ma voiture emmenée. Je compris alors que la décision du Maréchal devait s'accompagner d'une mesure de police contre moi et que je ne pourrais regagner Paris. Quelques instants plus tard, M. Mondanel, directeur des services de la Sûreté nationale, entrait en m'invitant à le suivre. Il était, me disait-il, chargé de m'accompagner à Châteldon. Je lui demandai de me présenter un ordre : il l'avait et je n'insistai pas. Je fis prier le général Laure de me faire connaître de qui émanait cet ordre ; le général Laure vint et me dit : « C'est l'ordre du Maréchal. »

C'est dans ces conditions, et sous bonne escorte policière, que je fus conduit à Châteldon, où ma propriété était déjà gardée par un peloton de la Garde mobile. Des inspecteurs s'installaient dans ma maison. J'ai obtenu toutefois de M. Mondanel qu'ils ne s'installent pas dans ma chambre à coucher. Le téléphone était coupé, aucune visite n'était permise, je ne devais pas sortir de la maison, j'étais au secret. Ma femme devait subir les mêmes vexations, ainsi que ma fille, qui revenait alors de New York.

En arrivant, je ne trouvai ni l'une, ni l'autre. Dès qu'elles avaient vu arriver les gardes, elles avaient été inquiètes, n'avaient pu obtenir d'eux, qui d'ailleurs ne savaient rien, aucun renseignement, et elles étaient parties pour Vichy. Elles se rendirent directement chez M. Heinzen, qui les renseigna, et elles vinrent alors me rejoindre.

La radio nous était laissée, sans doute par l'oubli d'une consigne ; le lendemain matin, le 14, j'entendis le Maréchal dire qu'il s'était séparé de moi pour des raisons de politique intérieure. Il suffit, pour avoir le texte exact de sa déclaration, de reprendre les journaux de cette époque. Le dimanche matin, je crois, j'entendis une émission de Paris rendant compte de la cérémonie qui avait eu lieu aux Invalides (l'amiral Darlan représentant le Maréchal). La présence de M. de Brinon était signalée à la cérémonie. Le lundi matin, deux officiers supérieurs passaient devant ma porte et je leur demandai ce qu'ils désiraient : « Nous visitons les lieux, parce que vous allez recevoir une visite », dirent-ils, sans que d'ailleurs je puisse obtenir d'eux aucune indication sur la qualité de mon visiteur.

Le mardi matin, vers neuf heures, le commissaire divisionnaire, chef du service de police, m'informa que toutes les consignes étaient levées et que j'étais libre.

Quelques moments après, vers onze heures, M. du Moulin de Labarthète se présentait et m'invitait à me rendre à Vichy pour avoir un entretien avec le Maréchal et avec M. Abetz. Je montai dans sa voiture, la mienne devant m'être restituée à Vichy. En cours de route, j'insistai pour connaître les raisons de cette burlesque et odieuse aventure. Il finit, après avoir éludé certaines de mes questions, par déclarer : « C'est cet idiot d'Alibert qui a fait croire au Maréchal que vous aviez voulu l'attirer à Paris dans un guet-apens pour le séquestrer. » Il a nié plus tard avoir tenu ce propos, mais ma mémoire est fidèle, et c'est après avoir quitté Saint-Yorre qu'il me fit cette déclaration, pour moi étrange et inattendue.

En arrivant au Pavillon Sévigné, je fus introduit dans le cabinet du Maréchal. Il était assisté de l'amiral Darlan. Sans autre explication, il me proposa le ministère de l'Intérieur. Je n'acceptai pas et dis avec amertume : « Je vous remercie, monsieur le Maréchal, pour le traitement que vous avez fait subir à ma femme et à ma fille. » Il me répondit : « Je ne suis au courant de rien, et je suis étranger aux faits dont vous me parlez. — Je désire, vous ayant vu, m'entretenir avec l'ambassadeur », lui dis-je. J'espérais que M. Abetz pourrait me renseigner avant de reprendre ma conversation avec le Maréchal, car ils s'étaient entretenus durant toute la matinée.

J'appris qu'après mon arrestation tous mes collaborateurs avaient été gardés à vue par les G.P. dans leurs chambres, et sans cesse menacés du revolver ; que l'ambassade d'Allemagne avait eu les plus grandes difficultés à obtenir la communication avec Vichy, tous les circuits étant coupés ; que le Maréchal niait toute participation dans mon arrestation ; qu'il s'agissait d'un grossier malentendu et qu'il allait me proposer le ministère de l'Intérieur.

L'ambassadeur lui avait fait observer que cet acte, qui avait eu lieu à l'occasion de l'invitation du chancelier Hitler, était sévèrement jugé à Berlin ; que, si le Maréchal avait des griefs sérieux contre moi, il n'aurait pas dû me charger, comme ministre des Affaires étrangères, des rapports avec l'ambassade, et surtout qu'il n'aurait pas dû me charger des contacts avec le Chancelier lui-même, qu'il avait vu avec moi à Montoire : « Le Président Laval ne nous intéresse que dans la mesure où il vous a représenté. » Il ajouta qu'à son avis toute cette affaire avait été montée par son entourage et qu'il appartenait au Maréchal de mettre de l'ordre dans sa propre maison pour avoir des rapports normaux avec le gouvernement allemand.

Je revis le Maréchal. Il avait encore une fois changé d'avis. « Je vous offre, me dit-il, le choix entre le ministère de l'Agriculture ou celui de la Production industrielle. » Notre conversation fut assez animée, de mon côté surtout. Je refusai toute collaboration, sous quelque forme que ce fût, avec lui, et je lui tins des propos assez vifs au sujet de la mesure qu'il avait prise contre moi.

J'allais quitter Vichy pour rentrer à Châteldon, lorsque l'ambassadeur, qui voulait avoir un autre entretien avec moi, me demanda une entrevue pour la fin de l'après-midi. Il vint chez moi, accompagné de M. du Moulin de Labarthète. Il ne m'apprit rien de nouveau. Il avait déjeuné avec le Maréchal. Il me demanda ce que je comptais faire. Je lui dis mon intention de rentrer à Paris et de partir le soir même. « Dans ce cas, me dit-il, vous pourrez nous suivre, le franchissement des deux lignes vous sera ainsi facilité. » J'appris plus tard par la police française que, le jeudi 19, ma garde devait être changée par les G.P. et qu'un nommé Norey devait m'abattre sous le faux prétexte que j'aurais tenté de m'enfuir.

J'ai raconté dans quelles circonstances et dans quelles conditions j'avais été arrêté le 13 décembre et à quels risques plus graves j'avais été exposé.

J'ai voulu connaître ensuite, n'ayant pu les obtenir de lui, les raisons qui avaient déterminé le Maréchal à prendre une mesure aussi injuste que brutale.

M. du Moulin de Labarthète, je l'ai dit, en avait imputé l'initiative à M. Alibert. Celui-ci, quelques mois après le 13 décembre, alors que je me trouvais à Clermont-Ferrand, demanda à me voir. Il protesta contre l'imputation qui lui avait été prêtée par M. du Moulin et il exposa que le 13 décembre, vers seize heures, il s'était présenté dans le bureau de celui-ci où quatre ministres étaient réunis : l'amiral Darlan et trois autres. Il dit que le silence se fit à son entrée, qu'enfin on lui dit qu'il s'agissait de Laval, que l'amiral Darlan avait déclaré qu'il fallait en finir et qu'il devait se rendre immédiatement chez le Maréchal pour emporter sa décision. Alibert aurait fait observer que je devais présider le Conseil de cabinet à dix-sept heures, et il estimait cette réunion inutile dans ces conditions. L'un des ministres aurait répondu : « Au contraire, nous devons y aller tous. De cette façon, Laval ne se doutera de rien. » Alibert ajouta qu'il était écœuré, et c'est ainsi qu'il expliqua son absence au Conseil de cabinet. L'amiral Darlan conduisit les ministres chez Pétain, et c'est à cette réunion que mon sort fut réglé.

Quand, en avril 1942, le Maréchal me demanda de revenir au Gouvernement, c'est l'amiral Darlan qui vint me voir à Châteldon. Il y vint plusieurs fois en quelques jours. Il fut un jour accompagné par M. de Brinon et, devant ce dernier, je lui dis qu'avant de collaborer de nouveau avec lui je tenais à éclaircir son rôle à l'occasion du 13 décembre, et je lui rappelai les déclarations que M. Alibert m'avait faites. Il protesta en disant qu'Alibert était le plus excité contre moi. Il rappela avoir dit qu'il ne fallait pas attendre pour faire prendre la décision par le Maréchal, que demain serait sans doute trop tard. L'Amiral ne nia pas s'être rendu, à la demande de ses collègues et avec eux, chez le Maréchal. Pendant qu'il était procédé à mon arrestation, l'Amiral était au cinéma, ce qui lui permit ensuite de dire qu'il ignorait tout, comme il me l'avait dit à moi-même, ce qu'il n'osa plus soutenir à Châteldon. Il reconnaissait donc ce qu'il avait fait. Je n'ai aucun doute qu'il avait agi uniquement par ambition et dans le but de pouvoir un jour succéder au Maréchal.

Quant à l'attitude prêtée par l'amiral Darlan à Alibert, elle est aussi vraisemblable et ne contredit pas le rôle joué par Darlan. Alibert avait dit que je faisais venir le Maréchal à Paris pour le séquestrer. Le voyage devait avoir lieu le lendemain, d'où sans doute son exclamation : « Demain ce sera trop tard ! »

J'avais eu jusque-là des rapports courtois avec M. Alibert. Cependant, j'appris, quelque temps avant le 13 décembre, qu'il se plaignait avec vivacité d'articles écrits contre lui par Marcel Déat et qu'il m'en attribuait la responsabilité. On l'avait persuadé que j'étais l'inspirateur de ces articles. Je le convoquai pour le rassurer sur mes sentiments, en lui disant, ce qui était la vérité, que je n'avais aucune autorité sur Déat, que je le voyais très rarement, qu'il me faisait injure en me croyant capable d'user de tels procédés, et que je lui promettais, pour mettre un terme à sa défiance, de faire une démarche auprès de Déat, à qui je dirais le tort personnel qu'il me faisait par ses attaques contre lui. Je fis cette démarche. Déat cessa d'attaquer Alibert. Il s'en prit, ensuite, à d'autres ministres, comme Huntziger, qui m'en voulurent à leur tour autant qu'Alibert. C'est ce qui expliquerait la rancune d'Alibert, très prompt par ailleurs, à accueillir comme valables les hypothèses romanesques et les projets de complots comme celui, ridicule, qu'il me prêtait à l'égard du Maréchal.

L'Amiral, qui avait des ambitions et qui voulait les assouvir, trouva donc en Alibert un collaborateur précieux et inconscient du rôle qu'on lui laissait jouer.

Je dois rappeler également les renseignements qui me furent fournis par un journaliste, M Cannavaggio, de la part de M. Baudouin, qui tenait alors à se disculper à mon égard d'avoir pris la moindre part dans la mesure qui m'avait frappé. Je reprochais à M. Baudouin d'avoir déclaré à M. l'ambassadeur d'Allemagne que le Maréchal s'était débarrassé de moi à cause de mes agissements intéressés dans la cession des titres des mines de Bor. L'ambassadeur, qui avait été mêlé aux négociations, avait vivement protesté et M. Baudouin n'avait plus insisté. Le principe de la cession avait été discuté et admis par le Conseil des ministres. Quant à la négociation, dans laquelle je n'étais pas intervenu, elle avait été faite par le ministre des Finances, et j'étais resté personnellement étranger à tous les pourparlers de caractère financier, qui ne me regardaient en aucune manière. Ce grief malhonnête, imaginé, et qui avait servi de prétexte, fut abandonné dès que je manifestai l'intention de faire une enquête à ce sujet. M. Baudouin tint au contraire, ensuite, par ses déclarations à M. Cannavaggio, à dire tout ce qu'il savait au sujet de l'animosité du Maréchal contre moi, animosité qui amena mon arrestation.

C'est le 8 ou le 9 décembre que je devais être arrêté. Quelques jours auparavant, le Maréchal était en voyage. Il se trouvait à Marseille lorsque, de Vichy, on lui téléphona le contenu d'un article très violent écrit par Déat. Les ministres et les membres de son cabinet qui l'accompagnaient s'en montrèrent, comme lui, indignés et émus. Et naturellement, mais injustement, ils prétendaient que j'étais l'inspirateur de cet article. Une réunion eut lieu et mon arrestation fut décidée. Le Maréchal devait rencontrer le lendemain M. Bouthillier, à Toulon, mais cela ne devait pas changer le sort qui m'était réservé. M. Peyrouton accompagnait le Maréchal. Mon successeur fut choisi dans la personne de Flandin. Appelé à Vichy, il devait en attendant l'événement, c'est-à-dire mon arrestation, s'installer aux environs. Le Maréchal avait signé une lettre à Hitler que le général de La Laurencie devait remettre à l'ambassadeur d'Allemagne. Le 8 ou le 9 au matin, de bonne heure, le Maréchal fit appeler M. du Moulin de Labarthète, le chargea de reprendre sa lettre à La Laurencie et lui dit de charger Laure d'inviter Flandin à quitter Vichy. Le Maréchal, ayant réfléchi, s'était ravisé. Il ne me faisait pas arrêter, et j'ignorais naturellement toute cette trame tendue autour de moi. Je n'ai plus la note que m'avait remise M. Cannavaggio et je ne me rappelle pas avec assez de précision comment M. Baudouin lui parla de la journée du 13 décembre. Il me semble pourtant qu'il en fit surtout porter la responsabilité par l'amiral Darlan.

Je me suis rappelé ensuite qu'effectivement M. Flandin était venu à Vichy avant cette date du 8 ou 9 décembre. Il m'avait vu sortant du cabinet du Maréchal, m'avait dit m'avoir soutenu au cours de son entretien et avoir approuvé ma politique. Il venait, en réalité, d'arrêter les modalités de mon départ !

Un témoin, M. Peyrouton ou M. Berthelot, m'a-t-on dit, aurait, à l'audience de la Haute Cour, dit que mon éviction du cabinet aurait été motivée par des raisons de politique extérieure, et spécialement au cours de la réunion qui aurait eu lieu à l'ambassade, concernant le Tchad. Or cette réunion eut lieu le 9 décembre et je devais être arrêté le matin du même jour. Cette raison invoquée n'est donc pas valable pour la raison que je viens de dire et pour d'autres encore.

J'ai toujours dit que la décision avait été prise le 8 ou le 9 décembre. Il faudrait vérifier dans les journaux la date précise du voyage du Maréchal à Marseille, qui se situe peu de jours avant.

Pendant mon séjour à Siegmaringen, le Dr Ménétrel, que j'interrogeai sur les déclarations de

Baudouin, ne les contesta pas. Il me dit : « Ne cherchez pas les raisons de votre affaire du 13 décembre ; il n'y en a qu'une : ce sont les articles de Déat, que le Maréchal lisait tous les jours, qui l'ont excité contre vous. »

Je tenais surtout à connaître du Maréchal les motifs qui l'avaient amené à prendre cette mesure. Mon explication avec lui à Vichy, le 17 décembre, avait été trop vive et, si je l'avais laissé parler, peut-être le Maréchal m'aurait-il donné des précisions. J'eus enfin l'occasion de le rencontrer vers le 20 janvier 1941. M. Benoist-Méchin était venu me voir et m'avait dit qu'il aimerait me ménager un rendez-vous, à la seule condition que j'écrive au Maréchal pour lui dire « mes regrets des propos un peu vifs » que je lui avais tenus à Vichy. Je fis cette lettre d'autant plus volontiers que le Maréchal avait nié avoir donné l'ordre de m'arrêter, démentant ainsi la déclaration que m'avait faite le général Laure. « Mes propos, écrivis-je donc au Maréchal, s'adressaient à ceux qui avaient fomenté ce ridicule et odieux guetapens. » Ma lettre suffit au Maréchal, et je fus avisé que le lendemain je le verrais à La Ferté-Hauterive.

Nous eûmes un long entretien dans son train, en présence de M. du Moulin de Labarthète. Le Maréchal me dit ne rien connaître de toutes les raisons qui m'avaient été données, que pour lui il n'y en avait qu'une seule : je ne le renseignais pas suffisamment à mes retours de Paris. Je lui fis observer que je le renseignais au contraire complètement et qu'après chacun de mes voyages j'avais avec lui de nombreux et longs entretiens, au cours desquels je n'omettais rien dans les comptes rendus que je lui faisais. Il ne le contesta pas, mais ajouta : « Ce que je veux, ce sont des rapports écrits, et vous ne m'en avez jamais remis aucun. Je suis un militaire. C'est ma méthode et vous n'avez jamais voulu me remettre de rapports écrits. » Je lui répliquai qu'il ne m'en avait jamais demandé et qu'au surplus je n'avais aucune confiance dans la discrétion de certains membres de son entourage qui auraient mes rapports à leur disposition. Il tint ferme sur cette position, et, pour lui, c'est mon refus de lui remettre des rapports écrits, qu'il ne m'avait jamais demandés, qui l'avait amené à se séparer de moi. Je lui répondis que je ne menais pas les négociations, que je les amorçais seulement, que les négociations, quand elles étaient poursuivies, étaient conduites par les ministres compétents, et que ceux-là avaient le devoir de lui remettre des rapports. Je citai des exemples comme la cession des titres des mines de Bor. Il appartenait au ministre des Finances, qui avait négocié, de faire et de lui remettre un rapport.

J'eus le sentiment que le Maréchal ne me disait pas la vérité, mais je ne pus en obtenir aucune autre explication. Il y avait entre nous une incompatibilité d'humeur. Je n'approuvais pas ses actes de politique intérieure, et il le savait, car je ne craignais pas de m'exprimer librement à ce sujet.

Je n'approuvais pas sa conception du pouvoir personnel, qu'il était d'ailleurs incapable de réaliser, et qui servait seulement de couverture à des collaborateurs audacieux et inexpérimentés : je le lui disais. Je n'étais pas courtisan et manquais de servilité. Dans le domaine intérieur, nous n'étions d'accord sur rien. Pour lui, j'étais le parmentaire, j'étais le républicain, j'étais le tenant d'un régime qu'on voulait détruire. Je mesurai trop tard mon erreur de jugement sur sa personne, une erreur que j'avais partagée avec une multitude de Français qui continuaient de lui accorder leur admiration et leur confiance et que je n'avais pas le droit d'essayer de détromper, parce que le Maréchal, à ce moment, symbolisait la France et que nous étions profondément malheureux. Il avait été un grand soldat, il était auréolé d'un immense prestige et il mettait son autorité morale au service de la France. Il s'est révélé mauvais politique. Où il eût fallu Lyautey, nous avions Pétain.

Mon éviction du gouvernement, le 13 décembre, empêcha l'entrevue que je devais avoir avec M. de Ribbentrop, avant Noël, probablement le 22 décembre, m'avait dit M. Abetz. Je sus par celui-ci qu'au cours de mon entretien le ministre allemand des Affaires étrangères devait m'informer des décisions suivantes :

1° Libération d'une première tranche de cent cinquante mille prisonniers.

2° Rattachement à Paris de l'administration des départements du Nord et du Pas-de-Calais, jusqu'alors rattachés à Bruxelles.

3° Assouplissement très large de la ligne de démarcation.

4° Frais d'occupation ramenés de quatre cents millions de francs par jour à cent quatre-vingt millions.

(J'ignore si des contreparties m'auraient été demandées, et lesquelles.)

Il est exact qu'après le 13 décembre certains journaux de Paris firent une violente campagne pour protester contre mon éviction du gouvernement et le traitement qui me fut infligé, comme il est évident que l'ambassade d'Allemagne manifesta alors les mêmes sentiments. Le contraire eût été surprenant, car on voyait alors que ma mésaventure était due à la volonté du Maréchal de rompre avec la politique dite de Montoire, et on savait à Paris que j'étais à la veille d'obtenir des résultats substantiels, concernant, notamment, la libération des prisonniers, et des solutions satisfaisantes à des problèmes alors vitaux pour notre pays, comme le rattachement de l'administration du Nord et du Pas-de-Calais à Paris, la réduction massive des frais d'occupation et l'assouplissement de la ligne de démarcation. C'est ce que M. de Ribbentrop devait m'annoncer au cours d'une entrevue fixée avant le 25 décembre, probablement le 22. Les journalistes français, récemment rentrés à Paris, même s'ils subissaient déjà l'influence des services allemands, ne pouvaient que regretter et s'indigner déjà de voir compromis de tels résultats. Quant à l'ambassade d'Allemagne et à ses collaborateurs, ils étaient surpris par une telle décision, alors que le Maréchal avait semblé jusque-là me marquer sa confiance. Tous les prétextes invoqués étaient par eux considérés comme blessants ; le Maréchal aurait dû réfléchir à tous les griefs qu'il pouvait avoir contre moi avant de me charger officiellement de représenter le gouvernement français auprès du gouvernement allemand. Si j'étais jugé indigne, le Maréchal aurait dû le savoir avant de me laisser prendre des contacts avec le ministre des Affaires étrangères et le chancelier du Reich. Tels étaient les sentiments qu'exprimaient alors les chefs allemands en France.

Cette campagne d'ailleurs ne dura guère, car l'amiral Darlan fut presque aussitôt agréé par eux, et il leur apparut qu'ils auraient probablement avec lui moins de difficultés dans la négociation qu'ils n'en avaient eu avec moi. Dès qu'ils reçurent du Maréchal et de l'Amiral l'assurance que la politique des rapports avec l'Allemagne ne serait pas modifiée, que la collaboration, au contraire, serait accentuée, les services allemands se déclarèrent pleinement satisfaits. Ils ne songeaient nullement me voir succéder à l'amiral Darlan et ne le cachaient pas à leurs interlocuteurs. L'amiral Darlan est resté un an et trois mois au pouvoir, et l'Allemagne a obtenu de lui des concours de caractère naval, militaire et économique que je n'aurais jamais ni proposé, ni accepté de leur donner. J'ai, au cours de mon interrogatoire, fait le bilan de certaines décisions prises en 1941 dans le domaine de la justice et de la police, et qui ont pesé lourdement sur l'action du gouvernement que j'ai dirigé ensuite.

Pour juger à leur valeur les griefs de l'accusation, c'est-à-dire pour en montrer le mal-fondé, il est nécessaire de dire que je n'avais eu, avant la guerre, aucune relation d'aucune sorte avec M. Abetz, pourtant si répandu à Paris dans les milieux politiques et de presse. Je ne l'avais jamais vu avant notre premier entretien, qu'il sollicita, et qui eut lieu le 20 juillet 1940. Je n'avais pas connu davantage l'ambassadeur qui l'avait précédé rue de Lille. Mes rapports avec l'ambassade d'Allemagne ont existé seulement quand j'étais ministre des Affaires étrangères, avec M. von Hœsch en 1931, et avec M. Kœster en 1935. Je n'avais jamais assisté à aucun déjeuner ni à aucune réception rue de Lille, et je me suis abstenu de me rendre, y étant invité, à la grande réception qui eut lieu lorsque M. de Ribbentrop vint officiellement rendre visite à M. Georges Bonnet et signer avec lui un accord.

J'avais reçu M. de Ribbentrop en 1934, au Quai d'Orsay, alors qu'il n'était pas ministre, sur la demande de M. Kœster, ambassadeur. Il se présentait comme une sorte de messager officieux du Chancelier Hitler. J'avais également rencontré Gœring à Cracovie, en 1935, lors des obsèques du maréchal Pilsudski. L'un et l'autre s'étaient alors vivement plaints de mon activité diplomatique et m'avaient reproché de pratiquer une politique d'encerclement de l'Allemagne : « Nous trouvons votre main partout dans toutes les combinaisons qui s'échafaudent contre l'Allemagne », m'avait dit Gœring, et le procès-verbal de notre entretien, rédigé par M. Rochat, qui y assistait, se trouve sûrement au Quai d'Orsay. Les Accords de Rome, autant que le Pacte franco-soviétique les gênaient, et ils ne dissimulaient pas leur irritation, dont leur presse se faisait l'écho.

J'avais reçu à Paris, en 1935, le chancelier d'Autriche Schuschnigg. Il venait réclamer l'aide et la protection de la France contre Hitler. L'incompréhension de certains était telle que je dus le recevoir dans une gare de la banlieue parisienne. Des manifestations avaient été prévues et organisées dans le centre de la capitale pour protester contre sa venue et sa politique. Les Allemands voyaient à travers toute mon action le barrage que je m'efforçais de construire pour les empêcher de réaliser les ambitions d'Hitler. Après la signature des Accords de Rome, M. von Hassel, ambassadeur d'Allemagne en Italie, m'avait dit, en présence de Mussolini, au Palais de Venise : « Il faudra bien que l'Allemagne accepte un jour de faire un accord avec vous, car, seul, vous ne pouvez avoir la prétention de tenir tête au monde. » Il n'est pas besoin de dire que de tels propos, prononcés en une telle circonstance, étaient fidèlement rapportés à Berlin ; ceux-ci, en particulier, firent quelque sensation, car ils avaient été entendus et répétés.

C'est dire que je ne passais pas précisément à Berlin pour un ministre décidé à subir l'hégémonie allemande, telle qu'on pouvait alors la craindre si on brisait l'appareil diplomatique que j'avais construit en 1935, au prix de tant de difficultés, autour d'une Allemagne alors isolée en Europe.

Quand je n'étais plus au Quai d'Orsay, de 1936 à 1939, je revenais à la Commission des Affaires étrangères du Sénat. Qu'on relise aujourd'hui les procès-verbaux des séances secrètes, que je verserai aux débats de mon procès, et on sera fixé sur mon attitude ; elle n'a jamais varié. Je savais qu'il y avait un danger de guerre, Hitler ne cachait ni ses ambitions ni ses armements ; les unes croissaient en même temps que les autres. J'adressais, comme sénateur, des appels désespérés, tels qu'il n'en est pas alors sorti de la

bouche d'aucun des hommes au pouvoir en Russie, en Angleterre, en Amérique et en France.
Notre rupture avec l'Italie devait aggraver le
déséquilibre, et Hitler allait fatalement vouloir
saisir l'occasion de mettre le feu à l'Europe.
L'annexion de l'Autriche, l'invasion de la Tchécoslovaquie furent ainsi rendues possibles ; l'invasion de la Pologne devait suivre. J'avais, en
son temps, vivement protesté contre l'humiliation de Munich. Je n'ai pas attendu pour le
faire, comme certains, la défaite de l'Allemagne.
Je lirai lors des débats la déclaration que je fis
le 16 mars 1939 à la séance secrète de la Commission des Affaires étrangères du Sénat, en présence de M. Georges Bonnet, alors ministre des
Affaires étrangères du gouvernement Daladier.
On y verra dans quels termes je dénonçais le
danger allemand.

On m'a reproché parfois, au Parlement et dans
la presse, je ne sais quelle faiblesse dans l'application des sanctions à l'égard de l'Italie à
propos de la guerre d'Ethiopie. J'ai fait justice
de ces griefs au cours d'un exposé devant la
Chambre, le 28 décembre 1935, après lequel j'obtins la majorité dans un vote de confiance. On
m'a prêté je ne sais quelle complaisance à l'égard
de l'Italie parce qu'elle était fasciste ; ce reproche est ridicule et l'argument qu'on en tirait
servait surtout à des fins de politique intérieure. A cet égard, il est intéressant de relire
aujourd'hui l'exposé que je fis à la Chambre,
comme président du Conseil, en novembre 1935,
pour défendre ma politique intérieure qui venait
de sauver le franc, les finances de l'Etat, permettre la conversion des rentes et le démarrage
de la production, alors que cinq mois avant nous
étions au bord de la catastrophe. Par qui étais-je
donc interpellé ce jour-là ? Par les mêmes qui
m'interpelleront un mois plus tard au sujet de
ma politique extérieure. De Léon Blum à Marcel

Déat, l'accord était complet. Je ne ferai qu'une réponse pour repousser ce grief d'une prétendue complaisance à l'égard du régime intérieur italien : dans la même année 1935, j'ai traité avec l'Italie fasciste et avec la Russie soviétique. J'ai vu Mussolini et le Pape à Rome ; quelques semaines plus tard, je voyais Staline à Moscou.

On a dit que je manquais d'idéal, sans doute parce que j'ai cru et que je crois encore que la politique, si elle ne doit pas négliger les impondérables, doit surtout, dans le domaine extérieur, se fonder sur les réalités. Les régimes se succèdent, les révolutions s'accomplissent, mais la géographie subsiste toujours. Nous serons éternellement les voisins de l'Allemagne. J'ai un idéal, la paix, et si nous ne trouvons pas le moyen d'établir des rapports de bon voisinage avec l'Allemagne, la guerre reviendra périodiquement, comme une fatalité. C'est un problème difficile à résoudre, mais il s'impose comme un devoir impérieux à ceux qui ont la charge de notre pays. Le malheur est que le peuple allemand considère trop facilement la guerre comme chose naturelle et la paix comme un accident. Le malheur est qu'il abandonne trop volontiers son destin à ceux qui le mènent aux aventures. Le malheur réside aussi dans son féroce orgueil. Le malheur est enfin qu'il se croit le peuple élu. « Il y a deux Allemagnes », dit-on parfois : non, il n'y en a qu'une, mais son comportement varie suivant les chefs qu'elle se donne.

J'ai voulu, après d'autres, entre les deux guerres, et avant l'avènement d'Hitler, essayer de trouver une solution à ce problème difficile de nos rapports avec l'Allemagne. Je suis allé à Berlin avec Briand, en 1931. L'Allemagne, à ce moment, avait un Parlement et le chef de son gouvernement, Brüning, était catholique. Nous étions, Français et Allemands, convaincus de la nécessité d'une réconciliation et d'une entente, mais les opinions publiques sont exigeantes. « Nous ne pourrons donc jamais, disait Brüning d'une voix triste et désabusée, faire en même temps les mêmes gestes et prononcer les mêmes paroles. » Et Hitler est venu ; le même problème subsistait, mais, pour le résoudre, il fallait, avec Hitler, employer d'autres méthodes. Il fallait, à la force allemande, opposer une force plus grande, c'est-à-dire l'union de tous. Il fallait faire la chaîne avant la catastrophe, c'est-à-dire avant la guerre, pour empêcher la guerre et ses lointaines et désastreuses conséquences pour la France. C'était la politique que je poursuivais ; elle était difficile ; le patriotisme et les idéologies s'entrechoquaient. On s'occupait parfois plus chez nous des régimes intérieurs des autres pays que des frontières naturelles de la France. On le vit en 1935, à l'occasion de la guerre d'Ethiopie. On le vit aussi en sens inverse quand les Soviets devinrent les alliés de l'Allemagne. Il fallait le prévoir, car Staline, s'il a un idéal puissant qui s'étend et rayonne dans tous les pays du monde, a aussi un sens très aigu des réalités. Mon effort, en 1931, dans la recherche d'un compromis avec l'Allemagne, dans la poursuite d'une politique de rapprochement, m'avait valu, chez nos voisins, la réputation d'un homme de bonne volonté. Toute question de prestige mise à part, j'avais pris place, chez eux, dans la légende qui auréolait Briand. J'étais pour eux, suivant l'expression qu'employa un jour Gœring, « l'ennemi le plus honnête ». Il n'y a donc rien de surprenant si, dans le personnel politique français, mon nom avait rencontré moins d'antipathie que certains autres.

J'avais vu Hitler à Montoire et je lui avais tenu un langage dont la fierté l'avait frappé et qui n'avait pu me valoir que son estime. Il serait malséant pour moi d'établir le contraste entre l'entretien que j'eus avec lui et celui qu'il devait avoir deux jours plus tard avec le Maréchal.

Nous étions alors battus et je ne croyais pas, en 1940, à la défaite probable de l'Allemagne. Je songeais à limiter les risques de notre défaite à nous, et je n'envisageais pas que nous puissions subir une aliénation quelconque de notre territoire et de notre Empire. J'estimais que l'Allemagne ne pouvait pas, sans nous, organiser l'Europe, et qu'il lui fallait payer du prix de notre indépendance et de notre intégrité territoriale un concours qui lui était indispensable. J'avais eu trop l'habitude de parler aux Allemands, quand nous étions victorieux, pour tenir à Hitler un langage qui nous eût humiliés. Si la guerre eût été terminée vers cette époque, ou encore pendant toute la période où l'Allemagne était alliée des Soviets, nous aurions moins eu à craindre de l'hégémonie allemande parce que nous aurions toujours pu nous appuyer sur la Russie pour rétablir la balance.

En rappelant quelques-uns des faits du passé, ou de ceux qui précédèrent le 13 décembre, j'ai répondu aux griefs injustes de l'acte d'accusation qui pourraient laisser croire qu'il aurait existé je ne sais quelle raison obscure ou inconnue qui, pour reprendre les termes mêmes du considérant, aurait fait subitement de moi, lors de la défaite, « l'homme de France en qui l'Allemagne mettait sa confiance de préférence à tous autres ». Je reste convaincu que le gouvernement allemand aurait préféré, au lendemain de sa victoire sur la France, voir à la tête de notre pays certains de ceux qui l'avaient le plus violemment combattu sur le plan idéologique sans prendre sur le plan politique les mesures réalistes qui s'imposaient ; d'où les propos d'Abetz, lorsqu'il me conduisit à Fontainebleau pour voir le maréchal von Brauchitsch, et que je rappelle : « Ce n'est pas juste que ce soit vous, j'aurais préféré voir un autre à votre place. » Et il me cita deux noms.

LIVRE 3

LE RETOUR AU POUVOIR

CHAPITRE I

LAVAL, CHEF DU GOUVERNEMENT

1

Les Faits

A la demande de Jacques Benoist-Méchin [1], qui s'entre-mit de sa propre initiative pour les réconcilier, le maréchal Pétain accepta de rencontrer Pierre Laval, avec lequel il n'avait plus de rapport depuis son renvoi du gouvernement. L'entrevue eut lieu le 18 janvier 1941 à la Ferté-Hauterive. Pour marquer leur réconciliation, ils firent publier dans la presse le communiqué suivant : « Le maréchal Pétain, Chef de l'Etat, a rencontré hier le Président Laval. Ils ont eu un long entretien au cours duquel ont été dissipés les malen-tendus qui avaient amené les événements du 13 décembre. »

En février 1941, Hitler exigea du maréchal Pétain une modification de la composition du gouvernement, assortis-sant sa demande d'une menace de représailles. Le Maréchal décida de rappeler Laval, pensant que son retour à Vichy permettrait une reprise des négociations avec les autorités d'occupation [2]. Par l'intermédiaire de l'Amiral Darlan, il

1. M. Benoist-Méchin occupait à ce moment les fonctions de directeur de la Délégation diplomatique des Prisonniers de Guerre français en Allemagne.

2. Le maréchal Pétain se trompait. En vérité, le gouvernement allemand ne tenait pas à voir revenir Laval à Vichy. Le 5 février

lui proposa d'être membre d'un comité directeur, offre que Laval refusa. La crise fut dénouée par le remplacement de Pierre-Etienne Flandin par Darlan. A partir de ce moment, Laval n'eut plus de rapport avec Vichy.

Si Berlin s'était accommodé fort bien du gouvernement présidé par l'amiral Darlan et ne tenait pas à voir Laval reprendre sa place à Vichy, Abetz, malgré les ordres qu'il avait reçus, commença au début de 1942 à mener une campagne en faveur du retour au pouvoir de Laval, qu'il considérait comme le seul homme politique capable de relancer la politique de collaboration franco-allemande dont l'aboutissement aurait satisfait ses ambitions. Il fit en même temps intervenir un membre de l'ambassade auprès du maréchal Pétain pour le convaincre de la nécessité de son rappel.

Les circonstances devaient favoriser la réalisation des projets d'Abetz. Venant s'informer, à titre privé, auprès de Gœring des bruits qui couraient alors d'un raidissement projeté par Berlin de sa politique à l'égard de la France, Laval apprit que des mesures très dures étaient sur le point d'être appliquées en France[3]. Il reçut, en outre, de Gœring ce conseil : « Si le Maréchal vous offre de revenir au pouvoir, refusez. Ce serait pour vous trop tard ou beaucoup trop tôt. Nous nous retrouverons peut-être un jour après la guerre, quand la paix sera signée, et alors vous pourrez défendre les intérêts de votre pays. »

Laval décida de rapporter ces propos au maréchal Pétain. Ce dernier lui ménagea un entretien le 26 mars 1942 dans la forêt de Randan, près de Vichy, afin d'en respecter le caractère confidentiel. Une nouvelle entrevue fut organisée le 2 avril, cette fois au pavillon Sévigné à Vichy. Le Chef

---

1941, au moment de l'ultimatum adressé par Berlin, Ribbentrop avait ordonné à Abetz de ne plus intervenir en faveur de Laval, mais au contraire, d'agir en sorte qu'il ne fît pas partie du gouvernement à remanier.

3. Il est évident que Gœring faisait allusion aux réquisitions de la main-d'œuvre française dont le principe avait été décidé à la suite de l'échec du recrutement par le volontariat et la mise en œuvre réalisée par l'arrivée de Sauckel, porteur d'ordres impératifs. Sans doute aussi, mais il n'en parla pas davantage à Laval, pensait-il à la décision, qui venait d'être prise à Berlin, de parvenir en France à la « solution finale » du problème juif.

de l'Etat ne cacha pas à Laval qu'il n'avait pas l'intention de le faire revenir auprès de lui. Il accepta, cependant, qu'un communiqué soit publié par les soins de Laval. Il disait ceci : « *Initiateur de la politique de Montoire, et estimant que la situation extérieure de la France s'aggrave de jour en jour, j'ai cru de mon devoir de m'en entretenir avec le maréchal Pétain. Des conversations ont eu lieu entre le Chef de l'Etat et moi-même. Elles se sont terminées aujourd'hui au pavillon Sévigné.* »

Le gouvernement allemand, qui suivait de près le déroulement de la situation politique en France, ne manifesta aucun désir de voir le maréchal Pétain rappeler Laval. Ce fut un incident qui amena la décision. Voulant expliquer au consul général d'Allemagne, qui l'interrogeait sur les intentions du gouvernement, que le maréchal Pétain ne pouvait rappeler Laval sans indisposer l'Amérique, Darlan lui montra la dépêche adressée par Roosevelt à Vichy. Il y était précisé que les Etats-Unis seraient contraints de réviser leur politique à l'égard de la France dans le cas d'un rappel de Laval. Furieux de voir que le gouvernement français tenait à maintenir ses relations avec les Etats-Unis, Hitler plaça brusquement Vichy devant le choix suivant : « *Selon que le maréchal Pétain, disait-il dans une dépêche qui était un véritable ultimatum, chargera ou non M. Laval de former le nouveau gouvernement, je jugerai si la France préfère l'amitié des Etats-Unis ou celle de l'Allemagne.* »

2

Le Dossier de l'Accusation

L'ACTE D'ACCUSATION

Il fallut l'anglophobie, les complaisances et les trahisons de Darlan pour faire patienter le Reich en attendant le retour de son protégé. Mais un moment vint où l'habileté de Laval devait, aux yeux de l'Allemagne, l'emporter sur les garanties que pouvait lui offrir l'amiral de la flotte, et Laval revint au pouvoir fort de tout l'appui des autorités occupantes. La politique soi-disant française devint alors une politique toute allemande.

LE REQUISITOIRE

Je vous disais que son nom restait peut-être plus indissolublement lié à la politique de collaboration pendant la période qui a suivi le 13 décembre 1940 que pendant celle où, depuis le 10 juillet jusqu'au 13 décembre suivant, il a jeté les fondements de sa politique d'entente avec Hitler. L'Allemagne peut compter sur la fidélité provisoire de Darlan ; elle ne peut pas se consoler du départ de son favori. Il y a bien Pétain dont le maintien à la tête de l'Etat est indispensable, Pétain du loyalisme duquel elle est sûre : il tient toujours ses promesses, mais il faut à côté de lui un bon ouvrier et ce bon ouvrier, c'est Laval. La pression s'exerce de plus en plus violente, les campagnes de presse deviennent de plus en plus vives ; Laval apparaît de plus en plus comme l'homme indispensable. Lui-même entre en scène et je mets une seconde fois sous vos yeux sa déclaration officielle : « Initiateur de la politique de Montoire et estimant que la situation extérieure de la France s'aggrave de jour en jour, j'ai cru qu'il était de mon devoir de m'entendre [4] avec le maréchal Pétain. Des conversations ont eu lieu entre le chef de l'Etat et moi-même et elles se sont terminées aujourd'hui dans un dernier entretien au Pavillon Sévigné. » Ce communiqué est du 2 avril. Quinze jours se passent et le 18 avril, Laval revient au pouvoir en qualité de chef du gouvernement, titulaire à la fois du ministère des Affaires étrangères et du ministère de l'Intérieur, ayant qualité pour nommer les ministres, car c'est lui qui les présente à l'agrément du chef de l'Etat. En réalité,

---

4. Il s'agit d'une erreur. Laval a utilisé le mot « entretenir » et non « entendre », ce qui donne un tout autre sens à la phrase.

Laval est investi de tous les pouvoirs. J'ai écrit dans l'acte d'accusation que la politique du gouvernement de Vichy devenait alors ouvertement de plus en plus allemande.

Le Procureur Général au procès. (Audience du 4 octobre 1945)

Sous la pression de l'ennemi, Laval a été ramené au pouvoir par les baïonnettes et par les mitrailleuses allemandes et cela encore, c'est un élément d'instruction.

Déposition du maréchal Pétain devant la Commission d'Enquête Parlementaire. (Séance du 10 juillet 1947).

— *Demande :* Par la suite, vous avez rappelé Pierre Laval ?
— *Réponse :* C'est lui qui s'est rappelé lui-même.
— *Demande :* Mais vous étiez le chef de l'Etat ?
— *Réponse :* Une poussée formidable l'a accompagné. Etant donné les événements, j'ai cru que je ne pouvais pas y échapper parce que je ne trouvais pas d'autres personnes pour le remplacer.
— *Demande :* D'où venait cette poussée ?
— *Réponse :* De tout mon entourage, de mes ministres, de gens qui s'intéressaient à la question.
— *Demande :* Des Allemands aussi ?
— *Réponse :* Quelqu'un avait dit qu'ils ne voudraient plus continuer les conversations avec nous si Laval ne revenait pas.
— *Demande :* De qui s'agissait-il ?
— *Réponse :* Je ne me souviens pas.
— *Demande :* N'était-ce pas Otto Abetz ?
— *Réponse :* Peut-être, mais il n'était pas seul. Il n'aurait pas eu assez d'autorité pour cela, mais il y a eu une poussée des Allemands en sa faveur.
— *Demande :* Ne pouviez-vous pas résister ?
— *Réponse :* Il aurait fallu trouver quelqu'un pour prendre la place.

3

Le Dossier de la Défense

1. — Sur les circonstances du retour au pouvoir de Laval.

La preuve peut être établie que :

1) Le gouvernement allemand s'était rendu compte que Laval n'avait pas l'intention de collaborer avec lui, au sens qu'il donnait à ce terme. Gœring, au cours de l'instruction du procès de Nuremberg, a traduit ainsi les sentiments qui l'animaient alors à l'égard de Laval et qui correspondaient, on n'en peut douter, à ceux de Hitler : « L'homme ne collabora jamais sérieusement avec nous. Ribbentrop s'est cru plus intelligent que Laval. Il ne se rendit jamais compte qu'il voulait nous duper [5]. » Interrogée à son tour, après le suicide de son mari, Mme Gœring déclara : « Quand mon mari revenait, il était très souvent irrité. Ce fut comme cela après la conversation avec Laval. Hermann était très fâché contre cet homme. Il avait acquis la conviction que Laval ne pouvait pas être gagné à la cause allemande [5]. »

2) Le gouvernement allemand ne désirait pas que Laval reprenne le pouvoir :

a) — Otto Abetz qui, pour des raisons personnelles, n'avait à aucun moment renoncé à obtenir le retour de Laval à Vichy était bien placé pour connaître les intentions de son gouvernement. Il a dit à son procès (Audience du 13 juillet 1949) : « Laval est revenu en 1942 contre l'assentiment du gouvernement du Reich. Il y était tout à fait opposé. Moi, je me trouvais à ce moment-là au Grand-Quartier-Général et

5. Interrogatoire par M.G Oulman, Chef de l'*Information Control Division*.

on m'a même fait de grands reproches, disant que l'Ambassade n'avait pas à s'occuper du retour de Laval au gouvernement ».

b) — On peut constater, en lisant un extrait du journal de Gœbbels, le peu d'intérêt que suscitaient, dans les milieux politiques allemands, la personnalité de Laval et la perspective de son retour au pouvoir. Voici ce qu'écrivait Gœbbels le 29 mars 1942 : « Le bruit court que Pétain veut reprendre Laval au gouvernement. Mais ce ne sont encore que des rumeurs sans consistance. En tout cas, Pétain a eu avec Laval une entrevue confidentielle dont le résultat n'est pas encore connu ».

c — Gœring déclara au procès de Nuremberg : « Naturellement, j'ai dit à Laval qu'il ne pouvait plus prendre le pouvoir. Peut-être a-t-il pensé qu'il rendait ainsi service à la France. Moi, j'en avais fini avec lui, l'affaire m'ayant courroucé ».

3) En provoquant le rappel de Laval, Hitler n'avait pas l'intention de reprendre avec le gouvernement français la politique de collaboration :

a) — Nous pouvons nous fier au témoignage d'Abetz [6] : « Le remplacement de Darlan par Laval en avril 1942 ne remédia pas à la stagnation dans laquelle étaient entrées les relations franco-allemandes. Berlin, hostile au retour de Laval au pouvoir, ne montrait aucune disposition pour entamer avec la France une négociation de fond sur le plan politique. »

b) — En février 1942, l'Afrika Korps se trouvant en difficulté, Ribbentrop pensa à exiger de la France des facilités pour assurer les transports du ravitaillement. Il demanda à Abetz s'il croyait réalisable la formation d'un gouvernement présidé par Laval et composé de « ministres acceptables par nous » [7], mais il abandonna ce projet dès que la

6. « D'une prison ».
7. Documents *on German Foreign Policy*. — Séries D — Vol. XII — N° 44.

situation de Rommel se fut améliorée, ne désirant pas entamer sans nécessité des conversations politiques avec Vichy.

4) Gœring avait fait part à Laval des intentions du gouvernement allemand de durcir sa politique à l'égard de la
France :

a) — Le colonel Knochen, chef de l'Etat-Major S.S. en
France, a témoigné [8] qu'au cours d'une conversation avec
Laval, ce dernier lui avait demandé s'il avait des renseignements sur les projets du gouvernement allemand concernant
la France, notamment sur l'installation d'un commissaire du
Reich. Ne connaissant pas les intentions de son gouvernement, Knochen proposa à Laval de s'entremettre pour lui
faire rencontrer Gœring qui devait se rendre à Paris.

b) — Abetz écrit [9] : « Au début d'avril 1942, le Maréchal du Reich, au cours d'une conversation privée avec Laval,
à Paris, lui fit part du profond mécontentement que le procès de Riom avait causé à Berlin. Sous l'influence des décep-
tions que lui avait values la politique de collaboration, le
gouvernement allemand était décidé désormais, continua
Gœring, à des mesures sensiblement plus rigoureuses. Laval
avait été, dans le passé, un adversaire loyal de l'Allemagne,
il fallait donc aujourd'hui faire confiance à sa politique
d'amitié. Mais justement, cette confiance l'obligeait, lui,
Maréchal du Reich, à mettre instamment Laval en garde,
dans la situation présente, contre son retour au gouvernement. Son heure politique viendrait peut-être de nouveau
après la guerre et la conclusion du traité de paix ; jusque-là,
il ne pouvait que lui déconseiller de la façon la plus pressante de reprendre en mains les affaires gouvernementales. »

5) Ce fut l'annonce par Gœring du durcissement de la
politique allemande à l'égard de la France qui détermina
Laval à reprendre le pouvoir :

● Abetz écrit [9] : « Avant son entretien avec Gœring,
Laval restait hésitant et au fond, peu enclin à reprendre

8. Hoover Institute. — Tome III, page 1 774.
9. « Histoire d'une politique franco-allemande ».

l'ingrate conduite des affaires ; la menace que contenaient, à l'adresse de la France, les paroles de Gœring le décida tout à fait. Si son absence du gouvernement était désirée par l'Allemagne pour permettre à celle-ci de prendre des mesures plus sévères, sa présence pourrait peut-être empêcher ces mesures ou, tout au moins, les atténuer. »

6) Ce fut l'avertissement adressé par Roosevelt à Vichy qui poussa Hitler à exiger le rappel de Laval, non qu'il le désirât, mais pour une raison de prestige :

● Abetz écrit [9] : « La déclaration de Roosevelt plaça Vichy entre deux feux. Si, depuis longtemps, les Alliés lui reprochaient constamment une trop grande docilité aux pressions allemandes, Vichy courait maintenant le risque, au cas où Laval ne rentrerait pas au gouvernement, d'être soupçonné par ses propres partisans et par les puissances de l'Axe de docilité à l'Amérique. Ainsi, la déclaration de Roosevelt provoqua-t-elle un résultat contraire à son but ; au lieu d'empêcher la constitution d'un nouveau cabinet Laval, elle lui préparait psychologiquement le terrain. »

2. — Sur la politique suivie par Laval après son retour au pouvoir.

La question posée par l'acte d'accusation est de savoir si la politique du gouvernement français devint, après le retour de Laval au pouvoir, « une politique tout allemande ». Nous ne l'examinerons pas en détail. Elle le sera dans les chapitres qui suivront celui-ci, puisque aussi bien, c'est toute l'action de Pierre Laval, depuis son rappel à la tête du gouvernement jusqu'à son arrestation par les Allemands en 1944, qui est jugée par ce qualificatif. Nous nous bornerons à des considérations générales.

1) Que pensaient les Allemands, à cette époque, de la collaboration avec la France ?

a) — Abetz a rapporté [19] l'opinion de Hitler, d'après

9. « Histoire d'une politique franco-allemande ».
10. « D'une prison ».

une conversation qu'il eut avec lui le 5 janvier 1942 : « Il ne pouvait se représenter rien de substantiel sous le terme collaboration. Il était d'avis que l'attitude des Français correspondait à peu près à la manière dont ils paraissaient attendre à présent de voir comment les choses se développeraient. Si tout allait bien, ils s'embarqueraient encore à midi moins cinq ; si cela tournait mal pour nous, ils passeraient du côté opposé. Ce qu'ils attendent de nous à l'heure actuelle, c'est la traite dont personne ne sait qui la paiera effectivement. Cette collaboration est une affaire très unilatérale, parce que nous devons leur donner toutes sortes de choses, sans qu'eux soient disposés à accorder des contreparties concrètes. »

b) — Quatre mois après le retour de Laval et surtout après la mise en application des nouvelles mesures allemandes concernant les réquisitions de main-d'œuvre et les persécutions raciales, voici comment Gœring définissait la politique à suivre vis-à-vis de la France dans une allocution qu'il prononça le 6 août 1942, devant les chefs administratifs des territoires occupés réunis à Berlin : « Notez-le bien ; c'est seulement M. Abetz qui fait de la collaboration. Moi, je n'en fais pas. Je ne vois la collaboration qu'en ceci : si Messieurs les Français fournissent jusqu'à leur propre épuisement et s'ils le font volontairement, alors je dirai : je collabore. S'ils « bouffent » tout seuls, il faut leur faire comprendre que ce n'est pas là une collaboration de leur part [11] ».

c) — L'opinion d'Abetz sur les rapports franco-allemands qui suivirent le rappel de Laval est contenue dans sa déposition du 4 novembre 1948, faite au cours de l'instruction de son procès et transcrite dans le procès-verbal d'interrogatoire :

« Vous déclarez que depuis votre retour à Paris, vous n'envisagiez plus de pouvoir réaliser une politique constructive, mais que vous vous efforciez uniquement d'empêcher des mesures et des incidents compromettant l'avenir des relations franco-allemandes ».

11. Cité par Abetz (« D'une prison »).

2) Dans ces rapports, trois chefs allemands donnaient leur avis sur la politique suivie par Laval vis-à-vis de l'Allemagne après son retour au pouvoir :

a) — Rapport du colonel Knochen en date du 15 novembre 1942 : « Dans les milieux germanophiles, on s'étonne que, de la part des Allemands, soit tolérée plus longtemps l'attitude indécise de Vichy. On a l'impression que Vichy continue à tenter de biaiser au travers des difficultés, de gagner du temps, sans adopter une attitude nette et précise, afin d'attendre pour voir quel sera le côté le plus fort. On persiste dans l'opinion que l'on ne peut avoir, à Vichy, confiance en personne [12]. »

b) — Rapport du colonel Schellenberg en date du 17 novembre 1942 : « On ne peut pas se rallier à l'opinion exprimée sur le chef du gouvernement Laval par le gauleiter Bohle, car il est permis de douter de l'absolue volonté de celui-ci de collaborer à cent pour cent comme le dit l'auteur de ce rapport [13]. »

c) — Lettre de Sauckel à Schleier (Août 1943) : « Après avoir réfléchi avec calme et sang-froid, je dois vous faire savoir que j'ai totalement perdu la foi en l'honnête bonne volonté du président du Conseil français Laval. Son refus constitue un sabotage pur et net de la lutte pour la vie entreprise par l'Allemagne contre le Bolchevisme. Il a même cette fois, personnellement, à la fin des pourparlers, par ses déclarations totalement dénuées de fondement et incohérentes en réponse à mes questions claires et précises, fait la plus mauvaise impression imaginable [14]. »

3) A partir de 1943, Laval n'aura que rarement la possibilité de discuter ou transiger. Il ne pourra, avec les moyens limités dont il disposait encore, que tenter de faire échec aux exigences de Berlin. Un exemple frappant est donné par ce télégramme adressé par Ribbentrop à Abetz « personnelle-

---

12. Archives de Nuremberg.
13. Archives de Nuremberg. — Document N° VI B 2 — N° 27 668/ 42 G.
14. Archives de Nuremberg. Réf. 5 780/366/43.

ment » [15] : « Berlin, le 15 décembre 1943. Très secret. Télégramme chiffré. — Je vous demande, maintenant, que vous convoquiez immédiatement chez vous M. Laval, et que vous lui donniez lecture du mémorandum ci-dessous qui devra ensuite lui être remis. Trois demandes sont faites, à savoir : 1) que tous les changements législatifs envisagés devront être soumis à l'avenir au gouvernement du Reich pour approbation préalable. — 2) que M. Laval doit être autorisé à remanier immédiatement le cabinet d'une manière qui soit acceptable par le gouvernement du Reich et qui garantisse la future collaboration et que ce cabinet doit recevoir l'appui inconditionnel du chef de l'Etat. — 3) que toutes les personnes qui gênent cette œuvre sérieuse et constructive devront être éloignées de leurs postes dans l'administration et que des personnalités sûres devront être chargées de ces fonctions... En vue de satisfaire à ces demandes, l'ambassade d'Allemagne est maintenant autorisée : 1) à envoyer à M. Laval une liste des personnes du cabinet français et de celles des services-clés gouvernementaux dont la démission de leurs fonctions doit être demandée... En envoyant la note à M. Laval, prière de demander que ces demandes obtiennent immédiatement satisfaction ».

4) Il paraît utile de donner connaissance de cette appréciation sur la politique de Laval après son retour au pouvoir que l'on trouve dans l'ouvrage « La France sous l'occupation-Esprit de la Résistance » : « Si Laval fut pendant cinq mois, en 1940, vice-président du Conseil, il fut, de 1942 à 1944, pendant vingt-sept mois, chef du gouvernement. Or, il se trouve que la politique de collaboration fleurit surtout, non en cette seconde période, mais dans celle comprise entre l'armistice et le débarquement en Afrique du Nord. Par la suite, la politique de Vichy fut plus de subordination que de collaboration... La collaboration fut une des tendances constantes, et pour certains la raison d'être, du régime de Vichy. Elle ne se résume pas à la personne et à la politique de Pierre Laval. C'est avant son retour au pouvoir, avec l'approbation de Hitler à défaut de celle de Gœring, que

15. Document N° H.G. — 5 211.

les mesures les plus dangereuses furent proposées aux Allemands ».

LES TEMOINS DE LA DEFENSE

— Adrien Marquet, ministre de l'Intérieur. (HI-III-1496).

Pierre Laval me demanda d'entrer dans le Gouvernement qu'il constituait [16]. Je lui fis observer qu'il oubliait les avertissements du maréchal Gœring. Il m'exposa les dangers que présentait le Bolchevisme. Les bouleversements dont la première conflagration mondiale avait été le signal lui faisaient craindre qu'après la guerre, l'Europe soit dominée par la Russie passée provisoirement du camp de Hitler dans celui des Démocraties.

Je reconnus que le déroulement des événements aboutirait presque certainement à ce qu'il prévoyait, mais qu'il fallait comprendre que si la victoire de l'Amérique et de l'Angleterre n'était qu'à la Pyrrhus, l'Allemagne n'en serait pas moins écrasée, et que la politique de 1940 avait perdu son sens en 1942.

Il insista. Je refusais et lui recommandais de se retirer à Châteldon, en attendant des temps meilleurs. Il me dit alors : « Qu'ils soient vainqueurs ou vaincus, s'ils nomment un Gauleiter, que restera-t-il de la France à la fin des hostilités ? » Je lui répondis : « Qu'il y ait un Gauleiter, ou qu'il n'y en ait pas, il ne restera que des ruines. »

Ces mots n'eurent pas son assentiment et je partis. Deux heures ne s'étaient pas écoulées qu'il m'appela au téléphone. Je maintins mon refus. « Tu penses à toi plus qu'au pays », me dit-il, et il raccrocha.

J'eus l'impression d'avoir été placé par les circonstances au centre du drame lavalien. Il est indéniable qu'en revenant à Vichy, comme Chef du Gouvernement, Pierre Laval savait que sa tâche serait pénible et périlleuse.

16. En avril 1942.

— Rudolf Schleier, ministre d'Allemagne à Paris.
(HI - III - 1749.)

Pendant son absence du pouvoir, entre le 13 décembre
1940 et le printemps 1942, M. Laval s'est abstenu d'activité
politique, mais n'a jamais cessé d'intervenir en faveur de
ses compatriotes, qui ont demandé son intervention auprès
des Autorités allemandes.

Je savais par mes contacts avec le Président durant cette
période qu'il n'a pas cherché à reprendre le pouvoir politique, toujours conscient des difficultés et de la possibilité
ou de la probabilité de l'échec d'un certain nombre ou de
la plupart de ses efforts, mais cependant il a repris le poste
de Chef du Gouvernement, non par ambition ou orgueil
politique, mais uniquement par sa conviction du devoir patriotique, afin d'éviter le pire. Il était obsédé par la conviction qu'il était le mieux qualifié pour obtenir du côté allemand des concessions et allégements et ceci non sans raison.

— Helmut Knochen, chef de l'Etat-Major S.S.
(HI - III - 1774.)

Au moment même où éclata la guerre germano-russe, commencèrent en France les attentats et les sabotages. La situation empira par suite de l'arrêt de l'offensive d'hiver ; les
attentats contre la troupe augmentèrent constamment. Au
début de 1942, la nouvelle se répandit d'après laquelle le
Gouvernement du Reich avait l'intention de placer un Commissaire du Reich ou un Gauleiter à la tête de la France. Les
questions administratives devaient être réglées d'une manière
analogue à ce qui se passait en Pologne, Hollande, Norvège,
en même temps que les forces militaires et policières devaient être considérablement augmentées.

En mars 1942, Laval était à Paris comme homme privé.
Au cours d'une conversation, il me demanda où devait
conduire la tension qui existait entre les Autorités allemandes et françaises, et si je savais quelque chose de particulier
au sujet d'une organisation nouvelle projetée, ou même de
l'installation d'un Commissaire du Reich. Comme je l'ignorais moi-même, je ne pus pas donner de renseignements

précis à Laval, qui voulut alors savoir s'il ne lui serait pas possible d'avoir une conversation avec une personnalité allemande importante, afin de se rendre compte de l'état de la tension et de savoir ce qui était véritablement projeté.

Je lui dis que Gœring serait dans les jours prochains à Paris, et que peut-être on pourrait lui ménager la conversation désirée. Qu'il veuille donc, en tout cas, rester jusque-là à Paris.

Par l'intermédiaire du général Hanesse, il fut possible de décider l'entretien. J'allai chercher Laval à l'heure fixée, mais n'assistai pas personnellement à la conversation.

4

Les déclarations de Pierre Laval

MEMOIRE EN REPONSE
A L'ACTE D'ACCUSATION

Quant à mon retour au gouvernement, en 1942, il est présenté dans l'acte d'accusation dans des termes qui attestent qu'il fut rédigé en mon absence et dans une méconnaissance absolument totale des circonstances qui motivèrent ce retour.

J'ai eu l'occasion, devant la Haute Cour de justice, de préciser certains faits qui excluent l'hypothèse, présentée comme une réalité, que je serais revenu grâce à mon habileté et « fort de tout l'appui des autorités occupantes ».

J'ai été profondément blessé par la mesure aussi odieuse que ridicule prise contre moi le 13 décembre, mais surtout indigné des calomnies répandues dans le pays, tendant à laisser croire que j'avais pu trafiquer de mes fonctions, ou que j'avais accepté de faire aux Allemands des concessions auxquelles le Maréchal n'avait pas souscrit. Cette campagne perfide était généralement faite par des hommes ou des groupements payés par le cabinet du Maréchal, et les moyens de diffusion dont ils disposaient étaient puissants. Ils s'efforçaient ainsi de prouver que cette mesure du 13 décembre avait été nécessaire, et que les sacrifices consentis aux Allemands par le Gouvernement, depuis mon départ, étaient le moindre mal. Aux Allemands on disait, au contraire, que ma présence gênait la collaboration, et que le Maréchal, désormais, pourrait aller beaucoup plus loin dans cette voie. C'est en effet ce qui eut lieu dans de nombreux domaines : naval, militaire ou civil.

Il eût peut-être été naturel que je cherche à revenir au pouvoir pour assurer ma revanche et ma justification. Si je l'avais désiré, l'occasion même m'en eût été offerte dès le 17 décembre 1940, quatre jours après « l'affaire du 13 décembre ». Le Maréchal, ce jour-là, m'offrit d'abord le ministère de l'Intérieur, ensuite le choix entre le ministère de la Production industrielle ou celui de l'Agriculture. Je refusai avec mépris ces offres, après l'affront que je venais de subir. Ce fait prouve à l'évidence que je n'étais pas attaché aux fonctions ministérielles, puisque j'ai refusé d'être ministre, malgré le désir naturel que j'aurais pu avoir de faire ainsi l'opinion publique juge de la fantaisie des décisions contradictoires du Maréchal.

L'amiral Darlan m'a dit un jour comment il avait affirmé aux Allemands que son intention était de préparer mon retour au gouvernement. Il avait déclaré aux Allemands et à moi-même qu'il tenait surtout au titre de successeur éventuel du Maréchal. Si j'avais été hanté par le désir du pouvoir et si j'avais disposé de l'appui des autorités d'occupation que me prête généreusement l'acte d'accusation, il est vraisemblable, et même certain, que je n'aurais pas attendu quinze mois avant d'assouvir une telle ambition.

J'avais conçu nos rapports avec l'Allemagne sur

un autre plan, qui ne pouvait être celui de la subordination. Les déclarations que j'ai faites à la presse à Paris, le 1er novembre 1940, aussitôt après Montoire, montrent dans quel esprit d'indépendance le Gouvernement pouvait alors envisager son action. « Bientôt, disais-je, la France pourra apprécier la nature et l'étendue des efforts qui ont été accomplis ; elle nous jugera sur les résultats que nous aurons obtenus. »

Des centaines de milliers de prisonniers ont payé de la prolongation de leur captivité, la faute politique du 13 décembre, et les finances de notre pays ont dû, pour la même raison, supporter le fardeau des frais trop élevés d'occupation.

La décision du 13 décembre avait brisé une politique qu'on devait entreprendre et poursuivre aussi longtemps qu'elle eût été profitable à la France. Des hommes sans expérience politique et sans foi, des apprentis sorciers crurent pouvoir réaliser leur dessein de politique intérieure sans se douter ni avoir prévu que notre pays, nos prisonniers, nos finances, un peu de notre liberté, que nous tentions de reconquérir, allaient être la rançon de leur folle et puérile entreprise.

L'Amérique, à ce moment, n'était pas entrée dans la guerre ; les Soviets étaient encore les alliés de l'Allemagne. Nous pouvions, sans être taxés de démence, imaginer une transaction dans laquelle la France, blessée et meurtrie, eût trouvé une voie de redressement et de salut.

Ai-je eu tort d'avoir cette conception ? Peut-être, dira-t-on, puisque les événements militaires ont eu raison d'une Allemagne et d'un régime dont nous n'avions pas alors pu mesurer toute la volonté de domination et toute la puissance de destruction. Mais plus cette puissance de destruction s'avérait redoutable et plus il fallait tout mettre en œuvre pour sauver, pendant ces dures années, le corps meurtri de la France.

Le 13 décembre 1940 fut en tout cas pour la France un événement qui lui fit perdre des avantages substantiels qu'il eût été difficile à l'Allemagne, plus tard, de nous reprendre.

On put mesurer dès le lendemain de ce jour les conséquences véritables de l'erreur qui fut commise. Les préfets de la zone occupée attendirent cinq mois avant de pouvoir venir à Vichy conférer avec les ministres ; ceux-ci, à l'exception de Darlan, ne purent pratiquement, pendant la même période, traverser la ligne de démarcation. La pression exercée par les services allemands sur nos administrations s'accentua, et il fallut, pour desserrer l'étreinte, que le gouvernement français multipliât les sacrifices, les concessions et les gages. Ce fut la politique de Darlan.

J'ai dit à l'instruction jusqu'où l'Amiral de la flotte dut aller, dans le domaine de la justice et de la police, et quelles contraintes nous furent imposées.

Comment aurais-je été tenté de revenir au pouvoir dans ces conditions ? Je crois que le gouvernement allemand, tout en observant à mon égard les règles de la courtoisie, ne tenait pas à se heurter de nouveau à mon sens de la négociation que mes adversaires politiques eux-mêmes n'ont jamais contesté. J'étais pourtant très préoccupé par les engagements que j'avais pris devant l'Assemblée nationale, le 10 juillet 1940, mais il m'avait semblé, quelles que fussent les ambitions de l'amiral Darlan, que, grâce à lui, rien de grave n'était à redouter du Maréchal et de son entourgae contre le régime républicain. Darlan avait vécu dans les milieux parlementaires et se disait républicain sincère ; je pouvais croire, et d'ailleurs il me l'a dit, que son unique désir serait un jour, lorsque les circonstances le permettraient, de devenir président de la République.

Je n'avais, depuis février 1941, aucun contact, ni avec le Maréchal, ni avec Darlan, et je n'allais jamais à Vichy. J'habitais Paris et je faisais souvent d'assez longs séjours à Châteldon. Je ne recevais aucune visite et je n'exerçais aucune activité qui aurait facilité mon accès au pouvoir.

Il faut donc chercher ailleurs les causes qui ont amené mon retour au pouvoir, et rejeter ce chef de l'accusation qui énonce une hypothèse démentie par les faits.

En mars 1942, je rencontrai à Paris le colonel Knochen, et je lui dis mon étonnement de voir s'aggraver nos rapports avec l'Allemagne et se resserrer les mesures de contrainte prises vis-à-vis de la France. « Je regrette, ajoutai-je, de n'avoir pas l'occasion de le dire à une personnalité allemande. » C'est alors qu'il me pria de ne pas partir pour Châteldon, comme je venais de lui en dire mon intention. Nous étions un jeudi et il me fit connaître que, le surlendemain midi, le maréchal Gœring serait à Paris et que je pourrais avoir un entretien avec lui. Il insista pour que je ne parle à personne de l'éventualité de cette rencontre. C'est ainsi qu'il vint me prendre à mon domicile, le samedi, accompagné, je crois, par le neveu de Gœring. Il me conduisit au Quai d'Orsay, et je pénétrai dans le cabinet que j'avais longtemps occupé, où se trouvaient Gœring et le général Hanesse, ancien attaché de l'Air à Paris, qui devait nous servir d'interprète.

« Notre entretien sera confidentiel [17], me dit Gœring, car je désire qu'il soit ignoré même par l'ambassade d'Allemagne. » Il accepta néanmoins, à la fin, que je puisse en faire part au Maréchal, mais à lui seulement. J'entendis alors prononcer contre la France un réquisitoire très violent. « Nous nous sommes trompés, disait-il en substance, lorsque nous avions cru que nous pouvions

17. Cet entretien figure aux procès-verbaux de l'interrogatoire de Gœring à Nuremberg.

rechercher avec votre pays une collaboration sincère. Nous avons révisé notre politique, et désormais nous traiterons la France en fonction des
sentiments d'hostilité qu'elle ne cesse de nous
manifester. » Il se plaignit des conversations de
Saint-Florentin. Gœring était très agité, et, aux
protestations que je faisais, il répondit en redou-
blant de sévérité à l'égard du gouvernement français, des agissements français et de l'opinion
française. Il ne me parla pas de la Pologne et du
régime de dureté que l'Allemagne lui imposait,
mais un langage dur, dépouillé de toute nuance,
me permit de penser que nous en étions arrivés
au point où les Allemands allaient nous traiter de
la même manière. Je lui dis notamment que rien
de profond ne devrait nous opposer dans l'avenir,
que la paix serait facile à construire entre nos
deux pays s'ils étaient décidés à la vouloir, que
l'Alsace et la Lorraine elles-mêmes ne devraient
pas être pour l'Allemagne un obstacle infranchissable, car il lui restait l'Europe à organiser. Un accord sincère et une paix durable avec la France
étaient aussi nécessaires à l'Allemagne qu'à nous-
mêmes. Il me répondit que l'expérience faite chez
nous était concluante et que la France serait traitée comme elle devait l'être.

Je fus frappé par le conseil très net qu'il me
donna : « Si le Maréchal vous offre de revenir au
pouvoir, refusez. Ce serait pour vous trop tard ou
beaucoup trop tôt. Vous avez été pour nous un
ennemi honnête. Nous nous retrouverons peut-être
un jour après la guerre, quand la paix sera signée,
et alors vous pourrez défendre les intérêts de
votre pays. » Je ne pouvais, de cet entretien, que
retenir deux choses : nous allions subir une occupation beaucoup plus dure et, si l'Allemagne était
victorieuse, le traité de paix serait sévère.

Ainsi que je l'ai dit à la Haute Cour de justice,
je rendis compte au Maréchal de cette conversation. Ce fut l'objet de notre entrevue dans la forêt

de Randan. La politique du double jeu, thème de la défense du Maréchal, avait été sans doute maladroitement faite, puisqu'elle aboutissait à un échec aussi grossier. Le Maréchal fut désemparé par les déclarations que je lui rapportais et auxquelles vraisemblablement il ne s'attendait guère. Il vivait à Vichy dans une atmosphère d'euphorie qu'entretenaient les manifestations publiques de sympathie dont il était l'objet. Le Maréchal me demanda des conseils et mon concours. Il me pria de recevoir l'amiral Darlan, de le mettre au courant et de me concerter avec lui.

J'ignorais alors que les S.S. venaient de s'installer en France et je ne savais pas que nous étions à la veille d'une véritable sommation du Gauleiter Sauckel. Je savais seulement que nous n'avions pas connu le pire et que nos épreuves allaient seulement commencer sur une large échelle.

A notre premier entretien, qui eut lieu à Châteldon, Darlan me demanda, de la part du Maréchal, de revenir au gouvernement. Je refusai. J'étais pressé par tous les membres de ma famille de ne revenir au pouvoir sous aucun prétexte.

Je n'ai jamais connu un tel trouble dans ma conscience. Il est difficile parfois de trouver le vrai chemin où le devoir doit vous conduire. Je comprenais les raisons invoquées par les miens. Il était impossible d'informer l'opinion, et la France serait sévère, plus tard, à mon égard, parce qu'on m'imputerait peut-être la responsabilité des exigences et des duretés allemandes. Mais il suffit qu'on invoque mon intérêt personnel pour que j'accomplisse à mes risques et périls mon devoir vis-à-vis de notre pays. Je me jugeais gravement coupable de me dérober si, par ma présence, par mes actes et par mes propos, je pouvais atténuer un peu la misère de la France et des Français.

L'amiral Darlan commit en outre une très grave erreur de tactique. Il fit connaître aux Allemands un télégramme de Washington dont il modifia et aggrava les termes et, à partir de ce moment, sa situation devint intenable.

Après mon retour au gouvernement, le général Hanesse, que je rencontrai à Paris, me fit part, au nom du maréchal Gœring, de la grande surprise de celui-ci après l'entretien que nous avions eu, les déclarations qu'il m'avait faites et le conseil qu'il m'avait donné. Je crois qu'un témoin français qui, lui, faisait un double jeu intelligent et utile à la France, pourrait attester tout ce que je viens de dire [18].

Cette personnalité industrielle française fut plus tard arrêtée et j'eus, avant de quitter Paris, toutes les difficultés pour la faire libérer par la police allemande, qui avait fini par apprendre qu'elle faisait partie de la Résistance.

Si j'avais pu, en avril 1942, dire la vérité aux Français, est-il possible d'admettre qu'ils se fussent refusés à comprendre l'étendue du sacrifice que j'acceptais de subir pour les défendre ?

Quand on lit l'acte d'accusation, dont la présentation est faite pour faire croire à la vraisemblance, on s'explique la haine dont je fus l'objet de la part d'un grand nombre, mais quand on apprend la vérité, celle qui résulte des faits et des circonstances et non pas des intentions présumées, alors on mesure ce qu'il me fallut de patriotisme et d'amour de mon pays pour accepter une mission aussi rude.

Je n'avais aucune responsabilité dans la défaite. Je n'en avais aucune dans la guerre. Je n'en avais aucune dans l'échec de la tentative que j'avais faite à Montoire pour que la France échappât aux rigueurs de sa défaite, et j'acceptais à cette heure tardive et périlleuse de me sacrifier pour essayer d'alléger les souffrances des Français.

18. Il s'agit ici de M. Hubert Outhenin-Chalandre, promu Commandeur de la Légion d'honneur pour services de guerre exceptionnels en 1947.

C'est là tout mon procès.

Si ce que j'énonce est vrai, comment peut-on me poursuivre autrement que pour satisfaire une opinion publique qui n'est pas éclairée parce qu'on a cherché à la tromper ?

Si les Français apprennent mes déclarations, et s'ils les croient sincères, comment pourront-ils me condamner ?

Et comment pourra-t-on douter de la sincérité de mes propos si on réfléchit un seul instant à toutes les raisons valables que j'avais de me dérober à l'appel du Maréchal ? Je n'avais pour lui aucun attachement. J'avais été sa victime et je le jugeais avec sévérité pour toutes les fautes qu'il avait commises dans l'exercice d'un pouvoir qu'il ne voyait, la plupart du temps, que sous l'aspect de satisfactions puériles qui lui étaient offertes. J'avais, certes, pris en juillet 1940, avec beaucoup d'autres, la responsabilité de lui faire conférer des pouvoirs exceptionnels, mais la mesure brutale du 13 décembre me déliait de l'obligation que j'avais pu contracter, ce jour-là, de tout faire, au poste que j'occupais, pour qu'il ne fût pas porté atteinte à la République. Sur ce plan, au moins, j'avais confiance en l'amiral Darlan.

Je pouvais, par le seul contraste de ma politique en 1940 et des mauvais résultats de celle qui avait été faite depuis mon éviction, montrer que j'avais eu raison et que le Maréchal et Darlan avaient tort. Mon amour-propre était guéri de la blessure qui lui avait été faite le 13 décembre.

Rien n'aurait dû m'inciter à revenir au pouvoir. Je n'avais aucune obligation qui me contraignait et je n'avais aucune promesse qui m'obligeait. Les Allemands s'étaient gardés de me laisser croire à une modification ou à une amélioration quelconque de leur attitude. Tout me commandait de me dérober devant une responsabilité qui s'avérait comme devant être redoutable.

Qu'on relise ma déclaration devant le juge, concernant les notifications qui furent faites par le chef S.S. Heydrich à M. Bousquet, secrétaire général à la Police, le 5 mai 1942, c'est-à-dire quelques jours après mon retour, et on verra dans quelles conditions effroyables — le mot n'est pas excessif — je reprenais le pouvoir.

Qu'on se souvienne qu'à peine installé je dus subir la première sommation de Sauckel concernant l'envoi des travailleurs français en Allemagne.

Pourquoi, dans ces conditions, ai-je accepté la responsabilité du pouvoir, peut-être à l'heure la plus douloureuse de notre histoire ?

Je devais beaucoup à mon pays. Modeste à mes débuts, j'avais gravi une à une toutes les marches du pouvoir, jusqu'au sommet. Allais-je, quand la France était si cruellement blessée, me dérober au devoir de la servir et d'essayer de la protéger ? En le faisant, j'aurais agi comme un homme politique soucieux de son intérêt et de sa réputation : je n'aurais pas agi suivant mon cœur. En acceptant, j'ai répondu à l'appel de ma conscience.

Il ne peut y avoir qu'une excuse à ceux qui m'accablent aujourd'hui : c'est qu'ils ne savaient pas, c'est qu'ils ont tous ignoré ce que je viens de dire. Tout était vraisemblable contre moi. Tout, maintenant, parle pour moi. La vérité et la justice sont deux termes inséparables ; quand on les dissocie, c'est le crime judiciaire qui apparaît. Je ne crains pas la passion politique ; je ne redoute que le mensonge.

Qu'on me laissse me défendre. Au lieu du crime qu'on me reproche, c'est le sacrifice que j'ai consenti qui apparaîtra. Je n'implore pas et je me sens grand devant l'outrage qui m'est fait. Il est impossible à des Français de me frapper parce que j'ai trop aimé ma patrie.

CHAPITRE II

JE SOUHAITE LA VICTOIRE DE L'ALLEMAGNE, PARCE QUE...

1

Les Faits

Le 22 juin 1942, Pierre Laval prononça une allocution radio-diffusée dont nous reproduisons ces extraits. Le souhait, qu'on a reproché à Laval de former, est contenu dans le passage intitulé par la presse « Le choix de la France » :

« *Le 20 avril dernier, je vous ai dit le but que je pour-suivais, mais je ne vous ai pas caché que la tâche à accom-plir serait rude. Le gouvernement devait, sans attendre, s'ef-forcer de résoudre des problèmes intérieurs délicats comme celui du ravitaillement.*

LE RAVITAILLEMENT

Vous avez suivi notre effort. Nous avons réussi à main-tenir la ration de pain et nous avons mis tout en œuvre pour améliorer la répartition des vivres. Le ravitaillement des grands centres est, je le sais, encore mal assuré. Le manque de moyens de transport et une mauvaise organi-

sation administrative à laquelle nous tentons chaque jour de remédier sont parmi les causes de nos difficultés.

Dans un pays qui souffre, les privations doivent être également supportées par tous. Nous ne saurions tolérer que le privilège de l'argent permette à certains de se soustraire au sacrifice commun.

Nous ne saurions davantage accepter que des agents responsables laissent se perdre ou s'avarier des denrées indispensables. Il est des cas qui appellent la sévérité de la loi et un juste châtiment.

Le gouvernement, qui est résolu à accomplir tout son devoir, ne reculera devant aucune décision pour assurer la vie et la nourriture de la population.

LE SORT DE LA FRANCE

Le message que je vous adresse aujourd'hui concerne des problèmes plus graves que ceux de notre vie quotidienne. Sur nos difficultés présentes ; sur les moyens par lesquels nous pourrons tenter de les résoudre, je pourrais vous fournir d'amples explications.

Dans ce domaine, les actes valent mieux que les paroles. Par un effort tenace, persévérant, le gouvernement fera tout ce qui est humainement possible pour alléger vos souffrances.

Je veux vous parler avec simplicité et avec une grande franchise. Nous vivons des moments difficiles. Nous aurons encore à subir des privations. Ce moment durera autant que durera la guerre et quelque temps après. Mais pour moi, chef du gouvernement, ce n'est pas cela qui est grave.

Ce moment, nous le passerons dans la peine et dans la difficulté, mais il y a un moment plus redoutable et pour moi plus angoissant : c'est celui où l'on fixera pour une longue durée le sort de la France.

Notre génération ne peut pas se résigner à être une génération de vaincus. Je voudrais que les Français sachent monter assez haut pour se mettre au niveau des événements que nous vivons. C'est peut-être une des heures les plus émouvantes qui se soient inscrites dans l'histoire de notre pays.

Nous avons eu tort en 1939 de faire la guerre. Nous avons eu tort en 1918, au lendemain de la victoire, de ne pas organiser une paix d'entente avec l'Allemagne. Aujourd'hui, nous devons essayer de le faire. Nous devons épuiser tous les moyens pour trouver la base d'une réconciliation définitive.

Je ne me résouds pas, pour ma part, à voir tous les 25 ou 30 ans la jeunesse de notre pays fauchée sur les champs de bataille. Pour qui et pour quoi ?

Qu'avons-nous fait de notre victoire de 1918 ?

Ma présence au gouvernement a une signification qui n'échappe à personne, ni en France ni à l'étranger.

J'ai la volonté de rétablir avec l'Allemagne et avec l'Italie des relations normales et confiantes.

De cette guerre surgira inévitablement une nouvelle Europe. On parle souvent d'Europe. C'est un mot auquel, en France, on n'est pas encore très habitué. On aime son pays parce qu'on aime son village.

Pour moi, Français, je voudrais que demain nous puissions aimer une Europe dans laquelle la France aura une place qui sera digne d'elle.

Pour construire cette Europe, l'Allemagne est en train de livrer des combats gigantesques. Elle doit, avec d'autres, consentir d'immenses sacrifices et elle ne ménage pas le sang de sa jeunesse. Pour la jeter dans la bataille, elle va la chercher à l'usine et aux champs.

LE CHOIX DE LA FRANCE

Je souhaite la victoire de l'Allemagne parce que sans elle le bolchevisme demain s'installerait partout. Ainsi donc, comme je vous le disais le 20 avril dernier, nous voici placés devant cette alternative : ou bien nous intégrer, notre honneur et nos intérêts vitaux étant respectés, dans une Europe nouvelle pacifiée, ou bien nous résigner à voir disparaître notre civilisation.

Je veux être toujours vrai. Je ne peux rien faire pour vous sans vous. Nul ne saurait sauver une nation inerte ou rétive. Seule l'adhésion du pays peut faire d'une politique sensée

*une politique féconde. Je sais l'effort que certains d'entre vous
doivent faire pour admettre cette politique. L'éducation que
nous avons généralement reçue dans le passé ne nous préparait guère à cette entente indispensable.*

*J'ai toujours trop aimé mon pays pour me soucier d'être
populaire. »*

2

Le Dossier de l'Accusation

L'ACTE D'ACCUSATION

Perdant même toute retenue, Laval, le 22 juin 1942,
lance son fameux défi aux Français : « Je souhaite la victoire de l'Allemagne. » Il souhaiterait que nous l'y aidions
sur le terrain militaire.

LE REQUISITOIRE

J'ai écrit dans l'acte d'accusation que la politique du gouvernement de Vichy devenait alors ouvertement de plus en
plus allemande. C'en est d'abord la proclamation officielle.
La phrase qui nous a fait tressaillir d'indignation quand,
un dimanche soir, le 22 juin, nous avons entendu à la
Radio : « Je souhaite la victoire de l'Allemagne. » « Simple
parole », dira-t-il. Non, car il est de ces paroles qui sont
des actes et ce n'est pas seulement ce jour-là qu'il l'a
proférée. Quelques mois plus tard, il l'a encore accentuée
et voici le 15 décembre, extrait d'une conférence de presse
reproduite dans son propre journal *Le Moniteur du Puy-
de-Dôme*, ce qu'on peut lire : « Assez d'hypocrisie ! Il s'agit
de choisir son camp sans équivoque, sans ambiguïté. Je
veux la victoire de l'Allemagne. » Paroles qui sont des actes.

3

Le Dossier de la Défense

1. — Pierre Laval a-t-il voulu donner à cette phrase une portée politique ou la valeur d'un simple souhait ?

a) — M. Rochat, secrétaire général aux Affaires étrangères, a déclaré dans une lettre lue au procès du maréchal Pétain à l'audience du 11 août 1945 : « Dès que j'appris que Pierre Laval avait inséré dans le discours qu'il allait prononcer une phrase où il souhaitait la victoire de l'Allemagne, j'entrai dans son bureau pour protester. Pierre Laval me lut le passage en question, qui était alors ainsi rédigé : « Je crois à la victoire de l'Allemagne et je la souhaite. » Il ajouta qu'il avait pesé tous ses termes. Il considérait comme nécessaire, dans les circonstances du moment, d'aller aussi loin dans ses paroles pour se mettre en situation de défendre avec le maximum d'efficacité les intérêts de la France contre les exigences allemandes. Je répliquai qu'à mon avis, il ne devait et ne pouvait pas prononcer de tels mots, et je lui exposai longuement les arguments de tous ordres qui me paraissaient devoir l'amener à y renoncer. »

b) — Selon le témoignage de M. Rochat, lorsque le Maréchal, auquel Laval avait soumis le texte de ce projet de discours en sa présence, lui fit remarquer qu'il ne pouvait dire : « Je crois à la victoire de l'Allemagne », Laval « lui répéta, en en marquant l'importance, les motifs de politique générale qui l'amenaient à maintenir la phrase ainsi amendée, et il expliqua que, s'il prononçait ces quelques mots, il serait certainement mieux en mesure de résister aux pressions allemandes qu'il avait des raisons de craindre prochainement. »

c) — A la séance du Conseil des Ministres du 26 juin 1942, Pierre Laval s'expliqua sur ses propos et le compte rendu démontre qu'il n'a pas été désapprouvé par ses collègues : « La séance est ouverte à 10 h 30 sous la présidence du Maréchal, chef de l'Etat. Le chef du gouvernement expose au Conseil les raisons qui l'ont amené à prononcer, avec l'autorisation du Maréchal, une importante allocution, le lundi précédent. Sa tâche était difficile parce que ses paroles devaient, nécessairement, heurter un certain nombre de Français, encore mal informés. Il était nécessaire de les éclairer. D'une part, le gouvernement doit affirmer sa politique ; d'autre part, il fallait adresser aux travailleurs français un appel direct, tant pour annoncer la relève des prisonniers que pour éviter, aussi longtemps que possible, des mesures de réquisition. »

2. — Laval a-t-il souhaité « aider l'Allemagne sur le terrain militaire » ?

On peut constater qu'il n'était pas dans les intentions de Laval d'agir de manière à accorder un appui militaire à l'Allemagne ni d'entraîner la France dans la guerre à ses côtés. En juillet 1940, il rejeta l'ultimatum de Hitler qui réclamait des bases militaires en Afrique du Nord. A Montoire, en octobre 1940, il refusa d'engager les forces françaises contre l'Angleterre. En novembre 1942, donc après ce discours, il repoussa l'offre d'alliance totale faite par Hitler et s'opposa à ses manœuvres pour amener le gouvernement français à déclarer la guerre à l'Amérique et à l'Angleterre.

LES TEMOINS DE LA DEFENSE

— Paul Morand, Ambassadeur de France (HI-III-1432).

A la fin du jour, j'entre dans le petit salon d'angle à trois fenêtres de l'*Hôtel du Parc*, à Vichy, et je trouve le Président seul, à son bureau. Tous ses collaborateurs amis entrent ainsi sans frapper.

— Lisez cela.

Le Président me tend le texte de l'allocution qu'il prononcera demain à !a radio. Il m'observe, tandis que je lis.
En rencontrant la phrase : « Je souhaite la victoire de
l'Allemagne... », ma figure a dû marquer la surprise, car
il dit :
— Alors, vous aussi ?
— Monsieur le Président, vous ne pouvez pas laisser cela.
Que ne mettez-vous : « Je souhaite que l'Allemagne ne soit
pas vaincue », ce qui est votre vraie pensée : l'arrêt de la
guerre et l'arbitrage de la France.
— Vous parlez comme Rochat ; tous les mêmes ; des
diplomates ! Vous êtes pourtant parmi les plus intelligents
....
Lisez donc cette phrase jusqu'au bout : « Je souhaite la
« victoire de l'Allemagne car, si elle était vaincue, le bolche-
« visme se répandrait partout en Europe. »
— Monsieur le Président, la mauvaise foi ne mettra pas
une virgule après « la victoire de l'Allemagne », elle mettra
un point.
Cet argument sensé l'exaspère.
— Vous êtes formidable ! Croyez-vous que je n'y aie pas
pensé ? Est-ce que vous vous imaginez que cela me ferait
plaisir de voir les Allemands gagner la guerre ? Mais si
j'aime mieux, moi, les payer en paroles qu'en actes ; parce
que cela coûte moins cher ; parce que c'est ce qui coûtera
le moins cher à la France. Une phrase comme celle-là, ça
peut valoir le retour de cent mille prisonniers. Une politesse à la radio, cela me permet de refuser à cette brute
de Sauckel les travailleurs qu'il me demande par centaines
de mille pour l'Allemagne ....
Je reviens à la charge.
— Vous dites toujours : « On peut critiquer mes méthodes, pas mes mobiles. » Demain, vos ennemis se hâteront
de présenter votre méthode comme votre mobile.
— Demain, dit-il, à Matignon, ce n'est pas vous, c'est moi
qui ferai face à Sauckel, à Abetz, qui les regarderai dans
les yeux. Ils me parleront comme toujours de « leur glaive »
qu'ils me mettent dans les reins. Mon glaive, à moi, ce
sera cette phrase ; je n'en ai pas d'autre. Laissez-moi donc
tranquille ; ça passera parfaitement ; et continuez...

4

Les déclarations de Pierre Laval

MEMOIRE EN REPONSE
A L'ACTE D'ACCUSATION

Quant à la phrase qui m'est avant tout reprochée : « Je souhaite la victoire de l'Allemagne... », j'ai eu à m'en expliquer déjà au procès Pétain et les débats ont révélé qu'elle était d'abord différemment rédigée. J'avais écrit : « Je crois à la victoire de l'Allemagne et je la souhaite... » C'est sur l'intervention formelle du Maréchal, qui ne me reconnaissait, me dit-il, aucune compétence militaire, que je supprimais les mots « je crois » et, d'accord avec lui, je maintenais les mots « je souhaite ». Le témoignage de M. Rochat ne laisse aucun doute à cet égard. Il est certes fâcheux que j'aie accepté la modification suggérée par le Maréchal parce que la phrase, telle que je l'avais écrite, pour les raisons que j'ai déjà exposées, avait un sens très atténué. Dire qu'on souhaite une chose qu'on croit certaine n'ajoute guère à la conviction qu'on affirme. Cette mise au point était pourtant nécessaire pour une appréciation objective de mon propos.

Pour comprendre le sens et la portée de cette phrase, il faut d'abord la situer dans le temps. Je l'ai dite le 22 juin 1942, et on sait maintenant les conditions dans lesquelles je suis revenu au pouvoir. L'Allemagne avait décidé (ma conversation avec Gœring ne permettait aucun doute à cet égard) de traiter durement la France. Je ne pouvais me dissimuler que ma tâche, déjà lourde, pouvait devenir plus difficile encore. J'avais le sentiment que, si je parvenais à créer entre les deux gouvernements un climat de confiance, je pourrais plus facilement protéger les Français contre les rigueurs de l'occupation, ce qui était pour moi l'essentiel de ma mission. En m'engageant publiquement, je considérais que j'aurais plus d'aisance et de moyens dans mes négociations. Je ne doutais pas qu'un tel propos me serait reproché, mais c'est le propre des hommes de gouvernement de ne pas craindre l'impopularité quand ils pensent qu'à ce prix ils peuvent être plus utiles à leur pays [1]. C'est en tout cas le principe que j'ai constamment suivi. La phrase que j'ai prononcée me permit dans tous mes entretiens avec Sauckel, qui furent nombreux comme l'étaient ses demandes, de lui faire admettre que, si je résistais à ses exigences, c'est parce que les convenances nationales

---

1. Au procès Pétain, Pierre Laval avait fait cette déposition : « Je crois que j'aurai dit à peu près tout si j'ajoute que ces paroles « sont parmi celles que certains chefs de gouvernement, que cer- « tains ministres des Affaires étrangères, poussés par l'aiguillon « des circonstances, prononcent parfois et qu'on interprète mal ; « mais si on les situe dans le cadre, dans le moment et avec les « raisons qui les ont fait prononcer, alors on comprend mieux. Vous « seriez surpris si je vous apportais, par exemple, un discours de « Mr. Churchill parlant des Russes. Vous seriez surpris si je vous ‹ apportais, par exemple, un discours de Mr. Molotov s'adressant « aux Allemands ». Laval faisait ici allusion à ce passage du discours que prononça M. Molotov, le 31 octobre 1939, lors de la réception de M. Ribbentrop par le Soviet Suprême : « La conception nationale socialiste peut, comme toutes les conceptions politiques, être admise ou écartée, c'est une question de position politique. Mais chacun doit savoir que l'on n'anéantit pas par la force une doctrine politique et qu'on ne peut l'écarter par une guerre. C'est pourquoi il est insensé et même criminel de poursuivre une telle guerre en vue de détruire l'hitlé-risme, même si l'on camoufle cette guerre sous le couvert de la lutte pour les démocraties. »

mettaient des limites aux possibilités. Je lui disais : « Vous nous traitez en vaincus et vous nous demandez d'agir en alliés... Vous vous plaignez de l'hostilité de la France et vous la provoquez par vos exigences. » Il devait chaque fois — ceux qui ont assisté à ces dures négociations le savent — réduire ses prétentions. Or je ne pouvais lui parler sur le ton décidé que j'employais et obtenir des résultats positifs que parce que la déclaration que j'avais faite me donnait à ses yeux l'autorité d'un homme qui n'avait pas craint de s'exposer. Je reste convaincu que le propos qui m'est si sévèrement reproché m'a permis de mieux accomplir ma tâche dans tous les ordres de difficultés que j'ai eu à régler avec l'autorité occupante.

Quand j'ai prononcé cette phrase, nous étions en juin 1942, le débarquement américain en Afrique du Nord n'avait pas encore eu lieu. Le seul front de l'Europe sur lequel tous les regards étaient fixés s'étendait de la Finlande au Caucase. Je croyais encore à la probabilité d'une victoire allemande. Aujourd'hui, l'Allemagne est écrasée et mon propos paraît d'autant plus malencontreux, mais il m'a donné alors plus de liberté d'action pour protéger les intérêts français. On oublie aujourd'hui qu'il y avait alors à Paris des personnalités et des groupes de collaborationnistes ardents, aussi écoutés des autorités allemandes que soutenus par elles, qui menaient une opposition violente à ma politique et tentaient de s'emparer du pouvoir. Par ma déclaration, j'affaiblissais leurs moyens vis-à-vis des Allemands et je pouvais continuer une politique de neutralité qui gardait le maximum d'indépendance en face de l'occupant. J'ai parlé pour ne pas avoir à agir. Sans cette phrase, Doriot aurait eu plus de facilité pour s'emparer du pouvoir. Généralement, quand on cite la phrase que j'ai prononcée, on en omet la dernière partie : « Je souhaite la victoire de l'Allemagne, car, sans elle, le communisme s'installera partout en Europe. » Ce pronostic me paraissait alors dans l'ordre des choses, l'Allemagne abattue pouvait être attirée par le communisme plutôt que par tout autre régime en raison des habitudes et des disciplines de vie collective qu'elle avait déjà prises. J'ai fait là simplement une prévision que les événements actuels en Europe ne me paraissent pas démentir. Passant enfin à une considération qui a inspiré toute ma politique, je voulais éviter par-dessus tout que la France participât à la guerre aux côtés de l'Allemagne. Je montrerai dans un instant comment cette déclaration me fournit le moyen de répondre plus fermement qu'il était impossible au Reich de demander à la France de participer à un effort de guerre. J'étais résolu sur ce point à ne jamais fléchir, ce qui m'a valu, lors du débarquement anglo-américain en Normandie, les attaques forcenées de certaines personnalités, de certains groupements et de la presse de Paris. C'est parce que j'avais ainsi parlé audacieusement un jour que je pus, à cette heure décisive où mes paroles avaient un effet immédiat, tenir le langage de neutralité exprimé dans la déclaration que je fis le jour du débarquement. Que l'on compare mes paroles à ce moment crucial avec celles du Maréchal, on verra lesquelles témoignent du plus d'indépendance à l'égard de l'occupant. Quel est le chef de gouvernement, quel est le ministre des Affaires étrangères qui, au pouvoir pendant de longues années et plus encore quand ce sont des années critiques, n'a pas prononcé parfois, sous l'aiguillon des circonstances, des paroles qui ont paru ensuite excessives ou choquantes quand on les isolait des événements qui les expliquaient et les justifiaient ? Toutes celles que j'ai prononcées n'ont rien coûté à la France et elles m'ont permis de mieux défendre ses intérêts positifs à un moment où ils étaient gravement exposés. Maintenant qu'on connaît les faits qui ont motivé ma déclaration et les preuves que j'ai apportées, je ne peux douter que mes paroles soient comprises et interprétées comme elles doivent l'être, c'est-à-dire comme l'expression, à ce moment-là, d'une nécessité française.

Dans ce débat, je l'ai dit, je ne redoute que le mensonge. Les erreurs, même si elles sont involontaires, sont aussi dangereuses pour la manifestation de la justice. Mais qui donc peut avoir intérêt à masquer la vérité ? Comme accusé, je la réclamerai sans cesse et je la ferai éclater.

Comment ne pas exprimer mon indignation en répondant maintenant à l'accusation qu'ayant souhaité la victoire de l'Allemagne j'aurais souhaité aussi que nous l'aidions sur le terrain militaire, mais que, ne pouvant procurer cette aide militaire, je lui avais fourni de la main-d'œuvre française ?

Maintenant que l'on sait dans quelles conditions de dures contraintes j'avais dû subir l'envoi en Allemagne des travailleurs français, tout en réduisant ces départs au minimum, il me faut détruire cette affirmation que j'aurais voulu pouvoir aider militairement l'Allemagne. Voici les faits :

Le 8 novembre, au commencement de la matinée, les troupes américaines débarquaient en Afrique du Nord. Le même jour à quatorze heures cinquante, le ministre allemand à Vichy, M. Krug von Nidda, m'apportait un message de la part du Chancelier Hitler. C'était une offre d'alliance militaire. Elle était présentée dans ces termes, et le texte se trouve aux archives des Affaires étrangères :

Le 8 novembre 1942, à quatorze heures cinquante, M. Krug von Nidda a fait au Président Laval la communication suivante :

Le Chancelier Hitler demande au gouvernement français s'il est disposé à combattre aux côtés de l'Allemagne contre les Anglo-Saxons. En présence de l'agression à laquelle viennent de se livrer les Anglo-Saxons, la rupture des relations diplomatiques ne saurait être considérée comme suffisante et il faudrait aller jusqu'à une déclaration de guerre aux Anglais et aux Américains. Si le gouvernement français prend une position aussi nette, l'Allemagne est prête à marcher avec lui *durch Dick und Dünn.*

M. Krug von Nidda était chargé de réclamer d'urgence une réponse positive à cette question, dont le message soulignait la signification historique.

M. Krug von Nidda m'avait demandé d'observer la plus absolue discrétion au sujet de cette communication. Il accompagna le message de commentaires enthousiastes et optimistes, et parut fort désappointé par mon attitude très réservée. Je me contentai d'exprimer des propos de politesse ; mon refus ne faisait aucun doute et je lui promis de conférer dans la soirée même avec le Maréchal. Je mis celui-ci au courant en lui disant spontanément qu'il fallait refuser avec autant de netteté que de courtoisie, et que je ne jugeais pas utile d'en saisir le Conseil des ministres. Ce fut également l'avis du Maréchal. M. Krug von Nidda revint me voir à la fin de l'après-midi, non plus pour me demander la réponse au message, mais pour me dire que le Chancelier Hitler m'attendait à Munich le lendemain 9 novembre à vingt-trois heures. Je devais trouver, à la Préfecture de Dijon, M. Abetz, qui était chargé de m'accompagner pendant mon voyage. Nous eûmes à subir une véritable tempête de neige et nous arrivâmes à Munich seulement le 10 à cinq heures du matin. L'ambassadeur, à Dijon, me demanda quelle réponse j'ap-

portais à Hitler, et, quand je lui dis qu'elle
était négative, il parut manifester une grande
surprise et un profond désappointement. Il ne
me cacha pas que « ce refus de l'alliance, après
la défection de certaines troupes françaises en
Afrique du Nord, pouvait amener une situation
nouvelle très grave pour la France ». Il me dit
également son embarras personnel à faire une
telle communication à Hitler, dont il redoutait
la réaction.

Je pouvais me demander également quelle
réception me serait réservée. C'est la question
que je m'étais posée avant mon départ et je
pouvais m'attendre au pire. J'avais même, dans
l'incertitude de mon retour, pris la précaution
de détruire certains documents avant de partir.
Je pensais que la phrase que j'avais prononcée
un jour servirait peut-être à atténuer la rigueur
de l'accueil, mais elle était elle-même insuffisante
pour me servir de paratonnerre. Durant les longues heures de cette route à travers la Forêt-
Noire, une question me venait sans cesse à
l'esprit, comme une obsession. Quelles allaient
être les représailles allemandes ? Si, en 1941, la
Wehrmacht fusillait cent otages lorsqu'un sous-
officier était trouvé mort dans une station de
métro, comment Hitler allait-il faire payer à notre
pays la « dissidence » d'une armée dont un grand
nombre de chefs et de cadres avaient été libérés
des camps d'Allemagne ? Au cours de ma vie
publique, j'ai défendu la France à Washington,
à Londres, à Moscou, à Rome et dans d'autres
capitales. Je n'ai jamais eu une tâche plus délicate et plus redoutable que ce jour-là.

Je fus informé, à mon arrivée à Munich, que
je devais voir Hitler à huit heures ; j'attendis
plus de deux heures avant d'être introduit dans
son bureau, où il conférait depuis longtemps déjà
avec le comte Ciano. Il avait été prévenu par
M. Abetz de mon refus d'accepter l'alliance et il

ne fit aucune allusion, au cours de notre entretien, au message qu'il m'avait adressé. Il affirma avec beaucoup de force et une apparente sincérité qu'il « chasserait les Anglo-Saxons de l'Afrique du Nord ». « Désormais, il faut que vous sachiez, me dit-il, que la France ne conservera de son Empire que les colonies qu'elle aura su protéger. » Il parla avec véhémence de l'évasion du général Giraud. J'eus avec le ministre italien une très vive altercation à laquelle celui-ci répondit assez faiblement. Je repoussai une demande qu'il avait formulée pour obtenir des bases dans la région de Constantine pour l'aviation italienne. Hitler n'intervint pas dans notre discussion.

L'audience avait été assez courte ; elle n'avait pas été aussi mauvaise que je le redoutais. Hitler espérait peut-être encore que certaines troupes françaises opposeraient de la résistance aux armées anglo-saxonnes. C'est au cours de la nuit suivante, vers quatre heures du matin, que je fus réveillé pour recevoir de M. Abetz la notification du franchissement de la ligne de démarcation par l'armée allemande et de la frontière italienne par l'armée italienne. Je protestai vivement, mais l'ambassadeur me dit ne pas pouvoir intervenir : « C'est une décision du Führer ; il n'y a rien à faire. » Je protestai en termes violents et crus contre l'entrée en territoire français de l'armée italienne. L'ambassadeur me demanda, tant il paraissait préoccupé par les conséquences possibles du refus que j'avais opposé à l'offre allemande et de mon attitude générale, de ne pas formuler ma protestation en des termes aussi vifs. Abetz fut toujours, je dois le reconnaître, quel que fût son désir naturel de servir son pays — et il l'accomplissait pleinement et parfois brutalement, — le plus compréhensif, parmi les Allemands, de la situation française. Il paya d'ailleurs de sa disgrâce, quelques semaines plus tard, les sentiments qu'il

avait parfois manifestés sur les mauvaises méthodes allemandes appliquées à la France. On lui
reprochait également l'insuffisance des résultats
de la collaboration avec la France, et il fut
longtemps éloigné de Paris.

Il est donc acquis que le 8 novembre 1942
j'ai repoussé à la fois la demande de déclarer
la guerre aux Anglo-Saxons et l'offre d'alliance
avec l'Allemagne qui nous était proposée.

C'est donc dans l'ignorance de ces faits qu'une
telle accusation a pu être portée contre moi.

Lorsqu'en 1943 les Allemands créèrent une unité
de *Waffen S.S.* « française » avec des éléments
recrutés parmi les partis de la Collaboration
(c'est-à-dire ceux qui manifestaient dans le pays
l'hostilité la plus violente à mon égard), je
demandais alors et j'obtenais (une pièce l'atteste
aux scellés) l'engagement allemand qu'en aucun
cas cette troupe ne pût être appelée à combattre
des éléments français, c'est-à-dire sur tous les
théâtres d'opération de l'Ouest.

Le 17 novembre 1942, le Maréchal et moi rece-
vions à Vichy la visite de M. Schleier, chargé
d'affaires, qui nous notifiait un véritable ultimatum d'avoir à déclarer immédiatement la
guerre à l'Amérique et de lever des légions impériales pour combattre en Afrique. Le Maréchal
était invité à flétrir publiquement la « dissidence ». Le Gouvernement avait un délai de
vingt-quatre heures pour répondre. Ce délai passé
sans réponse favorable, nous étions prévenus que
l'armistice pourrait être rompu et la France
administrée comme la Pologne.

Je ne me rappelle pas si le Maréchal a « flétri
la dissidence », mais je sais que j'opposai, en
ce qui concerne la déclaration de guerre, un refus
catégorique qui fut approuvé à l'unanimité par
le Conseil des ministres. Je possède à cet égard
des témoignages probants sur ce que fut mon
attitude. M. Schleier disait le soir à un ministre

français : « Il n'y a rien à faire avec le Président. »

Quant aux légions impériales, je répondis que notre armée avait été dissoute et que je ne voyais pas comment celles-ci pourraient être constituées ; qu'au surplus notre refus de déclarer la guerre impliquait l'impossibilité d'instituer une telle collaboration militaire. Les Allemands durent se contenter de l'assistance qui leur fut prêtée en Tunisie par quelques Français membres du P.P.F. de Doriot.

Je n'ai jamais envisagé aucune collaboration militaire. Je n'ai jamais donné aucun ordre de caractère militaire. Je n'ai jamais cessé de protester auprès de l'ambassade d'Allemagne contre les pouvoirs que M. Rahn s'était attribués et qu'il avait attribués à Guilbaud en Tunisie. J'ai souvent déclaré que notre autorité y était bafouée et, malgré les demandes réitérées des Allemands, je me suis toujours refusé à couvrir de ma signature les Diktats que l'amiral Esteva recevait d'eux et qu'il était impuissant à éluder. C'est le Maréchal qui, après le départ de l'amiral Darlan, avait assumé le commandement de nos forces militaires et navales, et si j'étais intervenu, en quelque circonstance que ce fût, ce n'aurait pu être qu'en son nom et pour transmettre ses ordres.

Le 27 novembre 1942, M. Krug von Nidda, accompagné de M. Rochat, arrivait dans le village de Châteldon à quatre heures du matin, et, malgré le froid rigoureux, ne franchissait le seuil de mon domicile qu'à quatre heures trente, parce qu'il avait reçu l'ordre de ne pas me voir avant cette heure précise. Il m'informait que l'armée allemande devait s'emparer de notre flotte à Toulon et que cette opération avait eu lieu ce même matin à quatre heures.

Si j'avais souhaité aider militairement l'Allemagne, le gouverneur allemand l'aurait su et il n'aurait pas marqué, en pareille circonstance, une telle défiance à mon égard. Tous ces faits énoncés, et contrôlables, prouvent que je n'ai jamais, contrairement à ce qui est écrit dans l'acte d'accusation, souhaité aider militairement l'Allemagne. Il est par contre évident que j'ai personnellement et activement fait repousser toutes les offres et toutes les demandes de collaboration militaire avec elle.

Qu'on lise la presse de Paris à cette époque ; on y relèvera toutes les polémiques dont j'étais l'objet en raison de mon attitude. Je fus poursuivi, pendant toute ma présence au gouvernement, par une meute d'adversaires fanatisés ou qui paraissaient l'être. Quand les partis de Collaboration, le P.P.F. en particulier, se réunissaient au Vélodrome d'Hiver ou ailleurs, ce n'est pas le général de Gaulle qu'on attaquait ; c'est par le cri de « Laval au poteau ! » et « Doriot au pouvoir ! » qu'étaient ponctués tous les discours.

Qu'on compulse aujourd'hui tous les rapports de la préfecture de police pour avoir la physionomie exacte de ces réunions et on sera édifié ; on sentira, dans cette hostilité orchestrée, toute l'inspiration allemande. Comment, alors, concilier l'accusation d'aujourd'hui avec l'attitude hostile de tous les partis collaborationnistes de cette époque ?

Les Allemands, eux, ne se sont pas trompés sur mes véritables sentiments. Ils savaient, eux, que mes manifestations verbales coïncidaient toujours avec leurs contraintes ou leurs menaces, et qu'elles faisaient partie d'un plan méthodique de défense des intérêts français qu'ils découvraient peu à peu et qui les gênait pour agir contre nous.

Le 6 juin 1944, j'adressai un message radiodiffusé. Il me valut une violente campagne de presse dans la zone occupée et une opposition plus vigoureuse encore de la part des collaborationnistes.

Un manifeste, qui portait la signature de plusieurs ministres, des chefs de partis de la Collaboration, de journalistes, de personnalités, fut adressé à Hitler par l'entremise de l'ambassade. Qu'on relise ce document et on verra comment ma résistance à la déclaration de guerre, et ma faiblesse dans la répression à l'intérieur étaient stigmatisées. Ce manifeste fut apporté au Maréchal par l'amiral Platon.

Je convoquai aussitôt un Conseil des ministres à Vichy, auquel Déat n'assista pas, et je pus à mon tour stigmatiser les auteurs du manifeste.

Ce manifeste, dont les quatre cents signataires étaient fortement appuyés par les autorités allemandes, montre sans contestation possible ce que fut mon attitude. Elle s'ajoute comme une preuve vivante à toutes celles que j'ai déjà apportées.

Je n'ai jamais voulu déclarer la guerre aux Anglo-Saxons et j'ai résisté aux plus fortes pressions. Je n'ai jamais voulu prêter une collaboration militaire aux Allemands et je n'ai pas cédé au chantage. Je n'ai jamais voulu abandonner la direction du pouvoir à des aventuriers et j'ai réussi à leur opposer un barrage. J'ai allégé les souffrances des Français en réduisant les exigences allemandes.

N'ai-je pas le droit de répondre à ceux qui m'accusent que j'ai agi comme un bon Français et comme un chef de gouvernement soucieux des intérêts supérieurs de notre pays ? N'ai-je pas le droit de dire que mon action facilitait, dans toute la mesure où je le pouvais, celle des Français qui, les armes à la main, luttaient pour la libération ? Si j'avais pu être appuyé par un chef plus compréhensif, plus habile politique et, pour tout dire, plus loyal à mon égard que le Maréchal, comme ma tâche eût été plus facile et parfois moins douloureuse !

Que les hommes de bonne foi se lèvent, et, maintenant qu'ils savent, ne devront-ils pas recon-

naître que la Résistance ne pouvait souhaiter
autre chose de mieux que ce que je fis dans les
circonstances les plus difficiles et les plus dramatiques ? Combien de Résistants l'avaient déjà
pressenti et l'avaient dit ! Que de fois cette parole
de certains d'entre eux m'a-t-elle été rapportée :
« Pourvu qu'il ne s'en aille pas ! »

Comment pourraient-ils aujourd'hui, ceux qui
parlaient ainsi, concilier leur sentiment d'alors
avec ce désir de vengeance qu'atteste maintenant la monstrueuse accusation portée contre
moi ?

J'ai connu des heures noires, où j'étais découragé, écœuré, mais je suis resté, je me suis
accroché au pouvoir parce que c'était mon devoir.
Je n'avais pas d'armes pour lutter contre les
Allemands quand ils molestaient notre pays. Je
n'avais que les ressources de ma volonté et de
mon intelligence et j'avais à protéger quarante
millions de Français.

Pouvais-je hésiter à m'exposer, par certains
propos qui n'engageaient que moi, quand je
pensais ainsi pouvoir être utile à notre pays ?
Ils étaient nombreux ceux, autour de moi, qui
avaient compris mes intentions, car j'expliquais
souvent mon attitude au cours de réunions avec
mes collaborateurs, les hauts fonctionnaires en
qui j'avais confiance, et quand je ne craignais
pas des fuites possibles, car il y avait des oreilles
allemandes ou pro-allemandes un peu partout.
Telle était mon action, faite de réalisme politique ; c'était la seule qui pouvait alors être pratiquée.

Veut-on observer comment les Soviets, alors
qu'ils savaient, pendant qu'ils étaient les alliés
des Allemands, que la guerre était fatale et prochaine entre eux, se comportaient à l'égard de
leur adversaire du lendemain ? On verra des
exemples saisissants où Staline et Molotov n'ont
pas craint de prononcer certaines paroles ou de

faire certains gestes qui pouvaient surprendre ensuite, mais qui étaient alors utiles à leur patrie et à leur armée. Il leur fallait gagner du temps pour se préparer mieux à la guerre. Il me fallait, à moi, réduire les risques et essayer d'atténuer les souffrances que nous faisaient subir les occupants. Il faut situer mes propos dans le temps où je les ai tenus pour les admettre, les comprendre et les approuver.

Je vais répéter encore ce que j'ai dit à Vichy aux instituteurs le 3 septembre 1942 : « Je suis allé loin dans mes propos, aussi loin qu'on puisse aller, et, pour que vous me compreniez bien, j'accepte pour ma personne de courir tous les risques, pourvu que je puisse faire courir à la France sa chance. »

Je voudrais que cette phrase accompagnât toujours celle du « souhait » que j'ai formulé. Il n'y aurait alors plus de doute sur le mobile qui l'a inspirée, mais la bonne foi n'est pas monnaie courante dans les périodes où la passion aveugle parfois les plus sages. J'enfoncerai donc le clou, car on ne peut rien contre la vérité, et il n'est au pouvoir de personne de changer mes sentiments.

On peut douter de mon intelligence, de mon sens politique, mais douter de mon patriotisme, c'est me faire l'injure la plus grave.

Il est douloureux, j'en ai fait la cruelle expérience, de servir sa patrie quand elle est malheureuse, mais n'est-ce pas alors lui donner le meilleur gage de dévouement et d'amour ? Pourquoi donc aimerais-je moins mon pays que ceux qui m'accusent ?

N'ai-je pas, mieux que beaucoup d'autres, le devoir et des raisons de l'aimer ; je l'ai tant servi, et si souvent représenté.

On peut tout contre moi. Je suis privé de ma liberté, mais j'ai appris que le patriotisme est la seule forme de religion qui résiste à l'emprisonnement. C'est en écrivant ces lignes que j'éprouve ce sentiment dans ma cellule.

— Déclaration de Pierre Laval à Mᵉ Yves Frédéric Jaffré — un de ses avocats — à Fresnes [2] :

« Vous pensez à la fameuse phrase que j'ai prononcée un jour à la radio ? On va en faire le pivot de tout mon procès, mais moi je vous pose une question :

« Est-ce que vous vous êtes demandé, est-ce qu'on s'est demandé, est-ce que les magistrats qui instruisent mon procès et mes juges se sont demandé ou se demanderont pourquoi je l'avais prononcée en 1942 ? Est-ce qu'il n'aurait pas été plus naturel, sinon plus nécessaire, que je la prononce en 1940, au lendemain de Montoire, par exemple, alors que la victoire de l'Allemagne pouvait encore paraître certaine, plutôt qu'en 1942, quand je commençais moi-même à avoir des doutes à son sujet ? Est-ce que cela ne mérite pas réflexion ? Est-ce qu'on ne s'est jamais demandé la raison ? Si on se l'était demandée, si on avait examiné les faits et la situation de la France quand je suis revenu au pouvoir, peut-être aurait-on pu trouver la réponse sans avoir même besoin de me questionner. En 1940, je n'ai pas fait une déclaration pareille, parce que je n'avais pas besoin de la faire. Elle n'était pas nécessaire. J'avais réussi à créer un climat qui n'exigeait pas que je me mette en flèche. »

1. « Les derniers propos de Pierre Laval », par Yves Frédéric Jaffré. — Editions André Bonne.

Fac-similé de l'écriture de Pierre Laval.

Chapitre III

LES RÉQUISITIONS DE MAIN-D'ŒUVRE AU PROFIT DE L'ALLEMAGNE

1

Les Faits

La seule étude de base concernant les réquisitions de la main-d'œuvre française par l'Allemagne ou celles ordonnées à son profit par le gouvernement de 1940 à 1944 est la monographie établie par la Commission Consultative des Dommages et Réparations[1] *qui fut publiée en 1948 par l'Imprimerie Nationale sous le titre « Exploitation de la main-d'œuvre française par l'Allemagne ». L'exposé qui va suivre en est un résumé.*

On peut distinguer cinq phases dans cette « exploitation

---

1. Cette commission, créée par arrêté ministériel du 21/10/1944, reçut pour mission de présenter au gouvernement de la Libération un rapport sur l'ensemble du préjudice subi par la Métropole et les territoires d'Outre-Mer du fait de la guerre et des occupations allemande, italienne et japonaise. Son rapport final comprend trois Livres Blancs et une série de monographies, dont celle intitulée « Exploitation de la main-d'œuvre française par l'Allemagne ». Devant servir à évaluer le préjudice subi par la France de ce chef, il ne peut y avoir de source plus complète et exacte.

de la main-d'œuvre française » : 1) le volontariat dirigé (1-10-40 - 1-6-42). — 2) la Relève et la 1ʳᵉ action Sauckel (1-6-42 - 31-12-42). — 3) la 2ᵉ action Sauckel et le S.T.O. (1-1-43 - 30-11-43). — 4) la 3ᵉ action Sauckel et la mobilisation de la classe 1942 (1-6-43 - 31-12-43). — 5) la 4ᵉ action Sauckel et le « peignage » des entreprises (1-2-44 - 31-7-44).

1ʳᵉ Phase : le Volontariat dirigé (1-10-40 - 1-6-42). — En novembre 1940, il y avait en France 730 000 chômeurs. Ce chiffre important était dû à l'évacuation des entreprises, aux destructions et à l'exode. Les mouvements de main-d'œuvre étaient encore libres, mais, les entreprises acceptant les commandes allemandes étant pratiquement seules approvisionnées en matières premières, les emplois étaient limités. Aussi, les autorités allemandes utilisèrent-elles cet état de fait comme moyen de pression sur les chômeurs pour les inciter à partir travailler en Allemagne. Les premières offres de travail datent d'octobre 1940. Cette pression s'accentua au début de 1941 par la fermeture des chantiers considérés comme « moins urgents » et la menace du retrait des cartes de chômage. D'après un rapport du 30-9-41 (archives de l'O.K.W.), le total des ouvriers français travaillant à cette date en Allemagne était de 72 475 [2]. Le rapport Nᵒ 13 du 15-3-43, publié par l'Institut de Conjoncture, évaluait à 100 000 le nombre des départs au 31-12-41. En ajoutant à ce chiffre les 53 700 départs enregistrés par la S.N.C.F. entre le 1ᵉʳ janvier et le 1ᵉʳ juin 1942, on parvient à un chiffre total de 153 700 pour la période comprise entre octobre 1940 et juin 1942. Cependant, du fait de la défection d'un grand nombre de permissionnaires et du défaut de renouvellement de leurs contrats par d'autres, les services administratifs français estimaient à 70 000 le nombre des travailleurs français présents en Allemagne au 1-6-42. Il n'en restait que 43 000 en septembre 1942 et ce chiffre ne fut pas augmenté du 1-6-42 au 31-3-45.

2. Le chiffre total des ouvriers étrangers travaillant alors en Allemagne était de 1 226 686, dont 63 309 Danois, 134 409 Hollandais, 122 200 Belges, 23 384 Italiens et 83 842 originaires de divers pays d'Europe.

2ᵉ **Phase** : *La Relève et la 1ʳᵉ action Sauckel (1-6-42 -
31-12-42).* — *Devant l'échec du volontariat, les autorités
allemandes laissèrent apparaître leur intention d'utiliser la
contrainte dès le début de 1942. C'est en effet le 18 mars
que le Dr Michel, chef des services administratifs du
commandement militaire en France, fixa à 150 000 le nombre des travailleurs français devant se rendre dans les
usines allemandes et fit part de sa décision de procéder
à des concentrations d'entreprises et à la fixation de la
semaine de 48 heures dans certaines branches d'industrie
de manière à créer de nouvelles masses de chômeurs. En
avril, deux événements vont intervenir : d'une part, la nomination de Fritz Sauckel comme plénipotentiaire général au
Service de la main-d'œuvre dans les territoires occupés ;
d'autre part, l'ouverture de bureaux de recrutement en
zone libre, sur ordre du commandant militaire allemand en
France.*

*La nomination de Sauckel marque le début des réquisi-
tions de la main-d'œuvre française par l'Allemagne. Rencontrant Pierre Laval en mai, Sauckel réclama 250 000
hommes, dont 150 000 spécialistes, soit 100 000 de plus que
le chiffre avancé par le Dr Michel*[3]. *Le 15 mai, au
cours d'une conférence à l'ambassade d'Allemagne à Paris,
ce dernier fixa au 19 mai le délai imposé au gouvernement français pour qu'il soumît son projet de déclaration
au sujet du recrutement de la main-d'œuvre française pour
l'Allemagne. Le 18 mai, à l'occasion d'une conférence avec
Laval, le Dr Michel formula une nouvelle demande de
350 000 hommes. On peut lire dans le compte rendu de
cet entretien :* « Le chef du gouvernement français a souligné que, quelle que soit la bonne volonté du gouvernement français, il lui serait impossible de favoriser effica-
cement ces départs si les conditions psychologiques n'étaient
pas créées par des mesures prises du côté allemand, en
particulier dans le domaine des prisonniers de guerre. »
*Fin mai, un protocole ramena ce chiffre à 250 000, ce qui
portait à 500 000 le total des exigences allemandes. Sauckel
confirma l'accord de Berlin pour la libération demandée par*

---

3. Télégramme d'Abetz du 21/5/42. Document 217 089.

Laval de certaines catégories de prisonniers, mais dans la proportion de un libéré pour trois travailleurs. En fait, il n'y eut qu'un prisonnier libéré pour cinq, soit 50 000 contre 250 000. Le 22 juin, Laval annonça officiellement la Relève. Cette nouvelle forme de volontariat fut un nouvel échec. Au 1/9/42, 17 000 spécialistes seulement sur les 150 000 demandés étaient partis.

Fin août 1942, Sauckel revint à Paris avec l'intention d'appliquer en France, comme elle l'était dans toute l'Europe occupée, son ordonnance du 22 août sur l'emploi des travailleurs dans les territoires occupés, qui prévoyait la réquisition de la totalité de la main-d'œuvre masculine et féminine et le recensement de la population de dix-huit à cinquante-cinq ans. En négociant, Laval obtint qu'elle ne soit pas valable pour la France si le gouvernement adoptait certaines mesures. Le 26 août, le Dr Michel exigea : 1) la publication d'un arrêté soumettant le changement du lieu de travail et l'embauche à l'approbation de certains services. — 2) la déclaration obligatoire de toutes les personnes sans travail ou travaillant avec un horaire réduit. — 3) la publication d'un arrêté pour la mobilisation de travailleurs en vue de la fourniture de certaines commandes allemandes. — 4) la publication d'un arrêté rendant obligatoire pour les entreprises la formation de spécialistes.

La loi du 4 septembre 1942 institua le service national obligatoire du travail. Elle disposait que « toute personne du sexe masculin âgée de plus de dix-huit ans et de moins de cinquante ans et toute personne du sexe féminin âgée de plus de vingt et un ans et de moins de trente-cinq ans peuvent être assujetties à effectuer tous travaux que le gouvernement jugera utiles dans l'intérêt supérieur de la Nation ». Parallèlement, les prélèvements de main-d'œuvre commencèrent dans les entreprises industrielles et on recensa la main-d'œuvre active dans chaque entreprise. De nombreuses réunions eurent lieu à l'Hôtel Majestic à Paris au cours desquelles les Allemands fixèrent leurs demandes de main-d'œuvre à 150 000 spécialistes et 100 000 manœuvres, sous déduction des 17 000 spécialistes partis depuis le 1er juin et des 47 700 manœuvres partis du 1-6 au 17-10-42. Le total général des départs pour la période du 1-6 au

31-12-42 atteignit le chiffre de 239 763 dont 137 400 spécialistes.

3e **Phase :** *La 2e action Sauckel et le S.T.O. (1-1-43 - 30-11-43). Jusqu'à cette date, seuls les ouvriers étaient les victimes « de la politique de force des autorités d'occupation ». Celles-ci ne manquèrent pas d'exploiter cette constatation à leur profit. C'est dans ce climat que s'ouvrirent le 2 janvier 1943 à l'ambassade de nouveaux pourparlers entre le président Ritter, du Front allemand du Travail, les représentants du commandant militaire en France, et du côté français, MM. Bichelonne et Lagardelle. Le 10 janvier, Sauckel arriva à Paris, porteur d'un nouvel ultimatum : Hitler exigeait le départ avant le 15 mars de 250 000 ouvriers pour remplacer les ouvriers allemands mobilisés par l'O.K.W. Il est intéressant de connaître la note [4] qu'il avait transmise à ses services avant son arrivée : « Suivant une décision du Führer, disait-il notamment, il n'est pas nécessaire, lors de l'embauche des spécialistes et des auxiliaires en France, d'avoir des égards particuliers vis-à-vis des Français. On peut également, dans ledit pays, faire pression et employer des mesures plus sévères dans le but de se procurer de la main-d'œuvre. »*

Le 11 janvier 1943, à l'Hôtel Ritz, le président Ritter, représentant en France de Sauckel, exposa à ses collaborateurs les directives qu'il avait reçues [5] : 1) Transport en Allemagne, par convois journaliers de 4 500 hommes, de 150 000 spécialistes de la métallurgie et de 100 000 ouvriers pour permettre l'envoi aux armées avant le 31-3 de 200 000 travailleurs allemands. Des femmes pourraient être comprises dans ce chiffre. 2) Création de commissions mixtes de « peignage » composées de représentants de l'administration de « l'Arbeitseinsatz », des offices d'armement et des Feldkommandantur. 3) Si le recrutement était satisfaisant, Hitler envisageait d'accorder à partir du 1er avril à 250 000 prisonniers de guerre des allégements relatifs à leurs

---

4. Document 556/P.S. Archives du T.M.I. Nuremberg.

5. Archives du Commandant Militaire en France. I.C.2 Document 48.

salaires et à la surveillance exercée sur eux. Sauckel fit
part de ce programme à Laval au cours des conférences
des 12 et 30 janvier. Ce dernier objecta que 35 % des
spécialistes de la métallurgie française avaient déjà été
envoyés en Allemagne, dont des pères de deux enfants. Par
ailleurs, il demandait que pour trois ouvriers, deux prisonniers inutilisables pour la production allemande soient
libérés et un troisième transformé en travailleur libre[6].
Plusieurs réunions eurent lieu entre Abetz, Hemmen, Laval,
Cathala et Bichelonne. Un accord fut en définitive réalisé
pour l'exécution de ce plan. Sauckel fit en ces termes le
compte rendu de ces négociations au cours de la réunion
du 16 février à Berlin du Comité directeur du Plan de
Quatre Ans : « Voici quelle est la situation en France, après
que mes collaborateurs et moi ayons réussi, après des
discussions difficiles, à convaincre Laval d'établir le service
du travail obligatoire. Cette obligation de travail s'est
étendue grâce à notre pression »[7].

Deux mesures, « inspirées » par les autorités occupantes[8], furent décidées pour atteindre cet objectif : 1) Une
circulaire du 2-2-43 prescrivit aux préfets le recensement
général portant sur tous les Français du sexe masculin nés
entre le 1-1-1912 et le 31-12-1921, notamment sur ceux
appartenant aux huit catégories suivantes : professions agricoles et annexes, industrie et commerce, professions libérales, domestiques et gens de maison, fonctionnaires, étudiants, hôpitaux et asiles. — 2) Le décret du 16-2-43 institua
le Service du Travail obligatoire. Il visait les jeunes gens
nés entre le 1-1-1920 et le 31-12-1922 pour lesquels le travail était rendu obligatoire aux champs, à l'atelier et à
l'usine, pour une durée de deux ans. Par ailleurs, le recrutement pour l'Allemagne des ouvriers non spécialisés dans
les entreprises industrielles et commerciales était interrompu sous réserve que l'appel des classes 40, 41, 42 et le
recours aux hommes classés dans la catégorie N° 8 par

---

6. Document F/809 et Archives Cdt mil. I.C/2 Document 77 et suiv.

7. Document déposé au Tribunal Militaire International de Nuremberg par le Ministère public français sous le numéro 30.

8. Télégramme du 9/1/43 — Document 70 132.

la circulaire du 2-2-43 permette d'atteindre le chiffre de 250 000 hommes exigé par les Allemands. Des exemptions étaient prévues pour les agriculteurs, les mineurs de fond, les pompiers, les policiers, les ouvriers des poudreries et les employés de la S.N.C.F. Les étudiants bénéficiaient d'un sursis jusqu'au 1-9-43. La loi stipulait à l'encontre des réfractaires des amendes de 200 à 100 000 francs et un emprisonnement de 3 mois à 5 ans.

Le recensement prévu par la circulaire du 2-2-43 avait commencé le 15 février ; il dura jusqu'au 23. Les Allemands en profitèrent pour faire de la propagande pour les départs en Allemagne. Pendant deux jours, notamment à Paris, ils s'installèrent dans les mairies et donnèrent à chaque recensé un ordre de départ. Le 5 mars, au cours d'une rencontre avec Laval, Sauckel constata que les deux tiers du programme étaient exécutés pour les ouvriers spécialistes, mais que ce n'était pas suffisant, la situation générale du marché du travail en Allemagne imposant qu'après une certaine pause, de nouvelles exigences soient adressées à la France. Laval demanda qu'aucun appel d'hommes ne soit fait pendant un certain délai et Sauckel accepta qu'il soit reporté au 30 avril [9]. Mais dès la fin mars, les autorités allemandes réclamèrent l'envoi, en avril, de 50 000 ouvriers supplémentaires non spécialistes. Des discussions confuses s'ouvrirent sur l'interprétation de la pause admise par Sauckel. Malgré l'avis contraire de l'ambassade et du commandant militaire, les autorités centrales maintinrent cette demande, déclarant que le mot « pause » ne signifiait pas arrêt, mais ralentissement [10]. D'après le compte rendu officiel d'exécution adressé par le commandant militaire en France à Sauckel le 3-4-43, les départs au titre de la 2e action avaient atteint à fin mars les chiffres suivants : 157 020 spécialistes et 93 239 non spécialistes, soit au total 250 259 hommes.

---

9. Télégramme Schleier du 6/3/43 ; document 83 210.

10. Télégramme Schleier des 29/3 et 1/4/43 ; documents 83 454 et 83 480.

TRANSFORMATION DES PRISONNIERS EN TRAVAILLEURS

Dès 1940, la majorité des prisonniers, gradés et hommes de troupes, furent contraints de travailler en commandos. Fin 1942, sur un total de 1 041 447, il n'en restait que 48 437 dans les camps. Aussi, la transformation des prisonniers en travailleurs libres ne fut pas admise sans difficulté par Berlin. Les autorités allemandes comprirent cependant qu'elles pourraient ainsi utiliser cette main-d'œuvre sans enfreindre la réglementation de la Convention de Genève et l'accord pour la transformation de 250 000 prisonniers fut annoncé par Sauckel au cours d'un voyage à Paris le 9 avril 1943. Selon les services des fichiers et statistiques du Ministère des Prisonniers, l'effectif des prisonniers transformés atteignit le chiffre de 198 131.

4e Phase : *la 3e action Sauckel et la mobilisation de la classe 1942 (1-6-43 - 31-12-43).*
Le 9 avril 1943, Sauckel repoussa la demande de Laval de prolonger la pause jusqu'au 15 mai et exigea le départ de 220 000 hommes. Une circulaire (circ. 51 c.c.g. 23-4-43) prévoyait un contingent de 120 000 hommes en mai et de 100 000 en juin. Mais dès les premiers jours de mai, la cadence des départs laissa prévoir que le contingent ne serait pas atteint. C'est, qu'après l'effet de surprise des premières mesures, la résistance à la contrainte s'était organisée. Une circulaire [11] ordonna aux préfets de remettre aux jeunes gens nés en 1920-21-22 une carte de travail ; ceux ne pouvant justifier d'un chef d'exemption régulier devaient être soumis à une visite médicale et désignés pour l'Allemagne. Le recensement avait fait ressortir un contingent de 157 000 aptes au travail pour les trois classes.
Le 27 mai, Laval fit part aux Allemands des difficultés que rencontrait le gouvernement pour assurer ce recrutement et ceux-ci insistèrent sur la nécessité d'employer tous

11. Circulaire 182/C/C du 18/4/43.

les moyens pour en assurer le succès[12]. Cependant, à cette date, on enregistrait seulement 21 000 départs au lieu des 120 000 attendus. Le décret du 31-5-43 supprima les exemptions accordées aux jeunes gens de la classe 42 et avança au 1er juillet la date d'appel des étudiants sursitaires, en même temps que le décret du 15 juillet excluait des écoles et facultés les étudiants réfractaires. En outre, 14 754 Jeunes des Chantiers partirent pour l'Allemagne, dont 9 554 entre le 19 juin et le 2 juillet. La loi du 11 juin prévoyait que les complices de ceux qui se déroberaient au S.T.O. pourraient être internés et condamnés à une amende de 10 000 à 100 000 francs. Malgré toutes ces mesures, il n'y avait eu que 80 000 départs à fin juin. Or le 26 juin, au cours d'une réunion sans les représentants français, Sauckel, se basant sur le fait que l'Allemagne avait mobilisé dix millions d'hommes et en occupait six millions dans les usines d'armement, taxait la contribution de la France à quatre millions de travailleurs. Compte tenu du nombre des prisonniers de guerre et des ouvriers travaillant en Allemagne et dans les usines d'armement en France, elle était encore redevable de 700 000 hommes[13].

Au cours d'une conférence qui se tint le 4 juillet 1943, Ritter, constatant que la moitié à peine des départs prévus avait eu lieu, annonça confidentiellement que le régime du travail obligatoire, tel qu'il était en vigueur en Belgique et dans les départements français du nord, serait étendu à la totalité du territoire. Le 12, 130 000 ouvriers seulement étaient partis et les départs journaliers tombés au-dessous de 1 000. Du 17 au 28 juillet, 1 832 Jeunes des Chantiers prirent le chemin de l'Allemagne, mais pendant tout le mois de juillet, on n'enregistra que 36 000 départs. Aussi, le 6 août, Sauckel, de passage à Paris, se plaignit violemment à Laval et formula de nouvelles exigences : il lui fallait 300 000 hommes et 200 000 femmes avant la fin de l'année. En outre, un million de travailleurs devaient être employés

---

12. Compte rendu dans un télégramme de Schleier du 27/5/43. — Doc. 150.761.

13. Télégramme de Schleier du 26/6/43. — Doc. n° 158.178.

dans les entreprises travaillant pour l'armée allemande [14].
*Laval s'opposa à cette nouvelle demande, s'engageant seule-
ment à activer l'exécution des engagements pris précédemment* [15]. *Sauckel décida alors de réorganiser les services
de l'Arbeitseinsatz. Ils comprendraient désormais une
commission centrale de la main-d'œuvre pour deux ou trois
départements, chargée d'organiser le recrutement selon les
procédés employés en Allemagne et contrôlée par un office
de travail allemand. Sauckel résumait ainsi ce qu'il attendait de cette réforme dans une circulaire du 14 août :
1) Mise en notre pouvoir de tout l'appareil de mobilisation
de la main-d'œuvre française et contrôle efficace. —
2) Toute résistance passive de l'administration française
serait rendue impossible. — 3) « Possibilité d'opposer à la
propagande ennemie de haine et de mensonge notre propagande basée sur les faits et la vérité* [16]. »

Ces mesures n'obtinrent pas plus de résultat. Sur les
220 000 hommes demandés pour la période du 1er mai au
30 juin, il n'en partit en six mois que 170 000, chiffre qui
ne correspondait qu'au complément des départs d'avril. Le
16 octobre, Sauckel reconnut officiellement son échec et
fit part à Laval de la décision prise par Hitler de ne pas
réclamer de nouveaux départs pour 1943. Il exposa les
nouvelles mesures adoptées : certains travailleurs français
en Allemagne pourraient être remplacés, nombre pour
nombre, dans les usines et entreprises allemandes, de
manière à ce que le nombre des travailleurs français en
Allemagne demeurât constant. Les jeunes gens appartenant aux classes 39 (dernier quart), 40, 41 et 42 étaient
autorisés à travailler en France dans certains secteurs de
l'économie désignés par le commissariat interministériel à
la main-d'œuvre.

A partir de septembre 1943, une nouvelle conception de

---

14. Procès-verbal officiel dans les documents du commandant militaire en France. — Section Travail I.C/3 — doc. 8.

15. Télégramme Schleier du 23 juillet. Fonds Auswärt Amt Doc.
158.402.

16. Circulaire du 14/8/43. — Doc. 1293/PS — Archives du T.M.I.
Nuremberg.

l'emploi de la main-d'œuvre française au profit de l'industrie allemande vit le jour avec l'entrée en scène de Speer, ministre de l'armement et de la production de Guerre du Reich. Il jugeait opportun d'utiliser au maximum l'industrie lourde des pays occupés non soumise aux bombardements comme celle de la Ruhr et d'achever les fortifications de l'Atlantique. Dans ce double but, il préférait employer la main-d'œuvre étrangère sur place. A la suite d'un accord conclu le 16 septembre, la main-d'œuvre requise dans les entreprises privilégiées fut assurée de rester en France. Les entreprises « S » relevaient de secteurs protégés : production industrielle (mines, recherche et production d'hydrocarbures, carburants et lubrifiants de remplacement, matériaux de construction), — grands barrages, — industries agricoles, — transports, — organisation Todt, — exploitations forestières. Speer se trouva immédiatement en opposition avec Sauckel qui entendait continuer le recrutement de travailleurs français pour l'Allemagne. Il s'en plaignit à Hitler dans ses rapports des 2-12-43 et 17-3-44. Il évaluait à un total de 5 510 000 le nombre des Français protégés par ces mesures.

En définitive, d'après les chiffres des services français et ceux des services allemands du Majestic, on peut établir ainsi le résultat de la 3ᵉ action Sauckel : du 25 avril au 31 décembre, 171 907 départs, dont 56 608 de spécialistes et 115 299 de manœuvres.

5ᵉ Phase : la 4ᵉ action Sauckel et le « peignage » des entreprises (1-2-44 - 31-7-44).

Au début de 1944, les besoins en main-d'œuvre de l'industrie allemande devinrent de plus en plus grands. Au cours d'une conférence au Quartier-Général de Hitler le 4 janvier, Sauckel déclara que l'Allemagne avait besoin de 2 500 000 travailleurs nouveaux au minimum et Speer voulait utiliser sur place 1 300 000 hommes. Au total, les pays occupés avaient à fournir 4 000 000 de travailleurs. Dès juillet 1943, les services allemands avaient établi les états de prévision nécessaires et décidé la mobilisation des classes 43 et 44, du premier contingent 45, des ouvriers de la classe 39 nés entre le 1ᵉʳ janvier et le 30 septembre et de l'effectif *encore disponible des hommes nés entre 1920 et 1928. Quant au programme de mutation de travailleurs en France, il prévoyait le recrutement de un million d'hommes grâce à la rationalisation et à la concentration des entreprises sur le secteur de l'industrie de guerre, à la récupération des inaptes des classes 1939 à 1945, à la mobilisation des habitants des régions côtières dans les chantiers Todt et à l'augmentation massive des effectifs féminins requis.*

Le 15 janvier 1944, Sauckel réclama 2 000 000 d'ouvriers, dont un million devrait partir en Allemagne entre le 1ᵉʳ janvier et le 30 juin. Pour parvenir à ses fins, il imposa au gouvernement français deux mesures : 1) Adoption de la procédure dite de « peignage » des industries par un recrutement direct dans les entreprises industrielles. — 2) Mobilisation de tous les Français pour le S.T.O. Il fit connaître ses exigences au gouvernement dès le 15 janvier et imposa la promulgation d'une loi instituant la mobilisation de tous les Français de seize à soixante ans et des Françaises de dix-huit à quarante-cinq ans. La semaine de travail était fixée à 48 heures. Le projet fourni par Sauckel lui-même fut remanié, discuté, et devint la loi du 1-2-44. Les modalités d'application furent déterminées par une lettre du 27 janvier [17] adressée par la section Travail du Commandement Militaire allemand en France au secrétaire général à la main-d'œuvre. Constituant selon la Commission « une mainmise directe de l'administration allemande » sur les services de la main-d'œuvre français, cette instruction, tout en ramenant à 855 000 hommes le contingent à fournir, donnait les directives suivantes : 1) Les effectifs à prélever sur chaque branche de l'économie devaient être établis en tenant compte des facteurs démographiques d'après les statistiques de la population et des professions. Les services français avaient à fournir les adresses des entreprises et les fichiers. — 2) Les services allemands collaboreraient avec l'Office français du Travail pour convoquer les chefs d'entreprises. — 3) Un représentant des services allemands de la main-d'œuvre assisterait à la visite médicale, contrô-

---

17. Arb. 740 Ss/44 Dr. H/Pro.

lerait la présence des personnes convoquées et ordonnerait
leur utilisation ultérieure.

Au cours d'un entretien qu'il eut le 4 février 1944 avec
Sauckel en présence d'Abetz, le ministre de la Production
industrielle fit état des difficultés auxquelles la mise en application de telles mesures se heurtait et suggéra les contre-
propositions suivantes [18] : remplacement de 40 000 à 45 000
permissionnaires défaillants par l'envoi en Allemagne d'un
nombre égal de Français choisis notamment parmi les réfractaires rentrés dans la légalité, — mise à la disposition de
l'Allemagne de la main-d'œuvre étrangère résidant en
France, y compris celle des usines protégées et de l'organisation Todt, qui serait remplacée par des Français. Ces
discussions n'aboutirent à aucun accord précis ; Abetz remit
une note à Laval qui donna une acceptation de principe
au cours de son entrevue avec Sauckel du 9 février. On
constatait une disproportion entre les exigences allemandes
et les engagements français, que la Commission explique
par « une évolution des circonstances et des attitudes » marquée par « la résistance résolue et efficace opposée par la
Nation (sabotage des services de recensement et de désignation de la main-d'œuvre, afflux de réfractaires vers
le maquis) » et du côté allemand, par « une véritable
opposition de but et de moyens dressant l'un contre l'autre
Speer et Sauckel ».

Du 1er janvier au 28 février, il y eut un peu plus de
7 000 départs. Le nombre des travailleurs affectés aux usines
protégées avait en effet très sensiblement augmenté à la
suite des accords de septembre 1943. En mars, le rythme
des départs demeura très lent. Aussi, le bilan établi par
le secrétaire général à la main-d'œuvre pour le premier
trimestre était-il peu brillant : il y avait eu 13 000 départs
au lieu des 273 000 prévus. Le 5 mai, au cours d'une
conférence entre services allemands, Sauckel avoua que si
du 1er janvier au 1er mai, 1 100 000 travailleurs avaient été
mis à la disposition de l'industrie de guerre allemande, on
ne comptait parmi eux que 23 000 Français. « Ceci est
inexistant, déclara-t-il, les réserves de l'Est et de l'Alle-

---

18. Télégramme d'Abetz n° 562 du 4/2/44 ; — document 163.747
— Fonds Ausw. AMT. M.C.C. Berlin.

magne sont épuisées et la totalité des besoins en effectifs à satisfaire repose désormais sur la France et sur l'Italie [19]. »

Dès lors, la pression allemande allait encore s'intensifier. Après deux conférences les 10 et 11 mai, les dispositions suivantes durent être adoptées : 1) Le gouvernement français acceptait l'idée d'appeler les hommes par classes complètes et sans exemptions, à commencer par le reliquat de la classe 43 et par l'ensemble de la classe 44. — 2) Encadrement sous forme d'un service national du travail demandé par le gouvernement allemand et lié à la dissolution des Chantiers de la Jeunesse exigée par l'O.K.W. — 3) Possibilité de la réquisition sur place des jeunes gens déjà employés dans les mines et les chemins de fer. — 4) Continuation de l'activité des commissions de « peignage ». — 5) Relève des ouvriers, en commençant par ceux travaillant depuis plus de deux ans ou dont le rapatriement était désirable pour des raisons sociales ou de famille. — 6) Contrôle de l'emploi rationnel des ouvriers des entreprises françaises confié au service d'organisation scientifique et sociale du Travail fonctionnant au ministère de la Production Industrielle, en liaison avec les « Arbeitseinsatz ingenieur » en France et sous contrôle des fonctionnaires du Secrétariat Général à la main-d'œuvre, et de la division « Arbeitseinsatz » auprès du Militärbefelshaber in Frankreich. — 7) Les ouvriers en surnombre seraient dirigés sur des entreprises « Rüstung » ou « S » pour satisfaire des commandes supplémentaires. L'emploi des femmes serait porté au maximum.

La mise en œuvre de ces accords [20] fut lente et délicate. Le projet de réorganisation du S.T.O. présenté par le gouvernement français fut refusé par l'O.K.W. [21]. Le rapport de la Préfecture de la Seine en date du 5-5-44 établissait que « sur le personnel de 18 795 entreprises examinées par

19. Dossier de la section Travail du commandement militaire en France I.C.-4. Document 141.

20. Documents du commandant militaire en France I.C.-4.205 et suivants.

21. Note de la commission allemande d'armistice à la commission française en date du 13/5/44. — Document n° 47.687 F.T.

les commissions de « peignage » dans le département de la Seine au cours du mois d'avril, 230 mutations effectives ont été prononcées pour l'Allemagne... Les autorités allemandes, ayant dans ces commissions l'initiative et la conduite des opérations, ont pu se rendre compte de la difficulté d'obtenir des prélèvements importants de main-d'œuvre. Elles ont été ainsi amenées à reconnaître le bien-fondé des justifications qui leur avaient été fournies pour expliquer la faiblesse des résultats obtenus par les commissions mixtes franco-allemandes qui fonctionnaient précédemment sous la direction des autorités françaises. »

Après avoir conféré avec Hitler, Sauckel ordonna le 6 juin la mobilisation immédiate de la classe 44 et son envoi en Allemagne. Les événements militaires vinrent bouleverser ces plans et le 18 juin 1944, un accord officieux intervint entre le président Glatzel, représentant Sauckel à Paris, et Fernand de Brinon pour la France, aux termes duquel les départs pour l'Allemagne de travailleurs français étaient suspendus. Il y eut cependant près de 4 000 « volontaires » qui partirent en juillet ; il s'agissait pour la plupart de sinistrés.

Selon une source allemande [22], les effectifs de travailleurs partis en Allemagne durant les six premiers mois de l'année avaient été de 22 247 volontaires et de 18 347 travailleurs forcés, soit au total 40 594. D'après la même source, et pendant la même période, 314 734 travailleurs avaient été mutés d'office dans des entreprises travaillant pour l'industrie de guerre allemande. En se référant aux sources officielles françaises et aux statistiques allemandes, on peut conclure que la 4e action Sauckel avait abouti à un total général de départs de 42 392. Au 30-9-44, l'ensemble des travailleurs français se trouvant en Allemagne atteignait le chiffre de 646 416, dont 603 762 hommes et 42 654 femmes, et représentait en pourcentage par rapport au total des travailleurs étrangers en Allemagne 10,8 % [23].

22. Télégramme d'Abetz n° 3.254 du 6/7/44. Archives du Commandant Militaire en France I.C.-4. Document 318 et suivants.

23. D'après la publication de l'office de statistique du Reich (Der Arbeitseinsatz im Grossdeutsches Reich n° 11/12/1944), les pourcentages au 30/9/44 étaient pour les ouvriers originaires des autres pays les

Le bilan général peut s'établir ainsi :

Volontariat *(1-10-40 - 1-6-42)*	Départs :	153 700
Relève et 1ʳᵉ action Sauckel (1-6-42 - 31-12-42)	— :	239 763
2ᵉ action Sauckel et S.T.O. (1-1-43 - 30-11-43)	— :	269 100
3ᵉ action Sauckel (1-6-43 - 31-12-43)	— :	171 907
4ᵉ action Sauckel (1-2-44 - 31-7-44)	— :	42 392
Transformations des prisonniers en travailleurs	— :	198 131

1 074 993

Total des départs pendant les quatre actions Sauckel : 723 162

Les chiffres officiels allemands donnés par le service de l'Arbeitseinsatz en France sont un peu inférieurs :

— *Volontariat (avant 31-5-42)*	184 652
— *1ʳᵉ action (avant 31-12-42)*	239 750
— *2ᵉ action (avant 31-3-43)*	250 259
— *3ᵉ et 4ᵉ actions (avant 31-12-43)*	127 121
— *action 1944 (avant fin août 1944)*	50 496

852 278

— *total des quatre actions*	667 626

Récapitulation des demandes de main-d'œuvre française formulées par le gouvernement allemand :

— *mai 1942*	500 000	hommes
— *septembre 1942*	250 000	—
— *janvier 1943*	250 000	—
— *mars 1943*	50 000	—
— *avril 1943*	220 000	—
— *août 1943*	500 000	—
— *janvier 1944*	855 000	—

2 625 000 *hommes*

suivants : Russie 36,4 % — Gouvernement Général et district Bialystok (Pologne non annexée) 17,6 % — Pologne annexée, 10,9 % — Protectorat de Bohême-Moravie, 4,6 % — Divers pays, 19,7 %.

Demandes de main-d'œuvre pour les usines françaises travaillant pour l'industrie allemande :

— août 1943	1 000 000 hommes
— janvier 1944	1 000 000 —
	2 000 000 hommes

TABLEAUX DE COMPARAISON

— A) *Nombre d'ouvriers étrangers déportés en Allemagne au 30-9-1941* [24] *:*

  ● *Nombre total : 1 228 686.*

  ● *Ouvriers originaires des territoires occupés de l'Ouest : 483 842.*

  ● *Répartition par pays :*

Hollande	:	134 093
Belgique	:	212 903
France	:	72 475
Italie	:	238 557
Danemark	:	63 309

— B) *Nombre d'ouvriers étrangers déportés en Allemagne en 1942* [25] *:*

Hollande	:	154 000
Belgique	:	131 000
France	:	135 000

— C) *Nombre d'ouvriers étrangers déportés en Allemagne du 1-1 au 30-6-1944* [26] *:*

  ● *Nombre total : 537 000.*

  ● *Répartition par pays :*

Hollande :	15 000
Belgique (avec le Nord de la France) :	16 000
France (moins le Nord) :	33 000
Italie :	37 000

24. Procès de Nuremberg. — Archives de l'O.K.W. — Document (PS-1323) RF-85.

25. Rapport de M. de Menthon au procès de Nuremberg.

26. Procès de Nuremberg. — Document (PS-208) RF-86.

— D) *Nombre d'ouvriers des pays occupés déportés en Allemagne de 1940 à 1944. (Le chiffre entre parenthèses représente la population de ces pays en 1940) :*

Hollande	: 530 000 [27]	(8 474 506 h.)
Belgique	: 278 018 [28]	(8 129 824 h.)
France	: 723 162	(41 906 000 h.)

— E) *Nombre d'ouvriers astreints au travail forcé dans leurs pays en 1942 (D'après les rapports officiels déposés devant le Tribunal International de Nuremberg) :*

● *Nombre total : 3 300 000.*

● *Répartition par pays :*

Hollande	:	249 000 [29]
Belgique	:	398 038 [30]
France	:	650 000
Norvège	:	300 000

27. D'après une statistique établie par le Rijksinstituut voor Oorlogsdocumentatie. De septembre 1944 à mai 1945, 70.000 hommes furent encore envoyés en Allemagne et 65.000 requis pour travailler à l'édification de fortifications dans l'Est du pays.

28. Il est difficile de connaître le nombre exact de Belges ayant travaillé en Allemagne. Le chiffre indiqué représente le nombre de passeports qui furent délivrés de 1940 à 1944 par les services belges aux travailleurs volontaires et requis. De son côté, le commissariat belge au rapatriement a recensé 254.997 personnes rapatriées après la guerre, dont 190.000 travailleurs volontaires et requis. Dans son rapport du 10/7/1944, Hans Reeder, chef de l'administration allemande, avança le chiffre de 577.579 qui représenterait le nombre total des Belges déportés en Allemagne pendant la guerre. D'après le rapport de Jacques Willequet, « les étapes de la mise au travail en Belgique 1940-1944 », qui fut présenté en 1963 au 3° Congrès International sur l'Histoire de la Résistance Européenne et auquel nous empruntons ces statistiques, il serait manifestement exagéré.

29. Au 1/7/1943, ce chiffre aurait été de 280.000.

30. D'après le rapport du 15/6/1942 de Reeder, il y aurait eu à cette date 70.903 Belges travaillant dans les services allemands, 133.630 dans des entreprises d'armement et 193.505 pour l'aviation, la marine et l'Organisation Todt.

— F) *Nombre d'ouvriers astreints au travail forcé dans leurs pays de 1940 à 1944. (D'après les rapports officiels déposés devant le Tribunal International de Nuremberg.) :*

> *Hollande : 431 000* [31]
> *Belgique : 150 000*
> *France : 738 000* [32]

2

Le Dossier de l'Accusation

L'ACTE D'ACCUSATION

Perdant même toute retenue, Laval, le 22 juin, lance son fameux défi aux Français : « Je souhaite la victoire de l'Allemagne. »

Il souhaiterait que nous l'y aidions sur le terrain militaire, mais, faute des armes que l'Allemagne, se méfiant non pas de lui, mais des Français, n'ose lui donner, il se charge de lui procurer des hommes pour remplacer, dans les usines du Reich, les ouvriers qu'Hitler a mobilisés.

« Dans la lutte gigantesque et victorieuse qu'il livre, le Reich, dit-il à Compiègne en août 1942, engage tous ses hommes ; il a donc besoin de main-d'œuvre. »

« Ouvriers qui travaillez dans les usines, avait-il dit le 22 juin, j'adresse un appel à votre solidarité de Français ;

---

31. En fait, 800 000 citoyens hollandais auraient travaillé directement pour l'Allemagne pendant la guerre selon les indications du Rijksinstituut.

32. Sur 2.000.000 demandés par les services allemands.

le Chancelier Hitler, et je l'en remercie, vient de décider la libération d'un nombre important de prisonniers agricoles qui pourront revenir en France dès votre arrivée en Allemagne. Les hommes de nos champs et ceux de nos usines vont sentir leur fraternité. La femme qui verra son mari revenir éprouvera une émotion pleine de reconnaissance pour les inconnus qui, s'en allant là-bas, ont fait revenir un prisonnier. »

Ainsi commençait l'escroquerie de la Relève, escroquerie puisque, deux mois après, à Compiègne, le même Laval, après avoir insisté sur les besoins de main-d'œuvre du Reich, ajoutait : « Quant à la libération des prisonniers, leur heure sonnera quand sonnera celle de la victoire de l'Allemagne. »

Cependant, les engagements volontaires se faisant de plus en plus rares, Laval devait bientôt recourir à la manière forte. C'est d'abord une loi sur l'utilisation et l'orientation de la main-d'œuvre, assujettissant hommes et femmes à tous travaux que le Gouvernement jugera utiles. C'est ensuite l'interdiction d'embaucher des ouvriers sans autorisation, de peur qu'on ne diminue le nombre des chômeurs à expédier en Allemagne ; puis, c'est le travail obligatoire, une véritable conscription organisée, des marchés d'esclaves à livrer au Reich, les cartes d'alimentation refusées aux réfractaires, la chasse à l'homme, et tout cela assorti des instructions les plus rigoureuses adressées aux préfets régionaux.

« J'appelle votre attention, lit-on dans une circulaire du 12 juillet 1943, sur les médecins qui accorderaient sans motifs des exceptions pour inaptitude physique. Tout sabotage commis à cet égard entraînera l'interdiction du droit d'exercer la médecine. Toute défaillance du personnel intéressé pourra entraîner une mesure d'internement. Le Gouvernement a pris l'engagement de faire partir deux cent vingt mille travailleurs. Cet engagement doit être respecté. Je compte sur votre sens de l'autorité. »

Cependant, malgré les menaces à l'adresse des parents rendus responsables de leurs enfants réfractaires, ceux-ci se font de plus en plus nombreux, l'armée du Maquis se constitue.

LES TEMOINS DE L'ACCUSATION

Déposition de M. Beauchamp, secrétaire général de la
   Fédération Nationale des Travailleurs Déportés et de
   leurs familles. (Audience du 8 octobre 1945.)

M. le Président, par ma voix, je veux que le jury
entende la voix des 785 000 jeunes travailleurs qui ont été
déportés en Allemagne, à la suite d'un discours du 19 juin
1942 dit « discours pour la relève » et à la suite de la loi
sur l'utilisation et l'orientation de la main-d'œuvre, de
même qu'à la suite de la loi sur la création du service du
travail obligatoire, qui ont contraint les jeunes Français
au travail forcé pour l'ennemi.

Actuellement la Fédération que je représente groupe
400 000 de ces jeunes gens. 50 000 de nos camarades ne
sont pas rentrés, et nous avons de fortes présomptions de
croire qu'ils sont morts victimes de bombardements ou
morts dans les camps de déportés politiques où leur action
de résistance les avait conduits.

En dehors des textes précis que nous détenons, qui
seraient éventuellement accablants pour Laval puisqu'il y
a des dépêches envoyées aux Préfets, et que j'ai sur moi,
il y a des dépêches envoyées au Ministère du Travail
qui sont autant de manifestations de la volonté de l'accusé
que l'œuvre de la relève réussisse, volonté de déplacer
un maximum de jeunes Français pour les mettre au service
de l'ennemi.

Ces jeunes Français ont eu là-bas une vie extrêmement
difficile. Bien souvent il apparaît que la nation française
n'a pas réalisé exactement quelle a été leur vie. Ils ont
été soumis à des bombardements incessants, ils ont eu
faim, ils ont eu froid et de plus, ils étaient là-bas en
butte à une crise de conscience, qui, à mon sens, est une
accusation de plus à formuler contre Pierre Laval.

En effet, ces jeunes Français se sont trouvés au moment
où la feuille de réquisition les a touchés devant le dilemme
suivant : Devaient-ils se soustraire à la déportation ? Par
là il pouvait leur apparaître qu'ils empêchaient un prisonnier de guerre, père de famille, de revenir.

De plus, en tentant de s'y soustraire, ils faisaient courir des risques à leurs familles, car il y avait des menaces précises pour les gens qui devenaient des « terroristes » et pour les familles des « terroristes ».

Enfin, ces jeunes garçons savaient que, s'ils ne partaient pas, il y avait le système des Commissions de peignage franco-allemandes qui, dans l'entreprise, ramassaient les hommes au fur et à mesure, en fonction de l'âge. Si un jeune gars de vingt ans ne partait pas, c'était un homme plus âgé qui partait jusqu'à ce qu'il y en ait un qui soit astreint au départ parce qu'il ne pouvait pas se soustraire, parce qu'il ne savait pas comment vivraient sa femme et ses enfants.

De plus, par la lutte entreprise contre la création des maquis, Pierre Laval a empêché beaucoup de ces jeunes gars de partir dans les maquis. S'il est certain qu'en fin 1942 début de 1943, il n'y avait pas de maquis, il y en a qui se sont créés à cette époque-là.

Ces maquis ont été ensuite nourris par les éléments réfractaires, et c'est peut-être par là que Pierre Laval a rendu service, car il a permis que de jeunes Français se conduisent en héros dans les maquis. Mais cela ne me semble pas devoir être retenu à sa décharge : il y a trop de textes de lois, il y a trop de télégrammes qui sont accablants pour l'inculpé et c'est pourquoi ma Fédération a tenu à ce que la Cour et les Jurés soient informés par ma voix, aujourd'hui ....

Il y a encore, je crois, un point qu'il faut souligner, c'est que ces 700 000 travailleurs qui sont rentrés ou qui viennent de rentrer ont trouvé en France, à leur retour, un climat assez défavorable. Ils ont retrouvé la survivance de la volonté de Sauckel et de Laval de couvrir l'opération sous le prétendu nom de « volontariat ».

Et il nous a fallu expliquer à la Nation ce qu'étaient ces jeunes garçons qu'on avait raflés, car il y a eu 220 000 raflés : il y en a eu de raflés à la sortie des cinémas, il y en a eu de raflés à la sortie du métro, il y a eu des chantiers de jeunesse en bloc qui ont été raflés. Il nous a fallu expliquer partout que ces gens n'étaient pas des

Français de seconde zone, mais bien des victimes, et cette tâche supplémentaire qui nous a incombé a été, évidemment, menée au détriment des tâches sociales que nous avions.

Donc, ce préjugé défavorable qui pèse ou qui a pesé, en tout cas, sur les rapatriés et les travailleurs est, à mon sens, l'œuvre de cette propagande insidieuse faite pour faire croire au volontariat, et la publicité autour des bureaux d'embauche et le travail fait dans ce sens étaient très lourds de responsabilités.

3

Le Dossier de la Défense

L'acte d'accusation décrit ainsi l'action de Pierre Laval dans ce domaine : « Faute des armes que l'Allemagne, se méfiant non pas de lui, mais des Français, n'ose lui donner, il se charge de lui procurer des hommes pour remplacer dans les usines du Reich, les ouvriers qu'Hitler a mobilisés. » S'il est exact que, de 1942 à 1944, ce fut le gouvernement français qui dirigea les réquisitions de la main-d'œuvre au profit de l'industrie allemande, le mot « se charge » donnerait à penser que Laval aurait, de sa propre initiative, organisé le recrutement de travailleurs français au profit de l'industrie allemande.

1. — Recherchons si, en procédant à ces réquisitions de main-d'œuvre, le gouvernement français a agi de sa propre volonté ou sous la contrainte des autorités allemandes.

— *A)* Les travaux de la Commission consultative des dommages et réparations publiés dans la monographie intitulée « Exploitation de la main-d'œuvre française par l'Allemagne », dont les conclusions ne peuvent être contestées, permettent de constater que :

1) La pression des autorités allemandes s'exerça même pendant la période du volontariat. Elles profitèrent de la présence d'une masse importante de chômeurs et du rationnement des matières premières pour inciter des ouvriers au départ. A la suite d'une plainte du gouvernement français relative à des excès (arrestations à Lille, — désignation de « volontaires » imposée à des industriels, — recensement dans le Nord des hommes de dix-huit à quarante-cinq ans), les Allemands changèrent de tactique ; ils agirent indirectement en fermant certains chantiers et en menaçant les chômeurs du retrait de leurs cartes. En mars 1942, — donc, avant le retour de Laval au pouvoir, — apparut le premier signe de l'intention des autorités d'occupation d'utiliser la contrainte devant l'échec du recrutement par le volontariat. Le 18 mars, le Dr Michel fixa à 150 000 le nombre des ouvriers qui devraient partir en Allemagne et ne cacha pas qu'il entendait appliquer une ordonnance prévoyant la concentration des usines, dans le but évident de forcer le consentement des travailleurs. Elle représentait, a estimé la Commission, « une contrainte indirecte par menace de chômage ». Le 27 avril, le commandant militaire allemand en France ordonna l'ouverture de centres de départ pour l'Allemagne à Lyon, Toulouse et Marseille. Le 15 mai, le Dr Michel demanda que le projet de déclaration du gouvernement français au sujet du recrutement de la main-d'œuvre soit soumis aux autorités allemandes avant le 19 mai. Le 22 août, Sauckel prit une ordonnance sur l'emploi des travailleurs dans les territoires occupés et le 26, le Dr Michel fit part des mesures qu'aurait à ordonner le gouvernement français s'il ne voulait pas que l'ordonnance soit appliquée en France [33]. Le 10 janvier 1943, Sauckel arriva à Paris, porteur d'un ordre d'Hitler pour le recrutement, avant le 15 mars, de 250 000

---

33. Au procès de Nuremberg, la Relève fut retenue à charge contre Sauckel dans ces termes : « Pression morale, tout d'abord. L'opération de la Relève, tentée en France au printemps de 1942, est caractéristique ». (Réquisitoire de M. Herzog — Audience du 18/1/1946).

ouvriers spécialisés. Il avait fait précéder son arrivée d'une
note où il disait à ses services : « On peut également dans
ledit pays (la France) faire pression et employer des
mesures plus sévères dans le but de se procurer de la
main-d'œuvre. » Au cours des conférences des 12 et 30 janvier, il fit part à Laval de ses décisions, notamment la
création de Commissions mixtes de « peignage ». Et le 16
février, Sauckel reconnaissait : « ... Cette obligation de
travail s'est étendue grâce à notre pression. »

2) A partir de 1943, cette pression continua de se faire
plus forte de mois en mois. Le 10 février 1943, le général
von Stülpnagel demanda à l'ambassade d'Allemagne d'inviter le gouvernement français à promulguer une ordonnance appelant les trois classes formées par les jeunes
gens nés en 1920-21-22 pour travailler en Allemagne ou
être employés en France à des travaux importants. On peut
lire dans le rapport de la Commission : « L'initiative de
cette conscription est imputable aux autorités allemandes. »
Elle fut ordonnée par le décret du 16-2-43, qui institua
le Service du Travail Obligatoire. Quant aux prisonniers,
si une petite partie d'entre eux bénéficia des accords
d'avril 1943 sur leur transformation en travailleurs libres,
la majorité continua d'être assujettie à travailler en
commandos en exécution du décret N° 10 du plénipotentiaire au service de la main-d'œuvre des territoires occupés
en date du 22-8-42.

Le 27 mai, les Allemands insistèrent sur la nécessité de
mettre tous les moyens en jeu pour assurer le succès
rapide et total de ce nouveau recrutement. Une note du
1er juin réclama une cadence de départs journaliers d'au
moins 6 000 travailleurs. Le 26 juin, Sauckel déclara que
la France était encore redevable envers l'Allemagne de
700 000 hommes, et Ritter annonça l'application en France
du service du travail obligatoire tel qu'il existait en Belgique et dans les départements du Nord. Sauckel, dans
une circulaire du 14-8-43, fit part de son intention de
contrôler tout l'appareil de mobilisation de la main-d'œuvre
française. Quelques jours auparavant, il avait réclamé le
départ de 300 000 hommes et de 200 000 femmes et la
mutation d'un million de travailleurs dans les entreprises

exécutant des commandes allemandes. Des commissions centrales, contrôlées par un office de travail allemand, furent chargées d'organiser le recrutement de la main-d'œuvre. A partir de septembre 1943, les Français furent l'objet à la fois de la convoitise de Speer, qui voulait les faire travailler sur place pour l'industrie allemande, et de Sauckel, qui voulait les déporter en Allemagne. Speer réclamait un million d'hommes pour l'industrie lourde et 500 000 pour travailler au mur de l'Atlantique. Le 15 janvier 1944, Sauckel demanda un million de travailleurs pour l'Allemagne et exigea de Laval la promulgation d'une loi instituant la mobilisation civile de tous les Français de seize à soixante ans, et des Françaises de dix-huit à quarante-cinq ans. Ribbentrop ordonna à Abetz de sommer le gouvernement français de la promulguer. C'était, dit la Commission, « une mainmise directe de l'administration allemande sur la main-d'œuvre française... La loi du 1-2-44 a marqué le point culminant de l'intervention de Sauckel sur le plan législatif. La pression exercée par le Commissaire à la main-d'œuvre fut extrêmement violente en face du mauvais vouloir français. »

— *B*) Une autre preuve de la pression allemande se trouve dans le réquisitoire du Commissaire du Gouvernement au procès Abetz. On lit, en effet : « ... L'acceptation par Laval des exigences allemandes en mai 1942, dans l'espoir qu'il pourrait en obtenir des concessions importantes, va de pair avec le rôle d'Abetz. Il me suffit de vous rappeler les télégrammes d'Abetz à cette époque. Je prends celui du 6 mai 1942, quelques jours avant l'annonce officielle de la relève. Regardez à la page 2, au paragraphe 3, voici le compte rendu des accords passés entre Laval et Abetz : « Le gouvernement français donnera l'ordre aux services compétents d'aider le recrutement des travailleurs par tous les moyens disponibles... » Ces mesures ne suffirent pas. La propagande faite par Laval dans son discours où il annonçait ce que l'on a appelé « l'escroquerie de la relève » ne fut pas suffisante. Quelques milliers de spécialistes, quelques milliers d'ouvriers seulement partirent. Aussi, Zeitschel exige de Laval davantage. Abetz intervient pour faire pression sur Laval ; et je me contente de vous réciter le télégramme du 7 octobre 1942 sur les moyens de répression générale employés vis-à-vis des ouvriers qui ne partent pas : « Pour les ouvriers qui ont été désignés en zone occupée pour aller travailler en Allemagne et qui ne donnent pas suite à leur obligation, je propose le transport dans un camp de travail installé du côté allemand et placé sous direction allemande. Je suis convaincu qu'après quelques jours, les occupants d'un tel camp préfèreront de leur propre initiative être transférés sur les lieux de production du Reich. » C'est clair... Messieurs, ces deux documents sont nets. Ils établissent qu'Abetz a bien fait pression sur le gouvernement français pour l'amener à favoriser le recrutement de travailleurs français pour être déportés en Allemagne et pour y travailler à l'effort de guerre allemand. Voici une nouvelle violation des lois et des coutumes de la guerre. » Et, à l'audience du 21 juillet 1949, le capitaine Flicoteaux déclara : « ... Quand Abetz reviendra en novembre 1943, la situation sera différente. Durant son absence, Sauckel, cet artisan du maquis, comme dit Abetz et comme l'a dit Laval, Sauckel a fait de la France un pays à rebellion ouverte. La brutalité de la répression des S.S. a dressé contre l'envahisseur le peuple français tout entier. »

— C) Des documents allemands font apparaître les exigences des autorités d'occupation dans le domaine du recrutement de la main-d'œuvre française. Ce sont :

— 1) Une lettre du Dr Michel, chef des services administratifs du commandement militaire en France, en date à Paris du 15 mai 1942, dans laquelle il écrivait au délégué général aux relations économiques franco-allemandes : « A la suite des entretiens du 24-1-42 et après des appels répétés, le premier projet de déclaration du gouvernement français au sujet de ce recrutement a été présenté le 27-2. Du côté allemand, il a été accepté avec de petites modifications et par écrit le 3 mars, à la condition que l'attention soit attirée, lors de la transmission aux comités d'organisation, sur le fait que le gouvernement français approuve expressément l'acceptation de travail en Allemagne. »

— 2) Le procès-verbal d'une réunion du 11 janvier 1943

à Paris [34] rapportant cette déclaration de Sauckel : « La situation sur le front de l'ouest nécessite le rappel de 700 000 soldats pouvant être utilisés au front. L'industrie de l'armement devra donner jusqu'à la mi-mars 200 000 techniciens. J'ai reçu ordre du Führer de trouver pour le remplacement de ceux-ci 200 000 ouvriers spécialistes étrangers et j'ai besoin pour cela de 150 000 spécialistes français, tandis que les autres 50 000 seront tirés de Hollande, de Belgique et des autres pays occupés. En outre, 100 000 manœuvres français sont nécessaires pour le Reich. Par la deuxième action de recrutement en France, il faudrait que jusqu'à la mi-mars, 150 000 spécialistes et 100 000 manœuvres et femmes soient transférés en Allemagne... Pour la réalisation de cette action, il est nécessaire que des commissions de triage soient nommées, composées de représentants du chargé d'affaires général et des services d'armements... Et on ne peut avoir plus d'égards pour la France que pour le Reich... Dans tous les cas, le Führer est maintenant absolument décidé à régner en France, même sans gouvernement français.

— 3) Une lettre de Sauckel à Hitler du 27 juin 1943 : « ... Le but du séjour que je viens de faire à Paris était précisément d'étudier les possibilités d'engager, à la suite de pourparlers et d'études personnelles, encore d'autres travailleurs. Après avoir établi un sérieux bilan, j'en suis arrivé à la décision suivante : Etant donné qu'en France, les mesures concernant l'économie de guerre ne se rapprochent de celles existant en Allemagne que moyennement, il est possible d'adjoindre jusqu'au 31 décembre 1943, encore un million de travailleurs, hommes et femmes, à l'industrie française de guerre et des armements chargée de l'exécution des commandes allemandes. Dans ce cas, il sera possible de placer encore d'autres commandes en France. Tout en tenant compte de ces mesures, il est possible après étude approfondie et coopération de nos services d'armements allemands et du travail obligatoire de transférer d'ici la fin de l'année encore 500 000 ouvriers et ouvrières français dans le Reich. »

34. Archives de Nuremberg. Document n° 1.342 P.S.

— 4) Dans un rapport du 9 août 1943[35], Sauckel, faisant part à Hitler des difficultés qu'il rencontrait en France, exposait les moyens qu'il comptait employer pour parvenir à ses fins : « ... Mon Führer, je me suis fait un devoir de vous faire connaître le plus rapidement possible par le présent rapport, d'une façon franche et sans réserves, l'opinion et la situation que j'ai constatées à Paris. Soyez cependant assuré que je vais mettre tout en œuvre pour obtenir un résultat positif avec ou sans les Français. »

— 5) Sauckel développait son programme dans une lettre du 13 août[36] qui faisait suite à ce rapport : « a) Transfert en France d'un million d'ouvriers et d'ouvrières français de l'industrie civile à l'industrie de guerre allemande en France. — b) Embauche de 500 000 ouvriers français pour l'Allemagne. — c) Afin de rendre inutile toute résistance passive de nombreux milieux de fonctionnaires français, j'ai ordonné, d'accord avec le commandant militaire en France, la création de commissions du service du travail exerçant leurs fonctions sur deux départements à la fois et placées sous le contrôle et la direction des services du travail des Gau allemands. Ce n'est que de cette façon qu'on pourra utiliser entièrement le potentiel français de travail et obtenir son plein rendement. »

— 6) Sauckel expliquait à Hitler le 25 janvier 1944 à propos de la loi du 1-2-1944 organisant la mobilisation civile des Français[37] : « ... Etant donné que ces mesures constituent malgré tout un grand progrès si l'on tient compte des négociations extrêmement difficiles que j'ai été obligé de mener à Paris, j'ai accepté la loi afin d'éviter toute perte de temps et à condition que les exigences allemandes soient appliquées et exécutées énergiquement. Le gouvernement a également accepté mon exigence de condamner les fonctionnaires qui saboteraient l'application de la loi du S.T.O. à des peines très sévères pouvant aller jusqu'à la peine de

35. Archives de Nuremberg. Références 5780/366/43.
36. Archives de Nuremberg. N° 556 P.S. 43.
37. Archives du T.M.I. — Nuremberg. — Document 556 P.S.

mort. Je n'ai toutefois laissé subsister aucun doute au sujet de la rigueur des mesures qui seraient prises au cas où les exigences concernant le transfert des travailleurs ne seraient pas exécutées. »

— 7) Traitant de la mobilisation de la classe 44, Sauckel ne cachait pas à Abetz la fermeté de ses intentions (lettre du 6 juin 1944 [38]) : « Je n'accepterai en aucune circonstance qu'il me soit opposé des prétextes dilatoires... Maintenant que le soldat allemand doit à nouveau combattre, tous les appels, toutes les paroles de Laval ne sauraient avoir le moindre poids. »

2 — Déterminons quelle fut l'attitude de Pierre Laval en face des demandes de main-d'œuvre formulées par le gouvernement allemand.

L'historique des réquisitions de la main-d'œuvre française établi par la Commission Consultative des Dommages et Réparations contient les éléments permettant de juger son action. Sur ce point, cependant, le dossier de la défense doit être complété par :

— *A*) L'appréciation des chefs allemands exprimée dans ces documents :

— 1) Le Dr Michel, chef des services administratifs du commandement militaire en France, se plaignait dès le 15 mai 1942 du retard apporté par le gouvernement français à la préparation d'un projet de déclaration au sujet du recrutement de la main-d'œuvre pour l'Allemagne. Il écrivait au délégué général aux relations économiques franco-allemandes : « Bien qu'aucune raison n'apparaisse pour expliquer ce retard inhabituel et incompréhensible, le projet n'a pas encore été présenté jusqu'à ce jour. Plus de deux mois s'étant écoulés depuis la première demande de présentation de la circulaire, il est demandé que la nouvelle rédaction soit présentée d'ici le 19 mai. »

— 2) Les rapports adressés par Sauckel à Hitler :

---

38. Procès de Nuremberg. — Document F-822.

— Rapport du 15 janvier 1943 [39] :

« J'ai pris connaissance avec un grand étonnement du nouveau comportement du gouvernement français, relativement à l'enrôlement de travailleurs. Les réserves actuelles du gouvernement français sont tout à fait incompréhensibles, après une conversation de trois heures avec Laval, qui avait promis son appui pour la continuation des enrôlements après l'accord intervenu à la commission technique sur la procédure à suivre, et après les déclarations formelles faites par le chef du gouvernement et son ministre au « Militärbefehlshaber » que la réquisition ne serait pas subordonnée à des desiderata politiques. »

— Rapport du 9 août 1943 [40] :

« Le président du Conseil des ministres français Laval a accepté le transfert d'un million de travailleurs français de l'industrie civile française à la production d'équipement allemande en France. Il tenta toutefois d'éliminer à l'avenir les chefs allemands d'entreprises françaises qui travaillent pour l'équipement allemand. Cela fut refusé tout net. On s'en tint à la demande bien précise du délégué général chargé de l'embauchage. Egalement fut acceptée par le gouvernement français la constitution de commissions allemandes de travail dans les départements français. Par contre, le président du Conseil des ministres français a refusé énergiquement la mise en œuvre d'un programme plus développé pour le recrutement et l'engagement pour le travail obligatoire de cinq cent mille travailleurs français qui devaient, avant la fin de l'année 1943, se rendre en Allemagne. La discussion a duré plus de six heures. Le président du Conseil français n'a pas été capable de fournir des motifs vraiment solides pour justifier son refus. Il a même déclaré irréalisable la proposition que je lui ai faite de prendre l'engagement de faire au moins les plus grands efforts en vue d'essayer de réaliser ce but. Tous ses efforts ont semblé tendre à obtenir pour la France des avanta-

39. Archives de Nuremberg. — Procès de la Wilhelmstrasse. — Document 110.

40. Archives de Nuremberg — Références 5780/366/43.

ges politiques. Un des arguments qu'il a constamment mis en avant a été le danger de troubles de politique intérieure en France au cas où les travailleurs prévus pour l'embauchage se retireraient dans les montagnes et les forêts et y constitueraient des groupes terroristes. Laval lui-même, évidemment, ne possède plus une autorité suffisante pour avoir sous la main d'une façon constante et sûre l'administration et la police pour l'exécution des mesures prises par lui. Il y a là, toutefois, dans une certaine mesure, une faute de Laval lui-même, qui, ne fût-ce qu'en partie, n'a même pas appliqué les lois qu'il a édictées. A cela s'ajoute le fait que Laval maintenant s'isole complètement de groupes tels que, par exemple, celui de Doriot et celui de Bucard, qu'il s'est même brouillé avec eux. Il en a même souhaité la dissolution. Il s'agit en l'espèce de groupes qui ont proclamé la collaboration sans réserve avec l'Allemagne et qui fournissent les contingents les plus importants de volontaires français, comme par exemple pour les S.S., pour la Légion des volontaires français, pour la O.T. (Organisation Todt), etc., et qui également soutiennent ouvertement l'embauchage allemand. Le refus à peine déguisé de Laval de prendre l'engagement d'envoyer en Allemagne de nouveaux contingents importants de travailleurs met l'embauchage allemand dans le Reich, en ce qui concerne l'exécution de ces tâches, dans un très grand embarras. On ne peut plus se libérer du soupçon que Laval exploite cet embarras, car, comme cela semble être le cas pour tout le monde dans ce pays, il se fait une idée totalement fausse de la situation militaire et intérieure du Reich. Tout au moins, certaines allusions de sa part tendent à faire penser qu'il croit pouvoir maintenant substituer la France à l'Italie. »

— 3) Cette déclaration faite par Sauckel à Berlin le 1er mars 1944 [41] :

« Nous n'avons même pas la possibilité de faire quoi que ce soit avec les travailleurs que nous réunissons. Nous les mettons seulement à la disposition de l'industrie. Je désire

41. Archives de Nuremberg. — Document R-124.

seulement faire quelques déclarations générales et je
demande votre indulgence.

» En automne dernier, le programme de recrutement,
dans la mesure où il concerne le recrutement à l'étranger, fut largement déjoué. Je n'ai pas besoin de donner
des raisons ; nous avons assez parlé de cela, mais
il me faut déclarer : le programme a été démoli. Les gens
en France, Belgique et Hollande pensèrent qu'ils n'avaient
plus à être dirigés de ces pays vers l'Allemagne parce que
le travail maintenant devait se faire dans les pays eux-
mêmes. Pendant des mois (j'ai quelquefois visité ces pays,
deux fois en un mois) on m'a traité de fou qui, contre
toute raison, voyageait dans ces pays pour en arracher
de la main-d'œuvre. Cela alla si loin, je vous assure, que
toutes les préfectures de France avaient reçu des instructions générales de ne pas satisfaire mes demandes puisque
même les autorités allemandes se disputaient pour savoir
si Sauckel était ou non un fou............................

» Je veux parler clairement et sans crainte. L'emploi
abusif de l'idée d'usines protégées ajouté à la situation
de la main-d'œuvre en France implique, à mon avis,
un grave danger pour la main-d'œuvre en Allemagne.
Si nous ne prenons pas la décision que mes assistants,
agissant de concert avec les responsables de l'armement,
doivent passer au crible chaque usine, cette source de
travail, elle aussi, sera bloquée pour l'Allemagne, et
dans ce cas le programme que m'a prescrit le Führer
pourrait bien échouer. La même chose se passe en Italie.
Dans chaque pays il y a assez de travailleurs et même
assez de travailleurs habiles. Nous devons seulement avoir
assez de courage pour entrer dans les usines françaises.
Qu'est-ce qui se passe réellement en France, je ne sais
pas. Il me semble évident que le rendement du travail pendant les opérations ennemies en France, et comme dans
chaque pays occupé, est moindre qu'en Allemagne. Si je
veux remplir les demandes que vous me présentez, il
faut que vous admettiez avec moi et mes assistants que
le terme « Usine protégée » doit être restreint en France
à ce que des hommes raisonnables estiment nécessaire et
faisable, et les usines protégées ne sont pas, comme pensent

les Français, protégées contre des prélèvements de leur main-d'œuvre pour l'Allemagne. Il est vraiment difficile pour moi d'être présenté aux yeux des Français comme un Allemand dont ils peuvent dire : « Sauckel, ici, ne peut pas travailler pour l'armement allemand. » Le terme « Usine protégée » veut tout simplement dire, en France, que l'usine est protégée contre Sauckel. C'est l'opinion des Français, on ne peut pas les en blâmer car ils sont Français et, à leurs yeux, les Allemands ne sont pas d'accord dans leurs opinions et leurs actions. Au cours d'une discussion qui a duré cinq ou six heures, j'ai arraché à M. Laval la concession que seraient menacés de la peine de mort les fonctionnaires qui essaieraient de saboter l'enrôlement des travailleurs et certaines autres mesures. Croyez-moi, ceci fut très difficile ; une lutte sévère fut nécessaire pour en sortir, mais j'y suis arrivé, et maintenant, en France, les Allemands doivent réellement prendre des mesures sévères, au cas où le gouvernement français n'agirait pas ainsi. Ne le prenez pas en mauvaise part, moi et mes assistants en fait ont vu quelquefois se produire en France des choses telles que je fus forcé de demander : « N'y a-t-il plus de respect en France pour le lieutenant allemand et ses dix hommes ? » Pendant des mois, chaque mot que je disais se heurtait à cette réponse : « Mais, que voulez-vous dire, monsieur le Gauleiter, vous savez que nous n'avons pas de moyens d'exécution à notre disposition. Nous ne pouvons pas agir en France. » On m'a répondu cela, je ne sais combien de fois. Comment, alors, puis-je réglementer l'enrôlement du travail en ce qui concerne la France ? Il n'y a qu'une seule solution : les autorités allemandes doivent coopérer entre elles et si les Français, en dépit de toutes leurs promesses, n'agissent pas, nous devons alors, nous, Allemands, faire un exemple d'un cas et d'après cette loi mettre au poteau si cela est nécessaire le préfet ou le maire s'il ne se soumet pas aux règles. Autrement, il n'y aura pas un Français envoyé en Allemagne. »

— 4) Cette lettre adressée par Sauckel au Consul Général Schleier, membre de l'Ambassade d'Allemagne à Paris [42] :

42. Citée par Sauckel dans son rapport du 9 août 1943.

« Très honoré et cher Membre du Parti Schleier.

» La réponse, que vous avez eu l'amabilité de me transmettre, du président du Conseil français Laval, a été lue et relue par moi à plusieurs reprises. Egalement, j'ai tenté d'admettre en esprit comme justification du refus du gouvernement français opposé au point 3 (cinq cent mille nouveaux ouvriers français pour l'Allemagne) vos propres déclarations, que vous avez faites cet après-midi chez moi.

» Après avoir réfléchi avec calme et sang-froid, je dois vous faire savoir que j'ai totalement perdu la foi en l'honnête bonne volonté du président du Conseil français Laval. Son refus constitue un sabotage pur et net de la lutte pour la vie entreprise par l'Allemagne contre le bolchevisme. Il a même cette fois personnellement, notamment à la fin des pourparlers, par ses déclarations totalement dénuées de fondements et incohérentes en réponse à mes questions claires et précises, fait la plus mauvaise impression imaginable.

» Je vous prie de lui faire savoir qu'une révision immédiate de son refus entêté, et ce avant mon départ, est la seule possibilité pour effacer cette mauvaise impression, car je transmettrai au Führer la vérité entière sur ses méthodes actuelles. »

— 5) Le rapport du Commissaire à la Police Criminelle Geissler [43] rendant compte du Conseil des Ministres tenu à Vichy le 8 août 1943 :

« Je viens d'avoir un entretien avec de Brinon dans sa chambre d'hôtel. Il me fait savoir que le Conseil des ministres d'aujourd'hui n'a été rien moins que beau à voir. On se serait cru revenu à l'époque du parlementarisme le plus mauvais. Le résultat de la séance du Conseil serait que Laval remettrait demain matin à Krug von Nidda une note dans laquelle il lui ferait connaître qu'il acceptera le travail de la commission franco-allemande qui doit être constituée, mais qu'il ne veut à aucun prix envisager un engagement ou même la simple éventualité d'envoyer un

43. Cité en annexe par Sauckel dans son rapport du 9 août 1943, avec cette annotation : « Pour donner un exemple des manœuvres de Laval qui semble s'être entièrement rallié aux demandes de Pétain. »

plus grand nombre d'ouvriers français au travail en Allemagne. De Brinon ajoute que, de fait, Laval serait absolument opposé à l'envoi même d'un seul nouveau travailleur français en Allemagne. Il accepterait la demande que le million d'ouvriers français réclamé par le Gauleiter Sauckel travaille en France pour l'industrie d'équipement allemande. »

— 6) Un télégramme de Rudolf Schleier, premier Conseiller à l'ambassade d'Allemagne à Paris, en date du 23 juillet 1943 [44] : « Laval repousse énergiquement la demande d'une nouvelle tranche de 500 000 départs supplémentaires avant le 31 décembre 1943. Il s'engage par contre à mettre tout en œuvre pour activer l'exécution de l'action en cours et rechercher les réfractaires. Aussi, les autorités allemandes ne peuvent que constater le mauvais vouloir de l'administration française et le manque de moyens effectifs de coercition. »

— 7) Le rapport secret du Dr Richard Hemmen [45] adressé par lui à Hitler :

« Au cours de la visite du gauleiter Sauckel en janvier 1944, il fut constaté toutefois que Laval n'avait pris aucune disposition en vue d'une nouvelle action de recrutement, qu'au contraire l'opinion avait pu se développer en France qu'il n'y avait plus à compter sur d'autres prélèvements de travailleurs. En liaison avec ces faits, il apparut qu'à l'occasion du remaniement ministériel qui avait été exigé de lui depuis décembre, Laval, en dépit de tous les efforts et de toutes les aides proposées par l'Ambassade, différait constamment la nomination d'un ministre du Travail ....

» Il est également certain, que parallèlement à l'évolution de la situation militaire et politique depuis juillet 1943, et à l'impardonnable inertie politique de Laval, la question du service du travail obligatoire est la cause de l'énorme accroissement des actes terroristes, des sabotages, de l'insécurité des communications, en un mot du mouvement de résistance. »

44. Fonds Auswärt Amt — Document 158.402 — Archives du M.C.C. Berlin.

45. Archives de Nuremberg — Document P.S. 1764.

— *B*) Les témoignages de :

— Otto Abetz[46] : « Le gouvernement français opposa une résistance acharnée au recrutement de la main-d'œuvre autre que le recrutement volontaire. Il saisit toutes les occasions pour tâcher d'obtenir de l'Allemagne des contre-parties, en particulier dans le domaine de la libération des prisonniers de guerre. Pour le reste, il essayait de s'opposer au recrutement demandé par Sauckel en proposant l'envoi des travailleurs français aux entreprises S, c'est-à-dire aux usines privilégiées, et ces efforts furent couronnés d'un certain succès. »

— Dr Elmar Michel, chef des services administratifs du commandement militaire en France[47] :

« De manière très habile, Pierre Laval, nommé de nouveau en avril 1942 Président du Conseil par le maréchal Pétain, poursuivit dans les multiples et longues conférences que lui imposait le Gauleiter Sauckel au sujet du service obligatoire de la main-d'œuvre française en Allemagne une tactique dilatoire et évasive dans le but de réserver à la compétence de l'Administration française l'exécution des mesures prévues ; cette tactique ne pouvait réussir qu'à l'ombre d'une administration militaire compréhensive et opposée elle-même aux demandes de Sauckel. »

— Helmut Knochen, chef de l'Etat-Major S.S. en France[48] :

« Le représentant du Ministre Speer me dit que Laval était dans les discussions un partenaire extraordinairement difficile, qui exposait les revendications françaises avec la plus grande franchise et qui cherchait avec toute son énergie à éviter que des ouvriers français spécialisés soient envoyés en Allemagne. Laval recherchait des commandes pour la France dans le but d'obtenir pour l'industrie française les machines les plus modernes. On avait du mal à contredire les arguments de Laval et on devait presque toujours céder. Laval avait ainsi tué deux lièvres d'un seul coup, car moins

46. Interrogatoire à Nuremberg au cours du procès de la Wilhelm-strasse le 1er juillet 1948.

47. H.I. III-1.768.

48. H.I. III — 1.777 — 1.778 — 1.779.

d'ouvriers allaient en Allemagne et l'économie française recevait de plus grosses commandes.

Ces exemples sont parmi les nombreuses preuves de la persévérance que montrait Laval dans ses demandes et du succès avec lequel il les faisait aboutir.

L'opposition la plus ferme de Laval était celle qu'il montrait à l'égard du représentant d'Hitler pour le Service du travail, Sauckel. Commencée avec l'été 1942, lorsque Sauckel vint pour la première fois en France, la lutte de Laval contre Sauckel ne fit que s'accroître constamment jusqu'en 1944. Il était son ennemi numéro 1. J'assistai moi-même à différentes conversations à l'Ambassade. Que ce soit sur la question du travail volontaire, de l'appel de différentes classes ou du travail forcé, c'était toujours le même tableau. Personne n'aurait pu surpasser Laval dans ses attaques contre Sauckel. Avec tous les moyens que lui donnait l'expérience qu'il avait de la tactique des négociations, avec ironie et même avec des critiques non cachées, avec des statistiques préparées à l'avance, avec des rapports venus d'Allemagne d'après lesquels les Français n'étaient même pas occupés en Allemagne, avec sa méthode de continuel recul d'échéance, avec le reproche que Sauckel organisait lui-même le maquis de telle sorte que l'A.S. ne signifiait plus Armée Secrète mais Armée Sauckel, il laissait Sauckel muet. Laval en appelait, au cours des conversations et des discussions, aux personnalités allemandes présentes, qui finissaient par partager son argumentation et étaient obligées d'approuver ses points de vue. C'est ainsi que Laval parvenait à toujours faire baisser les prétentions de Sauckel et à ne lui accorder qu'une fraction de ce que celui-ci avait projeté de lui demander.

En tout cas, les relations entre Laval et Sauckel en étaient arrivées à être si tendues que, si le Gouvernement allemand en avait eu connaissance, des mesures auraient certainement été prises contre Laval qui, ainsi, n'aurait plus pu défendre les intérêts français. Ceci n'est cependant pas arrivé, car Abetz, von Rundstedt, von Stulpnagel et Oberg, au cours d'une conversation avec Sauckel, avaient refusé, eux aussi, d'être les exécutants des mesures répressives que Sauckel voulait mettre en œuvre. Au cours de cette confé-

rence, Sauckel était dans un tel état qu'il quitta la conférence sans saluer personne. Il essaya, par la suite, avec des
auxiliaires français qu'il avait pu réunir, de créer un organisme exécutif sous ses ordres. C'est ainsi qu'il avait soi-
disant obtenu de bons résultats dans d'autres pays, comme
la Belgique. Il ne parvint cependant pas, en France, à
des résultats pratiques en raison de l'invasion. »

— Von Stengracht, à Nuremberg :

« Je savais que près d'un million de travailleurs devaient
être pris en France. Une action en liaison avec les Français,
qui devaient créer une sorte de service du travail qu'ils
proposeraient eux-mêmes, fut menée par Abetz. L'astuce
consistait à donner l'impression qu'un nombre élevé de
travailleurs français, trouvés par la voie du service du
travail, et placés sous commandement français, viendraient
effectivement travailler en Allemagne. Cette manœuvre
trompa Sauckel qui, croyant qu'il aurait maintenant ses
ouvriers, en fit part à Hitler. »

3. — Examinons les résultats de la politique suivie par
Laval pour répondre aux demandes de réquisition de main-
d'œuvre formulées par le gouvernement allemand.

Un bilan peut être dressé en se reportant à l'exposé des
faits contenu dans le premier paragraphe et notamment
aux tableaux de comparaison. Nous nous contenterons donc
de citer ces deux statistiques :

A — Nombre de départs forcés pour l'Allemagne :
     a) Demandes allemandes globales : 2 625 000 hommes.
     b) Départs sur réquisition   :   723 162 hommes.

B — Nombre de travailleurs requis pour le travail dans
     des usines en France :
     a) Demandes allemandes globales : 2 000 000 hommes.
     b) Travailleurs requis   :   738 000 —   [49].

*
* *

Reste à étudier les articles de l'acte d'accusation rela-

---

49. D'après les rapports officiels déposés devant le Tribunal de
Nuremberg.

tifs aux paroles prononcées par Pierre Laval en juin et en août 1942 :

— 1) Le discours du 22 juin 1942 comprenait deux parties. La première était une explication de la politique suivie par le gouvernement français à l'égard de l'Allemagne [50]. La seconde était un appel en faveur de la Relève. Le passage cité par l'accusation n'étant pas complet, il convient de le reconstituer dans son intégralité [51] :

La solidarité nécessaire

« Ouvriers de France, c'est à vous que des prisonniers devront leur liberté. Vous avez tous fait votre devoir à la place qui vous était assignée, mais ceux d'entre vous qui travaillaient dans les usines n'ont pas manqué alors de comparer leur sort à celui des millions d'autres Français qui étaient aux armées.

C'est une chose de se sacrifier au travail, c'en est une autre de risquer sa vie avec tout ce que cela comporte de misères et d'alarmes pour les familles. Pendant ces deux années, beaucoup de ceux qui ont exposé leur vie ont connu la captivité. Pendant ces deux années, ils ont vu se prolonger les misères qui continuent à vous être épargnées. A ces misères se sont ajoutées l'angoisse d'une séparation prolongée et toutes les cruelles incertitudes qui affaiblissent le seul espoir qui les soutient, celui du retour.

C'est pourquoi j'adresse ce soir un appel à votre solidarité de Français.

Le chancelier Hitler — et je l'en remercie — vient de décider la libération d'un nombre important de prisonniers agriculteurs qui pourront revenir en France dès votre arrivée en Allemagne.

Les hommes de nos champs et ceux de nos usines vont sentir leur fraternité. La femme qui verra son mari revenir éprouvera une émotion pleine de reconnaissance pour les inconnus qui, en s'en allant librement là-bas, auront fait rentrer nos prisonniers ici.

50. Se reporter au chapitre 2 du livre 3.
51. Texte publié par le journal *Le Matin*. N° 21.210. Mardi 23 juin 1942.

C'étaient les soldats, pendant la guerre, qui exposaient leur vie pour protéger le labeur des ouvriers. Aujourd'hui, par une de ces péripéties émouvantes qu'amènent les grands drames, ce sont les ouvriers qui peuvent rendre aux combattants le bien qu'ils ont reçu d'eux. C'est la relève qui commence.

Ainsi s'établit dès maintenant entre les collectivités humaines les plus importantes de nos pays les sympathies profondes sur lesquelles se constituera notre société nouvelle.

— 2) Quant aux deux phrases qu'il fut reproché à Laval d'avoir prononcées en août 1942, elles sont, l'une incomplète, l'autre inexacte.

C'est le mardi 11 août 1942 que Pierre Laval était allé à Compiègne présider la cérémonie organisée pour accueillir le premier train de prisonniers libérés au titre de la Relève. A cette occasion, il a prononcé un discours dont nous reproduisons les passages les plus importants, afin qu'il n'y ait aucune équivoque [52] :

Solidarité nationale

« Ouvriers qui partez pour l'Allemagne, regardez ces hommes que vous croisez sur la route. Ils vous doivent leur liberté. Ils ne l'oublieront jamais. Grâce à vous, ils retrouveront leurs familles et leur patrie. Leur reconnaissance et celle de la nation tout entière monte vers vous.

Ces prisonniers qui rentrent constituent l'avant-garde d'une relève qui commence.

Ces ouvriers qui partent me permettront de mieux défendre les intérêts de notre pays.

La France se retrouvera plus vite si ses fils comprennent la loi de la solidarité et de l'effort.

Le spectacle auquel j'assiste en ce moment sur ce quai de la gare de Compiègne où je vois prisonniers et ouvriers confondus prouve qu'une France nouvelle est en train de se faire.

52. Texte publié par le journal « Le Matin » — Edition de 5 heures — N° 21.252. Mercredi 12 août 1942.

La fraternité, qui ne fut souvent qu'un grand mot, se traduit ici par une émouvante réalité.

Comme je voudrais pouvoir dire des paroles d'espérance à tous ceux qui restent dans les camps ! Ils sont encore 1 200 000 là-bas et la France les attend avec une naturelle et légitime impatience. Leur présence est indispensable chez nous car ils représentent les forces vives de notre pays. Mais il y a des lois de la guerre qui entraînent des conséquences douloureuses, et la captivité des prisonniers jusqu'à la signature du traité de paix, en est une. Ils étaient près de deux millions dans les camps au lendemain de l'armistice. Plusieurs centaines de mille ont été libérés. Une politique de compréhension conforme aux intérêts de la France comme celle de Montoire aurait pu accélérer leur retour.

Elle était trop audacieuse pour être comprise et, spontanément, acceptée par tous.

La relève est commencée

C'est pour tenter de reprendre cette politique que je suis aujourd'hui au pouvoir et si je me heurte à des difficultés, je reste néanmoins toujours confiant.

Les circonstances sont modifiées. L'Allemagne a vu son champ de bataille s'élargir. La guerre qui se poursuit à l'Est met en cause toute la civilisation européenne. Dans les combats gigantesques et victorieux, le Reich engage tous ses hommes. L'heure de la libération massive est passée et l'Allemagne a besoin de main-d'œuvre. Pour contribuer à faire tourner ses usines elle nous demande 150 000 spécialistes et le chancelier Hitler a accepté qu'au fur et à mesure de leur départ, 50 000 prisonniers nous soient rendus.

C'est ainsi que la relève a commencé. L'arrivée de ce premier train de prisonniers atteste que les ouvriers de France ont répondu à mon appel.

D'autres trains vont suivre. Je connais assez la générosité des travailleurs français pour avoir la certitude que mon appel sera par eux pleinement entendu. Je l'ai déjà dit : en allant librement travailler dans les usines alle-

mandes, ils accomplissent un devoir de solidarité à l'égard
de nos prisonniers. Ils font mieux encore : par leur travail,
ils contribueront à créer un climat de confiance entre les
deux pays dont dépendent le sort de tous nos prisonniers
et l'avenir de la France dans la nouvelle Europe. »

A cette lecture, on peut constater que :

1) Laval exposait le principe de la Relève, alors que la
phrase incomplète citée par l'acte d'accusation donnait à
penser qu'il exprimait son désir d'aider l'Allemagne en
guerre par l'envoi de travailleurs français, sans que celle-ci
en eût fait la demande.

2) Laval n'a pas prononcé la phrase citée par l'acte d'accusation : « Quant à la libération des prisonniers, leur heure
sonnera quand sonnera celle de la victoire de l'Allemagne » [53].

4

Les déclarations de Pierre Laval

MEMOIRE EN REPONSE
A L'ACTE D'ACCUSATION

De l'ensemble de ces griefs, je veux retenir et
examiner d'abord ceux qui concernent l'envoi des
travailleurs français en Allemagne. D'après l'accu-

---

53. Laval a déclaré devant la Haute Cour (audience du 5 octobre 1945) : « Quelle analogie peut-on faire entre cette phrase, telle que
je l'ai dite, et la phrase, telle qu'elle m'est reprochée ? Et la phrase,
telle que je l'ai dite, comment est-ce que j'ai pu la prononcer ? Mais
parce que c'est la reproduction paraphrasée d'une des clauses de
l'armistice qui prévoit la captivité des prisonniers jusqu'à la conclusion du traité de paix. Où est l'allusion qui vous permet de dire :
« Quand sonnera l'heure de la victoire de l'Allemagne » ?

sation, ce serait un acte volontaire et spontané que j'aurais ainsi accompli pour aider Hitler, dans l'impossibilité où j'étais de le faire sur le terrain militaire. Ce dernier reproche est assez grave pour que j'y réponde, en terminant cet exposé, par des explications claires et françaises nécessaires pour justifier les propos qui me sont reprochés.

Gœring, en mars 1942, m'avait dit : « N'acceptez pas d'entrer au gouvernement ; c'est pour vous trop tard ou beaucoup trop tôt. Nous allons désormais imposer à la France un régime beaucoup plus dur. » Cette considération m'avait fait méditer sur mon devoir. Mon devoir ne pouvait être de suivre le conseil de Gœring.

A l'égoïsme de mon intérêt, j'ai préféré le sacrifice à mon pays. J'aurais dû rencontrer la gratitude, c'est l'injustice qui m'a guetté. A l'ignorance des faits qui me vaut cette injustice, je vais substituer la vérité qui placera mon action sur le plan où elle est toujours restée, car j'ai servi passionnément mon pays en cette occasion, comme dans toutes les autres circonstances au cours de l'occupation.

Dans ma déclaration au procès Pétain, j'ai fait connaître la situation imposée à la France par la Convention d'armistice. Le pays coupé en tronçons, le Nord et le Pas-de-Calais rattachés à Bruxelles, la ligne infranchissable, dite du Nord-Est, englobant les régions situées au nord de cette ligne et allant de l'embouchure de la Somme à la frontière suisse, la ligne de démarcation proprement dite entre la zone occupée et la zone libre, sans compter l'Alsace et la Lorraine annexées de fait par l'Allemagne, l'impossibilité de faire passer, sans accord spécial avec les autorités occupantes, les marchandises et les moyens de paiement de la zone occupée à la zone libre, c'est-à-dire la perspective d'une véritable asphyxie pour la zone sud en particulier, qui n'avait ni

assez de pain, ni assez de viande, ni assez de
sucre pour vivre. Enfin, fait encore plus grave
et qui s'appliquait aux deux zones : trois millions
de tonnes de charbon au lieu de trente-neuf millions et demi qui nous étaient nécessaires. Une
déficience aussi grande pour nos besoins en acier,
presque plus de lubrifiants, peu d'essence, de
caoutchouc, sans compter tous les minerais, dont
certains étaient indispensables, et qui nous venaient de l'étranger. Le blocus nous privait des
ressources essentielles en vivres et en matières
premières.

Telle était la situation née de la défaite et
consacrée par l'armistice. En octobre 1940, la
France comptait un million de chômeurs. Nous
avions en Allemagne plus de deux millions de
prisonniers.

L'invasion avait fait refluer vers le Sud les
populations du Nord et de l'Est auxquelles s'ajoutaient bien des exodes dans les départements du
Centre traversés par l'armée allemande.

Il a fallu d'abord faire revenir les habitants
et leurs familles à leur lieu d'origine. Jusqu'à la
ligne du Nord-Est, tout se passait normalement,
sauf la difficulté des moyens de transports ; au-
delà de cette ligne, dans la région au nord de
Vouziers, les Allemands voulaient créer un immense camp d'exercice pour leur aviation, et
partout ailleurs, des fermiers allemands venaient
prendre possession des terres que leurs propriétaires français ne pouvaient réintégrer faute
d'*Ausweis*, qui leur étaient systématiquement
refusés. C'est ainsi que les choses se passaient
en Meurthe-et-Moselle, Meuse, Vosges, Ardennes,
Aisne et jusque dans la Somme. Il fallait lutter
de vitesse avec les Allemands pour essayer de
reprendre, à défaut des terres cultivables, nos
bassins sidérurgiques de Meurthe-et-Moselle et
des Ardennes. Un premier résultat fut acquis en
octobre 1940, lorsqu'il fut permis aux ouvriers

de la vallée de la Meuse, entre Sedan et Givet, de regagner leur domicile. A la fin de novembre 1940, tous les ouvriers étaient rentrés.

En février 1941, le nombre des chômeurs était tombé au chiffre le plus bas des périodes normales du temps de paix. Un million de captifs des *Frontstalags* avaient été libérés en France au cours de l'été 1940, avant le départ des deux millions de prisonniers pour l'Allemagne. Sur les deux millions de prisonniers expédiés en Allemagne, tous les anciens combattants de 1914-1918 et les pères de quatre enfants étaient rapatriés, et les rapatriements de certaines autres catégories de prisonniers commençaient. La plupart de ceux-ci étaient toujours soumis à l'éventualité d'être rappelés en Allemagne, car ils se trouvaient seulement en état de « congé de captivité ». Telle est, sommairement mais assez clairement exposée, la situation de notre pays à cette époque.

C'est au mois d'avril 1941 que, pour la première fois, les Allemands vont rechercher de la main-d'œuvre en France pour remplacer dans les usines allemandes les jeunes Allemands mobilisés. Ils font appel au volontariat par une propagande intensive et grâce à l'appât de hauts salaires. Ils créent des écoles d'apprentissage dont la plus importante est à l'arsenal de Puteaux. Ils acceptent pour la France, en mai 1941, une majoration uniforme des salaires de un franc par heure de travail pour faciliter leur propagande. Les services allemands sont installés dans la zone occupée pour le recrutement des ouvriers français. Le contrat d'un ouvrier volontaire est fixé à un an, avec la faculté que se réservent les Allemands de le proroger pour une année. Il est impossible de connaître le chiffre exact des ouvriers volontaires qui partirent avant mai 1942, mais celui-ci devait être de cent cinquante mille environ.

C'est en mai 1942 que le Gauleiter Sauckel aborda le gouvernement français pour lui signifier que le nombre de volontaires était tout à fait insuffisant, et pour lui notifier qu'il exigeait de voir le chiffre atteindre deux cent cinquante mille avant la fin de juillet 1942. Il invite le Gouvernement à favoriser le volontariat, sinon il devra recourir lui-même à la réquisition en prélevant des travailleurs chez les prisonniers rapatriés. Si l'on ne tient pas compte du million définitivement libéré des *Frontstalags* au cours de l'été 1940, il y avait alors six cent mille prisonniers en congé de captivité. Sauckel disposait en outre d'un autre moyen de pression : il pouvait, à son gré, en nous faisant refuser le charbon, les carburants et les lubrifiants, créer dans le pays une énorme masse de chômeurs à sa disposition.

Jusqu'au jour de la première visite de Sauckel, je n'avais pas encore mesuré tout ce que pouvait avoir de douloureux notre situation. Je compris que, sous le vocable de « volontaires », c'était une véritable déportation d'ouvriers français qui allait commencer. Nous étions impuissants à pouvoir éviter cette humiliation et ce sacrifice. L'Amérique n'avait pas encore participé activement à la guerre en Europe, le débarquement en Afrique du Nord n'avait pas encore eu lieu, la Résistance en France était peu organisée, et les vingt millions de travailleurs français dans les usines et dans les campagnes constituaient une proie facile pour le Reich. J'ai naturellement protesté solennellement dès mon premier contact avec Sauckel. J'ai naturellement fait remarquer que la Convention d'armistice ne nous imposait pas une semblable obligation. J'ai déclaré qu'une telle politique consacrait la fin de l'espoir d'une réconciliation et d'une entente entre nos deux pays. J'ai dit et redit tout ce qui pouvait être dit sur le ton qui convenait. La discussion — une des plus rudes que j'eus à soutenir — dura plusieurs heures. J'étais à ce point fatigué, ému et angoissé, que j'eus une défaillance, je fus pris d'une syncope en présence de Sauckel et notre entretien dut être interrompu. Nous sommes loin, on le voit, de l'aide volontaire et spontanée que, d'après l'acte d'accusation, j'aurais voulu apporter à l'Allemagne.

Que pouvais-je faire d'autre ? La *Wehrmacht* occupait la France et Sauckel avait les moyens d'agir ; il était décidé à réussir ; il était décidé à obtenir des ouvriers, même par la contrainte, même par la force. C'est alors que j'imaginai de lier la question du départ des volontaires avec le retour des prisonniers. J'ai naturellement demandé qu'il y ait un départ de travailleurs pour un retour de prisonniers, ce qui fit sourire Sauckel. « Vous savez, me dit-il, que depuis l'évasion du général Giraud, toutes les libérations de prisonniers français ont été interdites par Hitler. » Je lui dis alors l'impossibilité, pour le gouvernement français, d'entreprendre une action en faveur des départs d'ouvriers (que nous n'avions aucun moyen d'empêcher) si l'Allemagne refusait le principe même de la libération des prisonniers. J'employai de tels accents que Sauckel téléphona à Hitler et, le lendemain, il me promit que les cent cinquante mille ouvriers spécialistes partant pour l'Allemagne feraient libérer cinquante mille prisonniers paysans. « Il est impossible, ajouta-t-il, d'envisager la relève un pour un, car l'opération pour l'Allemagne deviendrait négative, puisque les prisonniers français travaillent tous en Allemagne. » Je ne pus obtenir davantage, mais le retour de cinquante mille prisonniers était mieux que rien. J'avais protesté, argumenté, menacé, et je venais d'aboutir à un résultat qui était certainement le meilleur que nous puissions alors envisager.

C'est pour éviter les réquisitions massives que

j'adressai un appel aux Français. Je me rappelai
souvent, au cours de mon entretien avec Sauckel,
les menaces de Gœring et le conseil qu'il m'avait
donné. Je ne craignis pas de m'exposer à la colère
d'un grand nombre de mes compatriotes, à qui
je ne pouvais dire la vérité, en prononçant certaines phrases dont je savais qu'elles les blesse-
raient. Mais ces phrases devaient me permettre,
à moi, en présence des Allemands, de mieux les
protéger. Toute ma politique, alors, n'avait qu'un
but : créer un climat de confiance vis-à-vis des
dirigeants allemands et leur faire croire que nous
ne pouvions faire ni mieux, ni plus, que ma
bonne volonté était garante, qu'on ne pouvait
aller plus loin. Je préférais l'impopularité pour
ma personne aux risques plus graves dont était
menacé notre pays — et, particulièrement, les
prisonniers libérés.

On peut contester cette méthode, dont je
démontrerai les avantages qui en sont résultés
pour la France ; on ne peut pas douter du sentiment qui m'animait.

C'est le 22 juin 1942 que je prononçai les propos qui me sont reprochés par l'acte d'accusation, mais le 3 septembre suivant, m'adressant à
Vichy à trois cents instituteurs, je prononçai ces
paroles : « Je suis allé loin dans mes propos,
aussi loin qu'on peut aller, et, pour que vous me
compreniez bien, j'accepte pour ma personne de
courir tous les risques pourvu que je puisse faire
courir à la France sa chance. » J'ai, ce jour-là,
répondu d'avance à l'acte d'accusation.

Quel homme de bonne foi peut maintenant
douter de ma volonté de défendre les travailleurs
de France contre les déportations massives ? Que
pouvais-je faire d'autre en face des menaces allemandes concernant la main-d'œuvre, menaces
qui coïncidaient avec l'installation des S.S. en
France et l'instauration de nouvelles méthodes
de police ? Gœring ne m'avait pas trompé.

En juillet et août 1942, peu de volontaires partirent et Sauckel, après des sommations brutales faites au gouvernement français, constatant l'insuffisance des résultats qu'il avait escomptés, prit la décision de soumettre au travail obligatoire tous les hommes et toutes les femmes des pays administrés ou occupés par l'Allemagne. Les immenses besoins de l'Allemagne augmentaient, tant en hommes qu'en matériel ; la bataille de Stalingrad commençait.

Cette décision fut notifiée par une circulaire du 20 août 1942 et publiée par tous les journaux de la zone occupée. Je refusai à la censure allemande de faire publier cette circulaire dans la presse de zone libre et je fis aussitôt une protestation en me basant sur la Convention d'armistice. J'informai même l'ambassadeur d'Allemagne que je démissionnerais si l'ordonnance Sauckel était appliquée en France. Devant mon attitude résolue, le gouvernement allemand accepta de retirer son ordonnance, mais Sauckel fit observer que la France ne pouvait pas, dans une guerre mondiale où tous les peuples étaient mobilisés, demeurer inerte et les bras croisés, sans faire un effort de travail. Il présenta avec complaisance et brutalité le spectacle qu'offraient Paris et les grandes villes de France, dont les cafés et les cinémas, disait-il, regorgeaient d'oisifs et de trafiquants.

J'avais pu faire rapporter la mesure la plus redoutable de la réquisition de la main-d'œuvre masculine et féminine dont allaient souffrir cruellement tous les autres pays occupés, mais je ne pouvais maintenir la France dans cette position « privilégiée » par rapport aux autres pays d'Europe soumis à la rapacité allemande qu'en promulguant une loi, infiniment plus douce, toutefois, que l'ordonnance de Sauckel. Ce fut la loi du 4 septembre 1942 qui soumettait au travail obligatoire les Français de dix-huit à soixante ans et les femmes célibataires de vingt et un à trente-cinq ans.

Il fut formellement stipulé que seuls les Français âgés de vingt à cinquante ans seraient susceptibles de travailler hors de leur lieu de résidence. Sauckel avait accepté de ne pas appliquer son ordonnance à la France, mais il exigeait que soit atteint le chiffre de deux cent cinquante mille ouvriers. Je pus obtenir que les prisonniers rapatriés seraient exclus du départ. Il en fut de même pour les Alsaciens-Lorrains réfugiés dans d'autres départements, ainsi que pour les pères de trois enfants. Aucune femme ne devait partir, et la police française ne devait pas intervenir.

C'est dans ces conditions que le Gouvernement fut amené à promulguer cette loi du 4 septembre 1942. Elle ne donnait qu'une satisfaction de forme aux Allemands. Continuera-t-on de me reprocher ce texte comme le fait l'acte d'accusation, puisqu'on sait, maintenant, qu'il a permis à la France d'échapper à l'ordonnance Sauckel ? J'avais appris le jeu difficile de la négociation avec les Allemands et j'avais constaté que, plutôt que de leur imposer sans cesse des refus brutaux, qui les eussent certainement amenés à prendre des mesures de force, mieux valait m'efforcer de leur faire accepter des textes que les circonstances, le climat du pays et les consignes que je donnais et faisais donner aux préfets rendaient à peu près inapplicables. Les Allemands avaient tous les moyens efficaces et rapides pour exercer leurs contraintes sur nous, et ils étaient décidés à le faire. Sauckel n'était guère conciliant ; je n'ai jamais eu un homme aussi rude comme interlocuteur et il avait l'autorité pour agir. Les départs d'ouvriers eurent lieu surtout en zone occupée et seulement plus tard en zone sud, après que l'armée allemande eut franchi la ligne de démarcation. C'est bien la preuve que les départs effectifs étaient le résultat de la pression allemande.

Trois mois passèrent et, le 2 janvier 1943, Sauckel menaçait, affirmant qu'avec ou sans accord du gouvernement français il lèverait une nouvelle tranche de deux cent cinquante mille ouvriers, dont cent cinquante mille spécialistes. Il avait reçu d'Hitler l'ordre de ne s'arrêter devant aucun obstacle ; il ne s'agissait plus alors d'une négociation bilatérale, mais d'une exigence brutale. Je réussis, dans la certitude où j'étais que les Allemands avaient décidé d'employer les mesures les plus dures, à obtenir la libération de cinquante mille nouveaux prisonniers. J'obtins également que, jusqu'à concurrence de deux cent cinquante mille, les prisonniers pourraient être transformés en travailleurs libres avec le droit aux salaires et aux permissions de quinze jours en France. C'est l'administration allemande qui opéra en zone nord comme en zone sud, nos fonctionnaires ne pouvant intervenir que pour empêcher les abus trop criants d'injustice dans les désignations des partants. Le recrutement se fit alors uniquement dans les usines et l'opinion publique protesta, car les hommes âgés étaient souvent contraints de partir alors que des jeunes échappaient au sacrifice. C'est à ce moment qu'on procéda, pour répondre au vœu de cette opinion publique, et dans l'impuissance où nous nous trouvions de résister à l'ultimatum allemand, au recrutement des classes 40, 41 et de la classe 39 (dernier trimestre), à l'exception de tous les agriculteurs.

Le 10 avril 1943, deux cent cinquante mille ouvriers étaient partis. Cent soixante-dix mille venaient des usines et quatre-vingt mille du recrutement démographique.

Le S.T.O. fut créé par le gouvernement français pour essayer de réfréner les abus de l'administration allemande, qui prélevait toujours les

ouvriers dans les mêmes régions. Le 10 avril
1943, Sauckel exigeait, toujours sous les mêmes
conditions de contrainte, deux cent vingt mille
ouvriers dont cinquante mille spécialistes. Mais
les départs se firent de moins en moins nombreux. Grâce aux mesures que le Gouvernement
avait prises, comme la loi du 2 septembre 1942,
et à l'application qui en fut faite, seuls pouvaient
partir les non-spécialistes et les non-agriculteurs.
La réaction allemande fut brutale : la classe 1942
fut appelée, les agriculteurs compris ; ce fut la
fuite vers le maquis. (Furent exemptés du départ
pour l'Allemagne les hommes de la classe 1942,
qui entrèrent aux chemins de fer, dans les mines,
dans la police, dans l'administration pénitentiaire et dans quelques autres services.) Nous
pûmes ainsi sauver des dizaines de milliers de
jeunes Français. Jamais le recrutement pour les
gardiens de la paix et les gardiens de prison ne
fut plus facile ni plus large que dans cette
période ! Le 30 juillet 1943, cent soixante-dix mille
hommes étaient partis et je ne craignais pas de
déclarer au gouvernement allemand que le Gouvernement avait décidé de ne pas laisser se
poursuivre le recrutement. Une circulaire (précisément celle qui m'est reprochée dans l'acte
d'accusation) avait marqué notre bonne volonté,
disais-je aux Allemands, mais elle est inapplicable et j'ai décidé de mettre un terme à son
exécution.

C'est alors que M. Sauckel revint immédiatement à Paris pour protester et pour formuler de
nouvelles demandes. Il fallait qu'un million
d'hommes et de femmes soient mis au travail
en supplément dans les usines françaises et que
l'excédent disponible, qu'il évaluait à cinq cent
mille hommes, soit envoyé en Allemagne. Il réclama en outre des contingents élevés pour les
chantiers Todt. (En fait, vingt mille hommes seulement furent employés aux chantiers Todt jus-

qu'en 1944.) Je lui fis remarquer que ces chiffres étaient très exagérés. L'entretien que j'eus avec Sauckel, le 6 août 1943, fut certainement le plus dur et le plus pénible auquel j'ai assisté de ma vie. Je refusai net l'envoi de nouveaux contingents d'ouvriers en Allemagne. La tension ne fut jamais plus aiguë. C'est alors que Sauckel rencontra Doriot et assista, le lendemain de notre discussion, à un défilé du P.P.F. sur les grands boulevards. Il me critiqua avec sévérité et aigreur. Il avait fait créer en France des groupes chargés de recruter les ouvriers, de les arrêter et de les dénoncer aux services allemands dits « La Paix sociale ». Ces groupes étaient recrutés surtout au P.P.F. et ils nous avaient créé dans certains départements, en Gironde notamment, de pénibles incidents. J'ai protesté auprès de l'ambassade d'Allemagne contre cette police constituée par des Français pour le compte des autorités d'occupation, et j'ai réussi à la neutraliser en partie. Ces groupes préfiguraient ce qu'aurait été en France un régime Doriot.

C'est à ce moment que les Allemands tentèrent d'intimider le Gouvernement par une opération de chantage, en procédant à l'arrestation de quarante hauts fonctionnaires choisis dans différents ministères. Je protestai avec force, mais je ne cédai pas à ce chantage. On me demanda de livrer les trente mille hommes des Chantiers de jeunesse ; je refusai.

Fin septembre 1943, M. Ritter, représentant de Sauckel à Paris, est assassiné. Quand je me reporte à l'acte d'accusation, je relève la circulaire du 12 juillet 1943 qui m'est reprochée. Elle s'explique mieux maintenant que j'ai rappelé les faits de cette époque. J'avais laissé les services compétents rédiger cette circulaire à la demande impérative des Allemands, mais il n'a jamais été dans mon intention de la faire appliquer. Il serait difficile à l'accusation de citer un exemple de

sanctions prises contre les médecins. En effet,
à peine cette circulaire était-elle diffusée que je
notifiai aux Allemands que nous n'acceptions
plus, dans ces conditions, de laisser se poursuivre le recrutement des travailleurs, et la circulaire restait ainsi sans objet. Je réussis alors
à profiter des rivalités qui s'étaient élevées entre
les services de Sauckel et ceux de Speer, le
ministre de l'Armement du Reich, comme je
devais, au mois de janvier 1944, profiter de la
rivalité Sauckel-Bache, le ministre de l'Agriculture du Reich, pour sauver de la déportation la
totalité des paysans et ouvriers agricoles.

C'est le 16 octobre que j'obtins la suspension
de tout le nouveau départ jusqu'en 1944.

M. Bichelonne fut le véritable metteur en
œuvre de toutes les questions concernant le
recrutement des travailleurs français pour l'Allemagne. Mon rôle, et il était ingrat, consistait à
affronter, avec lui et le ministre du Travail, le
Gauleiter Sauckel, pour réduire ses demandes
et modifier ses méthodes. M. Bichelonne obtint
que des usines dénommées S auraient leur personnel mis à l'abri des départs pour l'Allemagne,
et il fit classer dix mille usines françaises dans
la catégorie S. Le 7 octobre 1943, les Allemands
acceptaient l'amnistie pour les nombreux réfractaires qui travaillaient dans ces usines. Ils la
refusèrent pour les permissionnaires qui n'avaient
pas rejoint l'Allemagne après leur congé de quinze
jours.

En janvier 1944, le gouvernement allemand
nous informait que six cent soixante-dix mille
ouvriers étaient partis et qu'il restait en Allemagne moins de quatre cent mille travailleurs en
dehors des prisonniers, car les permissionnaires
n'étaient pas rentrés. Sauckel réclama alors l'envoi en Allemagne d'un million de travailleurs et
l'emploi en France d'un autre million.

Là encore, je dus, pour échapper aux contrain-

tes allemandes et pour gagner du temps, établir
un nouveau plan rendant obligatoire sur le papier
le travail de seize à soixante ans pour les hommes, et de dix-huit à quarante-cinq ans pour les
femmes célibataires, et j'acceptai que les travailleurs étrangers fussent envoyés en Allemagne.

C'est à cette époque que les Allemands installèrent leurs services jusqu'aux chefs-lieux d'ar-
rondissement pour procéder à l'opération qu'ils
avaient qualifiée de « peignage ». Le Gouvernement obtint que des fonctionnaires français fussent admis à titre consultatif. Partout, ils s'efforcèrent d'entraver et de contrecarrer le travail
allemand.

Les usines S furent respectées. Les services
Sauckel, opposés à ceux de Speer, les appelaient
« le maquis légal ».

Au cours du premier trimestre de 1944, trente
mille hommes seulement, la plupart étrangers,
partirent, et ce chiffre fut inférieur à celui des ouvriers rentrés d'Allemagne en permission qui,
pendant cette même période, restèrent en France.

Les bombardements massifs auxquels la France
fut soumise à partir du 15 mars 1944 posèrent
alors un grave problème. Les destructions d'usines rendaient disponibles des dizaines de milliers d'ouvriers des usines S que les accords
Speer avaient sauvés de la déportation. Je réussis encore à gagner les quelques semaines nécessaires qui nous séparaient du débarquement.
J'opposai, ainsi que les services français, la force
d'inertie. J'évitais de me trouver à Paris lorsqu'on me signalait un passage de Sauckel.

Finalement, le débarquement vint. Malgré le
petit nombre de départs depuis août 1943, les
services allemands étaient toujours aussi exi-
geants et menaçants. Je réussis, en m'adressant
à l'ambassade, à les opposer entre eux, et je pus
faire parvenir, à une date que je ne peux pas
préciser de ma cellule (vers le 10 juin ou le

11 juin), un télégramme confidentiel, qu'il doit être facile de retrouver, à tous les préfets pour leur dire qu'aucun départ ne devrait désormais avoir lieu. C'était le moment où les événements militaires rendaient les occupants encore plus nerveux et plus durs. Les services allemands de la main-d'œuvre protestaient auprès de moi. Je leur dis ne pas pouvoir revenir sur une décision irrévocable que j'avais notifiée à l'ambassadeur.

Contraint de quitter Paris le 17 août, sur l'ordre du gouvernement allemand, par l'ambassadeur d'Allemagne assisté de S.S., je déclarai cesser l'exercice de mes fonctions. C'est alors qu'au fur et à mesure de la retraite allemande des rafles furent faites dans l'Est et que des populations entières de villages français furent déportées en Allemagne pour être astreintes au travail. L'Est de la France connut ainsi pendant quelques semaines l'opération pratiquée par les Allemands dans toute l'Europe et même en Italie du Nord depuis des années. C'est le régime que nous aurions connu en France depuis longtemps, si je n'avais pas négocié, discuté, agi et parlé comme je l'ai fait pour émousser, contrecarrer et freiner l'agressivité de Sauckel et de son armée de recruteurs de main-d'œuvre.

Mon crime a donc consisté à protéger plusieurs centaines de milliers, je pourrais dire des millions de Français et de Françaises qui, sans l'action du Gouvernement, eussent été avec certitude déportés en Allemagne. Mon crime a été de faire rentrer en France cent dix mille prisonniers à partir du jour où Hitler avait donné l'ordre de ne plus en libérer un seul.

Je résume le résultat de mon action dans ce domaine de la main-d'œuvre : le 5 juin 1942, avant le débarquement américain en Afrique du Nord et l'organisation active de la Résistance, je me suis trouvé en présence d'une ordonnance de Sauckel réquisitionnant au profit des usines du Reich toute la main-d'œuvre masculine et féminine française. Vingt millions de Français travaillaient dans les usines et dans les champs, et rien n'empêchait le Reich de se « servir » comme il le faisait en Pologne, en Hollande, en Tchécoslovaquie et ailleurs. Du 5 juin 1942 au 30 juillet 1944, deux millions soixante mille travailleurs furent exigés de la France. Ces demandes, aux termes de l'ordonnance Sauckel, étaient unilatérales, c'est-à-dire sans contrepartie. Mes efforts, ceux du Gouvernement et des services ont permis d'établir le bilan suivant au 30 juillet 1944, après plus de deux années :

Départs

Du 5 juin 1942 au 30 juillet 1944 ....   641 500 (Chiffre qui ne tient pas compte des dizaines de milliers de permissionnaires qui sont restés en France à l'expiration de leur congé de quinze jours.)

Contre-partie

Prisonniers rentrés ....   110 000 (100 000 paysans, 10 000 sanitaires.)
Prisonniers transformés en travailleurs « libres » 250 000
15 avril 1943 : commencement des permissions de quinze jours pour les prisonniers devenus travailleurs « libres ».
16 octobre 1943 : suspension des départs pour l'Allemagne et mutations, nombre pour nombre, le nombre de travailleurs français en Allemagne devant rester constant. Il n'était pas alors de plus de 400 000.
7 juin 1944 : arrêt définitif des départs.

Au moment où j'achève cet exposé sur la main-d'œuvre, il convient d'observer que le nombre des travailleurs partis pour l'Allemagne est toujours resté inférieur à celui des prisonniers libérés. Le chiffre des ouvriers, y compris les volontaires se trouvant en Allemagne, n'a jamais dépassé six cent soixante-dix mille. Il est allé décroissant à partir du 16 octobre 1943, date à laquelle j'obtins la suspension des départs, alors que celui des prisonniers, qui était d'environ trois millions à l'armistice, est tombé à deux millions après les libérations massives des Frontstalags (moisson 1940), pour tomber ensuite, au cours des années 1941, 1942 et 1943, à un million cinquante mille.

Tous les autres pays d'Europe, Belgique, Hollande, Pologne, etc., subirent des prélèvements masculins et féminins variant entre cinquante et quatre-vingts pour mille par rapport à la population totale, alors que le chiffre français (sans tenir compte évidemment de la masse des prisonniers rentrés) était de treize travailleurs pour mille habitants.

Etait-il possible de produire une réfutation plus forte au grief relevé dans l'acte d'accusation ? Si ce que j'énonce pour les autres pays d'Europe est vrai, et la vérification est facile, comment pourrait-on mieux justifier l'existence d'un gouvernement français pendant l'occupation ?

Quand à mon action personnelle, je montrerai qu'elle fut semblable dans tous les domaines. J'ai représenté souvent la France quand elle était forte et victorieuse. J'étais fier de mon rôle. Pendant les années d'occupation, et spécialement à l'occasion de ce problème difficile de la main-d'œuvre, j'ai souffert cruellement dans ma sensibilité de Français. Le patriotisme est-il moins pur quand on souffre pour sa patrie blessée que lorsqu'on se réjouit de ses triomphes quand elle est heureuse ? Fallait-il négocier pour faire

réduire les demandes allemandes ou aurais-je
dû laisser l'occupant faire des rafles et pratiquer
la chasse à l'homme ? Plus de deux millions
d'hommes ont été demandés ; moins d'un tiers
de ce chiffre est parti. Il est humain que les
travailleurs qui ont subi un dur exil d'une ou
deux années m'en veuillent ; il n'est pas moins
humain que ceux que j'ai empêchés de partir
ne m'aient aucune gratitude. Sans mon action,
les ouvriers seraient partis en beaucoup plus
grand nombre et aucun prisonnier ne serait
rentré.

Je viens de faire parler les chiffres et les faits.

Je voudrais maintenant faire une remarque au
sujet des propos qui me sont reprochés. Ils ne
sont pas tous exacts et souvent l'accusation m'en
prête que je n'ai jamais prononcés. C'est ainsi
qu'à Compiègne j'aurais déclaré : « Quant à la
libération des prisonniers, leur heure sonnera
quand sonnera celle de la victoire de l'Allemagne. » Or j'ai conservé un texte de l'allocution
que j'ai prononcée à la gare de Compiègne et qui
fut imprimée. Cette phrase n'y figure pas. En
parlant de la libération de l'ensemble des prisonniers, je me suis ainsi exprimé :

« Comme je voudrais pouvoir dire des paroles
d'espérance à tous ceux qui restent dans les
camps ! Ils sont encore un million deux cent
mille là-bas, et la France les attend avec une
naturelle et légitime impatience. Leur présence
est indispensable chez nous, car ils représentent
les forces vives de notre pays. Mais il y a les lois
de la guerre qui entraînent des conséquences
douloureuses, et la captivité des prisonniers jusqu'à la signature du traité de paix en est une.
Ils étaient près de deux millions dans les camps
au lendemain de l'armistice. Plusieurs centaines
de mille ont été libérés. »

Il est donc regrettable, en raison même de
l'accusation portée contre moi, de me prêter des

propos que je n'ai jamais tenus. Je reconnais comme valables les paroles que j'ai officiellement prononcées et qui ont été officiellement enregistrées ; ainsi, mes déclarations devant l'Assemblée nationale et mes allocutions radiodiffusées ne sont pas contestables. Il est d'autres propos qui m'ont été attribués dans la presse de Paris. J'ai montré l'hostilité de celle-ci à mon égard. Ces textes étaient souvent truqués par les services de la *Propaganda Staffel*. C'était là un vieux procédé de la propagande allemande, qui faisait parler Jeanne d'Arc, Victor Hugo, Napoléon et Clemenceau et couvrait les journaux et les murs de citations dont certaines étaient contestables. J'ai souvent protesté auprès de l'ambassadeur Abetz contre ces procédés. Je ne publiais pas alors en zone sud de démentis, car, pour des raisons compréhensibles, je ne recherchais pas d'incidents avec les services allemands. Enfin, je savais que, suivant une expression souvent employée par moi en matière de presse, « un numéro chasse l'autre ». Je ne pouvais alors prévoir une discussion sur ces textes devant une Haute Cour de justice.

Il ne fait aucun doute que la réquisition des ouvriers pour l'Allemagne a fourni au Maquis les effectifs les plus considérables. Je n'ai jamais cessé de l'affirmer aux Allemands et j'ai dit souvent à Sauckel qu'il était le plus grand recruteur d'hommes pour la Résistance. Les ouvriers français acceptaient de travailler en France ; ils refusaient de partir pour l'Allemagne.

Les menaces aux parents, les sanctions contenues dans les lois et rappelées dans les circulaires ne sont pas d'initiative française. Quand elles furent édictées, elles représentaient toujours, après d'âpres discussions, le minimum des exigences allemandes, et elles furent toujours prises pour éviter des menaces ou des sanctions allemandes autant que l'intervention des tribunaux allemands. Quand le Gouvernement dut se résoudre à cette législation et à ces règlements, c'est qu'il n'était pas en son pouvoir de s'y soustraire. Quand une loi était édictée en Allemagne, elle était toujours appliquée. Quand une menace était faite chez eux, elle était toujours exécutée après que l'infraction eut été commise. Quand nous légiférions sous la contrainte des Allemands pour les empêcher de réglementer eux-mêmes, c'était avec l'intention de camoufler nos défaillances volontaires. Je n'ai jamais connu aucun exemple de parents, de médecins frappés en application de ces textes. Je n'ai jamais reçu aucune réclamation à ce sujet. Mais parce que les textes existaient, je pouvais dire aux Allemands qu'ils recevaient une rigoureuse application et que les résultats du recrutement n'en étaient pourtant pas améliorés. Je ne suis d'ailleurs pas sûr que le texte visé soit celui que j'ai signé. J'aimerais qu'on me soumît une circulaire portant ma signature manuscrite. J'en ai adressé à chaque préfet régional et il est aujourd'hui facile d'en avoir une.

La rigueur même dans la circulaire visée dans l'acte d'accusation, qui ne fut pas appliquée, me permit, quinze jours après son envoi aux préfets, exactement le 30 juillet 1943, de leur donner l'ordre d'arrêter toute opération qui était en cours, et les départs d'ouvriers pour l'Allemagne cessèrent complètement pour ne reprendre en 1944 qu'à une cadence très ralentie.

Il serait donc injuste de me faire aujourd'hui grief d'un acte que le Gouvernement a accompli dans le but de soustraire des dizaines de milliers de Français à la violence des tribunaux allemands. Il serait d'autant plus injuste de me tenir rigueur de ces textes qu'en fait ils ne furent jamais appliqués et qu'ils me permirent, comme je viens de le montrer, d'interrompre une opération commencée.

Quant à l'envoi des réfractaires vers le Maquis, il n'avait pas été prévu par les Allemands, mais j'ai toujours donné l'instruction de ne pas les rechercher ; ils le savaient bien et ils étaient nombreux ceux qui venaient me voir jusqu'à mon domicile, ou même à mon bureau à Vichy. Il y en avait dans mon village et j'aurais sévèrement blâmé les inspecteurs et les gardes chargés de ma sécurité s'ils les avaient inquiétés. Ce contraste entre la rigidité des textes et la faiblesse de leur application prouve à l'évidence l'erreur et l'injustice commises dans l'acte d'accusation.

On peut blâmer ces méthodes ; je n'en voyais aucune autre pour nous défendre contre les excès allemands. Nombre de hauts fonctionnaires payèrent de leur liberté l'esprit intelligent de tolérance que, d'accord avec moi, ils apportaient dans l'interprétation de ces lois. Des préfets, que j'appellerai comme témoins, malgré toutes mes protestations, furent déportés, et, parmi les griefs des Allemands relevés contre eux, celui dont je viens de parler était le plus fréquent.

C'est par des paroles et par des textes théoriques que j'ai pu limiter les risques de l'occupation et alléger les souffrances des Français. Je pouvais supposer que, dans l'ignorance des faits, on me les reprocherait un jour, mais je ne doutais pas de voir, après mes explications, mon intention approuvée et mon action comprise.

LAVAL ET LES ANGLO-SAXONS

LAVAL ET L'ANGLETERRE

1

Le Dossier de l'Accusation

L'ACTE D'ACCUSATION

Renversé en janvier 1936, après l'échec du plan proposé par lui pour résoudre la crise éthiopienne, il a gardé de cet incident une haine tenace contre l'Angleterre qu'il accusait d'avoir contribué à sa chute.

LE REQUISITOIRE

A cette rancune contre la Chambre et le Sénat s'en ajoute une autre contre l'Angleterre, qu'il accuse d'avoir précipité sa chute au mois de janvier 1936, après l'échec du plan qu'il avait élaboré avec Samuel Hoare pour régler l'affaire éthiopienne. Et, comme je l'entendais l'autre jour dire qu'il ne s'était jamais livré à de violentes diatribes contre la Grande-Bretagne, écoutez ce qu'il en dit, dans la séance préparatoire de la matinée du 10 juillet 1940 :

L'Angleterre, après nous avoir entraînés dans la guerre, nous traite comme des mercenaires.
Et plus loin, je lis :
Elle ajoute à l'assassinat le déshonneur de notre pays.

2

Le Dossier de la Défense

Pour analyser l'attitude de Laval vis-à-vis de l'Angleterre, il faut considérer deux périodes : celle qui précéda les événements de 1940 et celle qui les suivit.

Avant 1940

L'examen de la politique suivie par Laval[1] envers l'Angleterre pendant cette période permet d'avoir une idée des sentiments qui l'animaient. Sans doute, et ce ne fut pas une exception dans les relations diplomatiques de cette époque, y eut-il des hauts et des bas dans les rapports entre les deux pays, mais un homme politique tel que Laval, habitué aux difficultés rencontrées sur le plan international, ne pouvait en être affecté dans ses sentiments. Nous en donnerons deux exemples : a) En 1931, Laval ne se refusa pas à aider l'Angleterre aux prises avec des difficultés de Trésorerie. b) M. Flandin, entendu par la Commission d'enquête parlementaire[2], se déclara très

---

1. Se reporter au chapitre préliminaire « Le passé politique de Pierre Laval avant 1940 ».
2. Séance du mardi 13 février 1951.

satisfait du concours que Laval, son ministre des Affaires étrangères, lui avait apporté pour rétablir en 1935, selon ses propres termes, « d'excellentes relations avec le gouvernement britannique ».

Peut-on soutenir, comme le fit l'accusation en 1945, que Laval éprouva à l'égard de l'Angleterre une « haine tenace » parce qu'il l'aurait accusée d'avoir contribué à la chute de son cabinet en 1936 ?

a) Les parlementaires qui lui refusèrent leur confiance exprimèrent leur avis sur la politique étrangère du gouvernement présidé par Laval et non sur l'attitude du gouvernement anglais dans l'affaire éthiopienne.

b) C'est Laval qui avait été le promoteur de cette politique et non le ministre des Affaires étrangères anglais.

c) N'étant plus soutenu par les partis de gauche, Laval jugea préférable de démissionner. Il est donc inexact de dire que l'Angleterre contribua à la chute de son cabinet.

Après 1940

Afin de pouvoir répondre à la deuxième partie du réquisitoire se rapportant à cette période, il est indispensable de rétablir dans leur intégralité les passages des déclarations faites par Laval au cours de la séance préparatoire de l'Assemblée Nationale dont seules deux phrases ont été citées par le procureur général : « Tout d'abord, l'Angleterre nous a entraînés dans la guerre, puis elle n'a rien fait pour nous permettre de remporter la victoire. Enfin, la France a été meurtrie ; mais, tandis que nous pensions être les associés de l'Angleterre, comment nous a-t-elle traités, nous Français ? A peine comme des mercenaires. En Afrique du Sud, les consuls britanniques sont venus dire à nos chefs civils et militaires : « Ne reconnaissez pas l'autorité du maréchal Pétain, écoutez la voix du général de Gaulle. Pour vos traitements, vos soldes, vos retraites, rassurez-vous : l'Angleterre paiera et améliorera même votre situation. » Laval parla ensuite de l'attaque des navires français à Mers-el-Kébir [3] et il s'écria : « A la force, nous avons riposté par la force, pour sauver l'honneur de notre marine, de notre pavillon. Mais ce ne fut pas une bataille loyale qui fut engagée par la marine de Sa Majesté, ce fut un assassinat. En effet, les marins qui quittaient les bateaux en perdition étaient mitraillés par les avions britanniques, fauchés les uns après les autres. »

Remises à leur place dans le passage de la déclaration de Laval dont elles avaient été extraites, les deux phrases incriminées retrouvent leur sens véritable. Au lendemain de Mers-el-Kébir, opération que nous n'avons pas à juger ici, Laval traduisait très certainement, il faut le reconnaître, le sentiment général du moment. Ses paroles furent d'ailleurs accueillies par des applaudissements. Mais, s'il est fort probable que Laval éprouvait lui-même, comme la plupart des Français, de la rancœur contre l'Angleterre à la suite de cette action, les faits démontrent qu'elle n'a pas déterminé sa politique à son égard. Il refusa de déclarer la guerre à l'Angleterre malgré les demandes allemandes de plus en plus pressantes. Le 10 juillet 1940, il définit ainsi la politique qu'il entendait suivre : « J'affirme que nous n'avons pas l'intention de déclarer la guerre à l'Angleterre, mais chaque fois que nous le pourrons, nous rendrons coup pour coup. »

LES TEMOINS DE LA DEFENSE

— *François Piétri, Ambassadeur de France à Madrid de 1940 à 1944* (HI - II - 698).

M. Baudouin, Ministre des Affaires étrangères, me demanda d'accepter le poste d'Ambassadeur à Madrid, avec la consigne précise de m'efforcer d'établir là-bas une liaison permanente avec Sir Samuel Hoare, Ambassadeur d'Angleterre, lequel avait été Ministre de la Marine à l'époque où je l'étais aussi et que je connaissais donc personnelle-

---

3. Le 3 juillet 1940, une force navale britannique attaqua la flotte française au mouillage dans la rade de Mers-El-Kébir.

ment. Je fus nommé le 9 octobre 1940, arrivai à Madrid le 6 novembre et remis mes lettres de créance le 7 décembre.

Je ne saurais entrer dans les détails d'une mission qui a duré pendant tout le temps du Gouvernement de Vichy, jusqu'au 30 août 1944. Je me bornerai ci-après à énumérer les principaux points dont j'ai eu à m'occuper et les résultats de mon activité au cours de cette longue période, en indiquant, en particulier, qu'à aucun moment je n'ai été désapprouvé par M. Laval, même lorsque j'ai eu à prendre des initiatives qui ne cadraient en rien avec sa politique dite de collaboration (laquelle, ainsi qu'il me l'a dit lui-même lors d'un de mes déplacements à Vichy, n'avait pas d'autre but que d'esquiver habilement, ou d'atténuer pour le mieux, la tyrannie de l'occupation allemande).

Le premier contact que j'ai pris en arrivant à Madrid en novembre 1940, avant même de rendre visite aux Autorités espagnoles, a été avec Sir Samuel Hoare. Nous décidâmes, d'un commun accord, de rester constamment en relations et d'établir à Madrid la liaison de fait indispensable entre les deux pays. Nous fûmes ainsi en rapports suivis et continuels *jusqu'en mars 1943*, et c'est sur l'initiative du Foreign Office, et non de Vichy, qu'elles furent alors interrompues. Durant cette période de deux ans et demi, nous nous sommes concertés sur de nombreuses questions et nous avons réussi à en régler plusieurs de façon satisfaisante.

— *Jean Tracou, Directeur du Cabinet Civil du maréchal Pétain* (HI - III - 1624).

J'ai fait la connaissance du Président Laval le 11 décembre 1940. Il avait décidé de m'envoyer à Athènes comme Ministre de France et m'accorda une audience. « Vous êtes peut-être un peu surpris de ma politique, me dit-il. Elle est bien simple. Il faut d'abord vivre. Nous ne savons pas combien de temps la guerre durera, ni comment elle finira. Nous sommes coupés de la mer, nous ne pouvons ni nous nourrir, ni travailler. Un peuple ne peut pas mourir. Nous sommes obligés, pour vivre, de nous entendre avec l'Alle-

magne et, pour cela, comment ne pas donner quelques
gages ? C'est fatal. Il faut en donner le moins possible et,
pour cela, il faut causer, négocier. S'il y a une autre politique possible, je demande qu'on me le dise.» Je lui fis
remarquer : « Ne craignez-vous pas que cette politique
puisse nous amener un jour ou l'autre à entrer en guerre
contre l'Angleterre ? » Il me répondit : « Vous me connaissez
bien mal pour me poser une pareille question. Je hais la
guerre. Elle ne paie pas, et surtout pas pour la France. J'ai
tout fait pour m'opposer à celle-ci, ce n'est pas pour nous
y remettre maintenant. Je vais vous dire une chose : après
Mers-el-Kébir et Dakar, c'est moi qui ai empêché certains
actes qui auraient pu conduire à la guerre avec l'Angleterre. »

3

Les déclarations de Pierre Laval

MEMOIRE EN REPONSE
A L'ACTE D'ACCUSATION

Je n'ai d'ailleurs aucune gêne pour m'exprimer au sujet
de la Grande-Bretagne. Je n'ai pas et n'ai jamais eu de
haine contre ce pays. J'ai eu parfois, au cours de ma
carrière gouvernementale, des difficultés avec le cabinet
britannique. J'ai été souvent en plein accord avec les
ministres anglais. J'ai toujours admiré avec quelle ténacité
ils défendaient l'intérêt de leur pays quand ils le croyaient
menacé. Je n'ai jamais conçu qu'en dehors d'une solidarité
réciproque la France puisse être mise à la remorque de
l'Angleterre. Mes rapports personnels avec les ministres

anglais ont toujours été courtois et souvent même, quand je n'étais pas complètement d'accord avec eux, empreints de grande cordialité, comme ce fut le cas avec M. Eden. Si j'avais un vœu à exprimer, ce serait de voir toujours les ministres français faire leur métier de Français comme les ministres anglais, quelle que soit leur couleur politique, savent accomplir leur métier d'Anglais. Ils ont au suprême degré l'orgueil de leur race, de leurs traditions et de leur Empire ; ils sont, au sens noble, des maîtres dans le monde. J'ai toujours eu et j'aurai toujours pour notre pays, quelles que soient ses vicissitudes, la même ambition. Ceux qui me connaissent bien savent que je n'ai jamais tenu un autre langage. Il m'est arrivé parfois de réfréner l'anglomanie ou l'anglophobie de certains Français, mais je sais que ces sentiments chez nous sont toujours passagers. L'union franco-britannique ne peut se fonder que sur une parfaite égalité de droits et elle ne peut durer qu'à cette condition.

Je vais citer certains faits saillants, concernant les rapports que j'ai eus, comme ministre des Affaires étrangères et comme chef du Gouvernement, avec le gouvernement britannique.

En 1931, au moment de la grande crise financière, sollicité durant la nuit (septembre-octobre 1931) de recevoir immédiatement M. Campbell, chargé d'affaires à Paris, remplaçant Lord Tyrell, j'ai accepté, sans réunir le Conseil des ministres, pour ne pas porter atteinte, par des indiscrétions, au crédit de la Grande-Bretagne, de lui faire faire, par le Trésor français, le matin même, une avance de trois milliards. Les caisses de la Banque d'Angleterre étaient vides et les paiements auraient été suspendus sans le concours spontané de la France. M. Campbell m'avait remercié avec émotion et dit, en me serrant les mains : « Monsieur le Président, mon pays n'oubliera jamais. »

En 1934 et en 1935, j'eus à régler, en collaboration étroite à Genève avec M. Eden, le délégué britannique, des problèmes graves, comme les conditions du plébiscite de la Sarre et la résolution du Conseil de la Société des Nations concernant l'assassinat du roi Alexandre de Yougoslavie. Mon attitude et mon action furent alors approuvées par le

Parlement et je fus, ce qui est rare, félicité et remercié nommément dans un ordre du jour voté à l'unanimité par le Sénat. Je n'avais pu réussir à Genève qu'avec le concours actif de la délégation britannique. J'eus avec elle, parfois, des difficultés, chose naturelle dans des questions aussi graves, mais elles furent toujours surmontées par une bonne volonté réciproque.

Lorsque, en 1935, je fus prévenu que la *Home Fleet* avait traversé le détroit de Gibraltar pour se rendre en Méditerranée, et que l'ambassadeur de la Grande-Bretagne me demanda quelle serait l'attitude de la France au cas où les sanctions provoqueraient, entre la Grande-Bretagne et l'Italie, un conflit armé, je répondis que son pays pouvait compter sur l'appui immédiat et sans réserve de toutes nos forces de terre, de mer et de l'air. J'ai cherché dans l'Histoire des précédents où un représentant de la France aurait pris vis-à-vis de la Grande-Bretagne un tel engagement sans être lié par une alliance militaire : je n'en ai pas trouvé. Voici d'ailleurs dans quels termes, répondant à l'interpellation de M. Yvon Delbos, je rendis compte au Parlement, le 28 décembre 1935, de mes négociations avec la Grande-Bretagne :

« En exécution de l'alinéa 3 de l'article 16 du Pacte, je n'ai pas hésité à faire prendre à la France, vis-à-vis de la Grande-Bretagne, l'engagement de se porter à son aide sur mer, sur terre et dans les airs, si elle venait à être attaquée par l'Italie à l'occasion de l'application des sanctions. La déclaration faite alors à l'ambassadeur de Grande-Bretagne, confirmée depuis, à Paris, à Sir Samuel Hoare lui-même, je tiens, pour dissiper tout malentendu qui pourrait subsister à ce sujet dans l'opinion internationale, à la renouveler ici publiquement. »

(J'ai d'ailleurs été peu surpris d'apprendre que ce numéro du *Journal officiel* avait été supprimé à la vente par des achats massifs. La netteté de cette politique extérieure était peut-être une gêne pour ceux qui combattaient ma politique intérieure de redressement financier.)

La Chambre des députés, après ma réponse à M. Yvon Delbos et aux autres interpellateurs, me vota un ordre du jour de confiance. La majorité eût été encore beaucoup plus forte si j'avais pu alors faire état de certains documents secrets concernant mes négociations avec l'Italie, et notamment de l'alliance militaire secrète dont j'ai parlé au procès Pétain et que le maréchal Badoglio a confirmée par une déclaration à la presse le lendemain de mon audition.

Je fus en désaccord avec le gouvernement anglais lorsqu'il négocia et signa, à notre insu, un accord naval avec le gouvernement allemand. J'étais allé à Londres auparavant, au début de février 1935, comme ministre des Affaires étrangères, avec M. Flandin, président du Conseil, et il avait été convenu que, désormais, nous n'aborderions jamais séparément l'Allemagne, spécialement pour les questions de réarmement de ce pays. Ayant appris par la lecture des journaux la signature de l'accord naval, je convoquai Sir George Clark, ambassadeur à Paris, et je lui dis mon regret d'avoir vu son gouvernement négocier avec l'Allemagne sur un tel objet, sans nous prévenir, contrairement à l'engagement solennel qui avait été pris le 4 février 1935.

J'eus aussi quelques difficultés lorsque l'Allemagne viola les clauses militaires du Traité de Versailles. Cette violation n'était pas, comme la remilitarisation de la Rhénanie, sanctionnée par le Traité de Locarno, mais elle constituait la plus grave menace pour notre sécurité. Nous eûmes une discussion à Stresa d'abord, à Genève ensuite, et, finalement, j'obtins que Sir John Simon donnât son accord à la résolution, d'ailleurs platonique, qui fut votée par le Conseil de la Société des Nations.

L'année précédente, sous le ministère Doumergue, l'Allemagne avait proposé de porter à un chiffre forfaitaire de trois cent mille hommes l'effectif de son armée. Barthou avait accepté, mais MM. Tardieu et Herriot s'y opposèrent, en plein accord avec M. Doumergue, et l'Angleterre jugea (certainement) que nous avions eu tort de repousser cette proposition allemande. Aussi nous ne trouvions pas un accueil chaleureux du côté anglais pour protester et agir avec nous contre la violation par l'Allemagne des clauses militaires du Traité de Versailles. Il est vrai qu'elle allait conclure avec l'Allemagne l'accord naval dont je viens de parler.

Nous ne pouvions donc alors envisager l'application de sanctions à l'Allemagne, car nous n'avions pas la majorité à Genève quand nous n'étions pas pleinement d'accord avec l'Angleterre. Aussi notre débat à Stresa fut assez vif. Je demandai à M. Mac Donald, en présence du danger allemand qui se précisait, de faire la chaîne de Londres à Moscou. Les Accords de Rome et le Pacte franco-soviétique, que j'avais signés, avaient déblayé le terrain de difficultés qu'on croyait insurmontables. L'Angleterre n'était pas encore prête à envisager cette politique d'encerclement de l'Allemagne, qui seule pouvait empêcher la guerre, en mettant Hitler dans l'impossibilité de nuire.

D'une manière générale, quand on connaît la politique britannique en Europe depuis le Traité de Versailles, on peut dire que mes difficultés avec les Anglais furent de même ordre que celles qu'avaient connues mes prédécesseurs. Il y eut un moment, pendant cette période, où nos rapports furent excellents : c'est lorsque M. Austen Chamberlain était au Foreign Office et qu'il signait avec Briand le Traité de Locarno. J'ai lu, dans ma cellule, le livre du ministre anglais, *Au Fil des Années*, et j'ai constaté que l'intérêt britannique avait largement inspiré ses négociations. Je n'en ai pas été choqué, au contraire, car les traités ne valent pour les peuples que dans la mesure où ils consacrent leurs intérêts. Cette politique avait une autre allure que celle de Munich, à laquelle je n'ai jamais donné mon adhésion.

J'en aurai terminé avec la réfutation du deuxième considérant de l'acte d'accusation, en disant qu'il est aussi inexact et injuste de prétendre que j'avais voué une haine tenace à l'Angleterre, à propos de l'affaire éthiopienne, quand j'aurai répondu à l'argument tiré contre moi de l'échec du projet Hoare-Laval. Je m'en suis expliqué devant la Haute Cour en déposant dans le procès Pétain, mais je vais préciser.

Toutes les tentatives faites à Genève pour trouver une solution amiable au conflit éthiopien avaient successivement échoué. Seul un accord complet entre la France et l'Angleterre pouvait obtenir ce résultat.

Ni l'Italie, ni l'Ethiopie n'auraient pu résister à une transaction imposée par nos deux pays. C'est ce que comprit Sir Samuel Hoare et, avec un sens aigu des réalités et le souci de mettre un terme à une entreprise dont les conséquences pouvaient être graves pour l'avenir de l'Europe, il accepta de discuter et d'élaborer un projet dont j'étais sûr qu'il serait accepté par l'Italie, dont il était sûr qu'il le serait également par le Négus, et dont nous étions sûrs tous les deux que Genève aurait entériné une telle solution.

Des indiscrétions de presse et de polémique se produisirent. Une interpellation eut lieu à la Chambre des communes et Sir Samuel Hoare dut démissionner. Il fut d'ailleurs rappelé dans le Cabinet, à un autre poste, quelques jours après.

J'ai toujours profondément regretté que ce projet n'ait pas été admis. Je n'ai jamais pensé que je devais en vouloir particulièrement à l'Angleterre pour le rejet du plan ; il y avait en effet dans ce pays, comme dans le nôtre, une opinion divisée ; elle était généralement plus hostile en Angleterre, car, à l'antifascisme qui, seul, chez nous, s'opposait au projet, il s'ajoutait, chez elle, l'opinion de ceux qui croyaient à une menace sur la route des Indes. Les Anglais, une fois de plus, défendaient leur intérêt qu'ils croyaient menacé. Ce sont là les fluctuations de la politique internationale. Je n'avais donc aucune raison de « haïr » l'Angleterre ; j'en avais seulement pour regretter un échec qui allait progressivement jeter l'Italie dans les bras de l'Allemagne, priver la France et la Grande-Bretagne du concours indispensable des Balkans et attirer tant de malheurs sur notre pays. Je suis profondément surpris de trouver aujourd'hui, dans un acte d'accusation aussi grave, un tel grief relevé contre moi, avec une telle méconnaissance des faits de l'histoire, pourtant récente, de notre pays.

Interrogatoire de Pierre Laval à son procès. (Audience du 4 octobre 1945)

J'ai montré qu'avec l'Angleterre, ce n'est pas toujours commode. Je sais que cela ne l'a pas toujours été et je ne sais pas si c'est encore très commode aujourd'hui ; il y a toujours des petites difficultés. Mais je vous montrerai que pour la Sarre, que pour l'affaire du réarmement de l'Allemagne, que pour l'assassinat du roi Alexandre et pour les sanctions et les conclusions qu'on en pouvait tirer à Genève, nous avons eu bien des difficultés. J'admire les Anglais. Je l'ai dit dans une note. J'admire les ministres anglais, car quelle que soit leur couleur politique, ils défendent toujours leurs intérêts anglais et ils font toujours leur métier d'Anglais. J'admire les Anglais parce qu'ils sont fiers de leur race, de leurs traditions, de leur Empire, et je n'ai qu'une ambition pour mon pays, pour les ministres français, c'est que ceux-ci aient la même psychologie et les mêmes ambitions que les ministres britanniques pour leur pays. C'est là ce que je me suis efforcé de dire. On a dit que je n'aime pas l'Angleterre. Je réponds que j'ai toujours recherché l'union avec l'Angleterre, mais je l'ai toujours recherchée dans l'égalité. Je ne voulais pas d'une union dans la contrainte et dans la dépendance ; c'est une méthode impie... Dans l'acte d'accusation, vous me reprochez ma politique extérieure. Vous dites que j'ai la haine de l'Angleterre. Je vous répondrai et je vous prouverai que je n'ai pas de haine contre l'Angleterre. Je vous montrerai par des actes de gouvernement importants qu'à certains moments difficiles de nos rapports avec l'Angleterre ou des moments difficiles même pour l'Angleterre, je n'ai pas agi comme un homme qui avait la haine de l'Angleterre.

Déclaration de Pierre Laval aux représentants des prison-
niers le 10 juillet 1943 :

On croit que j'en veux à l'Angleterre. On vous a toujours
dit de moi que j'étais un adversaire forcené de l'Angleterre,
un anti-Anglais. Je vais vous faire une confidence. Je ne
suis pas anti-Anglais. Je vais vous dire la vérité. Je suis
Français 100 % et pour que vous me compreniez bien,
je n'aime que mon pays... J'en ai quelquefois voulu à
l'Angleterre lorsque je l'ai trouvée sur ma route pour
empêcher la France de réaliser une entente nécessaire
avec ses voisins : l'Italie par exemple... J'ai constaté dans
ma vie publique que les Anglais se sont presque toujours
opposés à une entente de la France avec l'Italie... J'ai
toujours constaté par ailleurs et je ne fais pas son procès, car je n'ai de haine pour aucun peuple, et si je
disais toute ma pensée, je vous dirai même que j'ai de
l'admiration pour le peuple anglais, pour son sens national
et que je déplore que le peuple français n'ait pas toujours
les mêmes réactions. Mais c'est un fait que chaque fois
que la France a voulu rechercher en Europe l'équilibre, la
stabilité et l'ordre, l'Angleterre a toujours agi de telle
façon qu'elle restait maîtresse et arbitre des destins de
l'Europe. Tantôt, elle apportait son concours à la France,
tantôt à l'Allemagne, mais elle s'est toujours opposée à
un accord entre la France et l'Allemagne. Je le dis sans
aigreur. Je ne mets aucune amertume dans mes propos,
mais je m'adresse à des Français et je voudrais qu'ils
n'aient comme moi pas plus d'amertume contre les
Anglais, mais qu'ils aient la notion claire des véritables
intérêts français et qu'ils se disent toujours que la France
ne doit se déterminer que par son propre intérêt.

1

Le Dossier de l'Accusation

LE REQUISITOIRE.

Je vous disais que son nom restait peut-être plus indissolublement lié à la politique de collaboration pendant la période qui a suivi le 13 décembre 1940 que pendant celle où, depuis le 10 juillet jusqu'au 13 décembre suivant, il a jeté les fondements de sa politique d'entente avec Hitler. Et voici à ce sujet un document auquel, pour ma part, j'attache une grande importance : c'est le message que, le 25 mai 1941, Laval a adressé aux Américains pour les inviter à s'abstenir d'entrer dans la guerre aux côtés de l'Angleterre.

Quelle était la situation au mois de mai 1941 ? Oh ! En apparence, l'Allemagne était victorieuse sur tous les fronts, mais malgré ses victoires, elle n'était pas sans appréhension sur la solidité du pacte germano-soviétique d'août 1939. Elle n'était pas non plus sans préoccupations inhérentes à l'extension d'un front militaire à la fois dans les

Balkans et en Afrique du Nord. Les événements de Syrie ne prenaient pas une tournure favorable. Enfin, elle n'était pas sans craintes du côté de l'Amérique et de Dakar, où elle redoutait chaque jour une jonction des forces françaises libres avec un corps expéditionnaire américain.

Dans un langage de gauleiter, de Brinon avait prévenu le président Roosevelt que la France défendrait Dakar par les armes. En attendant les déclarations tapageuses de Darlan, Luchaire, dans *les Nouveaux Temps*, écrivait froidement : « Nous prenons position pour défendre l'Europe contre l'Amérique. » Mais tout cela était peut-être trop brutal, trop grossier pour impressionner les Français et influencer l'opinion américaine. La manière de Laval était plus habile, et voici comment, à son tour, il faisait entendre sa note dans cet appel aux Américains du 25 mai 1941. (Suivent des extraits incomplets de cet appel).

LES DOCUMENTS DE L'ACCUSATION.

— « *Message aux Américains et aux Français.* » C'est le texte, publié en 1941 sous forme de brochure, d'une interview accordée par Pierre Laval au journaliste américain Ralph Heinzen, correspondant pour la France de l'agence United Press. Il faut préciser que Pierre Laval, qui n'occupait alors aucune fonction officielle, parlait en son nom personnel.

« Depuis l'armistice, l'incompréhension semble être devenue la règle des rapports de nos deux pays. Nous avons subi une immense défaite qui devrait vous faire comprendre notre position et notre attitude. Notre préoccupation essentielle consiste à vouloir maintenir l'unité de notre empire. Reconnaissez que l'Amérique ne nous a pas aidés pendant la guerre et que votre pays porte ainsi sa part de responsabilité dans nos malheurs. Nous ne lui en voulons pas, bien que nous nous souvenions des espérances que l'attitude des Etats-Unis, en 1939 et même en 1940, avait fait naître chez nous. Mais nous estimons que ce passé récent, joint à une tradition d'amitié séculaire, nous permet aujourd'hui encore de compter, sinon sur la sympathie, du moins sur la compréhension du peuple américain. J'ai vu de grands américains souffrir avec nous de notre défaite et sais les efforts que certains d'entre eux ont fait chez eux pour secourir nos femmes et nos enfants.

J'ai appris récemment, par une dépêche de votre agence, que votre gouvernement se disposerait à mettre la main sur les Antilles françaises, voire à envisager une opération contre Dakar. Comment est-ce possible ? Quelle pourrait être la base d'une telle action ? Où serait l'explication d'une pareille initiative ? Je n'ose pas dire : quelle en serait la justification ? C'est là-dessus qu'il faut s'expliquer avec franchise, au grand jour, en gens honnêtes et droits qui n'ont rien à craindre de la vérité. La tension actuelle entre la France et l'Amérique repose sur de graves malentendus. J'ai essayé de les dissiper avant de quitter le pouvoir. En effet, lorsque après l'entrevue de Montoire, le président des Etats-Unis a critiqué l'attitude de la France dans un message adressé au maréchal Pétain, voici ce que je lui ai répondu au nom du chef de l'Etat français :

Le chef de l'Etat français a reçu le message que le président Roosevelt lui a fait parvenir par l'entremise du chargé d'affaires des Etats-Unis. Animé du désir de préserver l'amitié qui, depuis la fondation des Etats-Unis, lie le peuple américain au peuple français, il s'abstiendra de relever ce qui, dans cette communication, pourrait le faire douter des dispositions équitables du gouvernement américain. Pour répondre aux préoccupations du président Roosevelt, il tient à affirmer que le gouvernement français a toujours conservé l'indépendance de son action et il ne peut que s'étonner d'une appréciation aussi inexacte qu'injuste. Le gouvernement français a déclaré que la flotte française ne serait jamais livrée et rien ne peut autoriser le gouvernement américain à mettre en doute aujourd'hui cet engagement solennel. Le président Roosevelt parle d'opérations dirigées contre la flotte britannique. Il oublie sans doute qu'en effet, des opérations sur mer se sont produites, mais qu'elles furent, de la manière la plus inattendue, engagées par la flotte britannique. D'autre part, l'Angleterre a pris contre la France et contre son gouvernement une position que le peuple français ne peut admettre. Le gouvernement de sa Majesté prête, en effet, son concours à des Français rebelles à leur patrie, dont l'action, grâce à l'appui de la flotte et de l'aviation britanniques, porte atteinte à l'unité de son empire. La France, et son gouvernement peut en donner l'assurance, ne se livrera à aucune attaque injustifiée, mais consciente de ses devoirs, elle saura faire respecter dans l'honneur ses intérêts essentiels. Le gouvernement français reste très attaché au maintien de l'amitié traditionnelle qui unit nos deux pays et il s'efforcera, en chaque circonstance, d'éviter des malentendus ou des interprétations comme celles qui ont sans doute conduit le président Roosevelt à nous adresser ce message.

Je souhaite qu'une telle déclaration, portée à la connaissance du peuple américain, dissipe certaines équivoques. J'ai exposé ma politique vis-à-vis des Etats-Unis dès 1931. Je l'ai fait avec netteté et avec spontanéité car c'est ainsi que l'on doit toujours parler à un grand peuple, rattaché par tant de liens historiques et de sang versé sur les champs de bataille de nos deux pays. Je suis allé voir le président Hoover, il y a dix ans, pour rechercher avec lui une meilleure solution des problèmes européens. En m'attaquant à la question des réparations et des dettes, je voulais obtenir, d'accord avec l'Amérique, un nouvel ordre européen basé sur l'équité. Toute ma politique n'a eu qu'un but : sauver mon pays de la misère et de la guerre en éteignant en Europe chaque foyer d'incendie. En septembre 1939, j'ai été naturellement opposé à la guerre. Je savais qu'elle pouvait être évitée et je n'ignorais pas que nos chefs n'avaient pas donné ou n'avaient pas exigé les armements suffisants pour la faire. C'est le douloureux exemple de mon pays qui me permet aujourd'hui de dire au peuple américain : avant de vous précipiter aveuglément dans une grande aventure, réfléchissez au destin d'un pays ami qui, en septembre 1939, a été lancé dans une guerre perdue d'avance. Nous avons déclaré cette guerre avec neuf avions modernes de bombardement.

D'ailleurs, pourquoi l'Amérique ferait-elle la guerre ? Je sais, et j'en suis comme chacun de mes compatriotes profondément touché, que l'un des grands arguments employés

aujourd'hui par ceux qui, chez vous, souhaitent une intervention active dans le conflit anglo-allemand, consiste à
dire : il faut délivrer la France. Ce sentiment vous honore
et je puis ajouter aussi qu'il honore mon pays. Mais je
dois hautement affirmer qu'actuellement, cette générosité
porte à faux et qu'elle ne pourrait provoquer que des
actes inopérants — que dis-je, des actes atrocement pré-
judiciables aux intérêts vitaux de cette France à laquelle
l'Amérique porte un si noble attachement. Et, sur ce
point capital, je veux m'expliquer avec précision. Certes,
je ne suis plus depuis six mois au gouvernement de mon
pays. Mais le rôle que les circonstances m'ont amené à
jouer au lendemain de la défaite, ainsi que les responsabilités dont je revendique fièrement et le poids et l'honneur, me font un devoir de parler. »

Pierre Laval relatait ensuite sa prise de contact avec
les autorités d'occupation, l'entrevue de Montoire et son
espoir d'obtenir une paix honorable de l'Allemagne. Il
poursuivait ainsi son exposé :

« Cette paix, que j'espère et dans laquelle je crois
depuis que j'ai rencontré le chancelier Hitler, apparaî-
trait-elle incompatible avec l'idée que l'Amérique se fait
de la France ? Je ne puis le croire. C'est pourtant cette
paix-là, et non une autre, que la collaboration doit apporter à mon pays. Serait-ce une paix opposée, une paix de
destruction et de morcellement à laquelle les Etats-Unis
voudraient pousser la France en lui enjoignant de refuser
la main tendue par le chancelier Hitler dans un geste sans
précédent dans l'histoire ?

Et puis, il y a autre chose. Cette guerre — vous ne
vous en rendez pas compte de l'autre côté de l'Océan —
n'est pas une guerre comme les autres : c'est une révolution d'où doit sortir une Europe rajeunie, réorganisée et
prospère. Les libertés ? Elles ne sauraient être menacées
dans un pays qui en fut le berceau. La démocratie ? Si
c'est celle que nous avons connue, qui nous a fait tant de
mal et à laquelle nous devons partiellement notre déchéance
présente, nous n'en voulons plus et nous ne voulons
pas qu'on nous demande de nous battre pour elle. Mais
une république neuve, plus forte, plus musclée, plus

réellement humaine, cette république nous la voulons et nous la construirons. Ceux qui, dans mon pays, peuvent rêver d'un retour en arrière se trompent. La France ne peut pas et ne veut pas reculer. Avec tous les grands états d'Europe, elle devra remplir deux tâches : bâtir la paix d'abord et ensuite, pour briser le chômage, ses misères et ses désordres, construire le socialisme.

Voilà ce que je voulais dire au peuple américain. Voilà les assurances que mon expérience personnelle me permet de lui donner. Les Etats-Unis vont-ils faire en sorte de nous paralyser sur ce chemin de notre résurrection nationale ? Vont-ils retarder, par de cruelles et sanglantes initiatives, l'heure où la France pourra reprendre librement sa marche vers l'avenir ? Dans la reconstruction de l'Europe, vous autres Américains, vous pouvez jouer un rôle magnifique. Mais vous ne pouvez le jouer qu'à condition de travailler à la paix par la paix, en demeurant, comme vous le devez vis-à-vis de vous-mêmes, forts, vigilants, unis. La France peut devenir un jour prochain le trait d'union entre votre continent et le nôtre. Nos échanges doivent reprendre, nous avons besoin de beaucoup de vos richesses comme vous avez besoin de certaines des nôtres. Mais dites-vous bien que cette fonction de plaque tournante entre le nouveau monde et la nouvelle Europe, la France ne pourra la remplir qu'à la condition d'accepter et de pratiquer une collaboration totale et sans arrière-pensée avec l'Allemagne. Je sais que cette collaboration vous étonne. Je viens, je crois, de vous démontrer qu'elle est dans l'ordre naturel des choses. Elle est indispensable à la France comme elle est utile à l'Allemagne. Elle se fait sur l'initiative et sous l'autorité d'un vainqueur qui est trop imbu des leçons de l'Histoire pour ne pas vouloir être le reconstructeur d'une Europe pacifique plutôt que le chef d'une Allemagne agrandie aux dépens de ses voisins.

Je viens de vous parler franchement de mon pays, de ses malheurs, de ses espérances. Est-ce vous, Américains, à qui tant de liens nous unissent qui voudrez briser notre effort de redressement ? Si vous voulez nous arracher une partie quelconque de notre empire, ce serait comme si vous nous enleviez un morceau de notre chair vivante.

Non, il est impossible que nous voyions, au moment de notre plus grande détresse, votre drapeau étoilé se substituer à nos trois couleurs sur nos terres lointaines. »

2

Le Dossier de la Défense

A) Quels étaient les véritables sentiments de Laval à l'égard des Etats-Unis ?

Laval les avait lui-même exprimés en avril 1942 à l'amiral Leahy, Ambassadeur des Etats-Unis en France : « La France ne prendra pas l'initiative de la rupture des relations avec les Etats-Unis... On peut trouver dans mon passé de nombreuses preuves que j'ai toujours entretenu de bonnes relations avec les Etats-Unis... Quoi qu'il advienne, je suis décidé à ne jamais prononcer aucune parole, à ne jamais faire aucun geste, à ne jamais accomplir aucun acte à l'égard de votre pays qui puisse être considéré comme incorrect ou même comme inélégant ». Quelque temps plus tard, à Emmanuel Temple, député de l'Aveyron, ancien ministre, qu'il envoyait en mission économique en Afrique du Nord, il avait dit [4] : « Si vous avez l'occasion de voir Murphy, vous voudrez bien lui exprimer ma sympathie pour lui et pour son pays ». Laval nomma par la suite Emmanuel Temple Préfet à Alger.

4. H.I. — II — 749.

B) Sur le plan politique, Laval chercha à maintenir des relations diplomatiques normales avec l'Amérique et amicales envers ses représentants :

— C'est Robert Murphy, le chargé d'Affaires américain à Vichy, qui en témoigne [5] : « J'avais certes déjà rencontré Laval à Paris (avant guerre), car il a joué un rôle important pendant les dix années que j'ai passées dans la capitale, mais il ne m'avait jamais accordé autant d'attention qu'à Vichy... Il me faisait bonne mine parce que les Etats-Unis, dont j'étais le représentant (en 1940), jouaient un rôle dans ses projets ».

— M. François Piétri, qui fut ambassadeur de France à Madrid, le confirme, car il déclare (H I — II — 698) :

« Avec les Américains, il faut distinguer deux périodes : celle de Mr. Weddell (1940-1942) et celle de Mr. Carlton Hayes (1942-1944), ce dernier arrivé à Madrid peu avant l'entrée des Etats-Unis dans la guerre. Avec Mr. Weddell, mes relations ont été plus qu'amicales : elles furent affectueuses et intimes. Nous déjeunions ou dînions très souvent ensemble. Il me faisait d'intéressantes confidences, que je transmettais à Vichy. Les deux fois que l'amiral Leahy est passé par Madrid, il a été reçu par moi à l'Ambassade avec les Weddell. J'aurais été heureux, dans l'intérêt français comme dans celui des Alliés, que ces excellentes relations continuassent avec Mr. Carlton Hayes. Les premiers temps de sa mission à Madrid, il en fut ainsi, et il se montra extrêmement aimable. A partir du débarquement d'Algérie (novembre 1942), son attitude changea, et il crut, à la différence des Anglais, devoir couper ses contacts avec moi. Ses mémoires sont remplis, concernant la politique de Vichy, ou l'attitude de mon Ambassade, de choses absolument fausses et que je suis en mesure de démentir une par une. Mais cela n'offrirait ici

5. « Un diplomate parmi les guerriers. »

que peu d'intérêt, étant donné leur caractère purement personnel. »

— M. Charles Rochat, secrétaire général du Ministère des Affaires étrangères, atteste que Laval attachait une grande importance au maintien de bons rapports entre son gouvernement et l'Amérique (H I — II — 1107) ; il a déclaré à propos de l'entretien que Laval eut en avril 1942 avec l'amiral Leahy :

« Je me souviens de l'extrême attention avec laquelle l'amiral Leahy suivit l'exposé de Laval qui, après des propos de courtoisie et l'expression de ses condoléances pour le décès de Mme Leahy, entra aussitôt en plein sujet politique. Son attention redoubla lorsque le Chef du Gouvernement lui fit part de ses sentiments personnels à l'égard de l'Amérique, fit allusion aux liens de famille qui le rapprochaient de ce pays et conclut en affirmant qu'il n'entreprendrait jamais rien de contraire aux intérêts américains.

Laval a toujours considéré cette conversation comme particulièrement importante. Il s'y référait en toute circonstance ; il en lisait volontiers le compte rendu à ses visiteurs, quels qu'ils fussent, même après novembre 1942. »

— Enfin, Dominique Canavaggio, journaliste, assista à une interview de Laval réalisée par le journaliste américain Ralph Heinzen et il en relate ce passage (H I — III — 1398) :

« Ami de l'Allemagne, donc ennemi de l'Amérique », c'est dans ce raisonnement simpliste que l'opinion publique résumait la politique de Laval à l'égard des U.S.A. La réalité était bien différente. J'eus une première occasion de m'en rendre compte lorsque, en avril 1942, à la veille du retour de Laval au pouvoir, j'accompagnai Ralph Heinzen, Chef des services de la *United Press*, qui allait en « visite d'information » chez le Président.

Laval s'assit à sa table-bureau, et Heinzen aussitôt le questionna :

« Monsieur le Président, il est à peu près sûr que vous

allez être, demain, Chef du Gouvernement. Ce qui intéresse beaucoup l'Ambassade, ce qu'elle voudrait savoir, c'est si vous ne prendrez pas, vis-à-vis des U.S.A., une position hostile, notamment en ce qui concerne la Martinique et les Antilles ?

Laval lui répondit aussitôt, avec vivacité :

— Est-ce que vous croyez que je suis devenu complètement idiot ? Est-ce que vous vous figurez que, si je prends le pouvoir, c'est pour déclarer la guerre aux Etats-Unis ? Mon but, au contraire, c'est d'arriver à la cessation des hostilités ; en ce qui concerne la Martinique, qui se trouve dans les zones d'influence de votre pays, je ne ferai jamais rien qui puisse gêner Roosevelt.

— Est-ce que vous accepteriez, le cas échéant, de recevoir notre chargé d'affaires Tuck ? demanda alors Heinzen.

— Mais bien sûr ! Dites-lui que je suis là pour ça ! »

Après le débarquement américain de novembre 1942 en Afrique du Nord, Laval refusa de déclarer la guerre à l'Amérique malgré la pression du gouvernement allemand et des partis collaborateurs de la zone occupée. Il se contenta de constater la rupture des relations diplomatiques entre les deux pays : — Nous citerons seulement ce passage d'un article du général Schmitt, ancien membre de la Résistance, publié dans « La France sous l'occupation — Esprit de la Résistance » : « Le 8 novembre au soir, la décision suivante est prise à Vichy : « Le Conseil des Ministres a constaté que le gouvernement américain, en portant la guerre sur les territoires de l'A.F.N., a de ce fait rompu les relations diplomatiques avec la France. » En dépit des efforts de Brinon et d'Abetz, même quand le Maréchal aura passé à Laval une partie de ses attributions de chef de l'Etat, jamais il n'y aura de déclaration de guerre à l'Amérique, jamais même, il n'y aura « constatation de l'état de guerre ». Hitler n'insista pas ».

C) Quelle fut l'attitude de Laval à l'égard de l'entrée en
guerre des Etats-Unis ?

— 1) Jusqu'en 1942, il n'a certainement pas cru qu'elle
était possible. Robert Murphy écrit en effet [6] : « Quant
à le persuader que les Etats-Unis interviendraient finalement en Europe, j'y échouai complètement. Il souriait,
haussait les épaules et m'assurait que l'avenir de l'Europe
serait réglé avant que les Etats-Unis « se décident à décider » quoi que ce soit. Malgré son manque de clairvoyance sur ce point, ses sentiments envers les Etats-Unis
n'étaient pas inamicaux. » En outre, M. Murphy avait déduit de l'attitude amicale de Laval à son égard « que les
Etats-Unis jouaient un rôle dans ses projets ».

Si Laval ne croyait pas à l'éventualité d'une intervention
américaine en Europe et menait sa politique en fonction
de la victoire de l'Allemagne qu'il pensait acquise, il n'était
pas hostile à une prise de contact avec les Américains.
Jacques Lemaigre-Dubreuil, l'un des chefs de la Résistance
à Alger, l'a constaté à l'occasion d'un entretien qu'il eut
avec lui en 1941 et on ne peut mettre en doute ce qu'il
déclare (H I — III — 1177) :

« Ne croyez-vous pas, lui dis-je, que la France sera
définitivement perdue si elle ne peut, au moment de
l'Armistice général, avoir une armée pour se faire représenter ou même pour se faire respecter ?

— Oui, nous avons encore une flotte, il faudrait en effet
avoir une armée au moment de la cessation des hostilités,
répondit le Président, puis il ajouta : mais la France aurait
cette armée si j'étais resté au Gouvernement. Moi présent,
les Allemands auraient accepté, sous ma caution, de réarmer l'armée française.

— Vous m'étonnez, lui répondis-je, les Allemands connaissent l'opinion de l'armée française à leur égard. Ils
ne commettraient sans doute pas l'erreur de la réarmer.
Toutefois, si vous êtes d'accord sur la nécessité d'une

6. Ouvrage cité.

armée française au moment de l'Armistice, et si, contrairement à vos espoirs ou du fait de votre éloignement
du pouvoir, les Allemands n'acceptent pas de lui procurer
des armes, il faudrait aller jusqu'au bout de votre raisonnement.

— Que voulez-vous dire ?

— Je pense que l'on ne peut compter sur les Allemands
pour le réarmement ; il y a un pays, un seul, susceptible
d'y procéder... — et vite, un peu crispé, je lâchai le mot —
l'Amérique.

Etonné, le Président me regarda. Puis il réfléchit, haussa
les épaules et me dit :

— Pourquoi pas ?

Il revint ensuite à sa première idée. Il insista sur le
fait que sa présence au Gouvernement conduirait les Allemands à ce réarmement.

— Mais vous n'êtes pas au Gouvernement, lui répondis-
je, et, même si vous y étiez, vous pouvez vous tromper.
Ne croyez-vous pas, par conséquent, qu'il faudrait avec
discrétion entrer en contact avec les Américains pour ce
réarmement ?

Le Président réfléchit encore :

— Vous ignorez, me dit-il, où en sont les Américains,
leur lenteur à se mettre en route. Vous ignorez la mentalité du Président Roosevelt. Il me déteste. Quant à moi,
mon opinion sur les Américains est formelle, je vais d'ailleurs la leur exposer dans un message. En outre, mon
gendre est Américain, c'est vous dire quels contacts je
pourrais avoir avec eux et mes sentiments à leur égard.
Quant à la question précise que vous me posez, je considère, moi aussi, qu'avant tout, il faut qu'il y ait une armée française au moment de l'Armistice, — et après une
interruption, il ajouta un peu plus bas : Oui, sans doute,
seuls les Américains, à défaut des Allemands, seraient
capables de réarmer l'armée française.

Je ne retrouve pas de traces du reste de la conversation qui, je crois, ne se prolongea pas. D'ailleurs, le but
que je poursuivais était atteint : je connaissais les sentiments de Pierre Laval concernant les occupants.

Enfin, si demain il revenait au pouvoir, j'avais de sa

part une sorte de blanc-seing concernant les conversations avec Murphy. »

— 2) Après son retour au pouvoir en 1942, jugeant alors comme prochaine l'intervention américaine, il semble que Laval ait cherché à maintenir des relations secrètes avec les Etats-Unis et leurs représentants en Afrique. C'est ce qui résulte des témoignages suivants :

— Henri Haye, ambassadeur à Washington (H I — III — 1426) :

« Quand je revins en France en 1944, afin de rendre compte au Maréchal et à son Gouvernement, alors présidé par Laval, de la pénible mission que je venais d'accomplir à Washington, je ne manquais pas de souligner au Président du Conseil combien son nom était devenu impopulaire aux Etats-Unis. A mon grand étonnement, il parut en être surpris : « Ah, je vois, dit-il, votre ami Roosevelt de son fauteuil de la Maison Blanche voudrait que je réponde à chacune des exigences de Hitler par un coup de pied à son derrière ; c'est plus facile à dire à Washington qu'à faire à Paris entouré de la Wehrmacht et de la Gestapo. Vos amis américains comprendront un jour, je l'espère, combien mes atermoiements leur ont servi. »

— J. Lemaigre-Dubreuil (H I — III — 1177).

« J'avais manifesté le désir de revoir Laval. Il me reçut le 17 avril 1942 à 16 heures, au Pavillon Sévigné.
— Que me voulez-vous ? me dit assez rapidement le Président.
— ... Je viens simplement vous rappeler une conversation échangée aux Champs-Elysées, il y a un an. Nous avions convenu qu'il fallait une armée française équipée et réarmée au moment de l'Armistice ; je désire vous demander comment vous envisagez ce réarmement ?
— Comment j'envisage ce réarmement, mais c'est bien simple, me répondit-il, maintenant que j'arrive au Gouvernement, les Allemands me feront confiance, ils nous réarmeront.

— Et si vous vous trompez, lui répondis-je, si, malgré vos subtilités et vos qualités de négociateur, vous n'obtenez pas ce réarmement, si les Allemands, connaissant, comme je le crois, l'état d'esprit de l'armée à leur égard, se refusent à réarmer, que se passera-t-il ? Comment concilierez-vous votre opinion formelle de l'an dernier sur la nécessité du réarmement et l'impossibilité de l'obtenir des occupants ?

Il réfléchit et me dit lui-même :

— Vous voulez me parler des Américains ?

Je brûlai mes vaisseaux et, le regardant dans les yeux, avec plus de calme apparent et de tranquillité que je n'en avais au fond de moi-même, je lui dis :

— Oui. Après notre conversation, j'ai pris des contacts avec Murphy, je les ai encore. Ici, vous ne pourriez pas établir de relation avec l'amiral Leahy sans compromettre votre politique. Là-bas, cela m'est possible.

Assez nerveusement, il me répondit :

— Mais n'avez-vous pas connaissance de toutes les horreurs dites sur mon compte par les Américains, de leur fureur de me voir reprendre le pouvoir, de leur décision de supprimer, à cause de mon retour ici, les livraisons faites en Afrique dans le cadre des accords Weygand-Murphy ?

— Je ne pense pas, répondis-je aussitôt, que les horreurs proférées contre vous puissent modifier les mesures à prendre pour obtenir ce que vous estimez nécessaire pour le Pays — d'ailleurs peut-être existe-t-il un moyen de faire comprendre aux Américains de modérer leurs attaques contre vous et de reprendre les livraisons sur l'Afrique du Nord.

Le Président réfléchit. Cela dura un certain temps. Puis il me dit :

— Voyez Murphy. De ma part vous lui direz : le Président Roosevelt, les Américains, tous les Américains pourront m'injurier, me traîner dans la boue, de ma bouche il ne sortira jamais une parole, de mon fait il n'y aura jamais un acte qui puissent être interprétés défavorablement par l'Amérique dont l'amitié est nécessaire à la France.

La conversation s'arrêta là. J'avais ce que je voulais :
une neutralité au moins bienveillante de la part du Chef
du Gouvernement. Quelques mois après, lors d'un passage
à Paris, j'apprenais d'une certaine Comtesse de Seckendorf
— qui me renseignait parfois sur ce qui se passait à Vichy
— qu'un rapport était parvenu au Président Laval venant
des Services de l'Intérieur de Vichy. Il indiquait que je
ne séjournais pas à Alger sans avoir fréquemment de longues conversations avec le Délégué du Président Roosevelt.
On demandait quelles mesures devaient être prises contre
moi. Cette dépêche avait provoqué chez Laval un grand
éclat de rire. Il avait déclaré : « Bien entendu, je sais bien
qu'il voit Murphy, puisque c'est d'accord avec moi ! »

— Gabriel du Chastain, journaliste (H I — II — 1127) :

« Sous l'impulsion de la propagande allemande, les ultra-
collaborateurs ne cessaient de critiquer durement les mesures — trop douces à leur souhait — que le Gouvernement était obligé de prendre. Puis, comme si un signal
leur avait été donné, ils orchestrèrent toute une campagne
au sujet de l'Afrique du Nord, dénonçant le « complot »
pro-allié, qui, disaient-ils, se tramait dans l'ombre des Administrations françaises nord-africaines. Ils réclamaient le
changement des cadres militaires et administratifs. Ils parlaient d'incurie, de laisser-aller, voire de complicité, et
c'est Laval que, sans le nommer, ils désignaient comme
responsable de cet état de choses. En septembre 1942, le
Président décida de m'envoyer au Maroc pour y diriger
le poste de Radio-Rabat. Le Cabinet du général Noguès,
mis au courant de cette nomination, s'inquiéta de l'arrivée
à Rabat d'un ancien élément de Radio-Paris, devenu entre
temps la citadelle de la super-collaboration. Un attaché au
Cabinet de Noguès, M. Olivier Lange (Chef de la Circonscription de Rabat-banlieue, Contrôleur civil au Maroc),
vint me voir. Après plusieurs échanges de vues, et mis en
confiance, il me dit l'atmosphère qui régnait là-bas. Je lui
expliquai ma position, le travail que je comptais accomplir.
Nous tombâmes d'accord sur les points essentiels. Et il
se proposa de faire la liaison avec le représentant du
Président Roosevelt, M. Murphy, à qui il comptait parler

de moi dès son retour. Il m'assura en outre que tout irait bien du côté américain, « quels que soient les événements qui doivent se produire ».

Je rendis compte au Président de ces conversations. Loin de les accueillir avec hostilité ou méfiance, il me félicita au contraire de mon initiative : « Vous pourrez utilement préparer le terrain là-bas ; il sera très bon que vous voyiez Murphy et les Américains. Mais soyez prudent. Ne les rencontrez que sur un terrain neutre et méfiez-vous de la Commission allemande d'Armistice, qui aura tôt fait de vous repérer. »

C'est dans ces conditions que je m'apprêtai à partir au début d'octobre 1942, quand je reçus, le 19 du même mois, une lettre recommandée d'André Demaison, me faisant savoir que « des circonstances et interventions indiscutables » s'étaient produites, qui remettaient en cause ma nomination. Le Président intervint aussitôt. Il se heurta à une opposition formelle de la part des Allemands, qui n'entendaient pas me laisser quitter la Métropole. « Il n'y a rien à faire, me dit-il, et je ne peux pas insister davantage sans que mon intervention leur paraisse suspecte. » J'ai su par la suite que Déat était intervenu violemment dans l'autre sens, à l'Ambassade d'Allemagne, disant : « Laval est fou d'envoyer du Chastain au Maroc, où il sera la tête de pont de la propagande anglo-américaine ! » (Déat savait également qu'un de mes oncles, Jean du Chastain, sujet britannique, dirigeait certaines émissions anglaises de la B.B.C., et en fit état.) »

— 3) Il ressort d'un document et d'un témoignage émanant de chefs allemands que ceux-ci se doutaient des véritables sentiments de Laval envers l'Amérique, qu'ils savaient ne pas correspondre à ses déclarations officielles. En effet, le docteur Hemmen écrivait au sujet de Laval dans le rapport qu'il adressait en février 1944 à Ribbentrop[7] : « Laval suit depuis longtemps les traces de Darlan qui, après quelques mois de coopération loyale avec nous, utilisa la collaboration et son anglophobie à couvrir le

7. Archives de Nuremberg. — Document P.S. 1764.

double jeu de sa politique de trahison avec l'Amérique. Le témoignage est celui du Dr Helmut Knochen, chef de l'Etat-Major S.S. en France, qui déclara (H I — III — 1774) : « La méfiance non seulement de tous les organismes du parti national-socialiste, mais aussi du gouvernement de Berlin, contre Laval n'était pas uniquement fondée sur les machinations secrètes qui lui étaient attribuées avec des puissances étrangères, notamment avec les U.S.A., mais aussi... »

— 4) Citons cet extrait des mémoires de Rudolf Rahn, qui fut, sous l'occupation, ministre chargé d'affaires à l'Ambassade d'Allemagne à Paris [8] :

« Laval, qui se trouvait à Paris à cette époque [décembre 1941] comme homme privé, et que nous voyions occasionnellement à notre Ambassade, semblait d'une opinion différente. « Insistez, si vous le pouvez, auprès de votre Gouvernement, pour qu'il fasse la paix le plus tôt possible avec la Russie. Il en est peut-être temps encore. La Russie aurait dû être occupée dès le début. Maintenant il est trop tard. Malgré la puissance combative de ses armées, l'Allemagne pourra difficilement mener une guerre sur deux fronts contre des moyens matériels aussi considérables. Si vous réussissiez à faire la paix avec la Russie, alors vous pourriez peut-être engager des pourparlers avec l'Angleterre. Et la France offrirait éventuellement ses bons offices. En tout cas, n'espérez pas que nous entrions jamais en conflit avec l'Amérique. Personnellement, je ne donnerai jamais mon consentement à une action pareille. »

8. « Ruheloses Leben » de Rudolf Rahn — Diederichs Verlag — pages 184 et 185.

LIVRE 4

POLITIQUE FRANÇAISE
OU MÉTHODES NAZIES

CHAPITRE I

LES PERSÉCUTIONS RACIALES

1

Les Faits

Pour répondre à notre désir de faire un exposé des faits qui ne puisse être contesté, nous ne pouvions faire appel à des sources plus sûres que les travaux de M. Joseph Billig, auteur du Centre de Documentation Juive Contemporaine. Ils ont été publiés sous le titre « La condition des Juifs en France (Juillet 1940-Août 1944) » *par la Revue d'Histoire de la Deuxième Guerre Mondiale [1], et dans son ouvrage* « Le Commissariat Général aux Questions Juives [2] ». *Deux autres ouvrages de base ont été aussi utilisés [3] :* « La persécution des Juifs en France et dans les autres pays de l'Ouest présentée par la France à Nuremberg », *et* « La persécution des Juifs dans les pays de l'Est présentée à Nuremberg ».

1. Revue d'Histoire de la deuxième guerre mondiale n° 24 — Octobre 1956.
2. « Le commissariat général aux questions juives ». — Trois tomes. Editions du centre de documentation juive contemporaine. — Paris 1955-1957-1960.
3. Editions du centre de documentation juive contemporaine.

1) Les débuts de l'action anti-juive (juillet 1940—février 1941)

« *L'acte fondamental de la politique anti-juive des Nazis en France, écrit Billig, consistait dans la liquidation de l'enracinement matériel des Juifs* ». *La première mesure qu'ils prirent fut leur expulsion d'Alsace-Lorraine dès juillet 1940. En zone occupée, l'ordonnance du 27 septembre 1940 ordonna le recensement des Juifs et la désignation des entreprises juives. Celle du 18 octobre instaura l'aryanisation économique, c'est-à-dire la mise sous administration provisoire des entreprises juives. Cependant, le gouvernement de Vichy avait « immédiatement manifesté l'intention de protester contre un régime d'exception édicté par les autorités d'occupation et portant atteinte à l'unité administrative de la France »* [4]. *Mais, par ailleurs, il avait « déjà donné de son côté certaines preuves de sa politique de discrimination », telles que la loi du 22 juillet 1940 ordonnant la révision des naturalisations, la loi du 27 août 1940 abrogeant celle du 21 avril 1939 qui réprimait les excès antisémites de la Presse, la loi du 3 octobre 1940* [5] *portant statut des Juifs et celle du 4 octobre relative aux ressortissants étrangers juifs* [6]. *Dans l'élaboration de cette législation, les autorités*

4. Les passages entre guillemets sont des citations de l'étude de M. Billig.

5. Loi du 3 octobre 1940 (Journal Officiel du 18/10/1940) portant statut des Juifs : — Article 1 : Est regardé comme juif, pour l'application de la présente loi, toute personne issue de trois grands-parents de race juive ou de deux grands-parents de la même race si son conjoint lui-même est juif. — Article 2 : L'accès et l'exercice des fonctions publiques et mandats énumérés ci-après sont interdits aux Juifs : 1) Membres du gouvernement, des Cours d'Appel, Tribunaux... 4) Membres des corps enseignants, etc.

6. Loi du 4 octobre 1940 (Journal Officiel du 18/10/1940) sur les ressortissants étrangers de race juive : — Article 1 : Les ressortissants étrangers de race juive pourront, à dater de la promulgation de la présente loi, être internés dans des camps spéciaux par décision du préfet du département de leur résidence... — Article 3 : Les ressortissants étrangers de race juive pourront en tout temps se voir assigner une résidence forcée par le préfet du département de leur résidence.

*allemandes avaient agi avec prudence. Elles étaient au cou-
rant des projets législatifs du gouvernement français, bien
que celui-ci leur ait fait savoir « qu'il ne pouvait pas prendre
en main l'élimination des Juifs telle que la désirait l'occupant ». Aussi, l'ordonnance du 27 septembre fut-elle « dosée
avec prudence », car « il importait de donner le ton aux
législateurs vichyssois pour que les mesures prises par eux se
rapprochent de l'esprit nazi ». Dans le domaine de l'aryanisation économique, le gouvernement, craignant une ingérence
allemande, conféra, par une loi de février 1941, aux administrateurs provisoires le droit de procéder à l'aliénation des
biens administrés. M. Billig écrit : « Les masses juives sont
brutalement arrachées à leurs activités et acculées à la
misère, mais il n'est pas encore porté atteinte à leur sécurité
personnelle. Seul le recensement de la population juive permet d'entrevoir un avenir angoissant. » En zone non occupée,
la loi sur le statut des Juifs était appliquée et celle du
4 octobre 1940 donnait aux préfets la faculté d'interner les
Juifs étrangers. A la fin de novembre, selon M. Billig, on
dénombrait plus de 35 000 Juifs internés, dont près de
7500 Allemands expulsés d'Allemagne du Sud.*

**2) Le développement de l'action anti-juive. (février 1941 —
    mai 1942).**

*Nous passerons rapidement sur cette période, puisque
Pierre Laval n'occupa aucune fonction ministérielle à compter
de décembre 1940.*

*— La loi du 29 mars 1941 créa le Commissariat Général aux
Questions Juives dont le rôle devait être de préparer les
mesures législatives relatives à l'état des Juifs, de désigner
les administrateurs des biens juifs, de contrôler leur activité et de fixer la date de leur liquidation.*

*— La loi du 2 juin 1941 élargit la notion de « Juif », aggrava
son exclusion de la fonction publique, lui interdit certains
domaines culturels et un certain nombre de branches économiques et de professions.*

*— La loi du 21 juillet 1941 conféra au Commissaire Géné-
ral la faculté de nommer des administrateurs provisoires*

aux entreprises, biens immobiliers et valeurs mobilières, de contrôler leur gestion, d'approuver les ventes et de provoquer la liquidation.

— Un arrêté du 19 octobre créa une Police aux Questions Juives et la loi du 29 novembre une Union Générale des Israélites de France.

En zone occupée, les mesures d'internement commencèrent sur l'ordre et avec le concours des autorités d'occupation. Le 14 mai 1941, 3 733 Juifs étrangers furent envoyés dans les camps de Pithiviers et de Beaune-la-Rolande, et le 20 août, 4 000 à Drancy. A la suite d'attentats, les Allemands ordonnèrent l'arrestation de 734 Juifs et le paiement d'une amende de un milliard de francs par les communautés juives. Hitler décida que chaque attentat entraînerait désormais l'exécution d'otages communistes et juifs et la déportation à l'Est de 500 d'entre eux. Le premier convoi dirigé vers l'Est partit le 27 mars 1942. Comme le dit M. Billig, « le sens de la solution finale commence à se préciser de façon plus générale. Cette grave initiative était intervenue du côté du Haut Commandement de l'Armée allemande... Les camps peuplés par les rafles précédentes se vident pour la grande action à venir. »

3) le dernier acte de la « solution finale » en France (mai 1942 — août 1944).

Cette période fut marquée par la volonté des autorités allemandes d'en terminer avec l'extermination des Juifs en France. Dans ce but, Berlin renonça à laisser plus longtemps au gouvernement français l'initiative d'appliquer la législation anti-juive édictée par lui, tout en cherchant à maintenir l'apparence de son indépendance d'action. Ce changement de tactique a été analysé dans le recueil de documents publié par le Centre de Documentation Juive Contemporaine sous le titre « La persécution des Juifs en France et dans les autres pays de l'Ouest présentée par la France à Nuremberg » : « L'action des Allemands en France se synchronise avec celle menée dans les autres pays occupés. Les mesures anti-juives répondent aux instructions précises qui émanent de Berlin... Par le terme « solution définitive », le régime nazi entend la

déportation de tous les Juifs à l'Est dans les camps d'extermination ou leur « liquidation » sur place... Les documents
réunis font ressortir le caractère dirigé et systématique de
l'action allemande. C'est à Berlin que les modalités de la
persécution sont définies : le nombre des Juifs à déporter, la
nationalité des victimes, la liquidation de leurs biens, le
travail forcé, l'organisation technique des transports, enfin les
textes législatifs ou réglementaires à faire promulguer par
les autorités françaises... Le souci de la légalité qui, pourtant,
ne saurait effacer la criminalité manifeste de l'action provoque certaines mesures politiques pour la zone non occupée.
Le Ministère des Affaires étrangères allemand désire se retrancher derrière la façade d'un gouvernement français soumis
aux exigences allemandes. » Comme le remarque M. Billig [7],
« Les autorités d'occupation n'ont jamais négligé de jouer
la carte de la « souveraineté française »... Maintenant, il n'est
plus question de se référer à la sécurité des forces d'occupation. Il faut que Vichy s'associe lui-même au principe de
l'extinction de la race juive ».

Dès lors, une pression allemande de plus en plus forte ne
cessa de s'exercer sur le gouvernement français de manière à
donner l'impression d'une collaboration volontaire de sa part.
Cette manœuvre se dévoila dès le début de l'année 1942, avant
le retour de Laval au pouvoir : [8]

— Document 6 (RF 1216) Paris, le 10 mars 1942.

Objet : Déportation de France de 5 000 Juifs (Tranche 1942) :
« A la conférence des chargés d'affaires juives au RSHA-IV-
B4 le 4 mars 1942, j'ai exposé sous une forme très sommaire
les difficultés que rencontre notre action en France. J'ai développé aussi à ce sujet la nécessité de proposer enfin
au gouvernement français quelque chose de vraiment positif,
la déportation de plusieurs milliers de Juifs par exemple...
Il s'agira d'abord de Juifs du sexe masculin aptes au travail.

---

7. Le C.G.Q.J. — Tome 1.

8. Documents publiés dans « La persécution des Juifs en France
et dans les autres pays de l'ouest présentée par la France à
Nuremberg ». Ils portent les références sous lesquelles ils ont été
produits lors du procès de Nuremberg.

Des déportations en masse plus importantes sont imminentes. Signé : Dannecker. »

— *Document 7 (RF 1217) Paris, le 15 juin 1942.*

Objet : Déportation future des Juifs de France... b) Décision : Il a été convenu que 100 000 Juifs en tout, y compris la zone non occupée, seraient déportés de France... On devra obtenir du gouvernement français par des entretiens directs ou indirects la promulgation d'une loi en vertu de laquelle, à l'instar de la deuxième ordonnance sur la citoyenneté allemande, tous les Juifs résidant à l'extérieur des frontières françaises ou émigrant ultérieurement perdront la nationalité française et leurs droits de citoyens français... signé : Dannecker.

— *Document 9 (RF 1 223) Paris, le 1ᵉʳ juillet 1942.*

Objet : Conférence de service avec le S.S.-Hauptsturmführer Dannecker à Paris en vue de la déportation imminente des Juifs... En vertu de l'ordre du Reichsführer S.S., tous les Juifs domiciliés en France doivent être déportés aussitôt que possible. Aussi faudra-t-il, afin de poursuivre notre effort, exercer une pression appropriée sur le gouvernement français... A cet effet, notre Service devra imposer avec toute l'énergie nécessaire les bases législatives indispensables... Pour conclure, il a été signalé que la cadence prévue auparavant, à savoir 3 transports de 1 000 Juifs par semaine, doit être augmentée considérablement pour libérer la France des Juifs au plus tôt... Signé : Dannecker et Eichmann.

— *Document 22 (RF 1228) Paris, le 1ᵉʳ septembre 1942.*

Objet : Déportation des Juifs de la zone non occupée... Selon les constatations faites récemment en zone non occupée par le S.S.-Hauptsturmführer Dannecker, le programme pourra être réalisé si le gouvernement français s'y attache avec le dynamisme nécessaire. Comme, dès le 15 septembre, 1 000 Juifs doivent être déportés par jour de Drancy vers l'Est, on demande d'ouvrir les négociations préliminaires avec les représentants du gouvernement français et de leur opposer les exigences fixées ci-dessus... Signé : Röthke.

L'exposé de l'exécution de la « solution finale » en France a été fait par M. Billig [9] :

● *« En 1942, le nazisme trouva le sens définitif de la « solution finale » : la suppression immédiate de « l'anti-race » juive...*

... Le plan des déportations systématiques à l'Est a été arrêté le 11 juin 1942 au R.S.H.A. [10]... Le chiffre de 100 000 a été fixé pour la France. L'opération devait se déclencher immédiatement... Le S.D. entreprit sans tarder l'organisation des rafles en France... Dannecker reçoit la consigne du R.S.H.A. d'exercer une pression constante pour faire accepter au gouvernement de Vichy la déportation de tous les Juifs de France... Le S.D. exige d'abord 50 000 Juifs pour la déportation. Ce chiffre devra être atteint par des rafles dans les deux zones. Pour débuter, il faut saisir 10 000 Juifs en zone non occupée et 22 000 en zone occupée... La grande rafle dans la région parisienne eut lieu les 16 et 17 juillet. Ont été arrêtés : 3 095 hommes, 5 885 femmes, 4 000 enfants, donc en tout près de 13 000 personnes. L'action a été déclenchée simultanément en province et a fourni 1 200 Juifs.

... Le S.D. est furieux, car les Juifs de la région parisienne ont été prévenus et un certain nombre d'entre eux avaient réussi à se cacher. D'autre part, le S.D. reçoit des renseignements selon lesquels les forces de la Préfecture de Police ont elles-mêmes saboté l'action dans beaucoup de cas. Les rafles provoquent une évasion massive des Juifs à travers la ligne de démarcation... En juillet 1942, Dannecker a été remplacé par un nouveau chef de la Section juive du S.D. Roethke. A peine les Juifs saisis en zone occupée ont-ils été parqués dans des camps que Roethke s'intéresse à la préparation des rafles en zone libre ....

... Le résultat de cette livraison massive des Juifs de la zone non occupée est donné au S.D. : 10 522 personnes dont

9. « La condition des Juifs en France » (Revue d'Histoire de la deuxième guerre mondiale n° 24).

10. Office central de la sécurité du Reich (R.S.H.A. : Reichssicherheitshauptamt).

3 920 trouvées dans les camps. D'après Roethke, 9 000 personnes de ce contingent ont été déjà déportées à l'Est au 3 septembre. Le S.D. se déclare toujours déçu ».

● *« Berlin exige la déportation de tous les Juifs apatrides avant la fin de 1942 et de tous les Juifs étrangers pour fin juin 1943. Les convois de Drancy partent à raison de trois par semaine, emportant chacun 1 000 Juifs en moyenne. Un arrêt des déportations étant prévu de la mi-novembre à février 1943, Roethke exige des pouvoirs français 52 000 déportés avant octobre. Au lieu de s'opposer carrément à la fougue nazie, Laval, en négociateur invétéré, entretient les espoirs du S.D. par des promesses qu'il espère ne pas tenir. L'occupant attend de lui une loi sur la dénaturalisation massive qui transformerait en apatrides plus de 20 000 Juifs français... Laval promet de livrer par étapes tous les Juifs apatrides, belges, hollandais, et d'entreprendre la dénaturalisation massive...*

Les dérobades ultérieures de Laval pousseront l'occupant à déchaîner les rafles pour remplir les convois préparés. »...

● *« A partir de 1943, le S.D. commence à s'impatienter. Il présume qu'il y a encore 200 000 Juifs en zone sud et 70 000 en zone nord... Dorénavant Knochen et ses chefs du R.S.H.A. seront d'avis qu'il faudra entreprendre la déportation des Juifs français en commençant par les internés pour infraction aux ordonnances. Dans un long rapport au R.S.H.A. du 12 février, Knochen expose que la Préfecture de Police, renseignée sur le projet de cette déportation, avait proposé — pour sauver les Français menacés — une nouvelle rafle de Juifs étrangers et a effectivement livré 1 300 Juifs. Knochen ajoute qu'évidemment les uns et les autres seront déportés... De nombreux contingents de Juifs français son amenés de la zone sud. L'occupant y agit de son propre chef. En collaboration avec la police Nationale, il y procède, à titre de « mesures de sécurité », à des rafles dans les grandes villes... Tout l'effort du S.D. vise maintenant à obtenir de Laval la loi sur la dénaturalisation des Juifs naturalisés à partir de 1927, année au cours de laquelle les naturalisations furent facilitées. Laval traîne les pourparlers en longueur, donne sa signature à un texte de loi, la retire et enfin, vigoureusement soutenu par Pétain, refuse, en août 1943, d'édicter une loi qui* n'aurait d'autre but que de livrer des Juifs aux Allemands. *Dans les derniers mois de 1943 et jusqu'en février 1944, le S.D. fait procéder à des rafles qui enlèvent encore des milliers de Juifs étrangers non protégés par leurs pays d'origine... La chasse aux Juifs en infraction contre les multiples ordonnances ou leurs arrestations pour marché noir continuent dans les deux zones... Le dernier convoi de la zone sud pour Drancy part le 17 mai 1944, le dernier convoi de Drancy vers l'Est le 17 août 1944. »*

La liquidation des biens juifs s'intensifia également pendant cette période. D'après un rapport de l'administration militaire allemande, au 21 juillet 1943, 28 000 entreprises industrielles et 11 000 immeubles avaient été placés sous le contrôle d'administrateurs provisoires et 12 000 entreprises et 700 immeubles « liquidés » en zone occupée.

Cette spoliation n'était pas moins active dans l'ancienne zone libre.

2

Le Dossier de l'Accusation

L'ACTE D'ACCUSATION

Laval revint au pouvoir. La politique soi-disant française devint alors une politique tout allemande : persécution contre les Juifs, la police mise au service de la Gestapo, vingt-deux mille arrestations à Paris dans la nuit du 15 au 16 juillet. Et c'est ainsi que la loi mettant les Juifs hors du droit commun apparaît comme un premier pas dans l'adaptation du nouveau régime au régime nazi.

LE REQUISITOIRE

S'adapter aux institutions du vainqueur, mais pas seulement à ses institutions, il faut — et cela va être la politique du nouveau gouvernement — s'adapter à ses lois, à ses préjugés, à ses haines. Et la première preuve d'une pareille adaptation, je la trouve dans cette odieuse loi du 3 octobre 1940 qui, alors que l'on invite tous les Français à s'unir, va ressusciter, en pleine guerre, les vieilles luttes du temps de l'affaire Dreyfus. Le 3 octobre 1940, paraissait donc une loi signée de Pierre Laval, alors vice-président du Conseil, excluant toute une catégorie de Français de la communauté française, interdisant aux Juifs l'accès de toutes les fonctions publiques et la plupart des professions, les mettant, je le répète, hors de la Patrie. Cependant Laval, à cette barre, a protesté qu'il était ennemi de ces persécutions contre les Juifs et qu'il avait tout fait pour qu'ils y échappent. Or, si je me reporte à certains documents, par exemple à certaines déclarations de Pierre Laval parues dans son propre journal, *Le Moniteur du Puy-de-Dôme*, le 15 décembre 1942, je lis : « Ceux qui escomptent la victoire américaine ne veulent pas comprendre que M. Roosevelt apporte, dans ses bagages, le double triomphe des Juifs et des communistes. Libre à certains de le souhaiter, mais je suis résolu à les briser coûte que coûte. »

Mais, il y a mieux encore. Il y a, presque à la même date, la loi du 11 décembre 1942, laquelle contraint les Juifs à se présenter à leur Commissariat ou à la gendarmerie de leur domicile pour faire inscrire la mention « Juif » sur leurs cartes d'identité, comme sur leurs cartes d'alimentation, et cela pour mieux les désigner aux recherches de la Gestapo. J'imagine que l'homme qui a tenu de pareils propos et pris de telles mesures n'a pas le droit de s'intituler aujourd'hui protecteur des Juifs persécutés en vertu de lois revêtues de sa signature.

LES TEMOINS DE L'ACCUSATION

Aucun témoin ne fut appelé par l'accusation devant la Haute Cour. Par souci d'objectivité, on doit ici faire état de la déposition du pasteur Marc Boegner au procès Pétain (audience du 30 juillet 1945) : « Quelques semaines après (en juillet 1942), en zone sud, des choses atroces se passèrent à la gare de Vénissieux, près de Lyon, où le père

Chaillet, directeur de « Témoignage Chrétien » et Mlle Madeleine Barreau, directrice de la Simad, pendant toute une nuit, luttèrent pour arracher à la police les malheureux que celle-ci était bien contrainte, étant donné les ordres qu'elle avait reçus, de faire monter dans les wagons de bestiaux que vous savez. Et ils réussirent à prendre des enfants et, sous la protection du cardinal Gerlier, je le répète, à les sauver du départ pour l'Allemagne où l'on me racontait à Vichy, qu'ils ne seraient pas séparés de leurs familles et que, d'ailleurs, tous ceux qu'on emmenait feraient à loisir de l'agriculture en Pologne ».

LES DOCUMENTS DE L'ACCUSATION

Rapport de Dannecker. Paris, le 6 juillet 1942.
A l'Office Central de Sûreté du Reich. — IV B4 — Berlin.

Objet : Déportation de France des Juifs.
Référence : Entretien entre le S.S.-Obersturmbanführer Eichmann et le S.S.-Hauptsturmführer Dannecker, à Paris le 1er juillet 1942.

Les pourparlers avec le gouvernement français ont abouti jusqu'à présent au résultat suivant : le président Laval a proposé, lors de la déportation des familles juives de la zone non occupée, d'y comprendre également les enfants âgés de moins de seize ans. La question des enfants juifs restant en zone occupée ne l'intéresse pas.

Je vous demande de prendre une décision d'urgence, par télégramme, afin de savoir si, à partir du 15e convoi de Juifs, les enfants, au-dessous de seize ans, pourront également être déportés.

Pour terminer, j'attire votre attention sur le fait que, pour déclencher les rafles, il ne peut être question pour le moment que des Juifs apatrides ou étrangers. Pour la seconde phase, l'on s'attaquera aux Juifs naturalisés en France depuis 1919 ou depuis 1927.

Par ordre. Signé : Dannecker.

EXTRAITS DE PUBLICATIONS

La persécution des Juifs en France et dans les autres pays de l'Ouest présentée par la France à Nuremberg [11].

● « Les Allemands n'auraient pu réaliser leurs desseins criminels avec tant de facilité s'ils n'avaient bénéficié du concours des services de Vichy. Il est vrai que ceux-ci, s'apercevant trop tard des conséquences odieuses de la collaboration, ont tenté parfois de faire marche arrière ou, tout au moins, de ralentir la marche des événements. »

● « La collaboration ne s'en tient plus à l'œuvre législative. Une commission bipartite organise les rafles. Le 13 juillet 1942, la police française doit arrêter 28 000 Juifs selon le programme fixé d'un commun accord. »

● « La coopération entre Vichy et les services allemands se resserre de plus en plus. La police nationale apporte un concours considérable à la réalisation du programme allemand. »

La France sous l'occupation [12].

● « Quel était le rôle initial du gouvernement de Laval dans la politique anti-juive ? Il posa brutalement le principe raciste nazi par le statut d'octobre 1940. C'était la façon la plus directe de proclamer que la guerre nazie une fois déclenchée, le nouveau régime de la France se rangeait dans le camp du IIIe Reich, bastion d'une force d'agression, dont l'objectif fondamental — la puissance communiste et ses territoires — n'était que voilé par les combinaisons contingentes du début, mais dont l'appel au ralliement était constant : le racisme anti-juif. L'adhésion à ce camp, tel était l'axiome qui détermi-

---

11. Centre de documentation juive contemporaine. Série documents nº 2.
12. La France sous l'occupation. — Esprit de la résistance — P.U.F. 1959.

nait ce que P. Laval devait accepter ou rejeter, quels que fussent ses convictions ou ses sentiments personnels ».

Le Commissariat Général aux Questions Juives [13].

● « Dans l'application du racisme, le gouvernement de Vichy oscillait en face des nazis entre un empressement servile (d'ailleurs assez mal calculé) et une outrecuidance tragi-comique... A cette servilité s'oppose la « fière » affirmation de l'originalité de l'anti-judaïsme français... Que ce soit dans les questions plus anodines des aryanisations des professions ou de l'économie ou dans celles de la « solution finale », la position du gouvernement de Vichy porte les mêmes traits caractéristiques : manque de réflexion dans des décisions capitales prises en vertu de sa propre doctrine et exploitées ensuite par les autorités d'occupation, recours aux « finasseries » devant le chantage nazi, « finasseries » qui empêchent la réussite complète du chantage, mais qui, en revanche, paralysent des actions plus risquées, plus dignes et probablement plus efficaces au point de vue de la situation dans son ensemble ; ensuite, réactions insensées et cruelles provoquées par la panique ; enfin, décisions terrifiantes résultant d'une sorte de lassitude ou d'une laisser-aller administratif [14].

● « La collaboration avec l'Etat Français n'a pas été une déception pour le IIIe Reich dans la question fondamentale de la « solution finale » : la déportation dans les camps d'extermination. La masse juive qui a trouvé refuge en France a été délibérément sacrifiée par Vichy... La collaboration a également donné satisfaction au nazisme dans l'élimination des Juifs de la plupart des emplois et professions ....

Un esprit de gradation guidait les dirigeants de l'Etat Français : ne valait-il pas mieux sacrifier des étrangers et préserver les Juifs français en attendant les résultats de l'expérience nazie ? Si la défaite du IIIe Reich n'était pas devenue entre temps trop sensible, cette même considération aurait ensuite

13. Ouvrage déjà cité.
14. Tome 3, pages 311 et 312. (C.G.Q.J.).

fait préférer la livraison des Juifs français à celle des Français non-juifs suspects de quelque dégénérescence raciale, à savoir de résistance aux principes sacro-saints du nazisme. Et la progression de l'holocauste ne se serait pas arrêtée là... Les conditions d'existence de l'Etat Français permettaient de prévoir qu'en fin de compte, il serait acculé à la finale du problème juif dans le sens nazi, puisque la base sur laquelle il reposait était précisément la puissance hitlérienne » [15].

● « Les circonstances dans lesquelles fut décidée en juillet 1942 la déportation des enfants juifs nous montrent une autre face des autorités vichyssoises. C'est la face la plus honteuse. Il ne s'agit pas d'une décision qui, pour être irréfléchie, serait conforme à la ligne politique de l'Etat Français ni d'une réaction au chantage ni d'un mouvement de panique. L'explication de l'événement, telle qu'elle transparaît dans les textes des documents, met en cause tout simplement le penchant des autorités vichyssoises vers la facilité dans l'exécution d'une mesure administrative. Cette attitude se manifeste déjà à propos de la rafle massive à Paris en 1941. Elle est plus monstrueuse dans la question des enfants juifs... Ce que nous soulignons ici, c'est le terrifiant esprit d'inertie aux sommets des organismes responsables de toutes sortes, les autorités se dérobant du côté français devant la perspective d'un sauvetage parce qu'il promettait de déranger la routine administrative. Laval a soutenu cette tendance. Croyait-il que le premier de ses devoirs était celui de ménager l'administration au nom de la situation anormalement difficile de l'Etat ?... Les rafles ordonnées par Laval étaient « sagement » limitées. Mais l'armature administrative de la France aurait-elle fonctionné si aucun argument, comme, par exemple, celui de la xénophobie, ne venait « justifier » l'action commandée ou si une décision trop désinvolte attaquait le principe de la naturalisation française ? » [16].

● « La question concernant le sort des enfants juifs apparaît en liaison directe avec le problème de leur hébergement. Les autorités françaises ont immédiatement suggéré aux Alle-

15. Tome, 2 pages, 309, 345, 346. (C.G.Q.J.).
16. Tome 3, pages 315 et 319. (C.G.Q.J.).

mands la solution la plus facile susceptible de libérer les services d'assistance d'un travail supplémentaire. Ont-elles réfléchi sur le sens d'une telle proposition ? Ne devaient-elles pas se rendre compte qu'en « débarrassant » la France des Juifs, les Allemands n'entendaient pas s'en « embarrasser » ? Pouvaient-elles raisonnablement invoquer le souci moral de ne pas séparer les parents de leurs enfants ? Les chambres à gaz n'étaient peut-être pas encore connues en France, mais on pouvait s'imaginer que ce n'est pas pour organiser la vie familiale des Juifs que les Allemands les fourraient dans les wagons à bestiaux à destination d'Auschwitz » [17].

● « Le gouvernement de l'Etat Français, représenté à l'époque de la « solution finale » par Laval, a-t-il servi par ses « finasseries » l'œuvre de résistance à l'atrocité du Nazisme ? Opérant par marchandages, Laval recourait souvent à la méthode des sacrifices. En les consentant, il se sentait inspiré par son patriotisme. On peut se demander si les gains obtenus par ces sacrifices étaient plus grands que ceux qu'on aurait pu arracher, en l'occurrence, par d'autres moyens. Si le vainqueur nazi se prêtait aux marchandages, c'est qu'il avait des raisons pour croire que le concours du vaincu lui était profitable et valait quelques concessions...

...... Une France indocile non seulement à sa base, mais aussi à sa tête, aurait posé à la stratégie politico-militaire hitlérienne des problèmes autrement embarrassants et exigeant des solutions autrement délicates que la France gouvernée par Vichy. Et si le Reich avait décidé d'agir sans ménagement, il aurait dû submerger la France de forces de répression dont il ne disposait nullement et dont, par surcroît, les déchaînements n'étaient pas prévus à l'Ouest [18].

17. Tome 1, page 256. (C.G.Q.J.).
18. Tome 3, pages 319 et 321. (C.G.Q.J.).

3

Le Dossier de la Défense

Il convient de distinguer deux périodes : l'une qui se situe entre l'entrée de Pierre Laval au gouvernement et son départ en décembre 1940, l'autre d'avril 1942 à août 1944.

— A) C'est pendant la première période qu'ont été prises les mesures législatives de base et qu'a notamment été déterminé le statut des Juifs par la loi du 3 octobre 1940. Mais si les débuts de cette législation anti-juive se sont réalisés alors que Laval était vice-président du Conseil, rien ne permet d'affirmer qu'il ait participé à son élaboration.
En effet :

1) — Le promoteur du statut des Juifs fut le ministre de la Justice Alibert [19].

2) — Ce fut le gouvernement qui prit l'initiative de promulguer la loi du 3 octobre 1940, afin de devancer les autorités allemandes dans ce domaine. M. Billig écrit à ce sujet [20] :
« L'imminence d'une ordonnance (allemande) anti-juive, annoncée le 7 septembre 1940, pousse le gouvernement à agir de son côté. Il était facile de prévoir que c'est en manipulant l'ordonnance du 20 mai que l'administration militaire (allemande) commencerait à introduire la dépossession des Juifs ».

3) — Dans une autre étude [21], le même auteur constate :
« Pour rallier le camp hitlérien, il fallait d'abord construire

19. Article de M. Billig déjà cité (Revue d'histoire de la deuxième guerre mondiale, n° 24 — Octobre 1956).
20. « Le commissariat général aux questions juives ».
21. « La France sous l'occupation. — Esprit de la résistance ».

un Etat, dont les institutions permettraient de revendiquer pour la France une place dans ce camp. Il fallait, en même temps, que l'esprit du nouveau régime pût se réclamer d'une certaine tradition ancrée en France, lui appartenant en propre. Ce travail paraissait ne pas avoir été dans les cordes de Laval, alors que les protagonistes de la tradition en question se saisirent promptement de la conjoncture favorable. Aussi bien, voyons-nous la règlementation effective et l'administration de l'action anti-juive constituées après son départ orageux ». Il est d'ores et déjà établi par un historien spécialiste des problèmes juifs que Laval ne fut pas le promoteur de la législation promulguée à Vichy.

4) — L'éloignement de Laval en décembre 1940 n'a eu aucune influence sur l'élaboration de cette législation qui s'est poursuivie. Nous citerons pour mémoire les décrets des 26 décembre 1940 et 12 février 1941, les lois des 29 mars, 3 et 11 avril 1941.

5) — Au moment de son départ du gouvernement, aucun reproche n'a été fait à Laval sur son attitude à l'égard du problème juif.

6) — Un témoignage capital est celui de M. Baudouin dont on connaît l'hostilité envers Laval. Il a écrit [22] : « Mardi 10 septembre 1940. — Au Conseil des ministres, le problème juif est examiné pour la première fois. Les Allemands le soulèvent en territoire occupé. Une lettre du général de La Laurencie nous indique les mesures qu'ils viennent de prendre. En particulier, ils interdisent tout retour de Juifs dans la zone occupée. Des décisions beaucoup plus graves sont à craindre à bref délai. Il devient de plus en plus évident que, malgré la répugnance de la presque unanimité du Conseil, et Laval est un des plus opposés à des mesures antijuives, si nous continuons de nous abstenir de toute intervention dans cette question, les Allemands vont prendre en zone occupée des décisions brutales... Lundi 30 septembre. — Le Conseil de cabinet, de 17 heures à 19 heures, est consacré à l'étude du statut des Juifs qui doit être discuté au Conseil

22. Ouvrage cité, pages 341 et 365.

des ministres de demain... Le statut préparé par Alibert est sévère, beaucoup trop sévère. »

— B) La rentrée au gouvernement de Laval, en 1942, coïncida avec le début de l'exécution par Berlin de la « solution finale » de la question juive en France. Quelle fut son attitude en face de ce problème aussi dramatique que cruel ? Pour répondre à cette question avec l'objectivité nécessaire, il est encore indispensable de faire appel aux travaux de M. Billig. La position prise par Laval y est analysée ainsi :

● « Sur ce point, Laval ne tarda pas à décevoir en partie les grands espoirs que l'occupant plaçait dans la docilité de son gouvernement. Geste significatif : l'ambassade et le S.D. [23] n'arrivèrent pas à obtenir de lui la loi qui obligerait les Juifs à porter un signe distinctif : l'Etoile Jaune. Le MBF (commandant militaire allemand en France) a dû édicter lui-même cette mesure le 29 mai 1942 » [24].

● « Le S.D. exige d'abord 50 000 Juifs pour la déportation... L'intervention de la police française sera nécessaire aussi dans la zone occupée. Les pourparlers se déroulent à une cadence précipitée. Laval commence par refuser la police française en zone occupée afin de pouvoir négocier au sujet du sort des Juifs français dans cette zone, mais promet l'extradition des Juifs apatrides de la zone non occupée. Après quelques tentatives pour remettre cette promesse en question, il est convenu que la police française collaborera aux rafles en zone occupée et procédera à l'extradition de la zone non occupée, en échange de quoi, dans les deux zones, seuls les Juifs apatrides seront internés et déportés pour le moment. Cet arrangement a été accepté à Vichy au cours d'un Conseil des Ministres... La grande rafle dans la région parisienne eut lieu les 16 et 17 juillet...

...D'après une lettre de Darquier [25] à Laval, le Reich avait

23. Le Sicherheitsdienst-Ausland (S.D.) était le service de sécurité extérieur chargé de recueillir des renseignements politiques et militaires dans les territoires occupés.

24. « La condition des Juifs en France », par J. Billig. (Revue d'histoire de la deuxième guerre mondiale, n° 24).

25. M. Darquier de Pellepoix avait succédé en mai 1942 à Xavier Vallat, comme commissaire général aux questions juives.

préparé des trains pour 32 000 personnes, chiffre accepté par Laval. Darquier est désespéré par le manque d'énergie de son gouvernement » [26].

● « Avoir à sa disposition un agent tel que Darquier était de première importance pour les dirigeants du S.D., car le gouvernement de Vichy ne cachait pas son incompréhension en ce qui concerne le dernier acte de la « solution finale ». La volonté du Führer, mise en avant par les autorités d'occupation, s'avérait inefficace devant le refus de Vichy de signer la déportation totale de la population juive en France. Laval ne consentait à livrer que les Juifs apatrides et certains groupes de Juifs étrangers. D'autre part, s'il paraissait avoir accepté le nombre d'arrestations exigé pour le début par Oberg et Knochen, il n'en voulait pas tenir compte devant ses collaborateurs français. Il refusait enfin que la police française intervienne dans les internements en zone occupée. Ce refus n'a pourtant pas été maintenu, en échange de quoi le S.D. accepta provisoirement d'exclure les Juifs français des mesures en préparation... Toutes ces complications provoquèrent la fureur d'Eichmann... Les réticences de Vichy étaient certainement très contrariantes pour les exécuteurs de la « solution finale », mais ceux-ci devaient les mettre en ligne de compte de la politique nuancée de la collaboration » [27].

● « Le S.D. comprend que, du côté du gouvernement de Vichy, il a atteint la limite...

... Il estime que la résistance opiniâtre de Laval s'explique par la mauvaise situation militaire du Reich et l'attitude des Italiens envers les Juifs [28]... Tout l'effort du S.D. vise maintenant à obtenir de Laval la loi sur la dénaturalisation des Juifs naturalisés à partir de 1927, année au cours de laquelle les naturalisations furent facilitées. Laval traîne les pourparlers en longueur, donne sa signature à un texte de loi, le retire et enfin, vigoureusement soutenu par Pétain,

---

26. « La condition des Juifs en France ».

27. C.G.Q.J. — Tome 1.

28. Il faut préciser que les autorités italiennes d'occupation protégeaient les Juifs dans leur zone.

refuse en août 1943 d'édicter une loi qui n'aurait d'autre but que de livrer des Juifs aux Allemands » [29]. Ce que dit M. Billig sur ce point est à rapprocher de ce passage de l'exposé de M. de Boüard publié dans la Revue d'Histoire de la Deuxième Guerre Mondiale [30]. « Oberg et Knochen eussent voulu obtenir de Vichy la déportation des Juifs de nationalité française et, pour commencer, l'annulation de toutes les naturalisations accordées depuis 1927. Laval tergiversa longtemps, encouragé dans cette attitude par les revers de plus en plus sérieux que subissait la Wehrmacht à l'Est et en Afrique du Nord. »

● « A peine installé à son poste, Darquier entreprend de donner une impulsion nouvelle au déroulement des affaires de spoliation. Son zèle impétueux se heurtait à l'opposition passive de Vichy. Laval se proposait même d'enlever l'aryanisation économique au C.G.Q.J. pour la confier aux Domaines... Nous savons que Darquier rencontrait la plus grande opposition de la part de Vichy en tout ce qui concerne ses projets de loi et qu'il dénonçait cette carence de son gouvernement au S.D. qui l'appuie, alors que le gouvernement de Vichy se dérobe, marquant sa méfiance à Darquier... Du côté allemand, on se rendait compte de l'attitude du gouvernement français. Dans les rapports périodiques de l'Etat-Major administratif sur la situation en France, nous lisons consécutivement les observations suivantes dans les paragraphes « Déjudaïsation économique » : — Le rapport du 21-7-1943 : « L'attitude toujours hésitante du gouvernement français... Sans la surveillance et la pression constante des Allemands, les Français n'auraient rien entrepris du tout de leur propre initiative ». — Le rapport du 6/11/1943 : « L'attitude du gouvernement français à l'égard de la question juive s'est raidie à la suite des événements en Italie ». — Le rapport du 27-1-1944 : « La déjudaïsation économique s'est poursuivie à un rythme toujours aussi lent... Si le Commissaire Général aux Questions Juives n'a pu obtenir de plus grand succès, ceci s'explique moins par le manque

29. « La condition des Juifs en France ».

30. « La répression allemande en France de 1940 à 1944 ». — (Revue d'histoire de la deuxième guerre mondiale, n° 54).

d'expérience administrative et économique que par la résistance existant dans les milieux dirigeants français qui pourra difficilement être vaincue »... Les Allemands, de leur côté, déploraient la lenteur de l'aryanisation économique, due à la mauvaise volonté de Vichy et à l'affaiblissement de l'intérêt du public pour les affaires de spoliation des Juifs » [31].

◉ En ce qui concerne l'inscription de la mention « Juif » sur les cartes d'identité :

« Le gouvernement de Vichy n'était pas pressé d'introduire cette mesure dans la zone qu'il administrait lui-même. Cependant, cette mesure policière tardant à être prise et l'occupant étant présent depuis novembre 1942 dans presque toute la France, le gouvernement se sentit obligé de promulguer sans plus attendre cette loi » [32].

M. Billig tire les conclusions suivantes de cette étude [33] : « L'exploitation d'une mesure spontanément prise par Vichy (à savoir la loi du 4 octobre 1940) s'allie dans cette action au chantage menaçant les autorités françaises d'une tâche compliquée, désagréable et contraire à leurs propres vues (à savoir le transfert des Juifs en zone non occupée). Mais c'est en juin-juillet 1942 que Laval a dû réagir contre un chantage encore plus accentué. Nous pensons au marché en vertu duquel les autorités nazies ne déporteront pas les Juifs français en échange de quoi la police française se chargera en zone occupée des rafles de Juifs étrangers, collaborera à leur déportation et procédera de même en zone non occupée à l'égard des Juifs apatrides qui seront livrés à Drancy... Le gouvernement consentit à fournir les forces nécessaires afin d'éviter que les Allemands ne s'emparent de n'importe qui parmi les Juifs. Cependant, cette participation très active au crime qui assura sa réussite s'accompagnera d'une réaction salutaire de Laval qui a permis de « limiter les dégâts ». Il refusa à Oberg la dénaturalisation de dizaines de milliers de Juifs naturalisés, limitant ainsi le nombre de ceux qui pouvaient être internés pour la déportation... Pas-

31. C.G.Q.J. — Tome 1.
32. C.G.Q.J. — Tome 2.
33. C.G.Q.J. — Tome 3.

sons à l'attitude du gouvernement sous l'empire de la panique. L'Office Central pour la Sécurité du Reich (R.S.H.A.)
décida au début de 1943 de déporter les Juifs français malgré
l'accord conclu avec Laval. Laval s'y opposa résolument. La
police nationale refusa en juillet 1943 sa collaboration aux
départs des convois qui devaient comporter aussi des Juifs de
nationalité française ».

— C) Les chefs allemands chargés par Berlin d'appliquer
la « solution finale » en France se sont plaints, dans leurs rapports ou lors des conférences préparatoires à ces mesures,
de la politique suivie par Pierre Laval à l'égard du problème
juif : 1) — Compte rendu de la conférence du 1-7-1942 entre
Eichmann et Dannecker : « Les travaux préparatoires d'ordre
politique en vue de la réalisation pratique en zone occupée
ne sont pas encore complètement terminés, car le gouvernement français fait des difficultés de plus en plus considérables ». 2) — Rapport de Dannecker du 1/7/1942 : « Etant
donné l'attitude hésitante et souvent hostile des représentants du gouvernement français et des autorités à l'égard de
la solution des problèmes juifs, il sera nécessaire d'agir
sans compromis et suivant notre propre initiative ». 3) —
Rapport de Dannecker en date du 20/7/1942 après son ins-
pection des camps en zone libre : « Ainsi que le démontre
l'exposé ci-dessus, la concentration des Juifs s'est surtout
limitée à ceux de nationalité ex-allemande, peut-être parce
qu'on avait le sentiment d'agir ainsi contre les Allemands...
En ce qui concerne la question des déportations, il faudra
suggérer avec insistance au secrétaire de la Police qui,
semble-t-il, ne connaît pas du tout ce procédé légal, de commencer enfin à appliquer la loi du 4 octobre 1940 ». 4) — Rapport de Geissler à Knochen en date du 15/8/1943 : « Nous
avons l'impression que, par tous les moyens, Laval cherche
à empêcher la promulgation de la loi sur la dénaturalisation
ou tout au moins à la différer. Que la loi soit promulguée
ou non, on ne peut compter sur une aide de la police française dans cette question ». 5) — Rapport de Geissler à
Knochen en date du 11/9/1943 : « Le président des ministres
Laval reçoit souvent personnellement des Juifs ou des personnes venues intervenir pour des Juifs. Certains membres

de son entourage immédiat sont amis des Juifs. On ne peut donc pas se fier à lui pour soutenir notre action anti-juive qui pourtant rencontre de la sympathie dans beaucoup de secteurs de la population française ».

— D) Trois représentants du gouvernement du Reich, qui eurent à traiter de ces problèmes avec Laval, ont apporté leur témoignage :

— Otto Abetz, ambassadeur. (Documents N° NG-1838 — Bureau de l'Avocat Général pour les crimes de guerre U.S.) :
« Toutefois, tous les trois mois environ, je soumettais un rapport d'un caractère plus général et concernant la situation politique en France. Dans ces rapports, j'exagérais toujours les tendances antisémitiques du gouvernement de Vichy ».

— Rudolf Schleier, ministre d'Allemagne à Paris [34] :
« Le Président Laval n'a jamais cessé de protester auprès des différentes Autorités d'occupation contre toutes les mesures prises envers les sujets français et étrangers de religion ou race israélite, sans réussir à empêcher ces mesures ordonnées ou exécutées par la Police allemande. Mais il a, par ses interventions, incontestablement sauvé les vies de nombreux Israélites, obtenu la grâce de condamnés ou évité leur déportation ».

— Helmut Knochen, chef de l'Etat-Major S.S. à Paris [35] :
« Des conversations personnelles que j'ai eues, il ressort que Laval a toujours retardé, par des interventions réitérées, la solution de la question juive qui était une des exigences du Gouvernement du Reich.
Lorsque le délégué spécial pour la solution de la question juive Dannecker s'est présenté à lui, et qu'il a remarqué qu'il s'agissait d'un fanatique, il a refusé presque aussitôt de continuer à discuter avec ce jeune exalté.
Du côté français, Laval avait placé en 1942, directement sous ses ordres, le Commissaire aux questions juives, Dar-

---

34. HI. — III — 1749.
35. HI — III-1774.

quier de Pellepoix ; il ne fallut pas longtemps pour que celui-ci fût qualifié par lui comme étant trop zélé. Laval avait déjà renseigné le Secrétaire général à la Police, Bousquet, en ce qui concerne Dannecker, de telle sorte qu'après une ou deux conversations avec ce représentant, Bousquet refusa également de discuter davantage avec lui. Il désirait négocier les questions juives au cours de conversations suivies avec Oberg.

Comme il était impossible, à l'aide d'arguments, de faire rappeler Dannecker par l'Office central, car il avait déjà travaillé, à la grande satisfaction de l'Office, en Autriche et en Tchécoslovaquie, nous réussîmes à obtenir son rappel en octobre 1942 pour des raisons disciplinaires. Cela signifiait un délai de plusieurs mois pour le règlement des questions juives en France. Pendant ce temps, une situation politique toute différente s'était présentée, et, en 1943, Laval put s'opposer avec toute son énergie, de même que par la suite, à la déportation des Juifs de nationalité française ».

— E) Enfin, deux attendus du jugement prononcé les 11 et 12 décembre 1961 par le Tribunal régional de Jérusalem qui jugea Eichmann, sont d'autant plus intéressants qu'ils ont été établis en tenant compte d'une documentation complète dont ne disposait pas la Haute Cour en 1945 : 1) — « Le 15 juin 1942, une conférence eut lieu dans le bureau de l'accusé à Berlin, à laquelle assistèrent les conseillers pour les affaires juives de Paris, de Bruxelles et de La Haye. Il fut décidé de déporter 15 000 Juifs de Hollande, 10 000 de Belgique et 100 000 de France (y compris la zone libre). Dannecker prépara des instructions détaillées concernant les Juifs destinés à être déportés et la manière dont les déportations devaient se dérouler. Un entretien eut lieu le 1er juillet 1942 entre l'accusé et Dannecker au cours duquel on mentionna l'ordre de Himmler concernant la déportation aussi rapide que possible de tous les Juifs de France. La déportation ne posait pas de problème en zone occupée, mais pour la zone libre, le gouvernement de Vichy commençait à faire des difficultés et c'est pourquoi il fallut exercer des pressions sur lui. » 2) — « Deux facteurs ont ralenti le rythme des déportations : a) Les collaborateurs vichyssois se montraient de plus en plus tièdes dans la question des déportations de Juifs de nationalité française ; b) Les Italiens refusaient leur collaboration dans ce domaine et allaient jusqu'à permettre aux Juifs de se réfugier dans leur zone d'occupation. Le service de l'accusé et ses représentants en France s'efforcèrent de supprimer cet obstacle ».

*
**

Le dossier ne serait pas complet si certains aspects de la politique du gouvernement français à l'égard du problème juif n'étaient pas examinés :

A) — *Le Commissariat Général aux Questions Juives.*

Les rapports de Laval avec le C.G.Q.J. ont été décrits ainsi par M. Billig [36] :

● « Le choix de Darquier comme Commissaire Général a été imposé par les Allemands. Laval a fait son possible pour tenir en mains ce commissaire général. Il a rattaché le C.G.Q.J. directement à la Présidence du Conseil. En plus de cela, la loi du 14 mai 1942 prescrivait la nomination d'un commissaire adjoint ou secrétaire général... Le comportement de Monier [37] au C.G.Q.J. démontre que le choix d'un secrétaire général s'inspirait du désir d'attacher à Darquier un contre-poids qui freinerait son ardeur raciste... Après la démission de Monier, ce poste est resté vacant pendant plus d'une année, suscitant la convoitise des collaborateurs protégés par les Allemands... D'après un témoignage, les autorités d'occupation faisaient pression sur Vichy pour que soit nommé secrétaire général soit Louis Thomas soit de Lesdain, Vichy préféra Antignac... »

● « Disons tout de suite que la personne de Darquier, totalement dévoué à la politique du S.D., n'était pas du goût de Laval ni de Pétain. En mettant le C.G.Q.J. sous sa

36. Ouvrage cité.
37. Monier avait été nommé Secrétaire Général du C.G.Q.J. en mai 1942. Il démissionna en septembre 1942.

dépendance directe, Laval pouvait espérer avoir plus de facilités pour influencer ou pour freiner le zèle pro-nazi de Darquier et de son équipe... La personne de cet agitateur antisémite, accepté à contre-cœur au poste de Commissaire Général, devenait peu à peu insupportable au gouvernement. On le ridiculise aux yeux des Allemands... Les allusions ironiques répétées à l'incapacité de Darquier de Pellepoix de fournir un travail pratique efficace donnent l'impression que le président Laval désire sa révocation ».

● « Les dirigeants du régime de Pétain ne cachaient pas leur dégoût devant l'antisémitisme rapace et brutalement exalté des cercles dont le nouveau commissaire général était un représentant typique. Il a fallu cependant accepter Darquier... Les Allemands en l'imposant étaient dans la logique des choses et puisque politique antijuive il y avait, Vichy, à moins de la rejeter, n'avait pas d'arguments pour ne pas s'accommoder d'un collaborateur tel que Darquier. Cela n'empêche que le gouvernement et les autorités françaises s'en distançaient autant que possible. Leur désaffection à l'égard du C.G.Q.J. allait en croissant... En ce qui concerne l'action anti-juive, Vichy ne suivait pas la cadence de la pensée politique nazie et cela, d'autant moins que le succès de l'Empire raciste devenait de plus en plus improbable... Pourtant Darquier ne se faisait pas d'illusions quant aux résistances que ses intentions devaient rencontrer à Vichy... Misant entièrement sur la puissance nazie en France, Darquier, Galien et Antignac submergeaient Vichy de projets de lois qui, à de rares exceptions près, restèrent en suspens jusqu'à la Libération ». D'ailleurs, Darquier se plaignait de cette attitude du gouvernement et le faisait en ces termes que rapporte M. Billig : « Dans ces conditions, on ne peut s'étonner si les lois d'aryanisation économique sont constamment tournées ou si leur effet est freiné, puisque la loi essentielle est faite de telle façon que nous sommes complètement désarmés... Ainsi ai-je cherché à ne présenter qu'un programme minimum. Je n'ai pourtant rien obtenu. Le gouvernement et son chef ont peut-être des raisons pour ne pas laisser s'accomplir avec rapidité l'œuvre que je préconise. » et M. Billig conclut : « Jusqu'au bout Vichy a saboté son programme. »

● « L'avènement de Darquier coïncida avec le début d'une réorganisation de la P.Q.J.[38] Bousquet[39] décida de se débarrasser de cet organisme compromettant où se croisaient de façon inextricable les autorités de la police nationale et du C.G.Q.J. et où se donnait libre cours le zèle autonome des quasi policiers anti-juifs.

... Ainsi, dans l'idée de Bousquet, la Section d'Enquête et de Contrôle qui sera créée en remplacement de la P.Q.J. aura pour tâche non pas la recherche des infractions au statut des Juifs, mais exclusivement les enquêtes dans le domaine économique et financier... Laval essaie d'user des lenteurs administratives pour saboter l'institution de la S.E.C.[40]. Pour Darquier, elle doit être l'instrument capital du C.G.Q.J. Il exprime à Laval toute son amertume à propos de l'attitude du gouvernement... Le 13 août, Laval se décide à déclarer officiellement par une lettre au commissaire général qu'à la suite de la suppression de la P.Q.J., celle-ci sera remplacée par la S.E.C... Cela ne veut pas dire que Laval favorise la S.E.C... Nous savons qu'à un moment donné, il avait promis à Darquier d'accorder à la S.E.C. l'initiative dans les actions purement policières. Laval n'en tient pas compte dans sa lettre du 13 août ».

B) — *Le rôle de la police française.*

Il est établi par des documents allemands que la police française a participé à certaines arrestations à la suite d'ordres reçus des autorités d'occupation[41] :

— Document 4 (RF 1210) Paris, le 22 février 1942.

c) — Police anti-juive française : Depuis le 17 janvier 1941,

38. Police aux questions juives.

39. Secrétaire général pour la police.

40. Section d'enquête et de contrôle.

41. On sait qu'en application de l'article 3 de la Convention d'Armistice, la police française de la zone occupée était subordonnée aux autorités allemandes.

un représentant de notre section juive est délégué auprès de la Préfecture de Police à Paris. Cette mesure a eu pour résultat certain que, à la suite d'efforts incessants, les fonctionnaires dirigeants et subalternes chargés de ces questions ont pu être mis au pas dans une certaine mesure... Signé : Dannecker.

— Document 17. Paris, le 8 juillet 1942.

Objet : Organisation des déportations futures de France. Première réunion du Comité d'organisation des rafles.

... Les trains seront gardés par la gendarmerie française, elle-même surveillée par un Kommando de la gendarmerie allemande se composant d'un lieutenant et de 8 hommes... Signé : Dannecker.

— Document 44 (RF 1230) Paris, le 6 mars 1943.

Objet : Situation actuelle de la question juive en France.

... Il faudra, pour exécuter le programme résumé ci-dessus, que le gouvernement français soit contraint de mettre à notre disposition ses forces de police. Vu l'attitude du Maréchal et de certains membres de son cabinet, seule la contrainte peut être envisagée... Signé : Röthke.

Lors du procès de Nuremberg, Helmut Knochen, qui fut chef de la Police de Sûreté et du S.D. en France, a été interrogé par M. Henri Monneray, substitut au Tribunal de Nuremberg. Voici les passages de son interrogatoire concernant cette question : « Demande : Savez-vous qu'en mai 1942, selon un ordre du Führer, la police française a été placée sous les ordres de la police allemande ? — Réponse : Celle-ci était soumise à la section de police de l'administration militaire allemande et, partant, à son département de police. — Demande : Toute la propagande anti-juive en zone non occupée n'était-elle pas exécutée selon les indications et directives de la police allemande ? — Réponse : Oui, selon ses suggestions et ses propositions. — Demande : Est-il exact que trois grandes rafles aient été organisées à Paris selon les indications générales et les directives techniques de la Sipo ? — Réponse : Elles n'avaient pas été organisées par la Sipo, mais par Dannecker personnellement. — Demande :

N'est-il pas vrai que, du côté du gouvernement allemand, ou des Allemands, on s'efforçait de faire édicter par les services français différentes lois facilitant la déportation des Juifs ? — Réponse : Oui. — Demande : Alors, la Sipo et le S.D. donnaient tout au moins les ordres pour l'exécution des mesures anti-juives à la police française quant à l'application de ces mesures ? — Réponse : Oui, mais la police française avait déjà été mise avant au courant par voie administrative. — Demande : Pourquoi Dannecker a-t-il convoqué à Paris à une conférence les spécialistes de la question juive des différentes organisations ? — Réponse : Pour les informer des mesures qui seraient appliquées du côté français et pour pouvoir contrôler les mesures de la police française en exigeant d'elle des chiffres, afin que Dannecker pût faire son rapport sur le succès de l'action ou sur la manière dont elle était menée. »

C) — *Les rafles de juillet 1942.*

Ce fut un des moments les plus douloureux de l'exécution de la « solution finale » en France. La participation de la police française aux arrestations faites avec l'accord du gouvernement exige que soit établie avec objectivité l'analyse de ce drame.

Lors de la conférence du 11 juin 1942, les responsables allemands du problème juif avaient décidé [42] de déporter 100 000 Juifs résidant en France tant dans la zone libre qu'en zone occupée. L'action devait se dérouler en juillet. Il était prévu que les départs se feraient à raison de trois convois par semaine. A la séance suivante, ces mesures furent jugées insuffisantes par Eichmann et Dannecker qui ordonnèrent la déportation de tous les Juifs domiciliés en France, qu'ils fussent français ou étrangers [43]. S'ils étaient certains que la réalisation de ce programme ne comporterait aucune difficulté pour la zone occupée où ils agissaient en maîtres, ils s'attendaient à devoir pour la zone libre « exercer une

---

42. Compte rendu de Dannecker du 15/6/1942.
43. Compte rendu du 1/7/1942.

pression appropriée sur le gouvernement français ». Dans l'immédiat, conformément au programme de déportation adopté le 11 juin, Zeitschel [44] avisa le chef du S.D. en France que Dannecker avait « besoin le plus tôt possible de 50 000 Juifs pour la déportation vers l'Est » [45].

Le gouvernement français se trouva à ce moment devant un dilemme tragique. S'il laissait les Allemands agir seuls, il savait qu'ils déporteraient tous les Juifs français et étrangers sans qu'aucun contrôle fût possible. S'il négociait, il espérait parvenir à retarder et à contrôler les arrestations. En 1942 en effet, Berlin cherchait encore à ménager Vichy et tenait à respecter une apparence de légalité [46]. Aussi, le gouvernement chercha à gagner du temps. La décision de livrer les Juifs apatrides fut prise au cours du Conseil des ministres du 2 juillet 1942. La position de Laval a été ainsi définie par M. Billig [47] : « Le gouvernement de Vichy ne cachait pas son « incompréhension » en ce qui concerne le dernier acte de la « solution finale ». La volonté du Führer, mise en avant par les autorités d'occupation, s'avérait inefficace devant le refus de Vichy de signer la déportation totale de la population juive de France. Laval ne consentait à livrer que les Juifs apatrides et certains groupes de Juifs étrangers [48]. D'autre part, s'il paraissait avoir accepté le nombre d'arrestations exigé pour le début par Oberg et Knochen, il n'en voulait pas tenir compte devant ses collaborateurs français. Il refusait, enfin, que la police française intervienne dans les internements en zone occupée. Ce refus n'a pourtant pas été maintenu, en échange de quoi le S.D. accepta provisoirement d'exclure les Juifs français des mesures en préparation ».

---

44. Conseiller de Légation à l'Ambassade d'Allemagne, il assurait la liaison avec la section de la Gestapo chargée des affaires juives.

45. Lettre du 27/6/1942. — Document n° NG-1967 — Bureau de l'avocat général (Nuremberg).

46. Compte rendu de l'entretien Eichmann-Dannecker du 1/7/1942.

47. C.G.Q.J. — Tome 1, page 243.

48. Il ressort des dépositions des diplomates étrangers accrédités à Vichy déposées à l'Institut Hoover que Laval alerta le Nonce et tous les représentants diplomatiques, à Vichy, des pays étrangers,

Un accord fut réalisé le 4 juillet 1942 à Paris, au cours d'une conférence qui réunit Knochen [49] et Dannecker du côté allemand, Bousquet et Darquier de Pellepoix du côté français [50]. Les conditions d'exécution en furent déterminées à la conférence du 8 juillet 1942 [51] Le gouvernement français s'engageait à livrer aux autorités allemandes 32 000 Juifs, dont 22 000 résidant en zone occupée et 10 000 en zone libre, choisis parmi les apatrides ou les ressortissants de certains pays étrangers. « P. Laval, constate M. Billig [52], avait effectivement obtenu un répit pour les Juifs français en acceptant, d'une part, la collaboration de la police française à l'internement massif des Juifs étrangers en zone occupée, d'autre part, l'extradition des Juifs étrangers (en premier lieu les apatrides) de la zone non occupée pour leur déportation par Drancy ».

Après avoir refusé son concours en zone occupée, Laval avait consenti à ce que les arrestations soient faites par la police française. M. Billig explique ainsi sa décision [53] : « Laval commence par refuser la police française en zone occupée, afin de pouvoir négocier au sujet du sort des Juifs français dans cette zone, mais promet l'extradition des Juifs apatrides de la zone non occupée. Après quelques tentatives pour remettre cette promesse en question, Bousquet et Oberg conviennent que la police française collaborera aux rafles en zone occupée et procédera à l'extradition de la zone non occupée, en échange de quoi, dans les deux zones, seuls les Juifs apatrides seront internés et déportés pour le moment ». Il ajoute [54] : « L'insistance des Nazis pour obtenir la

afin qu'ils interviennent auprès du Reich en faveur de leurs ressortissants. Il convoqua M. Tuck, chargé d'affaires des Etats-Unis, et suggéra que l'Amérique donnât asile aux enfants. (Témoignage de Jean Jardin, enregistré sous le n° 359).

49. Il était le chef de la S.I.P.O.-S.D. (Sicherheitspolizei — Sicherheitsdienst, en France, c'est-à-dire de la police politique et criminelle.

50. C.G.Q.J. — Tome 1, page 247.

51. C.G.Q.J. — Tome 1, page 249.

52. « La question juive » in la France sous l'occupation (P.U.F.).

53. « La condition des Juifs en France » in Revue d'histoire de la deuxième guerre mondiale n° 24.

16

collaboration de la police française dévoilait nettement l'insuffisance de leurs propres forces pour mener à bien une action massive. Le gouvernement consentit à fournir les forces nécessaires afin d'éviter que les Allemands ne s'emparent de n'importe qui parmi les Juifs. »

Deux questions se posent alors :

1. — Laval aurait-il pu refuser le concours de la police française pour procéder aux arrestations en zone occupée ?

Il semble établi par le rapport de Dannecker que les Allemands avaient bien l'intention d'exiger le concours de la police française, même s'il était refusé par le gouvernement français. Il écrit, en effet, le 4 juillet 1942 : « La réalisation pratique doit appartenir, sous la direction exclusive de la IV-J [55], à la police française » [56].

2. — Les Allemands auraient-ils pu se passer du concours de la police française ?

a) Le gouvernement français ne pouvait empêcher les autorités allemandes de procéder à des arrestations en zone occupée :
— En juillet 1943, Knochen déclara à M. Bousquet que l'absence de la police française n'empêcherait pas la police allemande d'arrêter les Juifs dont la déportation avait été décidée.
— Röthke écrit dans son rapport du 15-8-1943 :« Laval n'a pu mettre à notre disposition en zone occupée la police française pour ces arrestations. Si nous voulions procéder par nos propres moyens, il ne pourrait nous en empêcher. »

b) Les autorités allemandes avaient à leur disposition le fichier nominatif des Juifs recensés qui avait été établi sur

54. C.G.Q.J. — Tome 3, page 314.
55. Section de la Gestapo chargée des affaires juives.
56. Procès de Nuremberg. — Document RF 1.224.

leur ordre. Dannecker en décrivit l'organisation dans son rapport du 22-2-1942 [57] : « Fichier juif. — Grâce à notre intervention, un fichier juif modèle a été créé à la Préfecture de police de Paris, fichier établi de la manière suivante : par ordre alphabétique, par rues, par professions, par nationalités. On reconnaît déjà les travaux préliminaires indispensables pour le transfert futur, respectivement pour le reclassement professionnel ultérieur. Le fichier existe depuis fin 1940. Nos bureaux ne cessent de réclamer des améliorations. Le contrôle général est assuré. Bien que ce fichier ne s'étende pas encore à l'ensemble de la zone occupée, il contient cependant les noms des Juifs résidant dans le département qui possède le plus grand nombre de Juifs : la Seine. »

D) — *La déportation des enfants de moins de 16 ans.*

Dans son rapport du 15 juin 1942 [58], Dannecker posait comme « condition essentielle » au transfert prévu des populations juives des régions occupées de l'Ouest « que les Juifs (des deux sexes) soient âgés de 16 à 40 ans », car ils devaient être officiellement aptes au travail. Ce fut dans le compte rendu de son entretien du 1er juillet 1942 avec Eichmann [59] que Dannecker fit allusion, pour la première fois, aux enfants de moins de 16 ans. Il indiquait : « Le président Laval a proposé, lors de la déportation des familles juives de la zone non occupée, d'y comprendre également les enfants âgés de moins de 16 ans »...

D'après le rapport de Röthke du 18 juillet 1942 [60], le désir exprimé par le gouvernement français de ne pas séparer les enfants de moins de 16 ans de leurs parents avait été retenu par les organisateurs allemands. Il écrivait : « Le 17 juillet au matin a eu lieu au Bureau IV-J une conférence concernant la résidence à assigner aux enfants juifs

57. Procès de Nuremberg. — Document RF 1.210.

58. Procès de Nuremberg. — Document RF 1.217.

59. Compte rendu du 6 juillet 1942.

60. « La persécution des Juifs en France et dans les autres pays de l'ouest présentée par la France à Nuremberg ». — Document 19.

Extrait du rapport en date du 15 août 1943 adressé par le responsable de la section juive de la Police politique et criminelle allemande en France, Röthke, à son chef Helmut Knochen. Les annotations marginales sont de la main du général Oberg, chef suprême des SS et de la police pour les territoires français occupés.

Im gesamten Gebiet Frankreichs gäbe es vier verschiedene gesetzliche Regelungen für die Juden. (Altbesetztes Gebiet mit deutscher und französischer Gesetzgebung, Gebiet Südfrankreich, das von den Deutschen besetzt sei mit ausschließlich französischer gesetzlicher Regelung, italienisches Einflußgebiet mit französischer Gesetzgebung, aber italienischen Sonderanordnungen und die Norddepartements, die zum Bereich des Militärbefehlshabers von Belgien und Nordfrankreich gehörten.

Es ist Laval hierauf erwidert worden, daß die Lösung der Judenfrage ja nicht nur in Frankreich durchzuführen sei. Was die Einstellung der Italiener zur Judenfrage anginge, so dürfe er bestimmt noch mit einer Änderung der Haltung der Italiener rechnen. Hierdurch könne auf keinen Fall die Lösung der Judenfrage in Frankreich völlig zum Stillstand kommen.

e) Laval hat alsdann davon gesprochen, daß das Gesetz doch nur in der Form angewandt werden könnte, daß die betroffenen Juden erst einmal eine Frist (vergl. Artikel 3) von drei Monaten belassen werden müßte, innerhalb welcher die Anträge auf Ausnahmebehandlung nach dem Gesetzestext vorgebracht werden dürften. Polizeiliche Maßnahmen gegen die unter das Gesetz fallenden Juden können daher frühestens drei Monate nach Erlaß des Gesetzes getroffen werden. Im Gebiet Südfrankreich könne er jedenfalls mit französischer Polizei eine andere Handhabe nicht zulassen.

Wenn wir im altbesetzten Gebiet schon vorher gegen die Juden vorgehen wollten, so müsse er als Regierungschef dagegen protestieren. Er wisse allerdings, was wir mit seinen Interventionen machten..... (Laval dachte dabei offenbar mit Recht an den Papierkorb.) Er könne deshalb auch im altbesetzten Gebiet für die Verhaftung dieser Juden nicht die französische Polizei zur Verfügung stellen; wenn wir mit eigenen Kräften vorgehen wollten, so könne er uns nicht daran hindern.

Ich habe Laval darauf erwidert, daß die Frist von drei Monaten von uns nicht abgewartet werden könnte. Im übrigen würden innerhalb dieser Frist nach meinen Erfahrungen alle Juden, die unter das Gesetz fallen, Ausnahmeanträge stellen, über die alsdann erst innerhalb einer weiteren Frist zu entscheiden wäre. Im übrigen wäre es ohnehin ein Leichtes für die französischen Behörden, festzustellen, welche Juden bisher auf Grund des Judenstatutes vom 2.6.1941 noch eine Ausnahmestellung zuerkannt bekommen hätten.

Laval meinte dazu, daß sich nach seiner Ansicht höchstens 30 (une trentaine) von Juden für eine Ausnahmebehandlung melden würden. Als Regierungschef müsse er auf eine genaue Anwendung des Gesetzes Wert legen.

Zusammenfassend darf festgestellt werden: Die französische Regierung will in der Judenfrage nicht mehr mitziehen.

Es darf sogar angenommen werden, daß in der nächsten Ministerratssitzung gegen den Bousquet'schen Entwurf in einer Art u.

Extrait du rapport en date du 15 août 1943 adressé par le responsable de la section juive de la Police politique et criminelle allemande en France, Röthke, à son chef Helmut Knochen. Les annotations marginales sont de la main du général Oberg, chef suprême des SS et de la police pour les territoires français occupés.

Voice Stellung genommen wird, daß der Entwurf zum Scheitern gebracht wird.

Es besteht ferner der Eindruck, daß Pétain ein Zustandekommen des Gesetzes verhindern will, nachdem sicher eine ganze Reihe von Juden bei ihm gegen den Gesetzentwurf Sturm gelaufen sind.

(Wenige Minuten vor dem Empfang von Geißler und mir durch Laval hatte dieser den Juden Lambert, Präsident der Union der Juden in Frankreich, im Gebiet Südfrankreichs, empfangen. Der Jude Lambert hat dem Vertreter von Darquier, der gleichfalls kurz von Laval gehört würde, erklärt, daß er sich bei dem Präsidenten über die Festnahme der Juden durch die Sicherheitspolizei (SD) Kommandos in Gebiet Südfrankreich "beschwert" hätte. Verhaftungsbefehl gegen Lambert ist inzwischen durch FS erfolgt.)

Es besteht ferner der Eindruck, daß Laval ein Dazwischentreten von Pétain in diesem Falle gar nicht unerwünscht kommt. Es ist für ihn jetzt sehr bequem, sich hinter ihm zu verschanzen, obwohl er auch in dieser Besprechung wieder vorgebracht hat, daß er zwar nicht Antisemit sei, aber von Hause aus absolut kein Judenfreund wäre.

Auf der gleichen Ebene liegt die angebliche Notwendigkeit, den Gesetzentwurf nun noch einmal erst vor den Ministerrat zu bringen. Von alledem war früher nie die Rede. Es besteht der Eindruck, als suche Laval mit allen Mitteln jede Möglichkeit, um ein Erscheinen des Gesetzes zu verhindern, auf jeden Fall aber zu verzögern.

Laval will noch am Dienstag, spätestens Mittwoch dem BdS durch Botschafter de Brinon beschleunigte Mitteilung über den Ausgang der Ministerratssitzung machen.

Es wird vorgeschlagen, daß die Kompanie Schutzpolizei nunmehr sofort angefordert werden darf, da mit oder ohne Erlaß des Denaturalisierungsgesetzes auf eine Mithilfe d. französischen Polizei bei der Erfassung der Juden in einem größeren Umfange nicht mehr gerechnet werden kann, so sei denn, daß sich die militärische Lage Deutschlands schon in den nächsten Tagen oder Wochen grundlegend zu unseren Gunsten ändert.

2. SS-Standartenführer Dr. Knochen mit der Bitte um Kenntnisnahme und weitere Entscheidung zu.

3. Zurück an IV B - 2as.

SS-Obersturmführer

I.A.:

arrêtés. Le Commissariat Général aux Questions Juives, chargé de diriger les rafles, a tout d'abord proposé de placer les enfants juifs dans des maisons d'enfants de Paris et de sa banlieue. Suivant les indications du C.G.Q.J., il serait fort possible de procéder ainsi. Au cours de la conférence, la proposition suivante a été jugée la meilleure : pour commencer, les enfants juifs ne seraient pas séparés de leurs parents, mais seraient transportés avec ceux-ci dans les camps de Pithiviers et de Beaune-la-Rolande... Les représentants de la police française ont, à différentes reprises, exprimé le désir de voir les enfants également déportés à destination du Reich. Au cas où cela ne serait pas possible immédiatement, les Juifs adultes se trouvant dans les camps de Pithiviers et de Beaune-la-Rolande seraient transférés à Drancy par trains de 1 000 personnes chacun et ce, suivant notre demande. Au cas où il serait possible de prendre les enfants juifs, ceux-ci devraient être déportés avec les parents... Il y a lieu d'attendre la décision du service supérieur (R.S.H.A.) concernant les possibilités de déportation des enfants juifs... »

Avant de connaître la décision du R.S.H.A., les responsables allemands transférèrent les Juifs adultes et les enfants de 12 à 21 ans à Drancy. Les autres demeurèrent dans les camps de transit en attendant qu'il soit statué sur leur sort. Ce fut seulement dans le rapport de Röthke du 13 août 1942 [61] que leur cas fut examiné : « Les Juifs en provenance de la zone non occupée seront mêlés à Drancy aux enfants juifs qui se trouvent encore actuellement à Pithiviers et à Beaune-la-Rolande dans la proportion de 300 à 500 enfants juifs pour 700, ou tout au moins 500 Juifs adultes. En effet, selon l'ordre du R.S.H.A., les trains chargés exclusivement d'enfants juifs ne sont pas admis. Il a été dit à Leguay [62] qu'en septembre, 13 trains devraient quitter Drancy et que l'on pourrait à nouveau livrer les enfants juifs en provenance de la zone non occupée. »

L'interprétation [63] des intentions de Pierre Laval, lorsqu'il

61. Procès de Nuremberg. — Document RF 1.234.

62. Délégué à Paris du secrétaire général pour la police.

63. Notamment un ouvrage récent « La Grande Rafle du Vel d'Hiv ». — Laffont 1967.

demanda que les enfants de moins de 16 ans ne soient pas séparés de leurs parents au cours de cette déportation, rend indispensable l'examen de certaines questions :

1. — Quelle fut l'intention de Laval ?

Deux témoins ont attesté qu'il fut poussé par un sentiment d'humanité :

a) — Laval déclara à Jean Jardin[64] en sortant de son entrevue avec Oberg : « Je viens d'une réunion épouvantable. Ils veulent nous laisser les enfants. Je leur ait dit : « Ce n'est pas l'habitude chez nous de séparer les enfants de leurs parents ». D'après M. Jardin, Laval ne comprenait pas cette décision des Allemands ; il considérait qu'ils se conduisaient « comme des brutes ». Le témoin a ajouté : « Cette affaire l'avait frappé. Pendant les premières heures qui suivirent cette conférence, il ne pensait qu'à cela. Je l'ai constaté ».

b) — M. Bousquet, qui a mené ces négociations avec les autorités allemandes, rapporte[65] que Laval dit à ses interlocuteurs : « Vous devriez avoir honte de séparer de jeunes parents de leurs enfants en bas âge ».

2. — Laval a-t-il pu croire de bonne foi que ces familles juives devaient être transférées dans les territoires de l'Est pour y reconstituer une communauté juive ?

a) — Dannecker écrivait dans son rapport du 15-6-1942[66] : « Des raisons militaires s'opposent cet été au départ de Juifs d'Allemagne vers la zone d'opérations de l'Est. Aussi, le Reichsführer S.S. a-t-il ordonné de transférer au camp de concentration d'Auschwitz, aux fins de prestation de travail, une plus grande quantité de Juifs en provenance de l'Europe du Sud-Est (Roumanie) ou des régions occupées de l'Ouest. La condition essentielle est que les Juifs (des deux sexes) soient âgés de 16 à 40 ans. 10 % des Juifs inaptes au travail pourront être compris dans ces convois. Il a été convenu que 15 000 Juifs seraient déportés des Pays-Bas, 10 000 de Belgi-

---

64. Déposition recueillie par l'auteur. — M. Jardin était conseiller de l'ambassade de France à Berne.

65. Témoignage déposé à l'Institut Hoover sous les n°s 171 et 289.

66. Procès de Nuremberg. — Document RF 1.217.

que, et de France, y compris la zone non occupée, 100 000 en tout. » Il recommandait dans un second rapport du même jour concernant « l'exécution technique de nouveaux transports de Juifs de France »[67] : « Pour éviter toute entrave à l'action des « travailleurs français pour l'Allemagne » actuellement en cours, on parlera seulement de la transplantation des Juifs. Cette version aura l'avantage de permettre la déportation de familles entières, auxquelles on donnera l'espoir de faire venir plus tard leurs enfants de moins de 16 ans ». Conformément aux ordres qu'il avait reçus, le général Oberg indiqua à Laval que ces familles devaient être transplantées en Pologne où serait constitué un Etat juif.

_b)_ — M. Edgar Faure, procureur général adjoint au Tribunal international de Nuremberg, a, d'ailleurs, déclaré dans son réquisitoire : « Les Nazis désiraient donc donner l'impression qu'ils déportaient les familles ensemble et qu'en tout cas, ils ne déportaient pas des trains composés seulement d'enfants. Pour donner cette impression, ils ont imaginé quelque chose qu'on ne peut croire qu'en le lisant. C'est de mélanger, selon des proportions déterminées, des groupes d'enfants et des groupes d'adultes ».

_c)_ — En réalité, ces transplantations camouflaient l'exécution du plan d'extermination naturelle des Juifs par la maladie et l'usure qui avait été défini au cours de la conférence du 20 janvier 1942 à Berlin[68] : « Dans le cadre de la solution finale du problème, les Juifs doivent être transférés sous bonne escorte à l'Est et y être affectés au service du travail. Formés en colonnes de travail, les Juifs valides, hommes d'un côté, femmes de l'autre, seront amenés dans ces territoires pour construire des routes ; il va sans dire qu'une grande partie d'entre eux s'éliminera tout naturellement par son état de déficience physique ». Comme l'a écrit M. Billig[69] : « L'éloignement des populations « inférieures » devait donc amener en grande partie une extermination et de toute

67. Procès de Nuremberg. RF 1219.

68. Document produit au procès de Jérusalem sous le numéro T/185.

69. « L'Allemagne et le génocide ». — Editions du C.D.J.C.

façon, leur disparition en tant qu'entités ethniques ». C'était, hélas, ce qu'il a appelé « le génocide par la déportation ».

d) — Plusieurs plans furent élaborés à Berlin pour parvenir à cette extermination. D'après le plan portant le nom code de « Nisko », un Etat juif devait être créé dans une région désertique du territoire du Gouvernement Général de Pologne. On peut lire dans le jugement du RuSHA [70] : « La Pologne, l'une des premières nations envahies par les Nazis, fut la première à être affectée par ce programme et ce fut dans les limites des territoires incorporés de Pologne que les évacuations et les colonisations furent pratiquées de la manière la plus large et la plus brutale. Cependant, avant la fin de la guerre, ces mesures ont été étendues pratiquement à tous les territoires conquis... » En Roumanie, les Juifs de Transnistrie furent placés dans des camps de concentration et astreints au travail. Il en fut de même en Hongrie [71]. En Belgique, les premiers déportés furent dirigés sur des camps de travail [72]. Pour les territoires occupés de l'Ouest, il fut décidé qu'à partir de juin 1942, la majorité des déportés travailleraient dans les camps de concentration jusqu'à l'épuisement [72].

e) — Les chefs nazis chargés de l'exécution de ce plan avaient reçu des instructions très sévères pour que le but réel des transplantations de population ne puisse être connu. Nous l'avons constaté dans le rapport de Dannecker du 15-6-1942. Un autre exemple de cette duperie se trouve dans ce télégramme [73] : « Télégramme secret. — le 13 mai 1942. — Au chef du Bezirk A. — Suivant instructions du Commandant Général de l'Armée de Terre, il convient d'éviter dans les publications relatives au refoulement forcé d'habitants, les termes « envoi vers l'Est ». Il en est de même de l'expression « déportation », ce terme rappelant trop direc-

---

70. Rasse und Siedlungshauptamt : Office central de la race et de la colonisation.

71. « Le dossier Eichmann. »

72. « La persécution des Juifs en France et dans les autres pays de l'ouest présentée par la France à Nuremberg ».

73. Procès de Nuremberg. — Document 5 — RF 1.215.

tement les expulsions en Sibérie de l'époque des Tzars... »
Par cette tromperie savamment organisée pour camoufler
l'exécution de la « solution finale » du problème juif, les
autorités allemandes parvinrent à laisser ignorer l'horrible
vérité qui ne se révéla qu'à la libération des camps.

*

Les éléments du présent dossier doivent permettre de
juger s'il eût été préférable d'abandonner aux autorités
allemandes l'entière responsabilité de ce drame ou si Pierre
Laval et le gouvernement ont eu raison de s'interposer entre
elles et la population juive. La question a été posée par
Me Floriot au procès Abetz :

« C'est, Messieurs, l'éternelle querelle de savoir s'il eût
mieux valu que les Israélites eussent été persécutés en beaucoup plus grand nombre par des Allemands ou s'il n'est pas
préférable que les persécutions aient été moindres, du fait
que les Français y furent mêlés. Je voudrais bien connaître
sur ce point l'opinion des Israélites. Je crois, pour ma part,
que la question ne se pose pas et que pour un malheureux
persécuté, ce qui compte avant tout, c'est la plus ou moins
grande ampleur de la persécution. C'est tellement vrai que
presque tous les Israélites ont cherché dès le début de
l'occupation à passer en zone libre, sachant parfaitement
que, quelle que soit la politique anti-juive suivie par Vichy,
les risques étaient beaucoup plus grands dans la zone Nord ».

La documentation déjà fournie doit être complétée par :

1. — Une déclaration de Eichmann au procès de Jérusalem [74] : « Nous parvînmes cependant, non sans luttes, à
mettre en marche les déportations. Bientôt des convois
de Juifs partaient de France et de Hollande. Ce n'est pas
pour rien que j'ai fait tant de voyages à Paris et à La
Haye... J'ai constaté en général qu'il y avait moins de
problèmes avec les autorités locales dans les pays de l'Est. »

2. — Cette appréciation de Otto Abetz [75] sur les résultats
de la « solution finale » en France : « Les déportations n'attei-

74. Le procès de Jérusalem. — Editions du C.D.J.C.
75. « D'une prison »

gnirent pas de loin l'ampleur des mesures ordonnées par Berlin et la rigueur avec laquelle elles ont été appliquées en d'autres territoires occupés ».

3. — Des extraits d'études publiées dans les ouvrages suivants :

a) — « Le Commissariat Général aux Questions Juives »[76] : « Les dérèglements pratiqués à l'Est par les nazis n'étaient pas admis par eux à l'Ouest. Quant à la France, elle restait encore aux yeux du IIIᵉ Reich — avec ou sans collaboration — la puissance dont il fallait tenir compte non seulement du point de vue des plans d'avenir nazis, mais aussi de celui des réactions internationales. Les autorités d'occupation étaient conscientes du danger qu'aurait représenté pour elles l'obligation de mater un grand pays comme la France...

Aussi bien il suffisait à Laval de menacer de se démettre pour que les Nazis cèdent dans les questions de la plus haute importance. »

b) — « La persécution des Juifs en France et dans les autres pays de l'Ouest » : « Les mesures ont varié selon les pays : à l'Ouest, Berlin procède par étapes, grâce à des déportations progressives, en se servant dans la mesure du possible de gouvernements dits nationaux ; à l'Est, l'extermination est rapide, radicale et souvent, elle s'effectue sur place ».

4. — Le compte rendu de la conférence tenue à Berlin le 28 août 1942 relative aux résultats de la « solution finale »[77] : « On a constaté que la plupart des pays européens sont beaucoup plus près de la solution définitive du problème juif que la France ; il est vrai que ces pays ont commencé aussi plus tôt. Il importe donc de rattraper le retard d'ici le 31 octobre 1942. »

5. — Une étude comparative des résultats de l'exécution de la « solution finale » dans les autres pays occupés par l'Allemagne :

---

76. Tome 3, page 320.

77. Procès de Nuremberg. — Réquisitoire de M. Edgar Faure. — Document 22.

A) — *Pays soumis directement à l'occupation militaire.*
— Belgique. — 27 000 déportés sur 45 000 Juifs résidants.
— Hollande. — L'extermination fut « quasi totale »[78] :
120 000 déportés sur 160 000.
— Pologne. — 100 000 Juifs échappèrent à la déportation et
l'extermination sur une population juive de 3 500 000 âmes[79].
— Tchécoslovaquie. — 300 000 disparus sur 350 000.
— Yougoslavie. — 70 000 disparus sur 80 000.
— Grèce. — 60 000 disparus sur 75 000.

B) — *Pays ayant un gouvernement national.*
— Danemark. — Les déportations ne furent effectuées par
les autorités allemandes qu'à partir de 1943[80]. (475 déportés
sur 7 000).
— Hongrie. — « Avant l'occupation allemande, les autorités
font encore preuve d'une certaine réticence. Après l'occupation du 19 mars 1944, les émissaires de la Gestapo organi-
sent eux-mêmes la déportation. Toutefois, une certaine résistance au sein même du gouvernement réussit à ralentir tous
ces efforts jusqu'au coup d'Etat allemand du 15 octobre
1944 qui met fin au gouvernement de Horthy[80]. » (550 000
disparus sur 762 000).
— Bulgarie. — « En 1942, le gouvernement promulgue les
mesures anti-juives classiques. Les plans allemands organisant la déportation sont prêts. Cependant, le ministre des Affaires étrangères du Reich ne juge pas encore le moment opportun pour contraindre le gouvernement de Sofia à les mettre
à exécution. Le 22 mars 1943, le premier convoi part pour
l'Est »[80]. (20 000 déportés sur 50 000).
— Roumanie. — « En Roumanie, la Wilhelmstrasse n'éprouve
pas les mêmes scrupules qu'en Bulgarie. En 1940, la population juive de Roumanie s'élevait à environ 760 000 âmes ;
400 000 sont portés disparus. Parmi ces victimes, 256 000 environ pèsent sur la conscience du gouvernement fasciste rou-
main »[80].

---

78. « La persécution des Juifs en France et dans les autres pays
de l'Ouest présentée par la France à Nuremberg ».

79-80. « La persécution des Juifs dans les pays de l'Est présentée
à Nuremberg ».

Dans les deux ouvrages cités en références, on peut lire ces constatations :

— « Si les Nazis ont agi avec une brutalité moins immédiate à l'Ouest qu'à l'Est, ce n'est point parce qu'il y aurait eu dans leur esprit quelque condescendance envers le caractère occidental, c'est tout simplement parce que la religion n'étant pas, dans ces pays, une particularité de l'état-civil, l'extermination supposait un travail préparatoire de recensement et de regroupement des victimes et que, d'autre part, les Nazis se souciaient, pour des raisons d'opportunité politique, de ménager et, en quelque sorte, d'anesthésier la sensibilité générale. De là, les lenteurs et les prudences » [81].

— « Dans les pays satellites du Sud-Est, la « solution finale » est plus difficile à réaliser que dans les territoires placés directement sous l'autorité allemande (Pologne). La fiction de la souveraineté des Etats satellites impose à l'Allemagne une action plus discrète et dès lors, l'initiative passe généralement des policiers de Himmler aux diplomates de Ribbentrop. Quant aux pays du Sud-Est soumis directement au régime de l'occupation militaire, le protectorat de Bohême, Moravie, la Serbie et la Grèce, ils subissent des méthodes qui rappellent évidemment celles pratiquées en Pologne et en U.R.S.S. » [82].

LES TEMOINS DE LA DEFENSE

Léon Bérard, Ambassadeur de France au Vatican (HI-II-695).

En 1943, après l'armistice conclu entre le Gouvernement italien du Maréchal Badoglio et les Alliés, les troupes italiennes d'occupation, dans le Sud-Est de la France, avaient été remplacées par des troupes allemandes, accompagnées des ordinaires contingents de police. De nombreux Israélites, qui se trouvaient dans cette région, s'étaient alors réfugiés en Italie, où beaucoup menaient une vie très difficile. Je demandai au Département des Affaires étrangères à Vichy d'ouvrir un crédit à l'Ambassade afin d'apporter quelque aide et quelque soulagement à ces réfugiés. Le Ministère

81. « La persécution des Juifs en France et dans les autres pays de l'Ouest présentée par la France à Nuremberg ».

82. « La persécution des Juifs dans les pays de l'Est présentée à Nuremberg ».

s'était empressé de faire droit à ma demande. Comme nous ne pouvions quitter le Vatican, les secours furent distribués par la Légation de Suisse à Rome, chargée des intérêts français en Italie, et à laquelle nous remettions les fonds.

Dinu Hiott, ministre de Roumanie en France (HI-III-1647).

Dans mes contacts avec le Ministère des Affaires étrangères, j'ai toujours trouvé beaucoup de compréhension au sujet des citoyens roumains d'origine juive, dont j'avais à défendre les intérêts.

A un moment donné, je ne m'en rappelle pas exactement la date, grâce à l'intervention du Chef du Gouvernement Pierre Laval, j'ai réussi à faire partir un bon nombre de ceux-ci vers la Roumanie, dans des wagons de voyageurs mis à la disposition de la Légation.

Jacques Guérard, Secrétaire Général du Gouvernement (HI-III-1545).

A une date que je crois être le 12 novembre 1942 — mais qui est sûrement comprise entre le 12 et le 15 de ce mois — M. Hirschler vint à Vichy et demanda à être reçu par le Président Pierre Laval. Celui-ci me fit appeler et me dit : « J'aimerais recevoir le Grand Rabbin, que je connais et que j'estime, mais je ne m'appartiens pas, ce matin. Voyez-le et, s'il peut attendre un ou deux jours de plus, retenez-le... »

C'est dans ces conditions que je reçus le Grand Rabbin à la place du Président. Il me demanda avec émotion si le Gouvernement Laval « continuait malgré les événements d'Afrique » — nous étions à quelques jours du débarquement anglo-américain en Afrique du Nord — et, sur ma réponse affirmative, me dit les paroles suivantes que je rapporte textuellement, car elles se sont gravées dans ma mémoire :

«... Je suis rassuré... Pour moi, tous les Juifs sont mes enfants. Mais je connais bien M. Laval et je sais ses difficultés. Les Juifs français n'oublieront jamais ce qu'il a fait pour eux. »

Je ne pus convaincre le Grand Rabbin de rester quelques jours de plus à Vichy, et le Président Laval ne le vit pas.

Mais le Grand Rabbin me pria d'assurer le Président de son estime, de sa confiance et de sa gratitude.

Charles Rochat, Secrétaire Général du Ministère des Affaires Etrangères (HI-II-1107).

Lorsque les Juifs étrangers furent visés en 1942, le Président Laval convoqua, à ma demande, dans son bureau le représentant à Vichy de l'Ambassade d'Allemagne et protesta dans les termes les plus vifs ....
... Krug von Nidda ne put que se retrancher derrière les instructions de ses chefs.

De mon côté, je mis aussitôt le Nonce, tant en sa qualité de doyen du corps diplomatique que de représentant du Saint-Siège, au courant des exigences allemandes, et je convoquai tous les chefs de mission des pays dont les ressortissants juifs étaient menacés, leur conseillant soit de faire agir directement leurs gouvernements à Berlin, soit de rapatrier, dès que possible, leurs nationaux menacés.

Je crois me rappeler que, grâce à ses relations personnelles dans les milieux allemands, l'Ambassadeur d'Espagne obtint satisfaction pour les Juifs espagnols et que, d'autre part, des délais furent accordés pour l'évacuation des Juifs de certains autres pays (Roumanie, Hongrie, Bulgarie, Portugal, Turquie).

Jean Chaigneau, préfet régional de Nice [83] (HI-I-455).

Dans les mesures prises contre les Juifs, contre les francs-maçons, toujours nous le trouvions à nos côtés ou devant nous, pour nous couvrir dans l'action que nous menions, afin que les dites mesures aient le moins d'efficacité possible.

Alfred-Roger Hontebeyrie, préfet de l'Hérault [83] (HI-I-489).

Le Président Laval me fit connaître, au cours d'une venue à Vichy, les griefs qui pouvaient m'être reprochés. Je dois ajouter que ce jour-là — nous étions alors en fin 1943 — il me donna comme instructions de tout faire et de tout

83. Il fut arrêté et déporté par les Allemands.

mettre en œuvre pour sauver les Israélites qui pouvaient demeurer dans la région de Montpellier. Ce fut grâce à son appui que, lorsque l'armée allemande prit des mesures de police dans les départements maritimes, je pus évacuer tous les Juifs dans les départements de l'Aveyron et de la Lozère. Son intervention, que j'avais sollicitée, empêcha le S.D. de toute immixtion dans cette opération.

4

Les déclarations de Pierre Laval

MEMOIRE EN REPONSE A L'ACTE D'ACCUSATION

Ce considérant de l'acte d'accusation va me permettre de montrer ce que fut ma véritable attitude au cours de ces quatre années d'occupation. Je n'ai jamais cessé un seul instant de protéger des Français guettés par la persécution.

Les lois concernant les Juifs furent édictées en 1940 par les ministres de la Justice et de l'Intérieur et je n'eus à prendre aucune part à leur rédaction, ni à leur inspiration. On peut imaginer pourtant qu'elles figuraient parmi les obligations les plus dures que l'occupation allait faire peser sur nous. La question juive était pour Hitler une question passionnelle et si, chez nous, avant la guerre, l'antisémitisme n'était le fait que de quelques groupes et de quelques publicistes, il avait, en Allemagne, un caractère officiel, avec des doctrinaires, des services et des bourreaux. Les Juifs avaient dû fuir l'Allemagne et des dizaines de milliers d'entre eux s'étaient réfugiés en France, où l'armée et la police allemandes allaient les surprendre alors que notre pays était, en raison de la défaite, devenu impuissant à les protéger.

Le Gouvernement dut surtout s'attacher à la protection des Juifs français. La loi de 1940, à laquelle, je le répète, je ne pris aucune part, constituait le moindre mal. Elle ne pouvait avoir qu'un caractère provisoire, et, pour paradoxale que puisse paraître mon affirmation, elle constituait une sorte de protection pour les Juifs français que les Allemands allaient être ainsi moins tentés de persécuter. Des mesures légères françaises pouvaient empêcher des mesures allemandes beaucoup plus dures.

On ne pourrait équitablement soutenir que ces lois me soient imputables, car mon influence, en 1940, sur le Maréchal et mon autorité sur les ministres n'étaient pas grandes. (On a vu comment je fus évincé du gouvernement et arrêté le 13 décembre). Il eût été loisible au Maréchal ou à ses ministres, après mon départ, d'abroger ou de modifier ces lois. Ils n'en firent rien parce que cette initiative ne venait pas de moi, et qu'à aucun titre je n'eus à m'occuper de ces lois en 1940.

A mon retour au pouvoir, j'eus à prendre des décisions et des responsabilités. J'ai répondu avec précision au magistrat instructeur qui m'a interrogé sur cette question. Il m'a demandé la raison qui avait motivé le rattachement à mes services du commissariat général des Affaires juives. C'est pour exercer sur celui-ci mon autorité et mon contrôle que j'ai pris cette mesure. La persécution contre les Juifs s'était aggravée depuis 1940. Une police antijuive, créée sous le ministère Darlan, composée surtout de militants des partis de la Collaboration, comme le P.P.F., exerçait son activité sous la direction de fait de la police allemande. J'ai supprimé cette police antijuive **vers la** fin avril 1942, quelques jours après mon retour au gouvernement, malgré les protestations des services allemands, de Darquier de Pellepoix et des partis de la Collaboration. Une violente campagne de presse fut alors déclenchée contre moi et contre Bousquet, secrétaire général à la Police, par certains journaux spécialisés à la solde des autorités d'occupation. Bousquet fut appelé par le général Oberg et eut avec lui une violente discussion à ce sujet.

J'ai repoussé, malgré les pressions très fortes faites sur moi par les mêmes personnes, par les mêmes services et par les mêmes journaux, un certain nombre de projets de lois qui eussent aggravé le sort imposé aux Juifs ; ces projets étaient les suivants :

L'un rendait possible la révision des ventes supposées fictives de leurs biens par les Juifs, en permettant, par une réouverture des délais expirés, un nouvel examen de ces ventes effectuées dans la période ayant précédé la promulgation de la loi.

Un autre permettait le cantonnement de l'hypothèque légale de la femme mariée à un Juif à une somme fixée par expert, afin de hâter la liquidation de ses droits dans la communauté.

Un troisième supprimait l'interdiction de revendre un bien juif par son acquéreur avant un délai de deux ans ; cette mesure était considérée par le commissaire comme destinée à faciliter la vente des biens séquestrés.

Je repoussai également un autre projet qui frappait de certaines incapacités les demi-Juifs qui, en vertu des lois existantes, échappaient à tout régime d'exception.

On voit que mon contrôle ne fut pas inutile et qu'il s'exerça toujours pour atténuer ou repêcher les rigueurs nouvelles dont on voulait frapper les Juifs français. Ce n'était donc pas « une politique française qui devint tout allemande », comme le dit l'acte d'accusation, mais une action personnelle, tenace, qui s'opposait sans cesse à la politique allemande.

Darquier de Pellepoix faisait d'ailleurs des déclarations à certains journaux, comme *Le Pilori*, *Je suis partout*, pour protester contre mon attitude et se plaindre de la résistance que je lui opposais dans son action antijuive.

Je refusai également l'obligation que les Allemands et le commissaire général voulaient imposer aux Juifs en zone sud de porter l'étoile jaune. Les Allemands occupaient la zone sud à cette époque, et ils avaient exigé la loi instituant l'obligation de faire figurer le mot « Juif » sur les cartes d'identité et de ravitaillement. J'avais refusé le port de l'étoile malgré les exigences allemandes. Ce fut le moindre mal, car l'insertion sur les cartes ne gênait pas les Juifs vis-à-vis des autorités françaises. Elle leur permettait d'échapper, comme travailleurs, au départ pour l'Allemagne, car j'ai toujours donné l'instruction de les exclure des départs. Ils furent seulement requis au tout dernier moment pour les chantiers Todt, et il y en eut un nombre infime.

Lorsque, plus tard, en 1944, les Allemands décidèrent la confiscation en zone sud des meubles appartenant à des Juifs se trouvant dans des appartements non habités, pour être, disaient-ils, distribués aux victimes des bombardements tant en France qu'en Allemagne, je protestai immédiatement contre cette mesure. Ne pouvant éluder cette contrainte allemande, j'exigeai que des garanties fussent prises pour sauvegarder les droits des propriétaires juifs ; je précisai notamment de dresser, suivant les formes légales, des inventaires réguliers pour servir de titres à ceux dont les meubles seraient enlevés. C'est l'ordre que je donnai au secrétariat général à la Police et qu'il s'engagea à respecter. Cette mesure de confiscation demeura sans suite en raison des événements militaires. J'ai toujours demandé, sans pouvoir l'obtenir des Allemands, en m'adressant à tous les services et à l'ambassade, que l'Administration des domaines fût chargée des biens juifs pour les soustraire à l'arbitraire du commissariat général et à la cupidité des hommes d'affaires véreux. J'ai soumis un projet de loi dans ce sens aux Allemands, auquel ils n'ont jamais accepté de donner leur approbation.

En énumérant les actes que j'ai accomplis, je réfute le chef d'accusation qui me représente, au contraire de toute mon attitude, comme ayant pratiqué « une politique soi-disant française qui devint une politique tout allemande ». On pouvait, en mon absence, et seulement sur les apparences, juger sommairement ce qui eût été de ma part comme une politique d'abandon et de faiblesse vis-à-vis d'occupants qui se sont toujours montrés féroces à l'égard des Juifs.

C'est dans leur répression contre les Juifs que j'ai eu, au contraire, à lutter le plus contre les Allemands et leurs complices français, car une passion antisémite ne pouvait justifier les actes de cruauté qu'ils accomplissaient. J'ai pu contribuer à sauver des milliers de Juifs français [84]. Il m'a été quelquefois impossible de sauver des amis personnels juifs qui avaient été arrêtés par les Allemands et dont la libération ne me fut jamais accordée. J'ai essayé de savoir, en les interrogeant, où les Allemands dirigeaient les convois de Juifs, et leur réponse était invariable :

---

84. De nombreux témoignages, recueillis par l'Institut Hoover, attestent que pendant toute l'occupation, des Juifs, des résistants pourchassés et des réfractaires du S.T.O. purent se camoufler à Clermont-Ferrand comme employés de l'Imprimerie appartenant à Laval. Il ressort, également, des archives et des pièces présentées à la Cour d'Appel de Riom en 1956 dans l'affaire Mme Laval — *Moniteur du Puy-de-Dôme* contre l'Etat que de faux certificats de baptême et de fausses cartes d'identité et d'alimentation y furent fabriquées sans facturation. Il a été question au procès du Maréchal Pétain du cas des cent cinquante enfants juifs du centre de jeunesse de Moissac, recherchés par les Allemands, qui purent ainsi être dispersés dans d'autres établissements.

« En Pologne, où nous voulons créer un Etat juif. » Je savais bien que les Juifs étaient emmenés en Pologne, mais j'ai appris que c'était pour y travailler dans des conditions abominables, le plus souvent pour y souffrir et y mourir.

Ce serait me faire l'injure la plus cruelle et la plus imméritée que de penser que je pouvais appliquer cette politique de force et de destruction contre des hommes qui n'avaient, en venant au monde, eu à choisir ni leur race, ni leur religion. J'ai été moi-même, autrefois, souvent qualifié de Juif. Jamais, durant de longues années, Maurras n'écrivit mon nom sans le faire précéder du mot « Juif », non sans ajouter parfois, avec la même fantaisie, que ma femme était une Juive portugaise. Interpellé dans une réunion électorale à ce sujet, j'avais confirmé nos origines auvergnates ancestrales et j'avais ajouté : « Si j'avais été Juif, ce ne serait pas de ma faute, et, si je l'étais, je n'en rougirais pas. »

Ce souvenir anecdotique pourrait s'ajouter au fait que, durant toute ma carrière professionnelle ou politique, j'ai toujours eu des collaborateurs juifs dont certains ont fait de belles carrières et sont très connus.

C'est dire que je n'ai pas vécu dans une ambiance antisémite.

Dans une autre circonstance, j'eus à réagir contre une exigence allemande qui, si elle avait été satisfaite, aurait eu des conséquences tragiques pour tous les Juifs devenus français par naturalisation. Les Allemands, tous les services allemands, et le commissaire général aux Affaires juives me demandèrent, en 1943, de signer une loi qui enlevait automatiquement la nationalité française à tous ces Juifs. Le projet comportait également l'obligation de publier leurs noms et leurs adresses au *Journal officiel.* C'est dire que se fût ainsi trouvé facilité le travail de la police allemande, qui, au lendemain de l'adoption de ce texte, eût procédé aux arrestations et aux déportations de ces Juifs.

Je refusai et j'eus à subir de nombreuses et pressantes démarches allemandes. Je fus attaqué, injurié par une certaine presse, mais rien ne me fit fléchir. « Nous avons une loi qui permet de reviser tous les décrets de naturalisation depuis 1933, sans distinction de race ou de nationalité, et cette loi suffit : je n'en veux pas d'autre. » Telle fut ma réponse. J'invoquai en dernier lieu la compétence du Maréchal en ce domaine, et je finis par lasser et décourager les Allemands. Ils parlèrent néanmoins sans cesse de mon refus, et Doriot, en particulier, tirait un grand parti de ma résistance en ce domaine pour leur montrer qu'ils ne pouvaient en rien compter sur moi. De temps en temps, à des conférences de presse, je prononçais quelques phrases qui pouvaient leur être agréables, mais je n'accomplissais jamais aucun acte de complicité à une politique de brutalité sadique que je réprouvais, comme je méprisais ceux qui la faisaient.

J'ai été mis un jour en présence d'un jeune capitaine allemand, Dannecker, chargé de la répression antijuive. Je m'aperçus très vite que son fanatisme faisait de lui un véritable aliéné. Je m'étonnai ensuite qu'un tel personnage, avec une telle mission, pût être envoyé en France. Je protestai avec véhémence contre sa présence à Paris. Il fut alors rappelé, mais ceux qui lui succédèrent, s'ils étaient d'apparence plus calme, n'en étaient pas moins féroces.

Les Juifs qui pleurent leurs morts ont le droit de se plaindre des excès dont ils ont été l'objet, de regretter l'impuissance du gouvernement français en face de leurs tortionnaires allemands, mais n'auront-ils pas le devoir, par simple souci de rendre hommage à la vérité, de reconnaître, quand ils apprendront les faits, que je les ai protégés au maximum de mes moyens, qui étaient faibles,

mais aussi de ma volonté, qui, elle, n'a jamais
fléchi ? Ils sont des dizaines de milliers en France
qui me doivent la vie et la liberté.

L'acte d'accusation fait état d'une collaboration de la police française avec la Gestapo, qui,
dans une nuit, procéda à vingt-deux mille arrestations. Il me faudrait, pour répondre avec précision, des documents que je n'ai pas et des
contacts que je ne puis avoir, de ma cellule, avec
certains préfets, comme le préfet de police, mais
il m'est possible, au moyen de ma seule mémoire,
d'opposer encore à ce chef d'accusation la réalité des faits qui justifient ma présence et mon
maintien au gouvernement.

Je reçus un jour, en juillet 1942, je crois, la
visite du colonel Knochen ; il venait me notifier
la décision du gouvernement allemand de déporter tous les Juifs qui se trouvaient en France. Il
n'était fait aucune distinction quant à leur nationalité française ou étrangère. Le préfet de police
avait déjà reçu des ordres à ce sujet. Je protestai
avec véhémence et je vis l'ambassadeur d'Allemagne, qui me dit ne pouvoir rien faire. La presse
de Paris avait déjà lancé l'information. Je crois
même qu'il y eut une déclaration de Darquier de
Pellepoix. Je vis le général Oberg et, à mon retour
de Vichy, je mis au courant M. Bousquet. « Les
trains sont prêts et, à tout prix, par n'importe
quel moyen, nous devons les remplir. Le problème juif n'est pas pour nous un problème de nationalité. La police doit se mettre à notre disposition,
sinon nous arrêterons les Juifs, qu'ils soient ou
non Français. » C'est ce que m'avait dit le général
Oberg. Je voulais avant tout, à défaut de mieux,
défendre nos nationaux, et c'est dans ces conditions que notre police, si elle intervint, eut à agir
sous la contrainte et la menace de voir frapper les
Juifs français.

A mon retour de Vichy, je prévins M. Rochat,
qui put immédiatement alerter les ambassadeurs

et ministres étrangers pour qu'ils agissent aussitôt auprès des autorités allemandes en faveur de leurs nationaux résidant en France. J'ai le souvenir que les ambassadeurs d'Espagne et de Turquie, et les ministres de Roumanie et de Hongrie firent aussitôt le nécessaire. Je sais que l'ambassadeur d'Espagne obtint satisfaction.

A ce moment encore, le général Oberg m'avait dit que l'intention du gouvernement allemand était de créer un Etat juif à l'Est, en Pologne.

Je mis le Maréchal au courant et je fis un exposé au Conseil des ministres. Le Maréchal constata que nous avions fait tout ce qui pouvait être tenté.

J'informai le nonce de tout ce qui venait de se passer et, d'accord avec Bousquet, nous nous efforçâmes de multiplier les difficultés d'application, mais les Allemands continuaient à nous menacer de déporter les Juifs français. Je convoquai les préfets pour les renseigner. Malgré l'opposition allemande, je fis bénéficier de dérogations les Israélites étrangers mariés à des nationaux, les Israélites qui avaient rendu des services à la France. Oberg protesta et me dit qu'il agissait en application de l'article 3 de la Convention d'armistice. Je reçus une lettre officielle de l'ambassade me confirmant cette thèse. Toutes les dérogations furent néanmoins maintenues. Ainsi, j'ai montré comment j'ai pu défendre et protéger les Juifs français. Je ne puis accepter la responsabilité des mesures inhumaines et injustes qui frappaient les Juifs étrangers. Dans toute la mesure de mes moyens, j'ai tenté de les sauver. J'ai obtenu notamment que les enfants ne soient pas séparés de leurs parents, mais je ne pouvais agir autrement que je l'ai fait sans sacrifier nos nationaux dont j'avais d'abord la garde. Le droit d'asile n'a pas été respecté. Comment pouvait-il l'être dans un pays occupé par l'armée allemande, et comment les Juifs pouvaient-ils être protégés dans un pays où sévissait la Gestapo ?

J'ai largement facilité l'exode individuel ou familial des Juifs à l'étranger. J'ai essayé de négocier l'envoi de cinq mille enfants juifs aux Etats-Unis ou en Suisse, et je me suis heurté à un refus brutal des Allemands qui le motivaient en disant que l'arrivée de ces enfants dans ces pays servirait de prétexte à des manifestations anti-allemandes.

Tels sont les faits et tels sont mes actes. Ils constituent une réponse claire au chef d'accusation retenu contre moi à l'occasion des mesures prises contre les Juifs. J'accepterais volontiers d'être jugé pour ce grief par des Juifs français. Eux, mieux que d'autres, sans doute, comprendraient aujourd'hui ce qui leur serait advenu si je ne m'étais pas trouvé là pour les défendre.

Chapitre II

LES COURS MARTIALES

1

Les Faits

L'exposé de l'évolution de la législation en matière de juridictions d'exception doit concerner trois périodes :

— 1ʳᵉ période : de juillet à décembre 1940, date du départ de Pierre Laval.

a) *— La loi du 30 juillet 1940 (J.O. du 31/7/1940) déterminait l'organisation, la compétence et la procédure de la Cour Suprême de Justice instituée par l'acte constitutionnel N° 5 en date du 30/7/1940. Cette Cour était chargée de juger les ministres, anciens ministres et leurs subordonnés, civils ou militaires, accusés d'avoir commis des crimes ou délits dans l'exercice de leurs fonctions ou d'avoir trahi les devoirs de leur charge, ainsi que les personnes ayant porté atteinte à la sûreté de l'Etat.*

b) *— La loi du 24 septembre 1940 (J.O. du 25-9-1940) créait une Cour Martiale, chargée de juger les personnes coupables de crimes et manœuvres contre l'unité et la sauvegarde du pays.*

— 2ᵉ période : de décembre 1940 à avril 1942, époque pen-

dant laquelle Pierre Laval ne faisait pas partie du gouvernement.

a) — *La loi du 21 mars 1941 créait une Cour criminelle spéciale chargée de juger les personnes accusées de délits en matière de ravitaillement. Elle fut complétée par la loi du 27 mai 1941 (J.O. du 4-6-1941).*

b) — *La loi du 24 avril 1941 créait un Tribunal spécial pour juger les auteurs d'agressions nocturnes.*

c) — *La loi du 14 août 1941, modifiée par la loi du 25 août 1941, instituait des Sections spéciales auprès des Cours d'Appel et des Tribunaux militaires et maritimes pour réprimer les activités communistes et anarchistes.*

d) — *La loi du 7 septembre 1941 créait un tribunal d'Etat chargé de juger les personnes ayant commis des actes de nature à troubler l'ordre public et à nuire au peuple français.*

— *3ᵉ période : d'avril 1942, date du retour au pouvoir de Pierre Laval, à 1944.*

a) — *La loi du 13 août 1942 rendait applicables les peines accessoires ou complémentaires prévues par la loi du 7 septembre 1941 ayant institué un tribunal d'Etat.*

b) — *La loi du 18 novembre 1942 modifiait la loi du 14 août 1941 ayant institué des Sections spéciales auprès des Cours d'Appel pour réprimer les infractions pénales favorisant le communisme, l'anarchie ou la subversion sociale et nationale.*

c) — *La loi du 1ᵉʳ février 1943 modifiait la loi du 18 novembre 1942 en matière de procédure.*

d) — *La loi du 16 mars 1943 réglait les modalités de la défense et fixait les peines prévues par la loi du 18 novembre 1942.*

e) — *La loi du 14 avril 1943 modifiait la composition du Tribunal d'Etat, notamment le nombre des juges.*

f) — *La loi du 5 juin 1943 abrogeait les lois précédentes ayant institué des Sections spéciales auprès des Cours d'Appel et créait de nouvelles Sections chargées de réprimer les activités communistes, anarchistes, terroristes ou subversives.*

g) — *La loi du 17 juillet 1943 modifiait la composition des Sections spéciales nouvelles si l'infraction était dirigée contre un agent de la force publique ou un fonctionnaire chargé du maintien de l'ordre.*

h) — *La loi du 3 août 1943 étendait la compétence du Tribunal spécial créé par la loi du 24 avril 1941.*

i) — *La loi du 22 octobre 1943 modifiait la composition des Sections spéciales nouvelles si l'infraction était qualifiée d'assassinat ou de meurtre ou de coups et blessures ayant entraîné la mort sans intention de la donner ou des infirmités permanentes.*

j) — *La loi du 20 janvier 1944 autorisait le secrétaire général au Maintien de l'Ordre à créer des Cours martiales chargées de juger les personnes ayant commis isolément ou en groupe des assassinats et des meurtres pour favoriser une action terroriste.*

k) — *La loi du 24 avril 1944, sur la compétence du Tribunal spécial, des Sections spéciales et du Tribunal d'Etat, précisait que ces juridictions d'exception ne statuant que sur l'action publique, les constitutions de partie civile n'étaient pas recevables devant elles.*

l) — *La loi du 14 mai 1944 étendait le champ d'application de la loi du 20 janvier 1944 aux personnes qui, hors le cas de flagrant délit, étaient prévenues d'avoir, comme auteurs, coauteurs ou complices, commis au moyen d'armes ou d'explosifs, pour favoriser une activité terroriste, un meurtre, un assassinat ou la tentative d'un de ces crimes. Elles seraient déférées aux Cours martiales constituées en Cours criminelles extraordinaires.*

LES TEXTES.

LOI du 30 juillet 1940 *relative à l'organisation, la compétence et la procédure de la Cour Suprême de Justice.*

Article 1 : *La Cour Suprême de Justice instituée par l'acte* constitutionnel N° 5 en date du 30 juillet 1940 est chargée de juger : 1) — Les ministres, anciens ministres ou leurs subordonnés immédiats, civils ou militaires, accusés d'avoir commis des crimes ou délits dans l'exercice ou à l'occasion de leurs fonctions ou d'avoir trahi les devoirs de leur charge. 2) — Toute personne accusée d'attentat contre la sûreté de l'Etat et de crimes et délits connexes. 3) — Tout co-auteur ou complice des personnes visées aux paragraphes précédents.

Article 2 : *La Cour Suprême de Justice se compose d'un président, un vice-président, cinq conseillers titulaires et trois conseillers suppléants. Le président de la chambre criminelle de la Cour de Cassation est de droit président de la Cour Suprême de Justice. Les autres membres sont nommés à vie par décret en Conseil des ministres et choisis dans les catégories suivantes : le vice-président parmi les membres et anciens membres de la Cour de Cassation ; les conseillers titulaires et les conseillers suppléants parmi les magistrats ou anciens magistrats, les officiers généraux de la 1° et de la 2° section de l'Etat-Major Général, les membres du Conseil de l'Ordre de la Légion d'Honneur, les membres ou anciens membres des Corps Constitués.*

Article 3 : *Un procureur général et deux avocats généraux exercent les fonctions du Ministère Public devant la Cour Suprême de Justice. Ils sont nommés par décret en Conseil des ministres.*

Article 4 : *Un décret en Conseil des ministres ordonne la convocation de la Cour Suprême de Justice, fixe la date et le lieu de sa réunion.*

. . . .

Article 14 : *Aucun recours même en cassation n'est admis contre les arrêts de la Cour Suprême de Justice.*

Signé : *le maréchal Pétain, chef de l'Etat. — Raphaël Alibert, Garde des Sceaux, ministre de la Justice.*

LOI du 24 septembre 1940 *portant création d'une Cour Martiale.*

Article 1 : *Il est institué une Cour Martiale.*

Article 2 : *La Cour Martiale juge les personnes qui lui sont déférées par le gouvernement pour crimes et manœuvres commis contre l'unité et la sauvegarde de la patrie.*

Article 3 : *La Cour Martiale règle sa procédure ; elle statue dans les deux jours. Elle ne peut prononcer que les peines prévues par le titre 1er du Code Pénal.*

Article 4 : *Ses arrêts sont sans recours et exécutables dans les vingt-quatre heures.*

Article 5 : *La Cour Martiale se compose d'un président et de quatre membres désignés par décret. Un commissaire du gouvernement nommé par décret soutient l'accusation.*

Signé : *le maréchal Pétain, chef de l'Etat. — Raphaël Alibert, Garde des Sceaux, ministre de la Justice. — Le général Huntziger, ministre de la Guerre. — Amiral Darlan, ministre de la Marine.*

LOI du 18 novembre 1942 — N° 1041 *concernant la répression des activités subversives et des crimes ou délits contre la sûreté extérieure de l'Etat. (Modifie les articles 1 et 2 de la loi du 14 août 1941 modifiée par la loi du 25 août 1941).*

Nouvel article 1er : *Il est institué dans chaque Cour d'Appel une section spéciale à laquelle sont déférés les auteurs de toutes infractions pénales, quelles qu'elles soient, si elles sont commises pour favoriser le communisme, l'anarchie ou la subversion sociale et nationale.*

Article 2 : *La section spéciale est composée de cinq magistrats dont l'un exerce les fonctions de président. Ces magistrats sont librement désignés pour la Cour d'Appel de Paris par arrêté du Garde des Sceaux et pour les autres Cours d'Appel par ordonnance du premier président. Pour statuer valablement, la section spéciale comprend au moins trois membres. Les fonctions du Ministère Public sont remplies par des magistrats désignés par arrêté du procureur général.*

. . . .

Article 5 : *Les dispositions de la présente loi entreront en vigueur le quatre décembre 1942.*

Signé : *Par le Maréchal de France, chef de l'Etat Français. — Pierre Laval. — Joseph Barthélemy, Garde des Sceaux, secrétaire d'Etat à la Justice. — Général Bridoux, secrétaire d'Etat à la Guerre. — Amiral Auphan, secrétaire d'Etat à la Marine. — Général Jannekeyn, secrétaire d'Etat à l'Aviation.*

LOI du 5 juin 1943 — N° 318 *réprimant les activités communistes, anarchistes, terroristes ou subversives.*

Article 1 : *Il est institué dans chaque Cour d'Appel une section spéciale à laquelle sont déférés les auteurs de toutes les infractions pénales, quelles qu'elles soient, si elles sont commises pour favoriser le terrorisme, le communisme, l'anarchie ou la subversion sociale et nationale ou pour provoquer ou soulever un état de rébellion contre l'ordre social légalement établi. Sont notamment déférés à la section spéciale les membres de toute association ou de toute entente, quel que soit le nombre de ses membres, établie dans le but de préparer ou de commettre dans une des intentions visées à l'alinéa précédent des crimes et des délits contre la sûreté intérieure ou extérieure de l'Etat ou contre les personnes ou les propriétés. De même, sera déféré à la section spéciale quiconque aura sciemment favorisé, de quelque façon que ce soit, les auteurs de l'une ou de plusieurs des infractions prévues au présent article, notamment en leur fournissant des instruments de crime, des moyens de correspondance, de logement, de transport, des titres de ravitaillement, des vivres ou des lieux de résidence.*

Article 2 : *La section spéciale est composée de cinq magistrats dont l'un exerce les fonctions de président. Ces magistrats sont librement désignés pour la Cour d'Appel de Paris par arrêté du Garde des Sceaux et pour les autres Cours d'Appel par ordonnance du premier président. Pour statuer valablement, la section spéciale comprend au moins trois membres. Les fonctions du Ministère Public sont remplies par des magistrats désignés par arrêté du procureur général.*

Article 3 : *Les individus arrêtés en flagrant délit d'infraction prévue à l'article 1 de la présente loi sont traduits directement et sans instruction préalable devant la section spéciale. Aucun délai n'est imposé entre la citation de l'inculpé devant la section spéciale et la réunion de celle-ci.*

Article 4 : *La défense ne pourra être assurée au cours de l'information que par un avocat désigné d'office par le bâtonnier de l'Ordre des avocats.*

. . . .

Article 9 : *Les jugements rendus par la section spéciale sont exécutoires immédiatement. Ils valent, le cas échéant, mandat de dépôt ou d'arrêt. Ils ne sont susceptibles d'aucun recours ou pourvoi en cassation.*

Article 10 : *Les peines que prononcera la section spéciale sont l'emprisonnement, avec ou sans amende, la réclusion, les travaux forcés à temps ou à perpétuité, la mort, sans que la peine appliquée puisse être inférieure à celle prévue par la disposition retenue pour la qualification du fait poursuivi.*

Signé : *Pierre Laval. — Maurice Gabolde, Garde des Sceaux. — Général Bridoux, secrétaire d'Etat à la Guerre. — Amiral Bléhaut, secrétaire d'Etat à la Marine et aux Colonies.*

LOI du 20 janvier 1944 — N° 38 *instituant des Cours Martiales.*

Article 1 : *Le secrétaire général au Maintien de l'Ordre est autorisé à créer par arrêté une ou plusieurs Cours Martiales.*

. . . .

Article 4 : *Les Cours Martiales se composent de trois membres désignés par arrêté du secrétaire général au Maintien de l'Ordre.*

Article 5 : *L'application des lois sur l'instruction criminelle est suspendue à l'égard des individus déférés aux Cours Martiales.*

. . . .

Article 7 : *La présente loi est applicable jusqu'au 30 juin 1944.*

Signé : *Pierre Laval. — Par le chef du gouvernement : le Garde des Sceaux Maurice Gabolde.*

2

Le Dossier de l'Accusation

LE REQUISITOIRE

Voir le réquisitoire à propos de la Milice.

LES TEMOINS DE L'ACCUSATION

Aucun témoin n'est venu déposer au cours du procès Laval.

Déposition de M. Marcel Paul au procès Pétain (*Audience* du 31 juillet 1945).

« Nous étions traduits devant les institutions juridiques spéciales créées par le gouvernement : le Tribunal d'Etat et la Cour Spéciale.

... Les directives données par le gouvernement de Vichy étaient absolument impérieuses. Il fallait traiter spécialement durement les patriotes, les patriotes arrêtés, les patriotes qui étaient convaincus d'activité contre l'ennemi ».

3

Le Dossier de la Défense

Il concerne les deux périodes durant lesquelles Pierre Laval appartint au gouvernement.

— 1 — Juillet à décembre 1940.

Les lois des 30 juillet et 24 septembre 1940 qui instituèrent une Cour Suprême de Justice et une Cour Martiale ne peuvent être retenues à charge contre Laval :

a) — Paul Baudouin atteste que Laval était opposé à la création de juridictions d'exception [1] : « Lundi 9 septembre 1940. — Conseil de cabinet de 17 h à 19 h 30 sous la présidence de Pierre Laval. Alibert nous donne des exemples de la confusion générale dans les rouages de l'Etat. Il déclare qu'il ne peut compter sur les juges qui ont été nommés à la Cour Suprême, car ils sont décidés à ne prendre aucune responsabilité. Alibert propose la nomination d'une Cour Martiale. Pierre Laval et les autres membres du Cabinet s'y opposent. Le Conseil de cabinet se termine sans qu'aucune décision ait été prise. »

b) — Laval n'a ni proposé ni signé ces deux lois.

— 2 — Avril 1942 à 1944.

a) — A son retour au pouvoir en avril 1942, Laval trouva un appareil judiciaire répressif installé : une Cour criminelle spéciale (loi du 21/3/1941), un Tribunal spécial (loi du 24/4/1941), des sections spéciales auprès des Cours d'Appel et des Tribunaux militaires (loi du 14/8/1941), un Tribunal d'Etat (loi du 7/9/1941).

b) — La loi du 18 novembre 1942 :

● Ne créa pas les sections spéciales déjà instituées par la loi du 14 août 1941.

● Dessaisit les Tribunaux militaires et maritimes en installant une section spéciale auprès de chaque Cour d'Appel.

c) — La pression allemande se faisait de plus en plus forte pour imposer au gouvernement l'institution de juridictions d'exception et contrôler leur efficacité. La loi du 18 novembre 1942 en fut la conséquence. En effet, comme l'écrit M. Michel [2], « l'autorité occupante ne se gêne pas pour intervenir, avant novembre 1942, dans le fonctionnement des tribunaux français de la zone non occupée ; elle demande des

---

1. Ouvrage cité.
2. Revue d'histoire de la deuxième guerre mondiale — n° 54.

enquêtes et des sanctions pour des faits survenus en zone libre... La coopération policière en zone sud sévit surtout au sujet des Juifs et du S.T.O.... Pour réprimer les attentats contre les soldats allemands, l'occupant exige la création par Vichy d'un tribunal français exceptionnel avec effet rétroactif de la loi qui l'institue. Pour faire céder Vichy, menace est faite de fusiller sans jugement 150 otages. Le procédé qui devient la règle se décompose ainsi : pressions et menace de l'occupant sur le gouvernement de Vichy pour le mettre en condition d'obéissance ; capitulation du gouvernement de Vichy après de petites atténuations aux exigences allemandes ; mise à la disposition de l'occupant de l'autorité et des forces laissées à Vichy contre l'abandon de la pression et le retrait de la menace, en attendant que de nouvelles circonstances rendent nécessaires de nouvelles pressions et de nouvelles menaces. »

4

Les déclarations de Pierre Laval[3]

Déposition de Pierre Laval au procès Pétain (Audience du 4 août 1945).

Je suis adversaire des juridictions d'exception. Je sais que, nécessairement, elles doivent commettre des méfaits.

On avait créé avant mon retour au pouvoir — ce n'est pas moi qui les ai créées — les sections spéciales, du temps du ministère Darlan.

Eh bien ! ces sections spéciales, elles ont eu des accidents, elles aussi. Elles ont condamné. Des magistrats ont été tués et assassinés parce qu'ils

---

3. Voir infra les déclarations de Pierre Laval à propos de la Résistance (livre 4 chapitre 4) et de la Milice (livre 5 chapitre 2).

avaient condamné à mort ou parce qu'ils avaient condamné aux travaux forcés.

Alors, naturellement, les magistrats se contractaient — ils sont courageux, mais ils ne sont pas téméraires — et ils se sont dit que, peut-être, ce métier n'était pas pour eux.

Ils avaient raison dans une certaine mesure, ces magistrats. C'était dur pour eux d'appliquer ces lois d'exception.

Je les ai réunis, et c'est de l'assemblée des magistrats eux-mêmes qu'est montée la formule : « Mais pourquoi ne faites-vous pas des cours spéciales, des cours martiales ? » C'est eux-mêmes qui me l'ont dit ; vous n'avez qu'à voir le procès-verbal de l'époque.

Pourquoi pensaient-ils ainsi ? Parce que, par un sentiment naturel, chacun voulait esquiver sa responsabilité. Personne n'en voulait prendre.

Quand j'ai vu les procureurs généraux, je leur ai parlé un certain langage — on a même fait une petite brochure qui m'a valu les félicitations de la presse suisse, pour une fois, une seule fois. Eh bien ! pourquoi ? Parce que j'avais dit mon respect pour la légalité, parce que j'avais dit ma répulsion pour les juridictions d'exception, parce que j'avais fait ce suprême appel aux magistrats de mon pays pour qu'ils m'aident, pour qu'ils se soudent à moi et qu'ensemble nous dressions un mur contre les tentatives audacieuses que je voyais venir et où on allait m'imposer des juridictions encore plus exceptionnelles.

Je dois dire, parce que c'est vrai, que les magistrats, par un sentiment de défense naturelle et en raison même, pour certains d'entre eux, des accidents malheureux, des crimes dont ils avaient été les victimes, se sont récusés.

Alors, Darnand gagnait peu à peu, par la faiblesse des uns, par les encouragements des autres, de l'autorité, et c'est ainsi que l'on a vu ce qui s'est passé.

Chapitre III

LES LOIS ANTI-MAÇONNIQUES

1

Les Faits

— 1re période : *De juillet à décembre 1940.*

La loi du 13 août 1940 portait interdiction des associations secrètes.

— 2e période : *de décembre 1940 à avril 1942.*

a) — *La loi du 11 août 1941 ordonnait que les noms des anciens dignitaires des sociétés secrètes dissoutes soient publiés au Journal Officiel. Elle leur interdisait l'accès et l'exercice des fonctions publiques et des mandats énumérés à l'article 2 de la loi du 2 juin 1941 portant statut des Juifs ; ils ne pouvaient être : chefs d'Etat, membres du gouvernement, du Conseil d'Etat, du Conseil de l'Ordre national de la Légion d'Honneur, de la Cour de Cassation, de la Cour des Comptes, des Cours d'Appel, des Tribunaux de 1e Instance, des Justices de Paix, ambassadeurs, directeurs de départements ministériels, préfets, sous-préfets, résidents et gouverneurs généraux, membres des Corps enseignants, officiers et sous-officiers des armées de Terre, Air, Mer... etc. Les fonctionnaires et agents civils ou militaires atteints par ces mesures étaient déclarés démissionnaires d'office, sous* réserve de leurs droits à pension et à indemnité qui devaient être fixées ultérieurement.

b) — La loi du 10 novembre 1941 instituait auprès du secrétaire d'Etat à la Justice une commission spéciale chargée de donner son avis sur les questions d'ordre général ou individuel relatives aux Sociétés Secrètes et soumises à son examen par le chef de l'Etat, ainsi que sur les demandes de dérogation présentées en application de l'article 3 de la présente loi. Cette commission était composée de cinq membres et d'un secrétaire désignés par décret contresigné par le vice-président du Conseil, le Garde des Sceaux et le secrétaire d'Etat à l'Intérieur. La loi prévoyait que, par décision individuelle du chef de l'Etat et après avis de la commission spéciale, il pourrait être dérogé aux mesures d'exclusion édictées à l'encontre des anciens dignitaires dans le cas où ils auraient rompu toute attache avec ces sociétés depuis plusieurs années ou rendu des services signalés à l'Etat français et manifesté leur adhésion totale à l'Ordre Nouveau.

— 3ᵉ période : *d'avril 1942 à 1944.*

a) — La loi du 21 juin 1942 plaçait les questions concernant les associations secrètes dans les attributions du chef du gouvernement. Un décret du même jour désignait l'amiral Platon pour diriger ce service.

b) — La loi du 19 août 1942 plaçait la commission spéciale créée par la loi du 10 novembre 1941 sous le contrôle du chef du gouvernement. Elle prévoyait qu'à titre exceptionnel, le chef du gouvernement pourrait suspendre par décision individuelle et pour une durée de deux ans l'application des interdictions et des incapacités frappant les anciens membres des sociétés secrètes. Cette suspension pouvait devenir définitive à l'expiration de ce délai.

LES TEXTES

LOI du 21 juin 1942 — N° 624 *relative aux attributions gouvernementales en matière d'associations secrètes.*

Article 1 : *Toutes les questions concernant les Associations Secrètes visées par l'article 1ᵉʳ de la loi du 13 août 1940 sont placées dans les attributions du chef du gouvernement qui peut déléguer les pouvoirs qui lui sont ainsi conférés à l'un des secrétaires d'Etat qui l'assistent.*

Article 2 : *Sont abrogées toutes les dispositions antérieures contraires à celles de la présente loi.*

Signé : *Par le Maréchal de France, chef de l'Etat français : le chef du gouvernement, ministre secrétaire d'Etat aux Affaires étrangères et à l'Intérieur. — Le ministre secrétaire d'Etat aux Finances, Pierre Cathala. — Le secrétaire d'Etat aux Colonies, Gouverneur Général Brévié.*

LOI du 19 août 1942 — Nᵒ 717 *modifiant la loi du 10 novembre 1941.*

Article 1 : *La commission spéciale instituée par l'article 1ᵉʳ de la loi Nᵒ 4758 du 10 novembre 1941 est placée auprès du chef du gouvernement avec des attributions consultatives.*

. . . .

Article 3 : *A titre tout à fait exceptionnel et en dehors des cas prévus par l'article 3 de la loi du 10 novembre 1941, le chef du gouvernement pourra, après avis de la commission, suspendre, par décision individuelle et pour une durée de deux ans, l'application des interdictions et incapacités qui, en vertu des lois et règlements en vigueur, ont frappé les anciens membres des sociétés secrètes, sous la double condition que cette mesure soit justifiée par l'intérêt supérieur du service et par les preuves que les personnes en cause auront données de leur adhésion à l'Ordre Nouveau. A l'expiration du délai de deux ans, et après un nouvel examen, les interdictions et incapacités pourront être levées définitivement ou ces mesures seront de nouveau mises en vigueur.*

2

Le Dossier de l'Accusation

L'ACTE d'ACCUSATION

La politique soi-disant française devint alors, après le retour au pouvoir de Laval, une politique tout allemande : persécution contre les francs-maçons.

3

Le Dossier de la Défense

Il concerne les deux périodes durant lesquelles Pierre Laval appartint au gouvernement :

— 1 — Juillet à décembre 1940.

Laval n'a pas participé à la rédaction de la loi du 13 août 1940 qui interdit les associations secrètes. Elle fut signée et promulguée par le maréchal Pétain, Raphaël Alibert, Garde des Sceaux, ministre de la Justice, et Adrien Marquet, ministre de l'Intérieur.

— 2 — Avril 1942 à 1944.

a) — Par les lois des 21 juin et 19 août 1942, Laval s'assura le contrôle des questions concernant les associations secrètes et de la commission spéciale instituée par la loi du 10 novembre 1941, afin d'atténuer la rigueur d'application de la loi du 13 août 1940.

b) — Il supprima la police anti-maçonnique.

c) — Il fit diriger la commission spéciale chargée de donner son avis sur les demandes de dérogation à l'application de la loi du 13 août 1940 par Maurice Reclus, auquel il donna des consignes de grande clémence.

d) — La preuve du libéralisme avec lequel Laval entendait appliquer la législation anti-maçonnique est apportée par :

1 — Le conflit qui l'opposa à l'Amiral Platon, Secrétaire d'Etat auprès du Chef du Gouvernement, chargé du service des Sociétés secrètes, dans les conditions suivantes : M. Reclus ayant contribué à faire repousser, devant la commission qu'il présidait, un projet de loi déposé par l'Amiral Platon, tendant à aggraver l'application de la loi, ce dernier s'en plaignit à Laval dans une lettre du 2 mars 1943 : « Ce projet de loi fut déposé devant la commission le 4 octobre 1942. Dès cette date, le Président Reclus, se prévalant du fait qu'il défendait votre point de vue personnel, fit campagne auprès des membres de la commission pour essayer d'obtenir leur adhésion au rejet du projet. Plusieurs membres, choqués de la pression exercée sur eux, vinrent alors s'en ouvrir auprès de moi... La pression exercée par le Président sur les membres de la commission, puis la procédure imposée par lui pour l'examen du projet, témoignent d'un parti pris, d'une volonté de violence qui constituent les éléments même du sectarisme, et que je ne saurais admettre. C'est pourquoi, je vous demande le relèvement de M. Reclus comme président de la commission spéciale des Sociétés secrètes. » Dans cette lettre, l'Amiral Platon faisait en outre remarquer à Laval que 15 maires, 4 secrétaires de mairie et 66 fonctionnaires des Finances étaient illégalement maintenus en fonction. Loin de satisfaire cette requête, Laval, sachant que le rejet du projet de loi n'avait été obtenu que grâce à la voix prépondérante du président de la commission, voulut renforcer cette majorité favorable aux francs-maçons et nomma par décret du 5 mars 1943 deux nouveaux membres dont il connaissait les idées. Il n'en avait pas informé l'Amiral Platon qui réagit violemment dans une lettre du 8 mars : « Il m'est difficile de préciser les motifs de cette modification. Mais vous jugerez comme moi-même inadmissible que le

secrétaire d'Etat, chargé par vous de toutes les questions d'ordre maçonnique, apprenne, par la voie du Journal Officiel, les textes portant modification d'une commission à la composition de laquelle il a donné son contreseing et qui relève de son autorité... Depuis 9 mois, j'essaie de faire modifier une législation que je crois vicieuse parce qu'elle ne correspond pas au but défini par le Maréchal et ne donne pas les moyens de l'atteindre. Je dois constater que mes efforts pour y parvenir ont été constamment contrariés et sont jusqu'à ce jour restés vains... Je ne puis m'empêcher d'établir un rapprochement entre les difficultés qu'éprouva ce jour-là (le jour du rejet du projet de loi) le Président Reclus à imposer son opinion et les motifs du décret du 5 mars 1943. La rédaction de ce texte, dont l'exécution par vos soins confiée au secrétaire général, en une matière pour laquelle j'ai reçu délégation de vos pouvoirs, et les circonstances qui entourent sa publication, m'incitent à penser qu'il s'agit là d'un nouvel effort tendant à émousser l'action antimaçonnique, telle que je la mène depuis juin 1942. Pour ce motif, et parce que je n'ai pas été convié à participer à sa rédaction, j'ai l'honneur de vous demander de rapporter d'urgence le décret du 5 mars 1943 ». Laval confirma M. Reclus dans ses fonctions et ne rapporta pas le décret.

2 — Le renvoi par ses soins de l'Amiral Platon de son poste de directeur du service des Sociétés secrètes.

3 — Ce passage d'une lettre que Fernand de Brinon, secrétaire d'Etat auprès du Chef du Gouvernement, adressait à Gœbbels le 17 mai 1943 : « L'Amiral Platon n'a pas tardé à entrer en conflit avec M. Laval et son entourage au sujet du problème de la Franc-Maçonnerie ».

4 — Les instructions qu'il donna aux fonctionnaires chargés du service des Sociétés secrètes, rapportées par eux dans leurs témoignages cités ci-dessous.

LES TEMOINS DE LA DEFENSE.

— Maurice Reclus, membre de l'Institut, président de la Commission des Sociétés secrètes. (HI-II-651).

Convoqué personnellement par Pierre Laval, à l'Hôtel

Matignon, je lui exposai sans fard et mes scrupules et mes répugnances. « Parbleu ! me dit-il, je le savais bien, et c'est précisément pour cela que j'ai pensé à vous. Mes idées sur la question sont les vôtres ; il est contraire aux libertés démocratiques de pénaliser les appartenances politiques et philosophiques, de créer des délits d'opinions ; de plus, en l'espèce, c'est impolitique, car cela écrête inutilement une partie des classes moyennes de tendances plus ou moins laïques. Je veux réagir contre cette injustice, contre cette erreur ; aidez-m'y en faisant régner dans la Commission régénérée un esprit systématiquement libéral, en accordant toutes les dérogations possibles, en essayant de faire rentrer en masse les maçons éliminés dans l'administration, la magistrature, l'armée, l'université. Dans ce sens-là, allez fort, aussi fort que vous voudrez ; je vous couvre entièrement par des instructions formelles. »

Et j'en viens à l'épisode capital de ladite présidence ; l'examen par la Commission du projet de loi Platon aggravant les mesures antimaçonniques.

Il serait trop long d'expliquer la nature et les modalités de ces aggravations ; je me borne à indiquer que des *milliers* de familles françaises, jusqu'ici épargnées, auraient été frappées, et pas seulement dans les administrations : dans les professions libérales, dans les carrières intellectuelles, dans toute la vie économique de la nation.

Pierre Laval ne voulait absolument pas entendre parler d'une telle mesure de proscription, qui eût fait aux francs-maçons un sort assez comparable à l'odieux traitement réservé aux juifs ; je résolus, d'accord avec lui, de faire rejeter par la Commission le projet affreux autant qu'insensé.

— Emile Bernon, commissaire du Pouvoir, vice-président de la Commission des Sociétés secrètes. (HI-II-655).

Le Président Laval me nomma, par décret du 7 mars 1943, Vice-Président de la Commission spéciale des Sociétés secrètes et il a maintenu cette nomination malgré la demande d'annulation faite par M. le Vice-Amiral Platon, Secrétaire général chargé des questions d'ordre maçonnique.

Dans ce domaine, l'action du Président Laval fut de contrecarrer, d'atténuer et d'émousser la virulence de la législation spéciale contre les membres des sociétés secrètes, faute de pouvoir la supprimer. Les travaux de cette Commission furent aussi critiqués par les mêmes éléments pour lesquels j'étais suspect comme Président de la Commission de libération des internés administratifs ; ces éléments ne saisissaient pas ce qu'il y avait d'incompatible entre les appels à l'union des Français lancés par le Maréchal et le Président Laval et l'exclusive qu'ils prétendaient maintenir, et parfois aggraver, contre les citoyens coupables en définitive d'avoir appartenu à des sociétés secrètes au temps où elles n'étaient pas interdites par la loi et qui n'étaient même plus secrètes depuis leur déclaration légale.

Ma nomination permit de multiplier les séances de la Commission et de faire pencher la balance en faveur de la réintégration sur leur demande des fonctionnaires maçons révoqués.

— Marius Sarraz-Bournet, commissaire du Pouvoir. (HI-III-1236).

En février 1944, en remplacement de mon collègue Bernon, le président Laval m'appela à présider la Commission constituée par ses soins, peu après son arrivée au Gouvernement et qui examinait les dossiers des internés, objets de demandes de libération, formulées par eux, par leurs familles, ou même par des tiers.

J'avais obtenu du Président Laval que les propositions de la Commission ne fussent pas supervisées par Darnand, qui était représenté à la Commission ; au surplus, celle-ci ne formulait que des propositions, la décision appartenant au Chef du Gouvernement.

Quand j'allais communiquer au Président Laval le procès-verbal de la séance et lui faire signer, pour décision, la liste des libérations proposées, jamais aucune objection ne fut opposée. Le Président signait après avoir parcouru hâtivement la liste, qui contenait, à côté du nom, la date et le motif de l'internement.

— Helmut Knochen, chef de l'Etat-Major S.S. en France.
(HI-III-1774).

Le Gouvernement national-socialiste prenait, dans les territoires occupés, sur le modèle des mesures appliquées en
Allemagne, des ordonnances ou édictait des projets de lois
par l'intermédiaire de l'O.K.W. Ceci était exécuté, avec la
précision d'opérations militaires, par un grand état-major.
Parmi les points principaux du « nouvel ordre », il n'y
avait pas seulement les ordonnances concernant les Juifs,
mais aussi celles contre les organisations francs-maçonnes.

Comme il existait en France suffisamment de groupements
avec des conceptions antimaçonniques, Vichy avait bientôt
pris les décrets désirés et nommé un Commissaire compétent sans qu'une pression allemande ait été nécessaire. Du
côté allemand, il n'y avait pas de chargé spécial comme
pour les questions juives, recevant des directives de Berlin.

Lorsque Laval s'aperçut que les Allemands se souciaient
à peine de cette question, il s'arrangea pour atténuer les
nouveaux décrets relatifs à l'épuration des administrations
en ce qui concerne les francs-maçons. J'ai eu connaissance
de beaucoup de rapports provenant de services antimaçonniques qui désignaient Laval comme un franc-maçon larvé.
On citait des exemples montrant les bonnes relations que
Laval avait eues autrefois comme Ministre des Affaires étrangères avec des francs-maçons et que des francs-maçons
connus figuraient parmi ses amis politiques. On faisait
valoir la manière avec laquelle il intervenait pour les francs-
maçons, sabotant ainsi le travail des services antimaçonniques. On n'obtenait, disait-on, aucun soutien de sa part
on ne rencontrait que des difficultés. On voulait même prouver qu'il était en liaison avec les Etats-Unis par le canal de
francs-maçons.

Comme Berlin insistait à peine en ce qui concerne la
question maçonnique, Laval pouvait, pour ainsi dire, agir à
sa guise. Il l'a fait copieusement. En raison de sa conception,
il fut vivement attaqué à ce sujet par les groupements
français les plus divers.

4

Les déclarations de Pierre Laval

MEMOIRE EN REPONSE
A L'ACTE D'ACCUSATION.

Il était de notoriété publique que je n'approuvais pas les mesures prises contre les membres des sociétés secrètes ; elles résultaient d'une loi de 1940 dont je n'avais été ni l'inspirateur ni le rédacteur. J'ai toujours considéré l'action antimaçonnique comme une manifestation de l'esprit réactionnaire et clérical, et mes différends avec le Maréchal ou avec son cabinet sont souvent venus de nos dissentiments à ce sujet. Le maréchal Pétain attribuait à la franc-maçonnerie la responsabilité de nos malheurs et il considérait ses membres comme des malfaiteurs publics. Je ne lui cachais pas mon opinion, en lui disant qu'il y avait des francs-maçons dont la vie publique pouvait être donnée en exemple aux hommes d'autres partis. Il pouvait y avoir chez eux comme ailleurs des exceptions, mais il était aussi ridicule qu'injuste de douter du patriotisme des membres des sociétés secrètes. N'ayant jamais appartenu à aucune société secrète je lui parlais librement et je ne cachais pas ma désapprobation de cette nouvelle législation et de l'usage qui en était fait. J'ignore dans quelle mesure les Allemands ont exercé leur pression à ce sujet, mais, chaque fois que l'occasion m'en a été offerte, je leur ai dit combien de telles lois étaient inutiles et injustes. Les dignitaires ne pouvaient pas exercer de fonctions publiques, leurs noms devaient paraître à l'*Officiel* ; les fonctionnaires devaient signer une déclaration d'appartenance ou de non-appartenance à une société secrète. Des peines étaient prévues pour les fausses déclarations et les noms des délinquants devaient être publiés à l'*Officiel*.

Les services chargés d'appliquer ces lois étaient dirigés par M. Bernard Fay et placés directement sous l'autorité du Maréchal.

Dès mon retour, je décidai de les placer sous mon contrôle et je chargeai l'amiral Platon d'agir en mon nom. Je constatai vite qu'il était plus passionné encore que son prédécesseur et je refusai de signer différents projets de loi qu'il me soumit, comme celui qui consistait à étendre le champ d'application de la loi à tous les agents des services publics concédés et à des dignitaires d'un rang beaucoup moins élevé. Il revint souvent me soumettre son projet, mais mon obstination eut raison de son fanatisme.

Il existait une police antimaçonnique du même type que la police antijuive et, comme elle, composée de militants des partis collaborationnistes. L'activité de cette police, comme l'autre police antijuive, était surtout dirigée par la Gestapo. Dès fin avril 1942, je supprimai cette police, qui poussait le souci de ses recherches jusqu'aux ministres et aux préfets. Bousquet fit même arrêter dans la Marne un de ces policiers antimaçons qui l'avaient pris en filature.

Je créai, ou plutôt je modifiai profondément une commission qui existait déjà et je la chargeai d'examiner tous les cas où des dérogations étaient possibles. M. Maurice Reclus, conseiller d'Etat, voulut bien la présider et je lui donnai comme instruction de se montrer très libéral dans l'octroi des dérogations. Je l'avais choisi parce que je le savais hostile à ces lois d'exception.

L'Amiral Platon protesta naturellement parce que j'avais composé la commission de membres de mon cabinet, pour avoir la certitude qu'elle accorderait le plus grand nombre de dérogations.

Je profitai d'un incident, ou plus exactement d'une imprudente démarche faite par l'amiral Platon auprès d'un général allemand, pour me séparer de lui.

Je priai alors le Garde des Sceaux de prendre la responsabilité du Service des sociétés secrètes et je chargeai M. Sens-Olive, un ancien magistrat dont l'indépendance et l'impartialité ne pouvaient être mises en doute, de diriger ce Service des sociétés secrètes.

La publication à l'*Officiel* avait donné lieu à des abus. C'est ainsi que j'appris que M. Goldeffy, préfet du Cantal, était dignitaire et que le chef de la censure l'était également. La seule publication m'obligeait à les priver l'un et l'autre de leur emploi ; or ils étaient d'excellents fonctionnaires.

Je fus scandalisé le jour où j'appris qu'un magistrat, M. Richard, conseiller à la Cour de cassation, avait dû prendre sa retraite parce qu'il était dignitaire. M. Alphonse Richard, qui fut jadis si redouté par les mercantis, est un homme dont la probité et la haute conscience professionnelle ont honoré la Magistrature. Il avait été autrefois mon collaborateur et j'exprimai le désir de le voir. Je me fis un devoir de m'excuser auprès de lui pour le ridicule et l'odieux d'une telle mesure. Les « cafards » qui faisaient une telle action contre de tels hommes n'ont jamais compris ce qu'elle avait de contraire à la sensibilité et à l'honneur français. Les services antimaçonniques étaient allés jusqu'à fabriquer un faux pour créer des difficultés à M. Marchandeau, maire de Reims. Ils le contestaient, mais M. Marchandeau était très affirmatif. Si j'avais été vraiment le chef et si je n'avais pas dû compter avec l'autorité du Maréchal, appuyé par les Allemands dans cette politique, je n'aurais même pas à exprimer aujourd'hui ces sentiments parce que j'aurais alors annulé ces lois et mis fin à ces scandales. Je ne pouvais qu'agir pour atténuer la virulence de la lutte antimaçonnique. J'interdis donc, désormais, qu'aucune publication fût faite sans que le ministre en soit averti, pour qu'il puisse, au besoin, la différer, voire l'interdire, et faire statuer entre-temps la Commission des dérogations.

C'était le genre de brimades auxquelles se livraient certains fonctionnaires fanatisés des services des sociétés secrètes, et ils s'appuyaient souvent, pour agir contre moi, sur les Allemands et sur le cabinet du Maréchal. C'est ce qu'ils firent, en particulier, au sujet du colonel Bernon, commissaire du pouvoir, que j'avais chargé de présider la Commission des révisions des cas d'internement administratif et qui accomplissait parfaitement sa tâche. Il avait omis de déclarer qu'en 1911 il avait adhéré à une loge de Saint-Germain-en-Laye. Les faux déclarants eux-mêmes étaient admis à présenter leur demande de dérogation à la commission présidée par M. Maurice Reclus. C'est dire qu'il m'était difficile, en raison des circonstances de l'occupation et de l'état d'esprit du Maréchal, d'aller plus loin dans l'atténuation des lois concernant les sociétés secrètes.

Est-il donc équitable de m'attribuer une responsabilité quelconque et ce chef d'accusation peut-il être maintenu ?

Jugé par des francs-maçons, je n'ai aucun doute que, renseignés sur mon attitude et sur mes actes, non seulement ils ne me condamneraient pas, mais qu'ils me féliciteraient d'avoir, grâce à ma présence au Gouvernement, empêché les abus et limité ceux dont ils furent les victimes.

Déposition de Pierre Laval au procès Pétain.
(Audience du 3 août 1945).

Je n'ai jamais accepté d'appliquer avec rigueur la loi sur la Franc-Maçonnerie. Je ne suis pas franc-maçon, je ne l'ai jamais été. Mais j'ai trouvé excessives les mesures qui étaient prises contre des hommes qui avaient autrefois, alors que la loi le permettait, adhéré à la Franc-Maçonnerie. C'était une entorse sévère et grave au principe, pourtant sacré pour moi, de la non-rétroactivité des lois en matière pénale. Je sais bien, je dois le dire, que les Allemands exigeaient qu'un certain nombre de mesures soient prises, qui ont été sévères, hélas, et contre lesquelles j'ai été trop souvent impuissant, contre les Juifs ou contre les Francs-Maçons. Mais j'ai vu des choses, en matière d'application de la loi sur la Franc-Maçonnerie, qui m'ont révulsé.

CHAPITRE IV

LAVAL ET LA RÉSISTANCE

1

Les Faits

L'exposé de la répression contre les organisations de Résistance en France de 1940 à 1944 est emprunté à l'étude de M. Michel Boüard, doyen de la Faculté des Lettres de Caen, publiée par la Revue d'Histoire de la Deuxième Guerre Mondiale [1], *sous le titre* « La répression allemande en France de 1940 à 1944 » :

« *Avant le 1er juin 1942, le pouvoir d'exécution en matière de police et de répression appartient exclusivement au Militärbefehlshaber de Paris. La section* « Police » *de l'Administration militaire assure notamment la surveillance de la Police française... Les affaires de contre-espionnage, concernant notamment la Résistance, sont du ressort de l'Abwehr... Dans l'ordre proprement judiciaire, l'autorité militaire a ses tribunaux chargés de juger les infractions allemandes à la législation allemande d'occupation... En zone non occupée, ni le Militärbefehlshaber ni la Sipo-S.D. n'avaient, bien entendu, le pouvoir d'exercer aucune action répressive... En avril 1942, la compétence et le pouvoir d'exécution, en matière de police, sont transférés du Militärbefehlshaber aux services de la Sipo-S.D.... La réforme de 1942 devait être accompagnée d'une*

___

1. N° d'avril 1964.

surveillance renforcée de la police française par la Sipo-S.D. Les accords conclus le 29 juillet 1942 entre Oberg[2] *et Bousquet, secrétaire général à la police de Vichy, et confirmés puis étendus à la zone sud en avril 1943, n'assuraient qu'en apparence l'autonomie de la police française. Ils sont demeurés, dans une très large mesure, lettre morte. Dès juin 1942, d'ailleurs, avait été créée, dans chaque brigade régionale de la police judiciaire, une Section des Affaires politiques, travaillant en étroite collaboration avec le Kommandeur de la Sipo-S.D.... Les brigades spéciales agirent dans le même sens, recherchant tout spécialement les groupes de résistance communistes... Une appréciation formulée par Himmler dans un rapport daté du 16 décembre 1943 mérite d'être citée ici : « La Police française est utilisable, dans une certaine mesure, dans le travail contre le communisme. Elle n'est pas sûre dans la répression des menées nationales françaises ». La Sipo-S.D. fut donc amenée à créer une sorte de police parallèle, recrutée parmi les membres des organisations françaises qui préconisaient la collaboration avec l'Allemagne nazie... D'autre part, des équipes d'auxiliaires de la Sipo-S.D. furent créées à Paris par diverses initiatives... Les Kommandeurs de Sipo-S.D. en province recrutèrent de même des groupes d'auxiliaires français... Pour l'internement en France, la Sipo-S.D. utilisa la plupart des prisons de l'Administration pénitentiaire française, même les plus petites... Périodiquement, les prisons, où le nombre de places était fréquemment inférieur aux besoins, se trouvaient vidées de leurs occupants, que l'on expédiait dans un camp de France, en attendant leur départ pour l'Allemagne.... Dans la zone « non occupée », l'installation d'Oberg à Paris et le renforcement des services de la Sipo-S.D. ne causèrent pas immédiatement de changement sensible dans l'état de choses antérieur. Pourtant, la pression de la Police allemande sur le gouvernement de Vichy se fit de plus en plus lourde. Plusieurs semaines avant l'entrée des troupes allemandes en zone sud, une vaste opération fut entreprise contre la Résistance française de cette zone et ses liaisons avec les Alliés. En septembre 1942,*

---

2. Chef des services du R.S.H.A. (Office central de sécurité du Reich) en France.

l'amiral Canaris, chef de l'Abwehr, rencontrait à Paris deux officiers français représentant l'amiral Darlan [3] et le général Bridoux [4]. On convint de collaborer pour déceler et contrecarrer les activités britanniques et celles des F.F.L. en Afrique septentrionale et occidentale. Puis, on mit au point un vaste coup de filet qui devait amener la capture des émetteurs-radio clandestins qui, de zone non occupée, correspondaient avec l'Angleterre... Il en résulta des pertes très lourdes pour la Résistance française. De nombreuses arrestations, des saisies massives d'armes parachutées, qui eurent lieu de novembre 1943 à mars 1944, n'ont pas eu une autre origine... En même temps que les troupes de la Wehrmacht, le 11 novembre 1942, étaient entrées en zone sud six Einsatzkommandos de la Sipo-S.D.... L'aide apportée en zone sud par la police française à la Sipo-S.D. est évaluée par Oberg, dans un rapport rédigé à la fin de 1943, à 1 000 arrestations durant chacun des neuf premiers mois de cette année. Ce chiffre ne semblait pourtant pas suffisant au Höhere S.S. und Polizei Führer qui obtint, le 31 décembre 1943, de Pétain, la nomination de Joseph Darnand, créateur et chef de la Milice, au poste de secrétaire général au Maintien de l'Ordre. Les attributions de Darnand sont définies au cours d'une conférence réunissant Laval, Darnand, Oberg et Knochen ; une note d'Oberg adressée à Laval le 6 janvier 1944 nous fait connaître les décisions prises. Darnand commandera l'ensemble des forces de l'ordre françaises : polices, gendarmeries, garde-mobile et même sapeurs-pompiers. Il dirigera toute l'action de lutte contre la Résistance, sous toutes les formes ; des tribunaux spéciaux seront créés. »

« On ne connaît pas le nombre exact des arrestations opérées, des jugements prononcés, des déportations effectuées. Des chiffres fort divers ont été avancés. Seuls, des rapports partiels relatifs à une période donnée fournissent des chiffres que l'on peut estimer exacts. Ainsi, un rapport de Himmler sur l'action policière en France, daté du 16 décembre 1943, mentionne, de janvier à septembre 1943, 30 000 arrestations dont les trois quarts ont été faites par la police allemande,

---

3. Commandant en chef des forces de terre, de mer et de l'air.
4. Secrétaire d'état à la guerre.

un quart par les Français. Le chiffre est confirmé par un rapport d'Abetz à Ribbentrop, daté du 7 janvier 1944, qui indique, pour l'ensemble de l'année 1943, 35 000 arrestations opérées par la police allemande et 9 000 par la police française. A partir du début de 1944, la Sipo-S.D., qui redoute un débarquement allié, tente de décapiter la population française ; elle arrête en masse... Parallèlement, monte en flèche le nombre des déportations... A partir du mois de mai 1944, prisons et camps de France sont vidés de leurs occupants que l'on déporte en Allemagne. »

2

Le Dossier de l'Accusation

L'ACTE D'ACCUSATION.

La politique soi-disant française devint alors, après le retour au pouvoir de Laval, une politique tout allemande : persécution contre les Résistants de tous les partis.

LES TEMOINS DE L'ACCUSATION

Aucun témoin n'est venu déposer au cours du procès Laval.

Déposition de M. Marcel Paul au procès Pétain. (Audience du 31 juillet 1945).

J'ai été arrêté par les policiers de Vichy. Un très grand nombre de camarades de la Résistance, que je devais retrouver dans les prisons ou dans les camps, ont été arrêtés par les policiers de Vichy. Si les autorités occupantes n'avaient disposé et bénéficié du concours permanent et acharné des policiers de Vichy, les neuf dixièmes des patriotes, qui ont été arrêtés, auraient pu continuer l'action libératrice... Dans les rangs des combattants de la Résistance, et particulièrement dans les rangs des combattants actifs, nous craignions spécialement les policiers dits français qui obéissaient aux ordres du gouvernement de Vichy, parce que les policiers de la Gestapo n'étant, en général, pas aidés par les Français, ils ne pouvaient pas recueillir de renseignements pouvant leur permettre de nous arrêter... Je veux donc répéter le premier point sur lequel je voulais témoigner, à savoir que les neuf dixièmes des patriotes français qui ont été arrêtés dans l'action résistante l'ont été parce qu'il y avait à Vichy un gouvernement prétendant agir au nom de la France.

3

Le Dossier de la Défense

Deux questions doivent être posées pour permettre de juger de la responsabilité de Pierre Laval dans l'action entreprise par le gouvernement contre la Résistance :

1 — Laval a-t-il voulu cette répression ou y fut-il contraint par les autorités d'occupation ?

a) — M. Michel, qui fut membre de la Résistance, estime [5] :

« En fait (en novembre 1942), la France est devenue un Etat satellite, dans l'orbite du Reich. Hitler considère que le gouvernement de Vichy est à ses ordres... L'occupant prend à son service, directement ou par le biais d'organismes parallèles, les quelques forces dont il dispose encore... Une

5. « Aspects politiques de l'occupation de la France par les Allemands » in Revue d'histoire de la deuxième guerre mondiale — N° 54 — Avril 1964.

circulaire est envoyée aux directeurs des prisons leur ordonnant de livrer aux Allemands tous les détenus qu'ils récla-
ment... A la police ordinaire, est superposée la milice le
30 janvier 1943... Cependant, à partir de l'été 1943, la France
redevient un champ de bataille, par la croissance de la Résistance, le nombre élevé des sabotages et des attentats auxquels elle procède, et la naissance des maquis. A partir du
débarquement allié en Normandie le 6 juin 1944, complété
par celui de Méditerranée le 15 août, un grand théâtre
d'opérations s'ouvre à nouveau sur le sol français. Les autorités d'occupation ont désormais une double préoccupation :
réprimer l'opposition croissante, placer sous leur commandement les quelques forces encore à la disposition des Français.
Contre les maquis, les Allemands et les mercenaires à leur
service prennent la relève des « corps francs » de gendarmes ou de G.M.R. institués par Vichy, et qui leur paraissent
de moins en moins sûrs... Mais leur arme préférée devient
vite une répression brutale et aveugle... Les arrestations
et les rafles se multiplient. L'autorité française est entièrement dépassée par les événements ; elle se borne à faire
connaître les décisions allemandes et à inviter la population
à s'y conformer. Elle ne fait donc pas obstacle à l'action
répressive, si parfois elle s'efforce de l'atténuer. »

   b) — Le Commissaire du Gouvernement a soutenu le réquisitoire suivant contre Otto Abetz :

   « A ce moment-là (en 1943), Abetz s'occupe non seulement
d'arrestations et de déportations, il s'occupe aussi de l'armement de la Milice, la principale arme, dit-il, que nous
ayons dans notre main. Il va, au mois de mars 1944, approuver l'arrestation et la déportation d'une centaine de généraux
et d'officiers supérieurs dont une quinzaine sont décédés dans
les camps de concentration. Il va demander, à la suite des
premières arrestations, des premiers jugements, plus exactement par les tribunaux militaires d'Afrique du Nord, de
phalangistes combattants sur le front de Tunisie, il va demander des représailles contre les membres des familles du
gouvernement d'Alger. Deux cents membres de ces familles
sont arrêtés et détenus pendant quelques temps par le
gouvernement français de Vichy. Ces représailles ne suffisent
pas. Ribbentrop n'est pas content, il lui faut plus. »

c) — M. de Boüard a écrit [6] « La réforme de 1942 (la prise en mains du pouvoir d'exécution en matière de police par les services de la Sipo-S.D.) devait être accompagnée d'une surveillance renforcée de la police française par la Sipo-S.D... Avec l'installation d'Oberg à Paris, la pression de la police allemande sur le gouvernement de Vichy se fit de plus en plus lourde ».

2. — Quelle fut l'attitude de Laval en face des exigences de l'occupant ? A-t-il tenté de limiter la répression ?

a) — Les chefs allemands qui furent chargés par Berlin de surveiller l'exécution de la répression contre les mouvements de Résistance avec le concours de la police française ont donné leur avis dans les documents suivants :

— Télégramme de Schleier à Ribbentrop en date du 29 mai 1943 [7] :

« Les ordres, les demandes allemandes et autres mesures nécessaires ne sont pas exécutés avec l'énergie désirable.

« Le docteur Knochen ignore tout des arrivées d'officiers français rapportées par Krug von Nidda. Il va faire procéder à une enquête à ce sujet par son bureau de Vichy.

« Au cours de la visite à Paris du président Laval, par deux fois je l'ai interpellé au sujet de mesures sévères qui devraient être prises contre les familles des personnes passées à la dissidence et j'ai attiré son attention sur le fait qu'il était absolument urgent de prendre des mesures décisives. Knochen s'est entretenu de la même question avec Laval et lui parlera de nouveau à Vichy. Laval, tout en reconnaissant le bien-fondé de notre demande, y est opposé, en raison du nombre de personnes qui seraient atteintes. Il se refuse donc à passer à l'exécution de ces mesures. Krug von Nidda a été informé d'avoir à insister encore auprès de Laval à ce sujet. »

— Interrogatoire du Conseiller d'Ambassade Von Bargen [8]

6. « La répression allemande en France de 1940 à 1944 » in Revue d'histoire de la deuxième guerre mondiale — N° 54 — Avril 1964.

7. Archives de la Wilhelmstrasse.

8. Archives de Nuremberg. — Procès de la Wilhelmstrasse. — Le conseiller Von Bargen remplaça Abetz à Paris après son rappel par Berlin.

sur les mesures de représailles ordonnées par Berlin à
l'encontre de personnalités politiques françaises :

● Question : Vous avez parlé de directives reçues de Ribbentrop, pendant que vous étiez chargé d'affaires à Paris, au
sujet d'arrestations à opérer en France et de représailles qui
devaient être le fait du gouvernement de Vichy, et d'une
démarche que vous avez faite. Auprès de qui avez-vous
fait cette démarche ?

● Réponse : Auprès du président du Conseil Laval.

● Question : Cette démarche concernait les mesures que
Ribbentrop désirait voir prendre par le gouvernement français, n'est-ce pas ?

● Réponse : Oui. Les mesures que le gouvernement français
devait prendre firent l'objet de notre conversation ; je m'en
souviens très bien.

● Question : Avez-vous fait pression sur Pierre Laval ?

● Réponse : J'ai vu Pierre Laval deux fois au sujet de ces
affaires. La première fois, je présentai l'affaire sous forme
interrogative, et me souviens que Laval s'est mis dans une
violente colère. Il refusa et me déclara que de telles mesures
n'étaient pas françaises, qu'elles ne seraient comprises par
personne en France et ne feraient d'ailleurs aucune impression sur le Comité d'Alger ; qu'il ne voulait pas avoir de
sang sur les mains ; que, de plus, les mesures seraient inutiles. Je me souviens avoir relaté tout ceci dans un télégramme à Ribbentrop. Je reçus instruction, peu de temps
après, de refaire une démarche, qui ne donna pas plus de
résultat que la première.

● Question : Quelle impression vous fit Laval ?

● Réponse : L'impression d'un homme supérieur, entêté et
obstiné, qui luttait pied à pied pour défendre l'intérêt français.

— Rapport du Dr Hemmen à Ribbentrop en date du
  15 février 1944 [9] :

« Le gouvernement de Vichy a jusqu'à présent fait montre d'une incroyable faiblesse dans la lutte active contre le
mouvement de résistance. Il semblerait presque que Laval,

9. Archives de Nuremberg. — Document PS n° 1.764.

bien qu'il s'agisse là d'un problème vital pour la France, laisse aller les choses sciemment. Il est hors de doute que c'est précisément cette inertie de Laval qui avait décidé le maréchal Pétain — sous la pression de cercles influents et avec l'approbation de la majorité de la population française — à prendre le 13 novembre 1943 des dispositions contre Laval. Toute la France ressent déjà cette insécurité comme une menace insupportable. En raison de l'envahissement de la Métropole par des communistes venus de la tête de pont nord-africaine, et encore davantage dans le cas d'une invasion, cet état de choses prend pour la France — et pour nous aussi — une signification particulièrement dangereuse. Laval n'a pris la mesure sérieuse de charger Darnand de la lutte contre le terrorisme que beaucoup trop tard, et encore ne l'a-t-il fait qu'à contre-cœur sur l'ultimatum du S.D. Führer Oberg, tout en essayant d'en atténuer considérablement les effets.

« Si le président Laval veut persister dans son inaction, il ne nous sert à rien. Il devient même dangereux pour nous. »

— Rapport du Dr Hemmen en date du 15 décembre 1944 [10] :

« Dans le midi de la France, en zone libre, principalement en Savoie et dans le Massif Central, où s'étaient réfugiés les éléments mécontents provenant de la zone nord, notamment des officiers et des hommes de troupe de l'armée d'armistice licenciés en novembre 1942, s'étaient formés peu à peu de petits groupes de résistance, soutenus et approvisionnés en argent et en armes par la dissidence d'Alger et le gouvernement de Londres, que les préfets et le gouvernement de Vichy avaient tolérés dès le début, voire même encouragés.

« Laval lui-même, sous des prétextes cousus de fil blanc, assistait en spectateur passif, pendant des mois entiers, à ces manœuvres.

« Son gouvernement et ses préfets, par une négligence coupable, n'entreprirent rien pour parer à ce désordre intérieur croissant. »

10. Archives de Nuremberg.

b) — Dans un rapport du 16 décembre 1943 [11], Himmler écrivait : « La police française est utilisable, dans une certaine mesure, dans le travail contre le communisme. Elle n'est pas sûre dans la répression des menées nationales françaises ».

c) — Dans son témoignage cité ci-dessous, M. Gaston Morancé atteste qu'il a pu, grâce aux précisions que lui donna Laval, faire prévenir un maquis de Dordogne de l'attaque allemande dont il était menacé. Or, M. Michel écrit [12] : « Le fait n'est pas daté, mais il nous a été confirmé par M.O. de Pierrebourg qui servit d'intermédiaire avec Alger ».

LES TEMOINS DE LA DEFENSE.

Dans leurs témoignages déposés à l'Institut Hoover, les préfets de cette époque attestent que Pierre Laval les a soutenus dans leurs efforts pour faire libérer des résistants et contrecarrer l'action de la Milice. Nous citons, à titre d'exemple, ce passage de la déposition de Paul Brun, Préfet du Puy-de-Dôme :

« Les Services du Sous-Secrétaire d'Etat Darnand avaient organisé une vaste opération de police à Riom, qui devait aboutir à soixante-dix internements environ. Cette opération avait été montée à mon insu. Les forces du maintien de l'ordre et la Milice y participèrent. Soixante-quinze personnes furent arrêtées. Dès que j'en fus avisé, je donnai l'ordre au Commissaire divisionnaire de la Police judiciaire Dedieu de les libérer. Cet ordre fut aussitôt exécuté.

« Le lendemain, je me rendis à Vichy et mis le Président Pierre Laval au courant. Il approuva entièrement mon initiative et me couvrit.

« La région de Clermont-Ferrand, par sa situation topographique, permettait aux nombreux et divers éléments de la

11. Cité par M. de Boüard dans son article avec la référence suivante : Procès Oberg-Knochen, acte d'accusation. — 472/43. Pol. IV-A-2.
12. « Résistance et déportation » in « La France sous l'occupation ».

Résistance d'évoluer assez aisément. Les Allemands ne cessaient de protester contre les incidents répétés qui se produisaient et devenaient de plus en plus nerveux.

« Nous étions au courant de la présence de ces éléments et même de leurs mouvements. Certains faisaient des séjours fréquents à Clermont-Ferrand, sans parler de ceux qui, moins actifs, y demeuraient. Le Président Laval n'ignorait rien de cette situation. Je lui avais déclaré qu'il convenait d'opposer la force d'inertie aux démarches qui étaient faites par les Allemands. Il m'approuva. »

— Dr. Grasset, secrétaire d'Etat à la Santé, de 1942 à 1944 [13].

Le président Laval m'a aidé à refuser catégoriquement aux Allemands d'édicter une loi française enjoignant aux médecins de dénoncer les blessés du maquis. Il n'a pas ignoré que je camouflais d'énormes quantités de matériel du Service de Santé Militaire au mépris de la Convention d'armistice.

— François Piétri, Ambassadeur de France. (HI-II-698).

On ne sait pas assez que ce fut grâce aux initiatives directes de l'Ambassade de France à Madrid et à l'adhésion tacite de Vichy que 15 000 jeunes Français ont pu, de novembre 1942 à juillet 1943, passer clandestinement en Espagne et être envoyés en Afrique du Nord, où la plupart se sont enrôlés dans l'armée.

Dans le camp de concentration de Moranda, où ces Français ont été internés, j'ai envoyé des émissaires pour leur apporter de vivres et des couvertures et pour recueillir leurs desiderata.

J'ai demandé, à cet effet, des crédits à Vichy, et M. Laval m'a informé qu'il m'adressait 500 000 francs. Ce crédit a été renouvelé trois mois après.

Pendant ce temps, les professeurs de l'Institut français de Madrid et une partie du personnel de l'Ambassade se déclaraient en dissidence et se plaçaient sous l'autorité du Comité

13. Archives de la fondation Hoover. — Déclaration recueillie par ses soins et non publiée.

d'Alger. Je n'y ai pas fait d'obstacle, et quand je m'en suis expliqué, à Vichy, avec M. Laval, celui-ci, malgré les vives protestations des Allemands, a approuvé mon attitude.

— Gaston Morancé, Directeur de l'agence Presse-Information. (HI-III-1212).

Les maquis s'étant multipliés en France, les Allemands commençaient à s'irriter du peu d'efficacité de la Milice, formation composée d'éléments très disparates, et qui, bien que chargée de la répression pour éviter que les Allemands ne l'entreprennent, s'en acquittait assez mollement.

Au cours d'un entretien, le Président Laval me disait son inquiétude de voir les Allemands prêts à mettre certains corps de la Wehrmacht en mouvement.

« Je sais qu'ils vont commencer une action contre le maquis de la Dordogne, me dit-il ; ils massent des troupes en deux points, et j'ai peur que ce soit le début d'une opération de plus grande envergure. J'espère, ajouta-t-il, que les gars pourront être prévenus à temps. »

Durant notre conversation, il revint à deux reprises sur cette question, comme pour la préciser.

Le soir même, la nouvelle partait par mes soins à Alger, par l'intermédiaire de O. de Pierrebourg, et à Londres par les soins du Dr Mercier, chef du groupe « Vengeance ».

— Conseiller Von Bose, Conseiller juridique de l'Ambassade d'Allemagne [14].

Chaque fois qu'une personnalité venait à être l'objet d'une arrestation, soit le président Laval lui-même, soit ses services, intervenaient auprès de l'ambassade.

Dans deux cas, qui sont restés gravés dans ma mémoire, le président Laval m'avait prié de venir le voir pour me demander personnellement et confidentiellement de lui rédiger deux recours en grâce pour des Français qui avaient été condamnés à mort par les tribunaux militaires allemands, et dont le cas lui paraissait particulièrement grave. Il s'agissait du fils du général Mast, officier de l'armée française, et

14. Archives de la fondation Hoover. — Déclaration recueillie par ses soins et non publiée.

d'un résistant dont le nom ne m'est plus présent à l'esprit. Dans les deux cas, le président Laval me dit : « Ce sont des Français comme les autres, ils ont fait ce qu'ils ont cru être leur devoir. »

Il signa lui-même les recours, pour les transmettre en-suite, par la voie officielle, à l'ambassade d'Allemagne, où je les ai suivis jusqu'à ce qu'ils aboutissent favorablement.

4

Les déclarations de Pierre Laval

*MEMOIRE EN REPONSE
A L'ACTE D'ACCUSATION.*

J'ai toujours demandé aux préfets, aux chefs de la police, de distinguer l'Armée secrète, c'est-à-dire la Résistance organisée, qu'il ne fallait pas rechercher, des éléments terroristes qui commet-taient des actes criminels et qui devaient être poursuivis.

Je sais que, suivant l'accusation, cette distinc-tion est impossible ; mais il appartenait aux pré-fets de la police de faire eux-mêmes la discrimina-tion. Nombreux sont ceux, parmi les hauts fonc-tionnaires, qui ont payé de leur liberté le libéra-lisme dont ils ont fait preuve. Il y a toute une pé-riode, la plus sombre, celle de 1944, dont je me re-fuse à prendre la responsabilité. Les Allemands et le Maréchal, en m'obligeant à me séparer de Bous-quet et en me contraignant à subir Darnand, ont substitué à une politique certes difficile, mais courageuse et humaine, des pratiques policières

imitées de la Gestapo. L'autorité m'était alors
enlevée et mon rôle consistait, dans la mesure de
mes moyens, à limiter les risques et les abus.
Mon départ eût laissé le champ libre à des hommes et à des groupes qui eussent fait plus de
mal encore à la France, car ils auraient eu huit
mois pour agir sans aucun contrôle. J'ai pu maintenir, malgré toutes les pressions allemandes,
miliciennes et collaborationnistes, à Paris, le préfet
de police, et, dans les départements, les cadres
qui offraient le maximum de garanties dans cette
période troublée.

Il serait profondément injuste de me reprocher
des actes que je ne pouvais qu'atténuer sinon
empêcher, et que je repoussais de toute mon
indignation. Il serait plus injuste encore de me
reprocher mon maintien au pouvoir à un moment
où je n'avais pas le droit de livrer la France à
un plus grand désordre et de lui faire supporter
de plus grandes souffrances.

C'est à ce moment que j'avais le devoir de m'ac-
crocher au gouvernement, parce que les Allemands devenaient de plus en plus durs et inhu-
mains, au fur et à mesure que leur défaite
militaire se précisait. Partir, c'était livrer notre
pays à leur férocité ; le mal qu'ils ont fait se
serait augmenté de tout ce que la présence d'un
gouvernement régulier a empêché de faire.

Les journaux de cette époque, inféodés aux
autorités d'occupation, me vilipendaient pour ma
faiblesse dans la répression et réclamaient tous
le gouvernement Doriot, Déat, Darnand. Il ne
saurait y avoir une justification plus éclatante
de mon action à cette époque.

J'ai le droit de dire que j'ai sauvé, par ma
présence et par mon attitude, des milliers de vies
françaises.

Les Allemands avaient aussi exigé l'arrestation
des otages pris dans les familles des chefs de la
dissidence. Après quelques jours de leur déten-

tion, ils avaient fait auprès de moi une démarche analogue à celle qu'ils avaient faite pour Blum, Reynaud et Mandel. Ils demandaient, et ils étaient appuyés par des articles de certains journaux parisiens, leur exécution immédiate, sous prétexte de représailles contre les meurtres dont certains partisans de la Collaboration avaient été les victimes. Je protestai avec véhémence « contre de telles méthodes qui sont peut-être en honneur dans votre pays, dis-je, mais qui ne sont pas admises chez nous. Je n'ai pas de sang sur les mains et vous me faites la plus grave offense par votre proposition. » Les personnes arrêtées étaient à La Bourboule ou aux Tourelles ; je rassurai certains de leurs parents qui étaient venus me voir, comme Viénot, avocat à la Cour, et Mme X... dont le mari était pharmacien, la fille de Le Troquer. Je prévins Darnand de la démarche qui avait été faite par les Allemands ; je lui fis part de ma réponse et je l'invitai expressément à maintenir la sécurité des personnes arrêtées, ce qu'il me promit de faire sans discuter mon ordre, en me disant qu'il approuvait mon attitude. Nous étions à la veille de la Libération et toutes les personnes arrêtées eurent la vie sauve.

Au moment où les Américains approchaient de Paris, redoutant que les Allemands n'exercent des représailles sur les détenus politiques dans les prisons, ou ne les déportent, je donnai à Baillet l'ordre de leur faire ouvrir les portes. Je n'avais pu le faire plus tôt parce que les Allemands ne l'auraient pas permis et en auraient pris prétexte pour prendre des mesures de force. Les prisons étaient placées sous le contrôle de Darnand et sous la direction de Baillet. J'avais connu le père de celui-ci, qui avait été autrefois commissaire de Pantin et de Noisy-le-Sec, quand j'étais député de ce dernier canton. Le père de Baillet avait été un fonctionnaire bien considéré par tous ses chefs et estimé par les populations dont il avait la charge. Je pouvais penser que le fils avait hérité des qualités de son père.

Déclaration aux Préfets de la zone sud le 21 mai 1944.

La radio d'Alger sème la haine contre les Français... Elle m'injurie souvent ; vous ne m'entendrez jamais prononcer une parole de haine contre qui que ce soit. Il y a trois façons de résister aux Allemands. Celle que je pratique en face des exigences de Sauckel... Et puis, il y a les jeunes qui combattent par idéal... Je les salue, je les estime... Et puis, il y a les quelques chefs qu'ils n'ont pas choisis parce qu'ils se sont choisis eux-mêmes à Alger.

Déclaration aux Instituteurs de l'Allier le 3 septembre 1942.

De Gaulle n'a pas accepté la défaite, cela ne manque pas d'une certaine grandeur. Il a dit : « Je vais combattre ; la France n'est pas battue » et quelques hommes l'ont suivi. Qu'il soit allé là-bas par ambition ou par orgueil, ça le regarde, que ceux qui l'on suivi aient agi par patriotisme, c'est probable ; je n'incrimine par leurs intentions, mais mon ambition à moi : m'efforcer par tous les moyens de sauver maintenant tout ce qui peut être sauvé.

CHAPITRE V

LA RÉPRESSION CONTRE LES COMMUNISTES

1

Les Faits

L'origine de la répression engagée contre le parti communiste remonte à 1939. Elle fut décidée par le gouvernement Daladier à la suite du revirement de sa politique qui suivit le pacte germano-soviétique du 23 août 1939 et l'accord réalisé entre l'Allemagne et l'U.R.S.S. pour se partager le territoire polonais. Après avoir été partisan d'une politique de fermeté à l'égard de l'Allemagne depuis 1937, le parti engagea une campagne en faveur de la conclusion de la paix, pour répondre aux propositions de Hitler. L'accusant de saper le moral de la Nation en guerre par cette propagande défaitiste et de pousser au sabotage des industries d'armement, le gouvernement prononça par un décret du 26 septembre 1939 la dissolution du parti communiste et des groupements et organisations s'y rattachant. Un deuxième décret ordonnait la suspension des maires et des conseillers municipaux communistes pour des motifs d'ordre public ou d'intérêt général. La publication de journaux et de tracts était interdite. Le groupe parlementaire fut dissous, mais se reconstitua sous l'étiquette de « Groupe ouvrier et paysan français. » L'envoi au président de la Chambre d'une lettre où il souhaitait voir examinées favorablement par le gou-

vernement les propositions de paix de l'Allemagne provoqua l'ouverture contre ce groupe d'une information pour intelligences avec l'ennemi. Les signataires de cette lettre furent internés en attendant la levée de l'immunité parlementaire les concernant, tandis que trente-trois anciens députés communistes étaient arrêtés, les autres se trouvant soit aux armées soit en liberté provisoire ; certains se cachèrent pour échapper aux poursuites.

Le gouvernement décida par un décret du 18 novembre 1939 des mesures à prendre à l'égard des individus dangereux pour la défense nationale et la sécurité publique. Un décret du 29 novembre régla la dévolution des biens appartenant au parti communiste. Le 30 novembre, la Chambre vota la levée de l'immunité parlementaire couvrant les dix députés communistes en fuite et déchut de la nationalité française Maurice Thorez, secrétaire général du parti, qui avait gagné l'U.R.S.S. Le 20 février 1940, la Chambre prononça la déchéance des députés communistes, suivie le 29 par un vote similaire du Sénat. Le 9 avril, les signataires de la lettre adressée le 1er octobre 1939 au président de la Chambre furent condamnés par un Conseil de Guerre à des peines d'emprisonnement. Des poursuites pour sabotages dans les usines d'armement furent engagées à l'encontre de membres du parti dissous et il fut procédé à des internements administratifs.

La législation réprimant les activités communistes sous le gouvernement de l'Etat français a été étudiée dans le chapitre concernant les Cours Martiales. La loi du 14 août 1941 institua des sections spéciales auprès des Cours d'Appel et des Tribunaux militaires et maritimes pour réprimer les activités communistes et anarchistes. A cette époque, Pierre Laval ne faisait pas partie du gouvernement. A partir d'avril 1942, date de son retour au pouvoir, les lois suivantes furent promulguées : a) — La loi du 18 novembre 1942 modifia la loi du 14 août 1941 en ne maintenant que la compétence des sections spéciales auprès de chaque Cour d'Appel. b) — La loi du 5 juin 1943 abrogea la législation ayant créé les sections spéciales et en institua de nouvelles devant lesquelles devaient être déférés « les auteurs de toutes les infractions pénales, quelles qu'elles soient, si elles sont commises *pour favoriser le terrorisme, le communisme, l'anarchie ou la subversion sociale et nationale.* » c) — *La loi du 29 mai 1942 modifia et compléta le décret du 29 novembre 1939 qui réglait la dévolution des biens communistes. Il prévoyait que « les immeubles des organisations communistes dissoutes, autres que celles visées par les articles 72 et 74 de la loi du 4 octobre 1941 relative à l'organisation sociale des professions, ainsi que les meubles meublants, pourront par décret pris sur la proposition du chef du gouvernement, ministre secrétaire d'Etat à l'Intérieur, et des ministres intéressés, être attribués, sur leur demande, aux départements, communs établissements publics, associations reconnues d'utilité publique, ainsi qu'aux associations sportives et aux associations de jeunesse, régulièrement agréées par le ministre secrétaire d'Etat à l'Education Nationale. L'attribution ne pourra préjudicier en aucune manière aux droits des créanciers du patrimoine de l'organisation dissoute. Le décret d'attribution précisera les conditions de transfert des biens de l'association dissoute au bénéficiaire qui assumera toutes les charges grevant le ou les biens transférés. » L'action du gouvernement présidé par Pierre Laval envers les résistants communistes a été étudiée au chapitre précédent.*

2

Le Dossier de l'Accusation

L'ACTE D'ACCUSATION

La politique soi disant française devint alors, après le retour au pouvoir de Laval, une politique tout allemande : persécution contre les communistes.

3

Le Dossier de la Défense

— 1. — Il y a lieu de remarquer que :

1) — Le procureur général n'a pas requis sur ce chef d'accusation.

2) — Aucun témoin à charge n'a été entendu au procès.

3) — Du point de vue législatif,

● Ce fut le gouvernement Daladier qui engagea la répression contre le parti communiste et ses membres.

● Les juridictions spéciales chargées de réprimer les activités communistes ont été créées par une loi de 1941, alors que Laval ne faisait pas partie du gouvernement.

● A son retour au pouvoir, le gouvernement présidé par Laval a maintenu cette législation et l'a complétée.

— 2. — Le 16 décembre 1943, Himmler exprimait le peu de confiance qu'il avait dans les mesures de répression prises par la police française « utilisable, dans une certaine mesure, dans le travail contre le communisme ».

— 3. — En ce qui concerne la présentation du dossier de la défense sur la répression contre les résistants faisant partie d'organisations communistes, il convient de se reporter au chapitre précédent.

LES TEMOINS DE LA DEFENSE

— André Thoumieux, avocat. (Hi-III-1440).
Le 3 mai 1942, une audience m'était réservée par le Président Laval.

Avocat à la Cour de Pau, défenseur de la C.G.T. jusqu'en 1933, adversaire actif de la politique de Pierre Laval, je venais demander au Chef du Gouvernement la libération de syndicalistes — communistes pour la plupart — tous internés au camp de Gurs.

Ces hommes ne s'étaient vu reprocher par la Police de M. Peyrouton qu'un délit d'opinion.

C'est ce que j'exposai sans ambage à Pierre Laval, que je voyais pour la première fois.

J'obtins la libération immédiate de mes clients. Et, pour moi-même, j'emportai de cette audience le sentiment que si le Chef du Gouvernement était nécessairement attaché à un ordre intérieur indispensable, pour lui, l'aspect humain de toute question dépassait en valeur son aspect politique.

4

Les déclarations de Pierre Laval

MEMOIRE EN REPONSE
A L'ACTE D'ACCUSATION

Il me suffit de reproduire les questions qui me furent posées par le magistrat instructeur et ma réponse, que je dois compléter à mon prochain interrogatoire.

Je n'ai jamais, je tiens à le noter dès à présent, pris aucun texte contre les communistes. Je n'ai fait procéder à aucune déportation de communistes en Afrique, et j'ai supprimé du projet de loi concernant les cours martiales le mot « communiste » qui y avait été inséré. J'en ai fait libérer par milliers des camps de concentration.

J'ai reçu un jour la visite de Brun, préfet régional de Clermont-Ferrand, venu pour me dire que Marchadier, communiste, était condamné à mort et qu'il allait être exécuté. D'accord avec lui, j'ai pu empêcher l'exécution. Il est aujourd'hui, je crois, maire de Clermont-Ferrand.

Quand l'acte d'accusation me reproche les persécutions contre les communistes, il méconnaît mon caractère et ignore mes actes. J'aurai l'occasion d'en citer quelques-uns devant la Haute Cour de justice.

J'ai toujours été l'ennemi de la violence et je sais, l'Histoire le révèle, que les persécutions contre l'idéal le fortifient et le grandissent. La prison, la guillotine, la fusillade ont fait des martyrs : elles n'ont jamais tué l'Idée.

Interrogatoire de Pierre Laval devant la Haute Cour. (Audience du 4 octobre 1945).

Les communistes ? Je m'en expliquerai très facilement. Ce n'est pas moi qui les ai déchus de leurs mandats. Ce n'est pas moi qui les ai fait emprisonner. Ce n'est pas moi qui les ai déportés dans les camps d'Algérie. Je parlerai d'eux. J'en parlerai d'une manière générale ou d'une manière plus particulière. Dans aucun domaine, je n'ai donné le spectacle d'une brutalité quelconque et dans tous les domaines, j'ai, au contraire, montré que, quand notre pays était si malade, si malheureux, si oppressé par l'occupant, de toutes mes forces, de toutes les manières, j'ai essayé de le défendre et de le servir. Voilà pourquoi je suis là.

LIVRE 5

L'OPPOSITION DES ULTRAS A LAVAL

Chapitre I

L'OPPOSITION DES ULTRA COLLABORATEURS

1

Les Faits

Qui étaient ces Ultra Collaborateurs ? Un groupe de chefs et membres de partis politiques, de journalistes et de militants qui critiquaient ouvertement la politique du maréchal Pétain et de Pierre Laval auxquels ils reprochaient leur « attentisme ». Ils en voulaient particulièrement à Laval qu'ils accusaient d'avoir saboté la politique de collaboration. Ils entendaient renverser son gouvernement et prendre le pouvoir en s'appuyant sur l'occupant.

Parmi ces Ultras, deux sont principalement à citer : Joseph Darnand et Marcel Déat. Présentons-les :

— Joseph Darnand milita, dès son jeune âge, dans des mouvements d'extrême droite. Il adhéra à l'Action Française, puis en partit. Il fut compromis en 1938 dans l'affaire de la « Cagoule ». En 1940, il eut une conduite brillante. Après l'armistice, il fut, à ce titre, président de la Légion des combattants pour les Alpes-Maritimes. En 1942, il fut nommé par le maréchal Pétain directeur du Service d'Ordre Légionnaire pour la zone sud. Collaborateur, il soutint la

L.V.F. et adhéra à la Waffen S.S. En janvier 1943, après avoir provoqué la séparation du S.O.L. de la Légion des combattants, il devint le secrétaire général de la Milice.

— Marcel Déat, agrégé de philosophie, adhéra très tôt au parti socialiste. En 1926, il fut élu député. Battu en 1928, il retrouva son siège quatre ans plus tard. Il se sépara alors de la S.F.I.O. et devint le secrétaire général du parti Néo-Socialiste. En 1936, il fut ministre de l'Air, sous l'étiquette de l'Union Socialiste. Il collabora à plusieurs journaux et publia en 1939 un article qui le fera connaître : « Faut-il mourir pour Dantzig ? » En 1940, il devint directeur politique du journal L'Œuvre et commença une campagne favorable à la collaboration avec l'Allemagne, qu'il poursuivit inlassablement jusqu'en 1944. En février 1941, il fonda le Rassemblement National Populaire.

La presse collaborationniste de Paris menait depuis 1940 une campagne violente contre le Gouvernement. Déat était toujours le plus virulent. Laval revenant au pouvoir en 1942 ne le prit pas dans son Gouvernement. Quelques mois plus tard, Déat réclama la chute de Laval. Voici des extraits de quelques-uns de ses articles parus dans l'Œuvre :

— « Le mois de la défaite » (18 mars 1943) : « L'heure approche où l'ordre, enfin, s'imposera qui est conforme à la fois au bon sens, à la justice élémentaire et à l'intérêt du pays. »

— « La manœuvre intérieure » (21 mai 1943) : « Les pouvoirs ne sont pas le pouvoir ; on peut être chef du gouvernement, en cet étrange pays, sans avoir licence de gouverner vraiment. Que pouvait faire, depuis avril 1942, l'Auvergnat patient, aux prises avec mille difficultés quotidiennes et cheminant pas à pas sous d'innombrables harcèlements ? Gagner du temps, laisser passer les orages, arrondir le dos... Nous aurions mieux aimé autre chose, nous l'avons dit et redit : une bonne bagarre au dedans, les énergies révolutionnaires rassemblées, les traîtres démasqués... des actes vigoureux faisant enfin comprendre au peuple de France que l'Europe n'est pas réactionnaire parce que Vichy s'obstine à l'être... »

— « Ne pas choisir, c'est avoir choisi » (29 mai 1943) : « Ces collaborants résignés, qui vont à l'Europe comme

*des chiens qu'on fouette, seront toujours des résistants ;
voilà le vrai... Il faut aller au secours de ces âmes tour-
mentées et donc les arracher à la tentation en supprimant
le problème. Ce qui revient à supprimer Vichy. »*

— « *Après Megève, fermons Vichy* » (4 juin 1943) : « *La
santé morale de la France, son équilibre psychologique,
sa sécurité intérieure, exigent qu'on en finisse avec Vichy.
Il y a une malédiction sur ce lieu bas, un sortilège mal-
faisant qui y noue et paralyse nos destins politiques... Il
faut tout de même qu'on essaye d'en finir. Parce que,
cette fois, le tournant de la guerre approche et il est des
agitations et des déliquescences que l'Europe ne saurait
tolérer... Le siège de l'Etat peut, après tout, demeurer à
Vichy. Ce ne sera qu'absurde et ridicule. Mais le siège du
gouvernement a une autre importance. Là-dessus, pas de
tergiversation ni d'atermoiement : c'est à Paris désormais
que doivent se tenir les Conseils, que doivent être pris
les décrets... De toute manière, on en aura fini avec les
complots et on pourra s'occuper des choses sérieuses :
entamer enfin la vraie révolution nationale et faire notre
devoir d'Européens. »*

— « *Quand la France trahit l'Europe* » (9 juin 1943) :
« *La malfaisance française a été redoutable depuis trois
ans, voilà le fait indiscutable.* »

— « *Si la France servait l'Europe* » (10 juin 1943) :
« *Trois mois de gouvernement fort, lucide, implacable et
juste changeraient ce peuple. Mais pour qu'il existe, ce
gouvernement, il faut que disparaisse le système de Vichy,
et que Paris redevienne la capitale. Il faut qu'à Paris, des
hommes commandent sans être contraints de négocier ri-
diculement, tout le jour, le droit d'user de leur pouvoir...
Des forces sont là qu'une carence d'intelligence politique
peut jeter demain aux pires destructions et qu'on peut
plier aux plus hardies réussites. Il faut les saisir, il faut
les capter pour qu'elles servent l'Europe et la France à la
fois sous le signe de la révolution socialiste et nationale.* »*

— « *Prétextes juridiques* » (12 juin 1943) : « *Nous l'avons
déjà dit : il ne doit pas être très difficile d'unifier le régime des deux zones, d'enlever à nos glossateurs de l'attentisme, à nos obstinés de la villégiature vichyssoise jus-*

qu'à l'ombre d'un prétexte, jusqu'au fantôme d'un alibi...
Qu'on en finisse avec Vichy. »

— « *Les petits hommes dans l'histoire* » (17 juin 1943) :
« *Le problème est de dégager des chefs qui soient dignes*
de leur rang et de leur fonction... Jusqu'à présent, les
serres vichyssoises n'ont abrité que des fruits insipides. »

— « *L'ultime crucifixion* » (7 juillet 1943) : « *Vienne*
l'épreuve, elle nous trouvera sans tremblement et l'arme
au poing. La crucifixion n'aura pas lieu. »

— « *Pour une politique de la main-d'œuvre* » (20 juillet
1943) : « *On fait la révolution ou on ne la fait pas. Mais*
nous avertissons que l'immobilité n'est qu'anarchie grandis-
sante et déliquescence accélérée. »

— « *Chutes et remontées* » (24 août 1943) : « *La trahi-*
son, pour tout dire, s'est installée au cœur du pouvoir. »

— « *Carrosseries sans moteur* » (25 août 1943) : « *Nous*
connaissons les maladies politiques de notre pays, nous
savons quelles sont les carences de l'Etat, et comment
son autorité défaillante est chaque jour méconnue ou ba-
fouée. »

D'autres journaux de Paris faisaient écho à ces attaques
de L'Œuvre. On pouvait lire dans « Je suis partout », or-
gane de Jean Luchaire :

— « *Place aux durs* » (3 décembre 1943) : « *Tout se passe*
comme si une volonté tenace écartait des postes de com-
mande les seuls Français véritablement qualifiés : « les
durs ».

— « *Méfiance* » (10 décembre 1943) : « *Jusqu'à présent,*
les révolutionnaires nationaux ont été sagement tenus à
l'écart. On veut bien qu'ils se fassent tuer, mais on ne
veut pas qu'ils gouvernent. »

— « *Précautions* » (janvier 1944) : « *On redoute naturel-*
lement que J. Darnand ne réussisse à agir... Pour limiter
les dégâts, on a flanqué J. Darnand d'un secrétaire d'Etat
à l'Intérieur. »

— « *La terre brûlée* » : « *Lorsque J. Darnand s'est pré-*
senté la semaine dernière dans les locaux qu'occupait
M. Bousquet, ce dernier avait fait la « Terre brûlée » :
plus une dactylographe, plus de téléphone, plus un dos-
sier. »

— « *Pas d'urgence* » *(24 mars 1944)* : « *Bien qu'on en eût admis le principe, on n'était guère pressé de voir Déat siéger au conseil des ministres. Pas plus qu'on n'avait été pressé d'accueillir J. Darnand et P. Henriot* ».

Et dans l'hebdomadaire « Au Pilori » :

— « *A bas la République* » *(7 janvier 1943)* : « *On ne s'occupe à Vichy que de petites choses* ».

— « *Pénible contraste* » *(25 mars 1943)* : « *Pourquoi cette carence gouvernementale ? Que Pierre Laval y songe... L'attitude de nos maîtres vichyssois n'est pas faite pour inspirer confiance au Führer.* »

— « *Il faut que ça change* ». *(1ᵉʳ juillet 1943).*

— « *Pour en finir* ». *(22 juillet 1943).*

— « *Pas de révolution sans révolutionnaires* ». *(5 août 1943).*

— « *La capitale de la trahison* ». *(16 septembre 1943).*

— « *La révolution de l'impuissance* ». *(21 janvier 1944)* : « *Comprendront-ils tout seuls que, pour que vive la France, il leur faut prendre bien tard, mais bien vite, un autre métier ?* »

Cette campagne de presse permanente ne parvenant pas à briser la volonté de Pierre Laval de s'opposer à l'entrée des Ultras dans son gouvernement. Ceux-ci, en septembre 1943 décidèrent de passer à l'attaque en faisant appel aux autorités d'occupation favorables à leurs idées. Cinq d'entre eux, Déat, Darnand, Georges Guilbaud, ancien chef des organisations collaborationnistes combattantes de Tunisie, Jean Luchaire, ancien chef des Jeunesses Françaises pour le rapprochement franco-allemand avant la guerre, directeur du journal « Les Nouveaux Temps », président général de la Presse Française, Noël de Tissot, adjoint de Darnand, firent parvenir à titre confidentiel à des personnalités allemandes et à l'ambassade d'Allemagne à Paris une note qu'ils intitulèrent « Un plan de redressement national français ». Ils affirmaient représenter « la majorité réelle des forces collaboratrices et révolutionnaires de France ». Il était précisé, en outre, que « ces cinq person-

nalités n'ont pas consulté le président Laval sur leur initiative ».

Citons les passages principaux[1] :

« — La situation actuelle : *La situation intérieure de la France, telle qu'elle se présente dans cette seconde moitié de septembre 1943, est particulièrement angoissante... Actuellement, il existe en France de nombreuses et puissantes organisations gaullistes et communistes... Ainsi, d'ores et déjà, le gouvernement voit son autorité annihilée et bafouée par ceux-là mêmes qui sont normalement ses agents d'exécution... Le gouvernement est ainsi, chaque jour davantage, impuissant à agir... La quasi-unanimité des collaborationnistes est composée de révolutionnaires nationaux aspirant à créer en France un état national et socialiste... Elle est collaborationniste parce qu'elle est révolutionnaire... Or, sur ce point essentiel, les gouvernements qui se sont succédé à Vichy ont à peine apporté les paroles nécessaires. Ils n'ont apporté aucun acte, sinon des actes opposés aux paroles. Depuis trois ans, à cet égard, un malentendu fondamental a tout obscurci, tout embrouillé... Le seul moyen de redresser la situation à cet égard, c'est que le gouvernement soit animé du véritable esprit national-socialiste et démontre par ses actes et par ses réformes, par ses lois et par ses décisions quotidiennes de détail, en accord visible avec l'autorité occupante, qu'il est un gouvernement de révolution nationale immédiate, faite pour le peuple avec le concours du peuple...* »

« *A l'impuissance du gouvernement sur l'Etat, à son absence de contact avec les partis collaborationnistes, s'ajoute ainsi actuellement son isolement tragique par rapport à la fraction révolutionnaire de la nation, c'est-à-dire avec cette fraction du pays qui devrait lui servir de support. Si cela devait continuer, le gouvernement finirait par devenir un assemblage d'une douzaine d'hommes pensant, agissant et négociant dans le vide.*

« — Les remèdes : *Deux seules voies semblent s'ouvrir de-*

---

1. Archives de l'ambassade d'Allemagne à Paris (Documents Wilhelmstrasse).

vant les responsables. L'une consiste, pour l'Allemagne, à renoncer en France à la collaboration française. L'autre consiste, pour l'Allemagne, à provoquer par tous les moyens en son pouvoir l'unification aussi complète que possible du collaborationnisme français et à doter ce collaborationnisme de tous les moyens possibles de réussite : participation au gouvernement, facilités politiques et techniques d'action sur l'Etat, et pour l'Etat, ainsi que sur les masses françaises du travail et pour ces masses.

« Appartiennent à la première de ces voies les solutions suivantes :

1) Suppression du gouvernement français et remplacement public de ce dernier par un Gauleiter commandant à une administration française « doublée » d'une administration allemande. — 2) Remplacement du gouvernement du président Laval par un gouvernement de personnalités secondaires choisies au sein et aux alentours d'un seul parti collaborationniste. — 3) Laisser Vichy reconstituer un gouvernement sans le président Laval et sans la majorité des chefs révolutionnaires nationaux socialistes, mais avec des personnalités militaires, administratives et parlementaires d'ancien régime, neutres ou vaguement collaborationnistes. — 4) Laisser le gouvernement actuel, sous sa forme et avec son impuissance actuelle, achever la tragique évolution décrite plus haut. (La note rejetait ces quatre solutions.)

« Appartient à la seconde des voies indiquées une seule solution : exercer sur Vichy la pression immédiate et suffisante pour qu'au gouvernement actuel succède sans délai un gouvernement collaborationniste réalisant ces quatre conditions :

1) Assurer aux autorités occupantes une sécurité suffisante pour que celles-ci lui accordent un maximum de liberté et de moyens d'action.

2) Grouper dans son sein la totalité ou la quasi-totalité des chefs collaborationnistes dont la présence lui apportera la totalité ou la très grande majorité des collaborationnistes dont l'ardeur et le nombre seront dès lors en accroisse-

ment continuel et lui fourniront à la fois les bases et les cadres nécessaires à l'exercice de son autorité.

3) Grouper dans son sein la variété suffisante d'hommes pour que chaque Français, à l'exception naturellement des Français irrémédiablement acquis à la cause des Alliés, trouve au moins dans un ministre le reflet de sa propre pensée et de ses propres préoccupations.

4) Définir et mettre réellement en action, avec les instruments appropriés dont nous allons parler plus loin, une politique réellement socialiste et révolutionnaire, susceptible de rallier autour de lui ces énormes éléments français du travail qui correspondent à celles par et pour lesquelles agit le national-socialisme allemand.

« — Les instruments du gouvernement et de la vraie révolution nationale :

Ces instruments doivent être : 1) Les rouages administratifs proprement dits de l'Etat. — 2) Le parti unique. — 3) La milice nationale unique.

« — Esquisse d'un pacte franco-allemand.

1) S'inspirant de la politique de collaboration et de réconciliation franco-allemande, maintes fois définie depuis l'entrevue de Montoire, le gouvernement français proclame sa ferme volonté de concourir par toutes les ressources de la nation à la défense commune du continent et à la construction de l'Europe nouvelle. — 2) Le gouvernement du Reich s'engage à ne faire nulle part obstacle sur le territoire ainsi défini (dans ses limites du 2 septembre 1939) au libre exercice de la souveraineté française. »

La réponse du gouvernement allemand ne devait pas se faire attendre, il ne pouvait qu'approuver un tel programme et en soutenir la réalisation. Le 4 décembre 1943, Abetz vint à Vichy remettre au maréchal Pétain une lettre de Ribbentrop qui contenait ces trois exigences : 1) Toutes les modifications de lois projetées par le gouvernement français devront être soumises à temps à l'approbation du gouvernement du Reich. — 2) M. Laval doit remanier sans délai le cabinet français dans un sens acceptable pour

le gouvernement allemand et garantissant la collaboration.
— 3) Le gouvernement français sera responsable des mesures prises en vue d'éliminer immédiatement tous les éléments gênant le travail sérieux de redressement dans les
postes influents de l'administration, ainsi que la nomination à ces postes de personnalités sûres.

Par télégramme chiffré portant la mention « Très secret »[2], Ribbentrop adressa à Abetz les instructions
suivantes : « ... En vue de satisfaire à ces demandes (celles
formulées dans sa lettre du 4 décembre 1943), l'ambassadeur d'Allemagne est maintenant autorisé : 1) A envoyer
à M. Laval une liste des personnes du cabinet français et
de celles des Services-clés gouvernementaux dont la démission de leurs fonctions doit être demandée. — 2) A remettre
une autre liste des noms des personnes occupant des postes d'autorité dans l'administration, etc. qui devront être
immédiatement remplacées par des personnes sûres. — 3)
A demander à M. Laval de confirmer par écrit à l'ambassade
que le gouvernement français a adopté les mesures nécessaires pour garantir que tous les amendements envisagés
aux lois soient soumis à l'avenir au gouvernement du Reich
pour approbation préalable. En envoyant la note à M. Laval,
prière de demander que ces demandes obtiennent immédiatement satisfaction. Le contenu des deux listes que vous
aurez à transmettre immédiatement à M. Laval suit dans
un télégramme spécial qui contient également les observations individuelles à faire au sujet des deux listes... En
corrélation avec notre action, il y a lieu toutefois d'insister sur l'autre côté de l'affaire, c'est-à-dire sur le déplacement des personnes au sujet desquelles nous ne pouvons
pas tolérer qu'elles restent en fonction. M. Laval a naturellement aussi besoin de notre accord quant à son projet
visant à pourvoir les postes en question... »

Au cours d'un entretien avec Laval le 20 décembre, le
général S.S. Oberg et le colonel Knochen lui imposèrent la
nomination de Marcel Déat, de Joseph Darnand et de Philippe Henriot comme membres du gouvernement. Laval

2. Document n° NG-5.211. — Berlin, le 15 décembre 1943. — Cabinet
du ministre des affaires étrangères du Reich 201/43. Très secret.

réussit à écarter provisoirement Déat, mais il fut contraint d'accepter Henriot et Darnand. Le premier devenait dans le gouvernement remanié secrétaire d'Etat à l'Information et à la Propagande, le second secrétaire général au Maintien de l'Ordre. A la suite d'un nouvel ultimatum, Marcel Déat fut nommé par décret du 16 mars 1944 ministre secrétaire d'Etat au travail et à la Solidarité Nationale.

En juillet 1944, les Ultras voulurent profiter des événements pour lancer une nouvelle offensive contre Laval et son gouvernement. Ils publièrent un manifeste intitulé « Déclaration commune sur la situation politique. » Il était signé notamment par Abel Bonnard, Marcel Déat, Fernand de Brinon, Jean Bichelonne, Amiral Platon, Jacques Benoist-Méchin, Jacques Doriot, Jean Luchaire, Georges Guilbaud, Georges Albertini. Ils déclaraient : « ... Nous sommes à la veille de la grande épreuve de force entre le gouvernement, responsable de l'ordre et garant d'une politique qu'il n'a pas officiellement désavouée, et la Résistance, appuyée sur des masses populaires profondément travaillées par la propagande alliée... Elle s'engage dans les pires conditions. D'un côté, une volonté très nette, une constante affirmation qu'on a la force avec soi, de l'autre, une action gouvernementale purement défensive, minée intérieurement par le doute et l'hésitation. L'impuissance des pouvoirs publics n'est plus ignorée de personne. L'audace et l'effectif de l'armée de désordre s'en accroissent d'autant. A tort ou à raison, les dernières déclarations du chef de l'Etat et du chef du gouvernement ont été unanimement interprétées comme le signe d'un profond malaise... Imaginer que le gouvernement puisse survivre aux prochains effondrements, c'est se leurrer profondément... C'est avec cette anarchie intérieure qu'il faut en finir au plus vite. Le mal est d'ordre politique. Il est né de l'absence d'une définition claire du choix de la France dans le conflit mondial et des devoirs civiques qui découlent inéluctablement de ce choix. Des gestes et des actes lui prouveront que la force, la foi et l'intelligence sont de son côté, et non pas du côté de ses adversaires. Des milliers de fonctionnaires, des millions de Français se rallieront à l'autorité lorsqu'elle se manifestera. La trahison des uns, l'égarement des autres ne sont dus qu'à la défaillance de ceux qui doivent les commander. Si l'on veut bien tenir pour évident que la politique de 1940, affirmée et renforcée, est la seule concevable, on en conclura qu'un gouvernement, quel qu'il soit, ne peut désormais maintenir la France qu'en affirmant sa force dans le cadre de cette politique. Les actes essentiels qu'il faut accomplir se réduisent initialement à un petit nombre : 1) Sur le plan des déclarations, prise de position formelle et continue du gouvernement. — 2) Retour à Paris du gouvernement. — 3) Elargissement du gouvernement par l'entrée d'éléments indiscutables. — 4) Réforme du fonctionnement intérieur du Conseil des ministres qui doit être appelé à délibérer et à se prononcer sur la politique générale. — 5) Sanctions sévères allant jusqu'à la peine capitale à l'égard de tous ceux dont l'action encourage la guerre civile ou compromet la position européenne de la France. C'est seulement à ce prix que l'Etat français reprendra figure. C'est seulement à ce prix que le Reich retrouvera à ses côtés une France capable de parcourir avec lui la dernière partie du chemin qui mène à la victoire de l'Europe. Si ces conditions ne sont pas réalisées, l'Allemagne devra finir la guerre en traînant tout le poids d'une France plongée dans le chaos. »

Lorsqu'il eut connaissance de ce manifeste, Laval convoqua un Conseil des ministres extraordinaire qui se tint le 12 juillet 1944. Il s'adressa plus particulièrement aux ministres qui l'avaient signé et se trouvaient présents : Bonnard, Brinon et Bichelonne ; Déat était absent[3]. « Je comprends, déclara Pierre Laval[4], que les signataires de ce texte ne sont pas d'accord avec mes déclarations du 6 juin[5]. Ils demandent que le gouvernement français fasse quelques gestes. Je demande lesquels ? Ils demandent aussi un élargissement du gouvernement. Je demande par quels éléments ?... Un membre du gouvernement est contraint d'avoir

3. Marcel Déat n'assistait jamais aux Conseils des ministres.

4. Procès-verbal du Conseil des ministres du 12 juillet 1944.

5. Pierre Laval avait déclaré dans son allocution du 6 juin 1944 : « Nous ne sommes pas dans la guerre. Vous ne devez pas prendre part aux combats ».

une vue plus réaliste des choses et il doit, dans les circonstances présentes, éviter soigneusement tout ce qui peut troubler les esprits et diviser encore les Français... Vous voulez que le gouvernement revienne à Paris. Le siège légal est à Vichy. J'ajoute que les conditions politiques du retour du gouvernement à Paris ne dépendent pas de nous ; elles dépendent du gouvernement allemand et elles ne sont pas réalisées. Il s'agit en particulier de la censure et du contrôle de la Presse et quand je vois précisément les signatures des directeurs de journaux qui sont au bas de ce papier, je comprends encore mieux la nécessité de ce contrôle... Mais en réalité, je vois dans ce papier une chose claire, éblouissante. Il faut que je m'en aille, qu'on me remplace. En d'autres temps, peut-être que je m'en irais, mais quand je lis ce papier, je ne suis pas convaincu. Il s'agit d'élargir le gouvernement : par qui ? Par M. Platon. Vous allez voir le style de M. Platon. Il oublie que la correspondance est surveillée. Il a écrit, il y a quelques jours, à son frère, et voici ce que j'ai lu dans sa lettre : « Je trouve pénible qu'un chef du gouvernement déclare que nous ne sommes pas dans la guerre. Cet homme mérite non pas d'être fusillé, mais pendu, il le sera »... Quant à l'élargissement du Ministère, on ne me dit pas les noms ; quand on me les dira, nous en discuterons. Mais j'en viens maintenant au problème général. Ce n'est pas aujourd'hui que j'ai pris ma position politique... J'ai un assez long passé politique derrière moi et je n'accepte pas les leçons des personnages qui ont signé ce papier. Je ne pense qu'à la France et veux y mourir ; je ne quitterai jamais mon pays. Dans ce papier, on ne parle pas de la France, on ne parle que de l'Europe... Quand on est ministre et non pas un simple agitateur, on agit avec mesure. Ma position n'a pas changé, je veux un accord total avec l'Allemagne ; ainsi, les observations de ces Messieurs ne m'impressionnent pas. Au moment du débarquement, le 6 juin, j'ai prononcé un discours et on me reproche d'avoir dit : « La France n'est pas dans la guerre. » On veut que la France entre dans la guerre aux côtés de l'Allemagne. Avec quelles armes ? M. Déat dit qu'il n'est pas neutre ; qu'il s'engage donc, c'est facile. M. Déat voudrait que la L.V.F. et les Waffen S.S. aillent combattre en Normandie ; je m'y suis opposé et j'ai fait valoir aux Allemands que, lorsqu'on verrait d'un côté des troupes françaises nombreuses et de l'autre, quelques centaines de soldats combattant dans les rangs allemands, les véritables sentiments des Français éclateraient d'une façon visible. Je maintiens donc aujourd'hui intégralement ma position. Je n'ai contre moi que quelques fous peu pressés d'ailleurs d'aller se battre eux-mêmes... Alors, je vais vous poser une question : on dit à Paris « Laval est neutre, ce n'est pas tolérable », et Platon ajoute : « Il faut le pendre. » Y a-t-il des ministres qui pensent que la France puisse avoir une autre politique que la mienne ? » Abel Bonnard ayant répondu qu'il fallait « agir par le petit nombre organisé sur le grand nombre qui ne l'est pas », Laval répliqua : « Qu'est-ce que cela veut dire ? Ce petit nombre, est-ce que ce sont des mouvements politiques payés par le gouvernement allemand ? Ce ne sont pas des mouvements français, et ces comités de paix sociale qui ne sont que des groupes de dénonciateurs, c'est cela qui va revivifier la France ? Il faut que Déat cesse son action, qu'il démissionne ou qu'il me remplace. Je ne peux plus collaborer avec lui. S'il prend le pouvoir, c'est la catastrophe et la guerre civile sera précipitée. Pour conclure, je vais vous poser une question : « Etes-vous d'accord sur la politique exprimée par mon message du 6 juin et plus spécialement par la phrase « Nous ne sommes pas dans la guerre » ? Aucun des ministres n'ayant fait une objection, Laval fit remarquer : « Alors, je considère que nous sommes d'accord. » Le Conseil des ministres se termina dans le silence.

Après son arrestation par les Allemands et sa déportation en Allemagne, Pierre Laval se considéra comme prisonnier. Il n'eut plus aucun rapport avec les Ultras. Ceux-ci créèrent deux gouvernements dissidents : la Commission gouvernementale pour les Intérêts français en Allemagne sous la présidence de Fernand de Brinon, qui sera remplacée par le Comité de Libération Française, fondé par Jacques Doriot.

2

Le Dossier de l'Accusation

Au procès, l'accusation n'a fait allusion aux rapports de Laval avec les Ultra collaborateurs qu'à propos de la nomination de Darnand comme secrétaire général au Maintien de l'Ordre. Il convient donc de se reporter au chapitre consacré à la Milice.

3

Le Dossier de la Défense

A) Il ressort du réquisitoire du Commissaire du gouvernement au procès de Otto Abetz la preuve que le gouvernement allemand a exigé l'entrée au gouvernement présidé par Pierre Laval de ces Ultra collaborateurs : « Nous laisserons de côté le problème politique qui a consisté à exiger du gouvernement de Vichy que Laval demeure en place et à remplacer les ministres hostiles à l'Allemagne par les Darnand, Henriot et Déat. »

B) Dans son rapport à Hitler du 9 août 1943, Sauckel se plaignait de l'attitude hostile de Laval à l'égard des partis collaborateurs de Paris. Il écrivait[6] : « Laval lui-même, évidemment, ne possède plus une autorité suffisante pour avoir sous la main d'une façon constante et sûre l'administration et la police pour l'exécution des mesures prises par lui. Il y a là, toutefois, dans une certaine mesure, une faute de Laval lui-même qui, ne fût-ce qu'en partie, n'a même pas appliqué les lois qu'il a édictées. A cela s'ajoute le fait que Laval, maintenant, s'isole complètement de groupes tels que, par exemple, celui de Doriot et celui de Bucard, qu'il s'est même brouillé avec eux. Il en a même souhaité la dissolution. Il s'agit, en l'espèce, de groupes qui ont proclamé la collaboration sans réserve avec l'Allemagne et qui fournissent les contingents les plus importants de volontaires français, pour les Waffen-S.S., pour la Légion des Volontaires Français, pour l'Organisation Todt et qui, également, soutiennent ouvertement l'embauchage allemand. »

C) Fernand de Brinon critiquait ouvertement Laval dans une lettre qu'il adressait le 17 mai 1943 à Gœbbels[7] :

« Lorsque M. Laval a à nouveau assumé le pouvoir, il n'a pas réalisé les changements indispensables à un moment où beaucoup de personnes les jugaient possibles. Il s'est borné à se débarrasser d'un certain nombre d'individus qui avaient joué un rôle dans les machinations du 13 décembre 1940...

» ... Lorsqu'on examine certains détails, on n'a pas de peine à découvrir que, dans la presse et dans la radio, les adversaires notoires de la collaboration franco-allemande continuent toujours à travailler, que beaucoup de postes administratifs, qu'un nombre non négligeable de préfectures et de nombreuses municipalités sont occupées par des ennemis tolérés, par des partisans de l'ancien régime, et que le gouvernement permet à une bonne partie du clergé de manifester une attitude hostile à l'occasion de l'enseignement religieux ou des sermons.

» ... On ne s'explique pas que la sèule mesure de force

6. Archives de Nuremberg — Réf. 5780/366/43.
7. Archives de Nuremberg.

prise après le retour de M. Laval de Berchtesgaden, lorsqu'on l'avait invité à en finir avec ses adversaires politiques, ait consisté à envoyer en résidence surveillée l'amiral Platon, qui est un des rares officiers supérieurs qui a toujours manifesté ses sentiments hostiles à l'égard des Soviets, de l'Angleterre et de l'Amérique. »

D) Nous citerons enfin cet extrait de l'étude sur « Les aspects politiques de l'occupation de la France par les Allemands » parue dans la Revue d'Histoire de la Deuxième Guerre Mondiale N° 54 : « Parallèlement à cette prise en charge de toutes les forces françaises de répression, l'occupant exige que toutes les modifications de lois projetées par le gouvernement de Vichy soient d'abord acceptées par lui. Enfin, la menace de toujours est réalisée : des leaders des partis de la collaboration de Paris sont introduits dans le gouvernement de Vichy. »

LES TEMOINS DE LA DEFENSE.

— Jacques Guérard, secrétaire général du gouvernement [8] :

Avant de quitter Paris (en avril 1942), Laval élimine adroitement Déat en jouant de Doriot : « Je ne pourrais vous embarquer l'un sans l'autre, lui dit-il dans le cabinet particulier du Cercle Européen où nous déjeunions tous les trois, et cela ne ferait ni votre affaire ni celle du Maréchal ni la mienne. »

— André Parmentier, directeur général de la Police Nationale. (HI-I-564).

Je me présentai au cabinet de Pierre Laval, le 26 décembre 1943 dans la matinée. Il m'entretint à nouveau des difficultés qu'il rencontrait non seulement auprès des Autorités allemandes, mais aussi auprès de certains organismes français. Il en vint au sujet qui avait motivé ma convocation et me révéla qu'il s'était trouvé dans l'obligation

8. « Criminel de Paix ». — Page 72.

— du fait des occupants — d'accepter de procéder à certaines désignations nouvelles dans son équipe ministérielle. Il me signala qu'il avait dû nommer notamment au secrétariat général du Maintien de l'Ordre Joseph Darnand. Il me demanda si je connaissais celui-ci : je n'avais jamais rencontré Darnand, dont me séparaient les opinions politiques (Darnand avait été d'Action Française, j'étais républicain), ainsi que nos résidences géographiques (Darnand était Niçois, j'habitais Dunkerque).

Pierre Laval me vanta le passé militaire du nouveau Secrétaire général, en ajoutant qu'il comptait sur son bon sens. Mais le chef du Gouvernement manifesta au contraire une certaine inquiétude sur les agissements éventuels des collaborateurs de Darnand, — que, personnellement, je ne connaissais pas davantage que leur chef. Ces préliminaires étant acquis, Pierre Laval ne me cacha pas que, pour dissiper ses inquiétudes personnelles, il désirait mettre à la Direction générale de la Police nationale — administration dépendant à l'avenir de Darnand — un homme pondéré et non partisan, susceptible, dans toute la mesure du possible, de pallier les exagérations miliciennes, de rassurer la police traditionnelle, de maintenir celle-ci dans le loyalisme administratif.

Sur son désir de faire cette nomination, les Allemands avaient suggéré le nom de plusieurs personnalités ; Pierre Laval les écarta, me dit-il, pour la seule raison que celles-ci avaient été présentées par les Autorités d'occupation. Cette présentation était, pour le Président, une raison suffisante et péremptoire pour lui opposer une fin de non-recevoir. Je n'ai pas autrement retenu les raisons qui avaient incité Pierre Laval à me solliciter.

— Helmut Knochen, chef de l'Etat-Major S.S. en France (HI-III-1774).

Dans sa politique personnelle, Pierre Laval s'efforçait de maintenir partout les anciens fonctionnaires et de ne pas les remplacer par des membres du P.P.F., du R.N.P., etc. Lorsque les services allemands faisaient des demandes de révocations, Laval réussissait presque toujours à maintenir les anciens fonctionnaires comme préfets ou sous-préfets, ou à les caser dans des postes administratifs, ou à choisir les nouveaux fonctionnaires dans les anciens cadres.

C'est ainsi que Bousquet resta Secrétaire général à la Police en 1942-1943, après avoir été précédemment Préfet. Lorsque Oberg exigea, fin 1943, de Laval la destitution de Bousquet, Laval avait déjà prévu un autre préfet pour lui succéder. Sur la pression d'Himmler, Oberg exigea cependant que Darnand fût pris comme successeur de Bousquet, ce qui provoqua une énergique protestation de la part de Laval. Comme Laval n'était pas parvenu à son but, il diminua aussitôt l'importance de la position de Darnand par des dispositions ministérielles internes et des modifications organiques.

4

Les déclarations de Pierre Laval

Déposition de Pierre Laval au procès Pétain. (Audience du 4 août 1945)

Le Premier Président lui ayant demandé dans quelles conditions Darnand, Déat et Philippe Henriot avaient été choisis comme ministres, Pierre Laval répondit :

« Je vais répéter une chose que j'ai déjà dite bien des fois : nous n'étions pas libres. En ce qui concerne la nomination de M. Déat en particulier, j'y ai résisté pendant des mois ; c'était, d'ailleurs, de notoriété publique à Paris. Ce refus de ma part de laisser entrer M. Déat dans le gouvernement faisait l'objet de polémiques dans les journaux parisiens ; c'était le sujet de nombreuses conversations ; c'était un sujet traité dans les rues. Un jour, j'ai dû céder. M. Déat est entré. Le Maréchal m'a dit qu'il ne participerait pas aux conseils du gouvernement auxquels assisterait M. Déat. En fait, le Maréchal n'a pas eu à refuser d'assister à un conseil des ministres auquel aurait participé M. Déat, car M. Déat n'est jamais venu à Vichy... Il n'assistait qu'aux réunions de ministres qui avaient lieu à Paris. A ces réunions d'ailleurs, son attitude était très réservée ; il l'était beaucoup moins dans les initiatives qu'il prenait et qui étaient en contradiction avec les ordres que je donnais. »

— *Le Premier Président :* « Déat vous a été indiqué par les Allemands. Philippe Henriot vous a été indiqué par les Allemands. Le maréchal Pétain et vous aviez une répugnance à les prendre et vous les avez pris quand même ? »

— *Pierre Laval :* « A ce moment-là, le Maréchal m'avait délégué le droit de nommer les ministres. Par conséquent, c'est moi qui les ai nommés. J'ai nommé M. Déat, mais sous une pression qui n'a pas duré un jour, qui a duré des semaines et, je peux même dire des mois. Je l'ai regretté ensuite. ...Philippe Henriot était dans les services de l'Information depuis longtemps. Il parlait à la radio. La situation de Philippe Henriot, par sa nomination, n'a pas été modifiée. Cela n'a été qu'une sorte de consécration d'un état de fait qui existait déjà. Pour Darnand, alors la chose est beaucoup plus compliquée et aussi, beaucoup plus importante [9]. »

9. En ce qui concerne les circonstances de l'entrée au gouvernement de Joseph Darnand, il sera utile de se reporter au chapitre suivant traitant de la Milice.

CHAPITRE II

LA MILICE

1

Les Faits

La création de la Milice répondait à un diktat d'Hitler. Lors de l'entrevue qu'il avait eue avec Laval le 19 décembre 1942, Hitler avait exigé que la police française de la zone sud soit réorganisée et placée sous l'autorité des organismes ultra-collaborateurs. Laval décida de transformer le Service d'Ordre Légionnaire en une Milice qui deviendrait une police supplétive, sous l'autorité des préfets. Une scission s'était en effet créée entre la Légion française des Combattants et son service d'ordre, le S.O.L. dont le chef était Darnand. Cette transformation fut décidée par la loi du 30 janvier 1943, à laquelle étaient annexés les statuts de la Milice. Elle devait être composée « de volontaires moralement prêts et physiquement aptes à soutenir l'Etat nouveau par leur action et à concourir au maintien de l'ordre intérieur ». Elle ne pourrait intervenir qu'en zone sud (ancienne zone libre) comme le S.O.L. dont elle était l'émanation. Le chef du gouvernement était le chef de la Milice, qu'un secrétaire général administrerait. Ce poste fut confié par un arrêté du 30 janvier 1943 à Darnand.

Très vite, les chefs des partis ultra-collaborateurs, hostiles au gouvernement, cherchèrent à étendre l'activité de la Milice à la zone occupée dans le but d'accroître leurs moyens de pression et de propagande. Ils soumirent cette idée aux autorités allemandes dans le manifeste intitulé « Plan de redressement national français »[1] par lequel ils sollicitaient leur appui pour imposer leur entrée au gouvernement. Hitler comprit l'intérêt qu'il aurait à appuyer ce mouvement. Il fit parvenir au maréchal Pétain, par l'intermédiaire de Ribbentrop, un ultimatum[2] lui imposant la nomination à des postes clés des chefs ultras. Il était précisé par le ministre allemand : « En tant que puissance occupante, l'Allemagne a également un intérêt légitime à ce que l'ordre et la justice règnent pendant la guerre dans les zones de l'arrière de ses armées combattantes et elle espère que le gouvernement français prendra toutes les mesures nécessaires pour assurer cet ordre et cette justice. Si le gouvernement français n'était pas en situation de le faire, le gouvernement du Reich devrait se réserver de prendre d'autres décisions au sujet de la situation intérieure en France. » Faisant suite à cet ultimatum, Berlin imposa l'entrée de Darnand, l'un des signataires du manifeste, au gouvernement et sa nomination comme secrétaire général au Maintien de l'Ordre. Ses attributions furent déterminées par le général S.S. Oberg et le colonel Knochen et les mesures à prendre notifiées à Laval le 6 janvier 1944. Un décret du 10 janvier 1944 nomma Darnand secrétaire général au Maintien de l'Ordre et lui donna autorité sur l'ensemble des forces de police.

LES TEXTES

Loi N° 63 du 30 janvier 1943 *relative à la Milice française (J.O. du 31 janvier 1943).*

    Le chef du gouvernement, vu les actes constitutionnels N°s 12 et 12 bis, le Conseil de Cabinet entendu, Décrète :

1. Se reporter au chapitre précédent.

2. Cet ultimatum était contenu dans une lettre de Ribbentrop en date du 29 novembre 1943 qu'Abetz remit le 4 décembre au Maréchal Pétain (se reporter au chapitre précédent).

Article 1 : *La Milice française qui groupe des Français résolus à prendre une part active au redressement politique, social, économique, intellectuel et moral de la France est reconnue d'utilité publique. Ses statuts annexés à la présente loi sont approuvés.*

Article 2 : *Le chef du gouvernement est le chef de la Milice française. La Milice française est administrée et dirigée par un secrétaire général nommé par le chef du gouvernement. Le secrétaire général représente la Milice française à l'égard des tiers.*
Statuts annexés :

Mission : La Milice française a la mission, par une action de vigilance et de propagande, de participer à la vie publique du pays et de l'animer politiquement.

Administration : La Milice française est dirigée par un secrétaire général désigné par le chef du gouvernement. Le secrétaire général est assisté de deux administrateurs nommés sur sa proposition par le chef du gouvernement.

Recrutement : La Milice française est composée de volontaires moralement prêts et physiquement aptes, non seulement à soutenir l'Etat nouveau par leur action, mais aussi à concourir au maintien de l'ordre intérieur.

ARRETE du 30 janvier 1943.

Le chef du gouvernement, vu la loi N° 63 du 30 janvier 1943,

Arrête :

Article unique : *M. Joseph Darnand est nommé secrétaire général de la Milice française.*
Signé : Pierre Laval.

DECRET N° 256 du 10 janvier 1944 *portant délégation de pouvoirs au secrétaire général au Maintien de l'Ordre.*

Le chef du gouvernement, vu l'acte constitutionnel N° 12,
Décrète :

Article 1er : *Par délégation du chef du gouvernement,*

ministre de l'Intérieur, M. Joseph Darnand, secrétaire
général au Maintien de l'Ordre, a autorité sur l'ensemble
des forces de police, corps et services qui assurent la sécu-
rité publique et la sûreté intérieure de l'Etat. Il doit
rendre compte de l'exercice de cette autorité au chef du
gouvernement, ministre de l'Intérieur, dans les conditions
qui lui sont fixées par ce dernier ....

Signé : Pierre Laval.

2

Le Dossier de l'Accusation

LE REQUISITOIRE

Cependant, Messieurs, quelque aide que le gouvernement
de Vichy s'applique à fournir aux forces de l'Axe, la
roue commence à tourner. Nous sommes à la fin de 1943.
La situation de l'Allemagne en Russie est désespérée. En
Afrique du Nord, l'armée de Rommel a été battue. Le ton
de Laval devient de plus en plus sombre et devant les événements qui le trahissent, il se laisse aller à des accès de
colère. Dans un tract distribué à profusion avec les couleurs françaises, dans le *Petit Marseillais*, dans le *Petit
Parisien*, dans l'*Action Française*, dans les journaux de la
zone libre, comme dans ceux de la zone occupée, se devine
le gros souci qui le harcèle, c'est le débarquement sur
les côtes françaises. L'Italie est à moitié occupée, l'Axe a
été chassé de l'Afrique du Nord, alors, le dernier acte du
drame, on le prévoit, et cela les affole aussi bien à Berlin
qu'à Vichy. « Si je ne sais quelles guérillas éclataient, dit
Laval, c'en serait fait de la France, mais je tiendrai jusqu'au bout ; l'armée allemande ne sera pas battue, soyez-en

assurés. » On dirait qu'il cherche un refuge dans cette affirmation de la force allemande. « Sans doute, les Américains se sont emparés de l'Afrique, par la trahison honteuse de certains Français parjures. D'autres chez nous ont pris les armes. Eh bien, je vous répète que l'Angleterre, alliée de l'Amérique et des gaullistes, n'aura pas raison de l'Allemagne. » Et, passant aux menaces, il dit : « Il y aura de l'incompréhension, des résistances, des trahisons. Les égarés seront remis dans le droit chemin. Je frapperai. » Je frapperai. C'est déjà l'annonce de Darnand, de la Milice, des cours martiales. Darnand, nous savons que c'est le maréchal Pétain qui l'a présenté à Laval. « Darnand, lui a-t-il écrit, est un homme de l'énergie et de la volonté duquel on peut répondre. » Cela devait impressionner un homme comme Laval ; et il l'a si bien apprécié qu'après l'avoir nommé secrétaire général au Maintien de l'Ordre, il en a fait un ministre de l'Intérieur. Et voici en quels termes, il le présentait aux Intendants de Police : « Nous vivons des moments particulièrement difficiles. Il nous faut concentrer toutes nos énergies et tendre toute notre volonté pour maintenir l'ordre intérieur. Joseph Darnand a cette énergie et cette volonté. » Pour en terminer avec le rôle de Laval dans cette sombre affaire de la Milice et des cours martiales, je mets enfin sous vos yeux, les instructions que lui-même a données aux forces destinées au Maintien de l'Ordre. Elles sont signées de lui. Je me contenterai de vous en citer deux passages : « Mars 1944. — Au cas où des opérations de caractère militaire seraient entreprises sur le territoire français et opposeraient des armées étrangères à l'armée allemande, la mission des forces chargées du maintien de l'ordre consiste à contribuer à la sécurité de l'armée allemande qui n'est pas engagée dans le combat ». Enfin, écoutez ceci : « Les forces du Maintien de l'Ordre s'opposeront par tous les moyens dont elles disposeront à la mobilisation et à la mise en œuvre de groupes de résistance. » Une armée contre la Nation ! Voilà où l'on en arrive lorsqu'on a commis cette monstrueuse erreur — je dis monstreuse parce que ce n'est pas seulement une erreur de la raison, c'est une erreur du cœur — voilà où l'on en arrive quand on a commis cette erreur monstrueuse qui, alors que l'ennemi occupe votre territoire, et poursuit une lutte à mort contre votre ancienne alliée, consiste à conclure avec lui une entente basée sur un intérêt commun. Un intérêt commun ! Comme s'il pouvait y avoir une autre attitude et un autre devoir pour une nation dans la situation où se trouvait la nôtre, que de rester unie à l'alliée avec laquelle elle a commencé la lutte et à laquelle elle a promis fidélité.

3

Le Dossier de la Défense

1) La création de la Milice fut-elle le fait de Laval ou agit-il sous la contrainte allemande ?

a) Hitler avait décidé, après l'occupation de la zone libre, de faire contrôler la police française par sa propre police. Il déclara lors d'une conférence à l'O.K.W. le 1er décembre 1942[3] : « Nous allons lui passer le mors et travailler avec elle seule... Rien n'est plus haï que la police en France et elle recherche des appuis auprès d'une autorité plus forte que celle de son propre Etat, c'est-à-dire auprès de nous. » C'est cette décision qu'il notifia à Laval le 19 décembre 1942 au cours de l'entretien qu'il lui accorda.

b) Dès le mois de mai 1942, la prise en charge de la police allemande en France par les services de la Sipo-S.D. avait permis aux autorités allemandes de contrôler plus facilement la police française[4].

3. Archives de l'O.K.W.
4. « La répression allemande en France de 1940 à 1944 » in Revue d'Histoire de la deuxième guerre mondiale — N° 54.

2) L'entrée de Darnand au gouvernement et sa nomination comme secrétaire général au Maintien de l'Ordre furent-elles décidées de son propre chef par Laval ou y fut-il contraint par Berlin ?

a) Ribbentrop écrivait dans la lettre qu'il adressa le 29 novembre 1943 au maréchal Pétain : « Toute cette évolution en France prouve également une chose, c'est que la politique de la direction suprême de l'Etat français à Vichy s'est engagée dans une voie que le gouvernement du Reich ne saurait approuver et qu'il n'est pas disposé à accepter dans l'avenir en tant que puissance occupante, vu sa responsabilité pour le maintien du calme et de l'ordre public en France. Pour mettre fin à l'état de choses actuel qui est devenu intolérable, le gouvernement du Reich se trouve aujourd'hui dans l'obligation de demander à la direction suprême de l'Etat français : que, désormais, toutes les modifications de lois projetées soient soumises à temps à l'approbation du gouvernement du Reich ; qu'en outre, M. Laval soit chargé de remanier sans délai le cabinet français dans un sens acceptable pour le gouvernement allemand et garantissant la collaboration. Ce cabinet devra jouir de l'appui sans réserve de la direction suprême de l'Etat ; enfin, la direction suprême de l'Etat sera responsable des mesures prises en vue d'éliminer immédiatement tous les éléments gênant le travail sérieux de redressement dans les postes influents de l'administration, ainsi que la nomination à ces postes de personnalités sûres. »

b) Abetz a écrit [5] : « Il fut créé un secrétariat général pour le maintien de l'ordre et il fut confié, non sans pression sur Laval, au chef de la Milice française Joseph Darnand. »

c) On lit sous la plume de Henri Michel [6] : « En décembre 1943, Darnand, chef de la Milice, est nommé secrétaire général au Maintien de l'Ordre, après menace par le général S.S. Oberg de prendre lui-même en main la police française. »

---

5. « Histoire d'une politique franco-allemande ».
6. Revue d'histoire de la deuxième guerre mondiale — N° 54.

d) L'historien allemand Eberhard Jäckel a écrit [7] : « Oberg, sur l'ordre de Himmler, demandait que Joseph Darnand remplaçât Bousquet à la tête de la police française... Il avait gagné la confiance des Allemands à Paris, celle d'Oberg surtout, et il avait le grade de obersturmführer des Waffen-S.S. français. Il semblait donc tout indiqué pour garantir une étroite collaboration entre la police française et le Höherer S.S.-und Polizeiführer. Dans ces circonstances, il n'est pas étonnant que les pourparlers avec Laval aient été laborieux... Les discussions se poursuivirent pendant plusieurs jours, mais sans résultat. Abetz dut constater, s'il ne le savait déjà, qu'en la circonstance son procédé habituel, jouer de Laval contre Pétain, ne pouvait lui servir. Pour une fois, tous deux étaient d'accord, car il y allait de leur existence politique... Il ne restait qu'une solution : isoler Pétain et Laval... Il se trouva que, très opportunément, Renthe-Fink, arrivé ces jours-là à Paris, dut être présenté au maréchal Pétain. Le 28 décembre, les deux diplomates allemands. (Le second était Abetz) se rendirent à Vichy et à l'Hôtel du Parc. Il semble que, cette fois, Laval lui-même avait recommandé de ne pas céder et la première entrevue fut orageuse... Abetz se montra très dur... La tension atteignit un paroxysme sans précédent à Vichy. »

e) Les attributions de Darnand furent définies par Oberg et Knochen au cours d'une conférence tenue avec Laval et Darnand [8].

3) Le rôle de la Milice, notamment son action de répression contre la Résistance, fut-il défini par Laval ou par les autorités allemandes sous leur contrôle ?

a) Dans une note du 6 janvier 1944, Oberg détermina les pouvoirs dont disposerait Darnand. Il commanderait les

---

7. « La France dans l'Europe de Hitler ». — Fayard 1968. — L'auteur donne les références suivantes : télégrammes d'Abetz des 12, 21 et 23 décembre 1943 et le dossier « Französische Miliz » DZ/BA rchMil/W 02-20/33-O.K.W./1.492.

8. « La répression allemande en France de 1940 à 1944 » in Revue d'Histoire de la deuxième guerre mondiale n° 54.

forces de police françaises et devrait les engager dans la répression contre la Résistance.

b) Le 12 février 1944, Oberg fixa l'une des actions imposées à la Milice, à l'occasion de la création de groupes d'auto-protection (Selbschutz) [8] : « La Selbschutz sera composée de membres volontaires des partis français autorisés en zone occupée. Les Francs-Gardes de la Milice seront instruits en liaison avec la Selbschutz... Celle-ci devra être engagée dans la luttte contre les terroristes et en cas de troubles intérieurs ou d'attaque contre la France ; elle assurera en outre des missions spéciales de sécurité, comme la garde des voies de communication. »

c) Dans un rapport à Ribbentrop en date du 15 février 1944, le Dr Hemmen a reconnu que Laval n'avait agi que sur un ultimatum allemand :

« Le gouvernement de Vichy a jusqu'à présent fait montre d'une incroyable faiblesse dans la lutte active contre le mouvement de Résistance. Il semblerait presque que Laval, bien qu'il s'agisse là d'un problème vital pour la France, laisse aller les choses sciemment. ... Toute la France ressent déjà cette insécurité comme une menace insupportable. En raison de l'envahissement de la Métropole par des communistes venus de la tête de pont nord-africaine, et encore davantage dans le cas d'une invasion, cet état de choses prend pour la France, et pour nous aussi, une signification particulièrement dangereuse. Laval n'a pris la mesure sérieuse de charger Darnand de la lutte contre le terrorisme que beaucoup trop tard, et encore, ne l'a-t-il fait qu'à contre-cœur, sur l'ultimatum du S.D. Führer Oberg, tout en essayant d'en atténuer considérablement les effets. Si le président Laval veut persister dans son inaction, il ne nous sert à rien. Il devient même dangereux pour nous. »

d) Citons encore M. Michel :

● « A partir du débarquement allié en Normandie le 6 juin 1944, les autorités d'occupation ont désormais une double préoccupation : réprimer l'opposition croissante, placer sous leur commandement les quelques forces encore à la disposition des Français. Contre les maquis, les Allemands et les mercenaires à leur service prennent la relève des « corps-francs » de gendarmes ou de G.M.R. institués par Vichy et qui leur paraissent de moins en moins sûrs. ... L'autorité française est entièrement dépassée par les événements ; elle se borne à faire connaître les décisions allemandes et à inviter la population à s'y conformer « pour éviter des larmes et des douleurs inutiles ». Elle ne fait donc pas obstacle à l'action répressive, si parfois elle s'efforce de l'atténuer. Cependant, l'occupant se substitue peu à peu à elle. Dans les zones militaires, la Wehrmacht prend en charge l'attribution des titres de circulation... L'administration pénitentiaire est détachée du ministère de la Justice et rattachée au Secrétariat général au Maintien de l'Ordre ; les prisonniers dépendent donc de la Milice, dont l'instruction du 12 mars 1944 précise bien qu'elle relève exclusivement du commandement allemand de la région » [9].

● « S'il y eut lutte contre la Milice, elle fut tardive et semble-t-il, souvent vouée à l'échec » [10].

LES TEMOINS DE LA DEFENSE

— *Pierre Taittinger, ancien président du Conseil Municipal de Paris* (H.I. - I - 538).

« Je n'ai pas oublié que, dans le conflit qui a opposé le Conseil Municipal de Paris à la Milice, M. Pierre Laval a pris nettement parti pour nous. »

— Dans leurs témoignages déposés à l'Institut Hoover, les Préfets de cette époque ont attesté que Pierre Laval les a soutenus dans leur lutte contre la Milice.

9. « Aspects politiques de l'occupation de la France » in Revue d'Histoire de la deuxième guerre mondiale n° 54.

10. « Résistance et déportation » in La France sous l'occupation.

4

Les déclarations de Pierre Laval

*Interrogatoire de Pierre Laval
en date du 23 août 1945*

— DEMANDE : Qu'avez-vous à dire sur l'institution et les crimes de la Milice ? Avez-vous donc subi la nomination de Darnand sans protester ?

— RÉPONSE : J'ai déjà, au cours de ma déposition lors d'un autre procès (celui du maréchal Pétain), fait une réponse à une question du même genre. J'estime, d'ailleurs, que cette réponse est incomplète et je me propose, au cours d'un prochain interrogatoire, de m'expliquer encore à ce sujet. Mais, dès à présent, je tiens à répéter que la Milice m'a été imposée, parce que j'étais jugé trop faible dans la répression. Cette exigence, je l'ai subie des Allemands autant que du Maréchal lui-même. Si, pour protester contre l'intervention de la Milice dans la police française, j'avais quitté le pouvoir, j'aurais alors livré la France à l'aventure. Je suis resté par devoir, pour limiter les rigueurs imposées aux Français, à un moment où les événements militaires rendaient plus nerveuses et plus inhumaines les autorités d'occupation. J'ai naturellement protesté, vigoureusement protesté, vainement protesté contre cette intervention imposée par Hitler lui-même.

Déposition de Pierre Laval au procès Pétain
(Audience du 4 août 1945).

Le Maréchal connaissait Darnand mieux que moi. Je ne connaissais pas Darnand ; il était de la Cagoule, et en 1940, au 13 décembre, il n'était sûrement pas de mes amis ; il devait faire partie de ceux qui me « pourchassaient » un peu, et mon expression est modeste.

On a fait la Légion française des combattants. Cette Légion française des combattants avait un service qu'on appelait S.O.L., le Service d'ordre de la Légion. Darnand était à la tête de ce Service d'ordre de la Légion. Je n'avais, moi, aucune autorité d'aucune sorte, et je peux dire que je n'avais presque aucun rapport au début avec la Légion, qui était placée sous l'autorité presque exclusive du Maréchal, qui en était fier, et à juste titre, car elle lui était très dévouée, je parle de la Légion, le S.O.L. étant, dans l'organisation, inclus dans la Légion.

Par conséquent, Darnand était déjà un personnage officiel en sa qualité de chef du S.O.L. de la Légion.

Des dissentiments, comme il arrive souvent dans ces organisations, dans ces groupements, se sont produits, et le S.O.L. et la Légion ont, d'un commun accord, décidé de se séparer. La Légion, disait-elle, restera sous l'autorité du Maréchal ; et le S.O.L., parce qu'il voulait aussi avoir une autorité qui lui garantisse des avantages officiels, sous l'autorité du chef du Gouvernement, autorité purement nominale parce que je ne le connaissais pas.

J'ai dit : « Si vous voulez. » Je n'ai pas fait d'objection, d'autant, et je le dis sans arrière-pensée, que toute mesure qui affaiblissait l'autorité de la Légion m'était agréable, parce que je trouvais que ses interventions et ses empiètements dans les services officiels ne pouvaient avoir que de mauvais résultats en ce qui concerne la bonne administration du pays. Elle intervenait à tout propos et hors de propos. Elle avait l'audience du Maréchal ; chaque mercredi, des délégués venaient trouver le Maréchal, en l'absence, naturellement, du chef du Gouvernement, qui n'assistait pas à ces réunions.

La Légion se plaignait de ce que les choses allaient mal dans le pays, de ce que j'étais trop faible dans la répression, de ce que je manquais d'autorité, de ce que la Révolution nationale n'était pas suffisamment appuyée.

Bref, j'ai connu tous ces griefs et toutes ces lamentations qui étaient vers moi dirigés. Par conséquent, quand on a affaibli la Légion en lui enlevant une partie de ses effectifs et de ses cadres, je n'y ai vu, pour ma part, aucun inconvénient.

Vous m'avez demandé autre chose, vous m'avez demandé comment M. Darnand est entré au gouvernement. Là, monsieur le président, j'en demande pardon, mais j'ai besoin de faire un petit exposé, parce qu'il est important que vous sachiez comment j'ai été amené à me séparer de M. Bousquet, qui avait toute ma confiance, qui est un fonctionnaire remarquable, qui a été un des plus jeunes préfets de France, qui était connu et apprécié par tous ceux qui l'approchaient et qui, en tout cas, méritait la confiance que j'avais mise en lui.

M. Bousquet était, au début, aussi d'accord avec le Maréchal. Le Maréchal l'estimait beaucoup. Le Maréchal appréciait beaucoup son caractère ; il avait aussi confiance en lui. Mais le Maréchal a une marotte depuis 1940, c'est de ne jamais me voir au ministère de l'Intérieur.

En 1940, je n'y étais pas. Je sais ce qu'il m'en a coûté. Quand je suis revenu au gouvernement, j'ai exigé d'entrer au ministère de l'Intérieur.

J'y suis entré, mais tout était bon et tout était prétexte au Maréchal pour dire : « Vous n'avez pas le temps de vous occuper du ministère de l'Intérieur, vous avez trop à faire, et puis ça ne marche pas. Il y a du désordre dans le pays, vous n'avez pas la main assez ferme. » Et finalement, ces griefs qu'il dirigeait contre moi, il a fini par les diriger contre M. Bousquet.

Les Allemands, alors, étaient beaucoup plus sévères. Ils me disaient : « Vous manquez de fermeté. — Nous avons, nous, disaient les services de police, à assurer la sécurité de notre armée. Si la police française n'assure pas cette sécurité et n'empêche pas ou ne recherche pas les auteurs des attentats qui sont commis contre notre armée, nous sommes obligés d'intervenir d'une manière brutale. »

Et Bousquet a été par eux considéré à un moment donné comme indésirable ; considéré indésirable par le Maréchal, considéré indésirable par les Allemands.

C'est à ce moment que je reçus l'invitation d'avoir un entretien avec le général Oberg et le colonel Storren. Le général Oberg, sur un ton qui n'admettait pas beaucoup la discussion, m'a dit : « Nous avons décidé que M. Bousquet ne peut plus occuper ses fonctions. Nous avons de la sympathie pour lui, il est gentil, mais il n'a vraiment pas les qualités ni la fermeté qui conviennent dans le moment présent. Et il doit s'en aller. »

Je n'avais aucun moyen d'empêcher M. Bousquet de s'en aller, d'autant que les Allemands en avaient un à leur disposition, qui était expéditif et clair : ils procédaient à l'arrestation. Ils n'ont pas arrêté tout de suite M. Bousquet, mais, peu de temps après avoir quitté son service, il a été un jour arrêté par les autorités allemandes et déporté à son tour. Elles m'ont dit : « Nous avons un homme qui nous inspire confiance, nous le connaissons, il a du caractère, il est décidé, c'est Darnand. »

Alors, les Allemands m'ont demandé de nommer Darnand secrétaire général au Maintien de l'ordre, c'est-à-dire de prendre très exactement le poste et le titre qu'avait M. Bousquet ; je crois que M. Bousquet ne s'appelait pas encore secrétaire général au Maintien de l'ordre, mais c'était l'ensemble des forces de police qui était placé sous l'autorité de ce secrétaire général.

J'ai protesté. Je n'ai jamais autant protesté qu'à cette occasion. J'ai dit tous les risques auxquels nous étions exposés ; que ce serait le désordre qui s'installerait et s'aggraverait ; qu'au lieu du résultat qu'ils espéraient obtenir, ils obtiendraient exactement le résultat contraire ; qu'au surplus le secrétaire général au Maintien de l'ordre devait avoir la pleine confiance du chef du Gouvernement, ministre de l'Intérieur ; qu'il devait être choisi par lui.

Et comme les critiques se formulaient aussi à l'égard du préfet de police, de tous les services de la police, qu'on les jugeait déficients dans la recherche et dans la répression, alors on a discuté et j'ai exigé un certain nombre de choses. J'ai exigé que les passeports à l'étranger ne puissent pas être visés par le secrétaire général au Maintien de l'ordre ; j'ai exigé que les mesures d'internement en France ne puissent pas être prises par le secrétaire général au Maintien de l'ordre ; j'ai exigé que le préfet de police conserve ses attributions et que le secrétaire général au Maintien de l'ordre ne puisse pas faire autre chose à la préfecture de police que ce que jusque-là avait fait le secrétaire général de la Police.

J'ai essayé de réduire au minimum les exigences allemandes, mais j'ai dû subir la nomination de M. Darnand. C'est vraiment un cas de force majeure.

Je me suis vraiment, monsieur le président, posé la question de savoir si je devais partir, parce que je ne doutais pas que le mal allait singulièrement s'aggraver dans mon pays ; et c'est vraiment le jour où, aussi, si je m'en allais, voyant les hommes, la direction, la tendance qu'avaient les Allemands, qu'ils nous manifestaient d'une manière ouverte et vers laquelle ils se dirigeaient, je me suis demandé à qui ils donneraient les leviers de commande de la France. Je me suis dit : « Si je m'en vais, que se passera-t-il ? » Et j'ai commis l'erreur pour moi, pour moi seul : mais j'ai rendu à mon pays, à notre pays, un service, croyez-moi, monsieur le président, plus appréciable que vous ne pouvez l'imaginer. Vous êtes nombreux dans cette salle qu'intéresse ce procès. J'ai le droit de dire qu'il y aurait peut-être le même nombre, mais que ce ne seraient probablement pas les mêmes personnes ; car il y a eu des victimes, il y en a eu d'atroces, il y en a eu jusque dans mon village ; je ne suis pas sûr qu'elles n'auraient pas été beaucoup plus nombreuses et que le bilan douloureux et tragique, surtout des derniers mois de l'occupation, ne serait pas infiniment plus lourd.

M. Darnand est arrivé dans ces conditions. Au début, il avait prêté serment, comme vous dites. Il s'était engagé aux *Waffen S.S.*, et l'engagement aux *Waffen S.S.* comporte, paraît-il, le serment à Hitler.

Sur le serment j'ai une opinion : jamais je n'ai prêté serment au Maréchal. On me l'a demandé, discrètement d'ailleurs, j'en conviens. Je n'aurais jamais prêté serment au Maréchal. Je considère que le serment qu'on demande aux fonctionnaires est une formalité humiliante, si l'on veut, pour eux, et puérile pour la vanité de celui qui l'exige.

Au XIXe siècle, il y a des fonctionnaires qui ont prêté neuf serments différents. Et quand on a fait la loi constitutionnelle de 1875, quand on a discuté la question de savoir si on devait ou non prêter un serment, on a fini par convenir que le serment était inutile. Par conséquent, qu'on prête ou non serment, le serment est inutile.

Mais le serment qu'avait prêté M. Darnand était un serment différent. C'était un serment à un chef d'Etat étranger. C'était un serment au chef du pays qui avait battu le nôtre. Alors, je lui ai posé la question, je lui ai dit : « Mais est-ce que vous ne serez pas gêné par le serment que vous avez prêté à Hitler ? »

Il m'a envoyé une note, ou a rédigé une note, en me disant qu'il considérait que son serment ne pouvait pas jouer dans l'exercice de ses fonctions.

Quand je suis arrivé, au mois d'avril 1942, j'ai enlevé aux préfets le droit d'internement. Pour réserver au ministre de l'Intérieur ce droit, j'ai nommé — parce que, quand on était dans un camp, on était perdu, on était mort comme d'une mort civile et d'une mort physique — une commission spéciale et j'ai chargé le colonel Bernon de présider cette commission. C'était un membre de la Légion, un honnête homme, courageux.

Il a été dit dans tous les camps que ceux qui avaient des réclamations à faire pouvaient les adresser. Je peux vous donner ce résultat : j'ai trouvé vingt-cinq mille hommes dans les camps, j'en ai laissé cinq mille.

Malheureusement, M. Darnand, malgré cette sorte de protocole qui avait été accepté par lui et accepté par les Allemands, a dépassé souvent la mesure, ses collaborateurs beaucoup plus que lui, et on a quelquefois interné des gens à mon insu. Personnellement, je n'ai jamais ordonné d'internements.

— *Le Premier président :* Il a surtout organisé

les expéditions et les opérations contre le Maquis, contre ceux que l'on appelait les terroristes.

— *Pierre Laval :* C'est cela, monsieur le président.

— *Le Premier président :* Je voudrais savoir quelles réactions a eues le maréchal Pétain quand il a entendu parler de ces choses abominables qui se sont passées dans plusieurs de nos villages de France.

— *Pierre Laval :* M. le Maréchal, quand Darnand a été nommé, n'a pas paru particulièrement mécontent. Il le connaissait.

— *Le Premier président :* Il le connaissait ?

— *Pierre Laval :* Oui, il connaissait Darnand, mais moins que Darnand ne le connaissait ; il l'avait vu.

Darnand était, dans les cadres, directeur de la Légion, et c'est à ce titre qu'il le connaissait.

Eh bien ! il a trouvé — il le lui a dit devant moi — que Darnand était énergique et que, très certainement, à ce poste, il accomplirait bien son devoir ; mais le Maréchal ne prévoyait pas ce qui allait se passer.

Moi, je ne faisais pas ces mêmes compliments, puisque Darnand m'était imposé, et je vous ai dit dans quelles conditions il avait été nommé.

Le Maréchal a assisté aux Conseils des ministres où Darnand rendait compte de certains actes de son administration. Tous les ministres étaient présents ; et le Maréchal recevait des protestations, comme moi-même, contre les agissements de la Milice.

Moi, j'en recevais, des protestations, et il ne se passait pas de jour sans que je dise, non pas à Darnand — qui n'était pas toujours présent, — mais à l'un ou l'autre de ses collaborateurs : « On s'est plaint. On a interné. Voulez-vous me dire pourquoi ? »

J'ai fait relâcher — cela m'est arrivé souvent — des personnes qui avaient été internées.

En ce qui concerne le Maquis, me dites-vous ?

Eh bien ! c'était le grand reproche, monsieur le président, qui m'était fait : ma faiblesse. Je manquais de cran, d'énergie. Le désordre s'accentuait.

Vous dites « terroristes » ; je veux parler librement du Maquis comme des autres choses ; dans la position où je me trouve, c'est mon devoir.

Il y avait dans le Maquis des Résistants. Ils constituaient l'immense majorité, mais il y avait aussi dans le Maquis, monsieur le président, n'en doutez pas, des hommes qui n'étaient pas inspirés, peut-être, du même idéal, et il y a eu — c'était fatal — comme dans toutes les troupes qui s'improvisent, des incidents regrettables.

Je sais qu'on me dira — et c'est vrai aussi — que des actes abominables étaient accomplis d'un autre côté. Ce sont des forces déchaînées qui se heurtaient.

Quant à moi, « je manquais de cran », « je n'avais pas la fermeté nécessaire », « j'étais trop faible dans la répression ». « M. Bousquet manquait aussi de cette énergie indispensable », « il fallait un homme ». Cela, c'est tout le monde qui en est responsable, c'est le Maréchal, ce sont les Allemands ; de plus, on ne pouvait pas faire juger.

Et alors, — cela, vous le savez, monsieur le président — j'ai dû réunir un jour dans une assemblée les premiers présidents de toute la France, puis réunir les procureurs généraux, pour essayer de maintenir, autant que je le pouvais, le respect de la légalité dans mon pays.

LIVRE 6

DOSSIERS ANNEXES

CHAPITRE I

LES ÉVÉNEMENTS
D'AFRIQUE DU NORD — NOVEMBRE 1942

1

Les Faits

Dans l'ignorance de la destination du convoi de navires ennemi qui avait été repéré, faisant route vers la Méditerranée occidentale, le Commandement Suprême de l'Armée Allemande (O.K.W.) prit la décision, en cas d'alerte, de déplacer vers l'Italie des unités aériennes basées en France et en Belgique. Elles auraient alors à survoler le territoire français. Aussi, la Délégation Française auprès de la Commission d'armistice de Wiesbaden fut-elle avisée le 6 novembre 1942 à 22 h 15 que la zone libre serait survolée le lendemain par des formations aériennes allemandes et invitée à faire prendre par les services de sécurité les dispositions nécessaires pour éviter tout incident. Il ressort de l'entretien qu'eut cette nuit-là le colonel Vignol, chef d'Etat-Major de la Délégation française auprès de la Commission allemande d'armistice, avec le colonel Görhardt, remplaçant le colonel Böhme, représentant de l'O.K.W., que le commandement allemand ne demandait pas l'autorisation de survol, mais se bornait à en aviser les autorités françaises[1]. *Il*

---

1. Les appareils allemands avaient le droit de survoler le territoire français non occupé, y compris les zones interdites, pour effectuer les missions concernant l'application de la convention d'armistice

trouvait une justification de cette mesure dans l'éventualité d'une attaque des côtes françaises, qu'il s'agisse de l'Algérie, de la Tunisie, de la Corse ou de la Métropole [2].

Le 7 novembre, le colonel Bassompierre fut envoyé par le colonel Böhme auprès du colonel Vignol afin de s'enquérir des moyens que le gouvernement français entendait mettre en œuvre pour s'opposer à ce débarquement. L'O.K.W. redoutait surtout une attaque sur les côtes de Libye, mais n'écartait pas l'hypothèse d'une tentative sur les côtes françaises. Aussi, il jugeait nécessaire un échange fréquent de renseignements entre les commandements français et allemand [3]. *A minuit, le colonel Böhme convoqua le colonel Vignol. D'après l'axe de marche de l'escadre britannique, l'O.K.W. s'attendait maintenant à un débarquement dans les régions de Constantine ou de Tunis, dont il estimait urgent que le gouvernement français préparât la défense. L'O.K.W. se déclarait prêt à appuyer les forces françaises et offrait le concours de ses avions. Il était précisé, cependant, que ceux-ci n'interviendraient que si le gouvernement français faisait appel à l'aide de l'Allemagne. Le colonel Vignol fit remarquer, en réponse, au colonel Böhme que les parties de l'Empire français menacées étaient justement celles pour lesquelles la Commission allemande d'armistice s'était toujours opposée à un renforcement de leurs moyens de défense* [4]. *De Wiesbaden, la proposition allemande fut transmise à Vichy par un télégramme adressé le 8 à 3 h 08. L'amiral Auphan, secrétaire d'Etat à la Marine, interrogea Darlan, alors à Alger, par le télégramme suivant parti de Vichy à 5 h. : « Secret et personnel. N° 58.534. — Adressé à Préfet Maritime 4° Région. — Réservé — Pour amiral Darlan — stop — O.K.W. propose concours aviation de l'Axe basée en Sicile-Sardaigne — stop — Sous quelle forme et en quel lieu sou-*

(Annexe secrète n° 28450/EM au compte rendu n° 81. — Réunions des commissions d'armistice du 3 au 9 novembre 1941).

2. La délégation française auprès de la commission allemande d'armistice. Recueil de documents publié par le gouvernement français. (Réf. 2091-C-EM). Télégramme de la D.F.C.A.A. du 6 novembre 1942.

3. Réf. 2110-C-EM.

4. Réf. 2111/C/EM.

haitez-vous ce concours ? — Auphan. — 0500/8/11 — Amirauté Française ». Darlan répondit : « Secret et personnel. N° 50.765. — Adressé à Amirauté Française. — Référence votre 58.534. — stop — Concours sur transports au large Alger. — Darlan. — 0800/8/11. P. M. 4° Région ».

A Vichy, un Conseil des ministres se réunit à 11 heures ce 8 novembre pour examiner la situation créée par le débarquement américain en Algérie et décider de la suite à donner à la proposition d'aide militaire faite par les Allemands. A l'issue de ce Conseil, le télégramme suivant partit de Vichy à 11 h 39 à destination de Wiesbaden : « Secret et personnel. N° 10.876 — Adressé à D.F.A. — D.F.I.[5]. — Ecoutez P. M. 4° Région — Comar Bizerte. — Réservé. — Gouvernement accepte concours des avions de l'Axe agissant directement de leurs bases de Sicile et Sardaigne contre transports et forces navales devant Alger. — 1139/8/11 Amirauté Française ».

Cette acceptation du concours aérien allemand ainsi limité fut transmise au colonel Böhme par une lettre du général Beynet, président de la Délégation française auprès de la Commission allemande d'armistice, que lui remit le colonel Vignol. Il la jugea trop restrictive, le refus de laisser atterrir les appareils en Afrique du Nord devant rendre inopérante leur intervention[6]. Il lui apparaissait, en conséquence, indispensable que les forces aériennes allemandes soient basées en Tunisie. A 16 heures, sans attendre la réponse de Vichy, il insista de nouveau sur cette demande et fit part au colonel Vignol de son désir d'envoyer à Alger et à Tunis des officiers de liaison pour prendre toutes les dispositions en vue de l'atterrissage des appareils. A la réception de cette requête, le gouvernement câbla à Alger : « Secret et personnel. N° 58552-58553. — Adressé à Comar Alger. — Réservé absolu — stop — Pour amiral Darlan et général Noguès — stop — Pour régler participation aviation Axe, O.K.W. deman-

---

5. Délégation française auprès de la commission d'armistice allemande (D.F.C.A.A.) — Délégation française auprès de la commission d'armistice italienne (D.F.C.A.I.).

6. Réf. 3311/EM/S.

de envoi de deux officiers de liaison allemands auprès Commandement français en Afrique du Nord — stop — Arrivée terrain Tunis — stop — Faites-moi connaître si, dans circonstances actuelles et compte tenu du fait que conservation A.F.N. est essentielle, cette mission est souhaitable et, d'une manière plus générale, dans quelle mesure nos bases aériennes pourraient être ouvertes à l'Axe. — 1845/11/8. — Amirauté Française ».

A 19 heures, le Consul Général d'Allemagne à Paris informa, de la part de l'O.K.W., le gouvernement français du transfert, auquel il serait procédé le lendemain 9 novembre, d'unités aériennes en Italie. En vue d'éviter des incidents lors du survol de la zone libre, il était invité à déterminer les itinéraires souhaités, les terrains à alerter et les mesures de sécurité à prendre. Les mêmes demandes étaient faites à Wiesbaden auprès de la Délégation française, dans des termes impératifs. A 20 heures, le colonel Vignol fut informé du départ, sans l'accord de Vichy, d'un officier de liaison allemand pour Tunis. A 21 h 50, Darlan répondit au télégramme de 18 h 45 par lequel on lui demandait son avis sur la possibilité de céder des bases aériennes à l'Allemagne : « Secret et personnel. N° 53062. — De P. M. 4° Région Maritime — stop — N°s 58552 et 53. — Primo : En Algérie, toutes les bases du littoral, à partir d'Alger et vers Ouest, ne sont pas utilisables pour cas envisagé. — Secundo : Vous fais connaître situation générale par un autre message. — Signé : François Darlan Xavier. — 2150/8/11 Comar Alger. »

A partir de ce moment, les événements se précipitèrent. A 21 h 45, Vichy apprenait que les Allemands demandaient maintenant un échange de vue immédiat pour organiser le transfert d'unités aériennes non seulement en Tunisie, mais aussi dans la province de Constantine. Le gouvernement ne répondit pas à cette nouvelle exigence, mais se contenta de faire transmettre à 23 h 35 son accord pour le survol de la zone libre par les appareils devant se rendre en Italie le 9 novembre. Le Commandement allemand ne fut pas satisfait de cette autorisation, dont il n'avait, du reste, pas besoin. A minuit, ce fut l'ultimatum[7]. Le colonel Böhme remit

---

7. Réf. 2127/C/EM.

*au colonel Vignol une notification ainsi rédigée : « L'O.K.W.
estime indispensable la disposition des bases de Tunis et de
Constantine. En limitant la portée de l'offre qui lui est faite,
le gouvernement français ne paraît pas désirer opposer à
l'attaque anglo-saxonne la résistance qui s'impose. En conséquence, l'O.K.W. attend dans une heure l'accord du gouvernement français pour baser ses avions sur Constantine et
Tunis. Si cet accord ne parvient pas dans ce délai, l'O.K.W.
prendra les mesures nécessaires. » A 2 h 30, le 9 novembre, le
télégramme suivant partit de Vichy : « Secret et personnel.
— De D.S.A. à D.F.I. Turin. — Copies à S.E. Affaires étrangères (Cabinet), commandant en chef, S.E. Guerre, S.E. Aviation, S.E. Marine (F.M.F. 3). — Vichy, 9 novembre 1942. —
Secret — Réservé absolu. 1) — Gouvernement français a été
conduit à donner son accord pour utilisation de bases aériennes département Constantine et Tunisie par forces aériennes
allemandes destinées à agir contre agresseurs. 2) — Amiral
Estéva et général Barré prévenus. 3) — Instructions techniques vous seront envoyées incessamment. — Signé : Bourra-
gué. — 0230/9/11. — D.S.A. » Le colonel Vignol transmit cet
accord sous forme de mémorandum au colonel Bassompierre.*

*Les exigences allemandes ne s'arrêtèrent pas là. Dans la
nuit du 10 au 11 novembre, à 23 h 50, les consuls allemand
et italien à Vichy apportèrent à l'Hôtel du Parc une note
disant : « Les gouvernements allemand et italien se voient
dans l'obligation d'adresser au gouvernement français l'injonction stricte de prendre toutes mesures pour rendre possible le débarquement immédiat de contingents allemands
et italiens à Tunis et Bizerte, afin de pouvoir faire obstacle,
de là, à l'occupation américaine de l'Afrique du Nord, de libérer ces territoires et de compléter, de leur côté, les forces
armées françaises. L'Allemagne et l'Italie se réservent de
prendre toutes les mesures qui sont nécessaires pour empêcher les agressions ultérieures de la part des unités anglo-
américaines contre d'autres territoires français ». A la suite
de cette injonction, les autorités françaises de Tunis et de
Bizerte furent avisées par Vichy de ne pas s'opposer au
débarquement des forces allemandes.*

2

Le Dossier de l'Accusation

L'ACTE D'ACCUSATION

Les dernières communications du Ministère de l'Air apportent des précisions décisives sur le rôle personnel de Laval dans l'acceptation du concours des forces aériennes allemandes pour repousser ce qu'il appelait l'agression anglo-saxonne en Afrique du Nord, ainsi que dans la mise à la disposition du Reich de nos aérodromes en Algérie et en Tunisie. C'était la suite logique du télégramme de remerciements adressé, au nom de Pétain et de Laval, au commandement allemand pour « son prompt nettoyage du sol français », lors de l'affaire de Dieppe au mois d'août 1942. C'était la suite logique également du télégramme expédié de Vichy, à la même époque, pour être transmis au Führer et solliciter son agrément à une contribution des forces françaises à la défense du territoire contre les Anglais, concurremment avec les forces allemandes. En vain, Laval et Pétain ont-ils fait alliance ouverte avec l'Axe pour lutter contre les Anglo-Américains et les forces françaises du Maroc et d'Algérie, les troupes de l'Axe ont été mises en déroute ; on leur avait facilité le débarquement à Bizerte, elles ont dû évacuer la Tunisie, en même temps que s'accentuait le désastre de l'armée Rommel en Libye.

LE REQUISITOIRE

Je voudrais insister sur les événements de novembre 1942, en Afrique du Nord, où l'intervention de Laval, en qualité de chef du Gouvernement s'avère dès le début indiscutable en faveur de l'Axe.

Ici, les documents sont encore décisifs, et il suffit de se référer aux télégrammes que, à la fin du supplément d'information, nous a communiqués le Ministère de l'Air.

C'est d'abord un télégramme envoyé par la délégation française de Wiesbaden, pour aviser Vichy qu'elle a été prévenue que d'importantes formations aériennes alleman-des se proposaient de survoler, en direction de la Méditerra-née, la partie non-occupée du territoire français. Sur quoi le 7 novembre, est envoyé de Vichy, le télégramme sui-vant, aux services de la Guerre, de la Marine et de l'Air :

Le chef du Gouvernement...

Retenez ce mot.

Le chef du Gouvernement a décidé de faire cesser, jus-qu'à nouvel ordre, toute réaction de chasse ou de D.C.A. en cas de survol de la zone libre. Je vous demande de donner d'urgence les ordres nécessaires.

C'était autoriser formellement, en violation de notre neutralité, au détriment de nos alliés, le survol d'une zone que, alors, on pouvait encore appeler la zone libre, par les forces aériennes ennemies.

Laval, interrogé, sur ce point, n'a pas répondu par une note.

Il a discuté :

— Je ne suis pour rien dans ce télégramme, a-t-il dit. J'étais chargé du Ministère des Affaires étrangères, et du Ministère de l'Intérieur. Ces Ministères n'ont pas à inter-venir dans des opérations d'ordre militaire, comme celles concernant le survol d'une partie du territoire ou la dispo-sition de nos terrains d'aviation. A quoi, je réponds : « Mais si, cela regarde au premier chef le Ministère des Affaires étrangères, car enfin, cela concerne les rapports de la Na-tion avec une puissance étrangère. Et puis, il y a autre chose : c'est que ces télégrammes sont des télégrammes du chef du gouvernement et que depuis le 18 avril 1942, Laval était chef du gouvernement. Et, pour dissiper toute équivoque, voici un troisième télégramme, celui-ci, qui est signé du chef de l'Etat, Pétain, et va vous montrer le rôle respectif, en cette matière, du chef du gouvernement qui

est Laval et du chef de l'Etat qui est Pétain : « Vichy,
10 novembre 1942. — Le Maréchal de France, chef de l'Etat,
à MM. les chefs d'Etat-Major généraux de Terre, de Mer et
de l'Air. » Ecoutez ceci : « A la suite d'une décision personnelle du chef du gouvernement, le commandant en chef des
forces militaires a interdit jusqu'à nouvel ordre toute réaction de chasse ou de D.C.A. en cas de survol de la zone
libre. Cette décision demeure maintenue. Elle ne pourra
être levée que sur l'ordre du Maréchal de France, commandant en chef des forces militaires. »

« A la suite d'une décision personnelle du chef du gouvernement », voilà qui montre bien le rôle de Laval, en la
circonstance, et, toute équivoque étant ainsi dissipée, je
continue la lecture des télégrammes. D'abord un télégramme
du 8 novembre, par lequel on offre au gouvernement français le concours des forces aériennes allemandes pour repousser les Alliés en Afrique du Nord. Et vous allez voir
avec quelle délicatesse l'auteur de ce télégramme, qui est
allemand, va s'exprimer pour ne pas froisser les suscepti-
bilités françaises. Ce sont bien des grâces d'Allemands ! « Le
commandement allemand ne voudrait pas que la bravoure
des troupes françaises soit insuffisante, faute de moyens,
pour repousser l'agression, comme cela s'est produit en Syrie et à Madagascar. Il offrirait, le cas échéant, une collaboration militaire, notamment par l'appui de ses forces
aériennes. Mais il n'agira qu'en accord avec le gouvernement
français et n'interviendra que si celui-ci lui en exprime le
désir. »

On offre donc au gouvernement français le concours des
forces allemandes pour repousser l'agresseur. Et quel agresseur ? L'allié anglo-américain, les Forces françaises Libres
et les troupes françaises ralliées à elles. Réponse de Laval :
« Gouvernement — (dont lui, Laval, est le chef !) — gouvernement accepte concours des avions de l'Axe agissant directement de leurs bases de Sicile et de Sardaigne contre
transports et forces navales devant Alger. » C'est-à-dire,
contre l'escadre anglaise qui se trouvait devant Alger. Le
concours des avions de l'Axe était donc accepté. Il était
accepté sous une réserve : c'est que les avions partiraient
de bases situées en Sicile ou en Sardaigne ; on n'avait

pas oublié l'effet désastreux produit par la mise à la disposition de l'Allemagne des camps d'aviation syriens. Et c'est pourquoi, prudemment, Laval avait inséré dans son acceptation cette réserve que les avions de l'Axe partiraient de bases italiennes.

Mais cela ne faisait pas l'affaire de l'Allemagne. Elle insiste à nouveau. Le gouvernement français hésite encore et il hésite d'autant plus que le Résident Général de Tunisie, devant l'émotion produite à l'annonce que, peut-être, des avions allemands allaient atterrir en sol français, avait écrit ceci : « J'ai le devoir de conscience de dire au chef de l'Etat et au chef du gouvernement que si, hier, le personnel était prêt à faire tout son devoir, il n'en sera plus de même quand il verra les avions de l'Axe installés chez nous. » Avertissement sérieux. Cela, encore une fois, ne faisait pas le compte de l'Allemagne. Aussi, nouveau télégramme : « L'affaire, est-il dit, présente des analogies avec celle de Syrie où le gouvernement français voulait collaborer avec l'aviation allemande, sous réserve qu'elle demeurât basée en Grèce ou en Crête. » Il était allé beaucoup plus loin et avait concédé notamment l'aérodrome d'Alep aux forces de l'Air de l'Axe. « L'affaire actuelle, continue le télégramme allemand, est différente à raison de l'importance vitale de l'Afrique du Nord. Si les avions allemands y sont basés, la collaboration sera vraiment efficace. »

Quelle bonne définition de la collaboration ! Collaboration avec les forces aériennes pour repousser celui que l'on appelle l'agresseur et qui est notre allié américain, notre allié anglais et les Forces françaises. La collaboration sera, alors, véritablement efficace, précise le télégramme, et l'on y lit : « Une considération est dominante : remporter la victoire ». Et, le lendemain, Vichy télégraphie : « Gouvernement français a été amené à donner son accord pour l'utilisation de bases aériennes, dans le département de Constantine et en Tunisie, par forces aériennes allemandes, destinées à agir contre nos agresseurs. » La collaboration était complète, sinon efficace. C'était plus que de la collaboration : c'était une alliance militaire et une alliance militaire qui fut, dans la suite, accompagnée de provocations à la désertion, adressées de concert par le gouvernement allemand et le gouvernement de Vichy aux soldats français qui combattaient contre l'Axe.

3

Le Dossier de la Défense

Il comprendra deux parties :

A. — L'ACCEPTATION DU CONCOURS DES FORCES AÉRIENNES ALLE-
MANDES BASÉES SUR DES AÉRODROMES DE TUNISIE ET D'ALGÉRIE.

1) On constate, à l'examen des démarches faites par les représentants de la Commission allemande d'armistice à Wiesbaden auprès des délégués français, une progression constante dans le ton impératif qu'elles revêtirent et l'ampleur des mesures qu'elles réclamaient pour aboutir à l'ultimatum du 8 novembre à minuit :

— 7 novembre à 24 heures : Offre du concours des forces aériennes allemandes basées en Italie sur appel du gouvernement français dans le cas d'une tentative de débarquement du convoi repéré en Afrique du Nord.

— 8 novembre à 14 heures : Demande d'utilisation de bases aériennes en Tunisie.

— 8 novembre à 16 heures : Réitération de cette demande accompagnée de l'offre de l'envoi d'officiers de liaison à Alger et Tunis.

— 8 novembre à 19 heures : Avis du survol de la zone libre dans la journée du 9 novembre par des formations aériennes venant d'Italie.

— 8 novembre à 20 heures : Départ d'un officier de liaison allemand pour Tunis sans l'accord du gouvernement français.

— 8 novembre à 21 h 45 : Demande d'un échange de vue immédiat pour préparer le transfert des formations aériennes en Tunisie et dans la province de Constantine.

— 8 novembre à 24 heures : Un ultimatum est notifié, exigeant l'accord du gouvernement français sur l'envoi de formations aériennes allemandes en Tunisie et dans la province de Constantine, et une réponse affirmative dans le délai d'une heure sous peine d'exécution forcée.

2) Parallèlement, on constate, de la part de Vichy, un manque d'empressement incontestable à accepter l'offre allemande, accompagné de manœuvres tendant à en limiter l'ampleur et suivi, enfin, d'une capitulation devant la contrainte :

— 8 novembre à 5 heures : Transmission de l'offre du concours aérien allemand à l'amiral Darlan se trouvant à Alger.

— 8 novembre à 11 heures : Examen de la proposition en Conseil des ministres.

— 8 novembre à 11 h 39 : Transmission à Wiesbaden de l'acceptation de l'action des appareils allemands sur les forces navales alliées devant Alger à partir de leurs bases de Sicile et de Sardaigne.

— 8 novembre à 18 h 45 : Transmission à Alger de la demande allemande d'envoi d'officiers de liaison et recherche de l'avis de l'amiral Darlan et du général Noguès sur le point de savoir si cette mission était souhaitable et dans quelle mesure, des bases aériennes pourraient être cédées aux Allemands.

— 8 novembre à 23 h 35 : Aucune réponse n'est encore donnée à la demande allemande de 21 h 45 tendant à un échange de vue pour décider du transfert des unités aériennes. — Transmission de l'accord pour le survol de la zone libre par les appareils devant transiter le 9 novembre sur l'Italie, en réponse à la demande allemande de 19 heures.

— 9 novembre à 2 h 30 : Acceptation de l'utilisation par les appareils allemands des bases de Tunisie et de la région de Constantine, en réponse à l'ultimatum de minuit.

3) La preuve de la contrainte allemande est apportée par ce témoignage inédit du colonel Böhme qui transmit à la

Délégation française auprès de la Commission allemande d'armistice à Wiesbaden les ordres de Berlin [8] :

● « Le fait de lier le soutien allemand au désir et à l'accord du gouvernement français venait de la volonté d'établir une vraie collaboration entre les forces de combat allemandes et françaises à l'occasion de la défense de l'Afrique du Nord. Le gouvernement allemand savait bien que l'Afrique du Nord ne pouvait pas être défendue qu'avec des forces allemandes et que sa sauvegarde dépendait donc du désir de combattre du gouvernement français. Aussi s'efforçait-il de ne pas décourager ce dernier par de trop grandes exigences et des atteintes à sa souveraineté. »

● « Lorsque le colonel Vignol me remit la note contenant l'accord du gouvernement français pour un appui des forces aériennes allemandes à condition, toutefois, que leurs opérations soient conduites à partir des bases situées en Sicile et en Sardaigne et qu'elles ne soient pas autorisées à atterrir en Afrique du Nord française, je savais déjà qu'à la Commission allemande d'armistice, on était déjà décidé à déplacer les formations allemandes pour les établir sur des bases en Tunisie même. Après le débarquement des Alliés en Algérie, c'était devenu une nécessité militaire, la Tunisie occupant alors la position clé permettant aux puissances de l'Axe de faire la guerre en Méditerranée. Il faut, en effet, tenir compte du fait que l'armée italo-allemande combattant en Afrique se repliait depuis le 5 novembre vers l'Ouest et que son approvisionnement par Tripoli et Benghazi se trouvait à tel point menacé par des attaques aériennes et sous-marines que, dans les négociations franco-allemandes, une question avait constamment joué un rôle depuis le printemps 1941 : celle de fixer une voie acheminant le ravitaillement par la Tunisie. A cela vint s'ajouter l'attitude des commandements français en Afrique du Nord qui était loin d'être claire. J'ai donc répondu au colonel Vignol que le Commandement Suprême de la Wehrmacht

8. Le generalleutnant Hermann Böhme, qui représentait l'O.K.W. auprès de la commission allemande d'armistice, a été interrogé par l'auteur et a bien voulu lui fournir les précisions nécessaires pour expliquer les événements du 8 novembre 1942.

ne serait nullement satisfait de la réponse de son gouvernement et qu'une collaboration effective entre les armées de l'Air allemande et française ne serait pas réalisable si les unités allemandes n'étaient pas transférées en Tunisie. L'O.K.W. ne m'avait pas donné le pouvoir d'en dire davantage. »

● « Dans le courant de l'après-midi, la Délégation française fut informée que des unités allemandes survoleraient le territoire non occupé le 9 novembre en direction de l'Italie. L'O.K.W. exigeait que la défense aérienne française en soit avisée. »

● « Tout d'abord, il n'y eut pas de réponse du gouvernement français à ces informations. Vers 20 heures, je fus donc dans l'obligation de faire savoir à la délégation française que l'officier allemand de liaison qui devait se rendre à Tunis était déjà en route. Vu la situation à Alger, l'envoi d'une liaison fut remise à plus tard. »

● « Vers 21 heures, j'ai informé la Délégation, sur l'ordre de l'O.K.W., que la situation exigeait le transfert d'unités allemandes en Tunisie et dans la province de Constantine. De plus, l'O.K.W. souhaitait avoir immédiatement un échange de vue avec le gouvernement français au sujet de l'exécution de ces mesures. Peu avant minuit, parvint, en guise de réponse, l'accord du gouvernement français pour le survol du territoire non occupé. Mais sur le problème du transfert d'unités allemandes en Afrique du Nord, la Délégation française garda le silence le plus complet. »

● « Peu après que l'O.K.W. eut enregistré cette déclaration, le chef d'Etat-Major de la Wehrmacht, le général Jodl, m'appela et me fit savoir que l'évolution de la situation en Afrique du Nord française, en particulier à Alger, ne permettait pas d'attendre plus longtemps la décision du gouvernement français. Pour les mesures militaires à prendre en Tunisie, il n'y avait pas d'heure à perdre, d'autant moins que l'attitude indécise et équivoque du gouvernement français laissait bien peu attendre de sa part une collaboration vraiment sincère. Jodl me chargea d'adresser sans tarder un ultimatum à la Délégation française, par lequel on exigeait que le gouvernement français donnât, dans le délai d'une

heure, son accord permettant de baser des unités allemandes
en Tunisie et dans la province de Constantine. Si l'accord
ne parvenait pas à temps, l'O.K.W. agirait sans le gouvernement français. Jodl ajouta que la réclamation ne concernait que les avions allemands, afin d'éviter que l'animosité
française à l'égard de l'Italie vînt à compliquer encore les
choses. Le 9 novembre à 0 heure, j'ai remis l'ultimatum
au colonel Vignol. Lorsqu'il émit des doutes sur la possibilité d'obtenir une décision du vieux chef de l'Etat français
en un si bref délai, je répondis, en employant les arguments
de Jodl, que l'O.K.W. ne pouvait se permettre de perdre
une heure s'il s'agissait de repousser l'attaque alliée. »

Il est donc établi par ce témoignage que :

a) L'offre par le gouvernement allemand de l'appui d'unités aériennes subordonné à une demande de Vichy était une
manœuvre destinée à masquer le désir de Berlin d'utiliser
les bases de Tunisie pour ravitailler l'Afrika Korps, sous
le couvert d'une collaboration militaire franco-allemande
qui aurait l'apparence d'être souhaitée par le gouvernement
français.

b) L'accord du gouvernement français, limité à un engagement des appareils allemands basés en Italie sur les
forces navales alliées au large d'Alger, fut considéré par
le gouvernement allemand comme un refus de collaboration militaire, de même que le retard apporté par lui à
entrer en pourparlers avec les autorités compétentes pour
organiser leur transfert sur des bases de Tunisie et du
Constantinois constituait, aux yeux de Berlin, une manœuvre dilatoire. Le général Böhme dit nettement que « l'attitude indécise et équivoque du gouvernement français laissait bien peu attendre de sa part une collaboration vraiment
sincère ».

c) En ce qui concernait le survol de la zone libre prévu
pour le 9 novembre, l'avis transmis le 6 novembre sous une
forme correcte fut remplacé le 8 par un ordre devant lequel
le gouvernement français ne pouvait que s'incliner. « L'O.K.W.
exigeait, témoigne le général Böhme, que la défense aérienne
française en soit avisée ». Il ne s'agissait pas d'une demande

d'accord, mais de la transmission de l'ordre d'avoir à prendre les mesures de sécurité utiles.

d) L'envoi d'un officier de liaison à Tunis sans l'accord de Vichy constituait un commencement d'exécution qui démontrait la décision déjà prise par Berlin d'envoyer ses unités aériennes sur les aérodromes de Tunisie et du Constantinois, quelle que soit la réponse du gouvernement français.

e) Le général Böhme confirme que Vichy ne céda qu'à la suite d'un ultimatum, après avoir tergiversé toute une journée.

4) Pour juger l'attitude de Laval à l'égard de l'offre et des pressions allemandes, il est nécessaire de prendre connaissance des délibérations des deux Conseils des Ministres réunis dans la journée du 8 novembre [9] :

Conseil des ministres de 11 heures.

« Le gouvernement est mis au courant d'une communication faite à 11 h 10 par M. de Brinon de la part du gouvernement allemand, proposant une aide militaire pour notre défense... Le président Laval demande au Conseil ce qu'il pense de la proposition allemande et en particulier, s'il doit être fait appel aux forces d'aviation du Reich. Cet appel présenterait l'avantage de permettre de gagner du temps, mais a l'inconvénient « d'appeler la foudre ». L'amiral Auphan indique que l'amiral Darlan demande [10] que des avions allemands soient envoyés devant Alger pour attaquer les bateaux assaillants... Le président Laval estime que l'amiral Darlan, sur place, est seul et meilleur juge... Le président Laval précise que l'Allemagne n'envisage pas une déclaration publique de demande de concours. Pour répondre à une question de M. Barthélemy, l'amiral Auphan

9. Des comptes rendus non signés de ces conseils des ministres furent trouvés dans les archives du gouvernement à Vichy. Textes dans « Du débarquement africain au meurtre de Darlan » par Albert Kammerer. — Flammarion 1949.

10. Télégramme de 8 heures.

estime qu'il est improbable que l'Allemagne puisse nous apporter un concours efficace. La région d'Oran et les au-delà paraissent être hors du rayon d'action de l'aviation allemande. Il semble, dans ce cas, inutile au Garde des Sceaux de solliciter l'aide allemande. Le président Laval pense que ne pas demander le concours de l'Allemagne équivaut à le refuser et à avoir l'air de soutenir la dissidence. Il propose au gouvernement de faire sienne la demande de concours de l'amiral Darlan [11]. Le général Bridoux insiste en faveur de l'aide. L'amiral Platon voudrait qu'il soit demandé à l'amiral Darlan s'il envisage l'action des avions sur les terrains. Le président Laval téléphone à M. de Brinon pour lui demander d'intervenir auprès des autorités allemandes afin qu'elles donnent satisfaction aux demandes de l'amiral Darlan. Il rapporte au Conseil que le conseiller Rahn a indiqué que l'O.K.W. propose son appui en partant de Sardaigne et de Sicile et demande que nous mettions en zone libre des terrains à la disposition des avions allemands. »

On peut observer à la lecture de ce compte rendu que :

a) Laval a demandé l'avis du Conseil des ministres sur l'offre allemande d'appui aérien.

b) Personnellement, il n'acceptait pas a priori l'offre ; il en mesurait les avantages et les inconvénients.

c) Il pensait qu'il était difficile pour le gouvernement de la refuser sans donner l'impression aux Allemands de soutenir la dissidence.

d) Il proposa d'accepter l'appui aérien allemand sous la forme conseillée par l'amiral Darlan, après que l'amiral Auphan ait émis l'avis qu'il serait dans ce cas inefficace. A-t-il vu là une porte de sortie qui permettrait de ne pas dire non aux Allemands sans s'engager trop loin avec eux ? Il ne nous appartient pas de faire cette déduction, mais

11. La rédaction du compte rendu laisse penser que l'amiral Darlan aurait sollicité le concours de l'aviation allemande. En réalité, le gouvernement lui ayant demandé : « Sous quelle forme et en quel lieu souhaitez-vous ce concours », il avait répondu : « Concours sur transports au large Alger ».

la remarque s'imposait d'autant plus que Laval ne suivit pas la suggestion de l'amiral Platon, lequel, d'après le compte rendu, voulait qu'il demandât à l'amiral Darlan s'il envisageait une action sur les terrains d'aviation en Algérie. Il négligea, également, de faire examiner par le Conseil des ministres la nouvelle demande des Allemands concernant l'utilisation de terrains en zone libre.

e) La décision d'accepter l'offre d'un appui des forces aériennes allemandes dans les conditions suggérées par l'amiral Darlan fut prise par le Conseil des ministres après les délibérations dont il vient d'être fait état et non par Pierre Laval seul.

Conseil des ministres de 18 h 15.

« Le président Laval fait connaître qu'à 17 h 10 est arrivé un nouveau télégramme de M. Abetz, indiquant que la Luftwaffe veut envoyer des avions en Italie du Sud en passant par la France. Wiesbaden [12] voudrait obtenir l'autorisation de survol et d'autre part, la libre disposition des terrains [13]. Le président Laval précise : 1) — Pour le survol, d'accord. 2) — Pour les terrains, il faut : *a*) poser la question aux chefs militaires en Afrique du Nord. *b*) entamer des conversations avec Wiesbaden. L'amiral Auphan donne communication du projet de télégramme qu'il vient de préparer à cet effet. »

Les observations suivantes sont à faire :

1) — Au sujet de l'autorisation de survol par des formations aériennes allemandes :

a) — Il ne s'agissait pas, en réalité, d'une demande d'autorisation de survol, mais d'un avis du survol prévu pour le 9 novembre, afin que les mesures de sécurité soient prises par les bases aériennes de la zone libre :

● Cet avis avait été donné dès le 6 novembre à 22 h 15 par la Commission d'armistice allemande de Wiesbaden

12. La commission allemande d'armistice à Wiesbaden.
13. Il s'agissait des bases aériennes de Tunisie et du Constantinois.

(Entretiens Vignol-Görhardt). Il n'était pas demandé d'autorisation, les autorités allemandes estimant ce survol justifié par les événements.

● Le 8 novembre à 17 heures, Abetz adressa au consul général d'Allemagne à Vichy le message téléphonique suivant : « Pour des raisons techniques tenant aux nécessités de l'aviation, la Luftwaffe a besoin de survoler la zone libre au départ de Paris vers l'Italie et au départ de l'Allemagne du Sud par l'Ouest de Bâle au-dessus du territoire français. Faites savoir ce qui précède au gouvernement français, dont nous supposons le consentement, de façon que les avertissements nécessaires soient donnés aux services français de l'intérieur... Le gouvernement français est prié de dire si le survol des formations de la Luftwaffe est désiré par unités ou par vols de formations. Une décision nécessaire très urgente. »

● Le général Böhme a bien confirmé qu'il s'agissait simplement d'une information donnée à Vichy aux fins de sécurité et non d'une demande d'autorisation jugée inutile. Il a précisé : « L'O.K.W. exigeait que la défense aérienne française en soit avisée ».

● Effectivement, à 19 heures, le consul général d'Allemagne ne demanda pas d'autorisation, mais informa le chef du gouvernement que, le survol devant avoir lieu le 9 novembre, des mesures de sécurité avaient à être prises.

b) — La décision du Conseil des ministres de 18 h 15 d'autoriser le survol ne fut transmise à Wiesbaden qu'à 23 h 35, après la mise en demeure allemande de 19 heures.

2) — Au sujet de l'utilisation par les formations aériennes allemandes des terrains de Tunisie et du Constantinois :

a) — Laval ne prit aucune décision et ne demanda pas au Conseil des ministres de délibérer sur la requête allemande.

b) — Il ne répondit pas à la demande allemande de 21 h 45 tendant à un échange de vue destiné à organiser le transfert des unités aériennes en Afrique du Nord.

c) — Il ne s'inclina qu'à la suite de l'ultimatum remis au colonel Vignol le 8 novembre à minuit.

3) — M. Jäckel estime [14] après l'étude des archives allemandes : « Le débarquement en Afrique du Nord avait irrité le maréchal Pétain, mais il ne songeait ni à entrer en guerre contre les Alliés ni à faire cause commune avec l'Axe. Il restait neutre. Sur cette question fondamentale, son point de vue ne différait pas de celui de Laval... Les pourparlers germano-italo-français qui devaient se dérouler le 9 novembre à Munich se trouvèrent dépassés par les événements avant même d'avoir commencé. A Wiesbaden, vers minuit (le 8 novembre 1942), il n'était déjà plus question d'alliance, mais de diktat. Les Allemands exigeaient l'accord du gouvernement pour baser des forces aériennes de l'Axe à Constantine et en Tunisie... A midi, Warlimont, qui avait été un instant envisagé pour établir la liaison avec le Haut-Commandement français à Vichy, apprenait de Jodl que les perspectives d'une collaboration militaire étroite avec la France s'étaient évanouies [15]. D'heure en heure, il devenait plus évident que, bien loin de se battre, Français et Américains négociaient en Afrique du Nord. »

B. — LE DÉBARQUEMENT DE FORCES ALLEMANDES EN TUNISIE.

1) — Nous savons par le Journal de Ciano qu'avant même de conférer avec Laval [16] Hitler avait pris la décision d'occuper la zone libre et de débarquer des troupes en Tunisie. Il écrit, en effet, relatant la conversation qu'il eut avec lui avant l'arrivée du chef du gouvernement français : « Hitler va écouter Laval, mais quoi qu'il dise, cela ne changera en rien son point de vue déjà fixé : occupation

14. « La France dans l'Europe de Hitler ». — Il est utile de rappeler que M. Jäckel est un historien allemand.

15. Références données par l'auteur : Archives de l'O.K.W.

16. Le consul général d'Allemagne à Vichy avait transmis le 9 novembre à Laval une convocation de Hitler.

totale de la France, débarquement en Corse, tête de pont en Tunisie ».

2) — Lorsque l'ultimatum fut transmis à 23 h 50 au gouvernement français par les consuls d'Allemagne et d'Italie à Vichy, Laval se trouvait à Munich.

3) — A la réception de cette nouvelle exigence de Berlin, un comité ministériel fut réuni, à l'issue duquel deux télégrammes furent adressés par Vichy à l'Amirauté en Tunisie : 1) « Après injonction des puissances de l'Axe, le gouvernement a décidé d'autoriser le passage en Tunisie des troupes allemandes et italiennes. » — 2) « Transmettez à général C.S.T.T. débarquement troupes allemandes et italiennes à Tunis et Bizerte autorisé. » [17].

4) — A Munich, Laval se trouvait en face de Hitler. Voici le compte rendu qu'il fit de cette conversation, au cours du Conseil des ministres tenu à son retour le 11 novembre : « Nous voulons envoyer des forces à votre secours en Tunisie et dans la province de Constantine, dit Hitler, et nous demandons votre agrément. » J'ai répondu que nous ne pouvions prendre aucune décision et que je ne pouvais donner mon adhésion... Le chancelier répond : « Mais vous allez être battus en Afrique du Nord si vous restez seuls. » Je lui dis : « Allez-y sans notre autorisation ». Il a répondu : « D'accord ». J'ai alors annoncé qu'il y aurait une protestation du Maréchal. On m'a remis la notification du débarquement germano-italien en Tunisie. J'ai lu. J'ai fait modifier un mot : au lieu de « en commun avec les troupes françaises », j'ai obtenu qu'on mette « et compléter les forces allemandes » [18].

17. Documents du dossier Pétain. — Se trouvent dans Noguères, *op. cit.* p. 444.

18. Hitler fit en effet lire par Laval la notification du débarquement de troupes allemandes en Tunisie, préparée à l'avance, qu'il avait donné l'ordre de faire parvenir à Vichy. La rédaction de ce communiqué portait à croire qu'il s'agissait d'une opération faite avec le concours des forces françaises et l'accord du gouvernement. Confirmation de l'intervention de Laval pour s'opposer à la rédaction de ce communiqué est donnée par Ciano dans son journal ; il affirme être parvenu à en faire modifier le texte par Hitler.

5) — Ciano a jugé ainsi l'attitude de Laval devant les exigences de Hitler [19] : « Laval, en bon Français, s'efforce de gagner du temps et voudrait faire donner par l'Italie l'assurance qu'elle renoncera à la Tunisie... Le malheureux était loin d'imaginer devant quel fait accompli les Allemands allaient le placer. Pas un mot ne lui fut dit de l'action militaire imminente, de l'ordre d'occuper la France libre ».

6) — M. Jäckel [20] écrit : « Laval n'avait pas encore quitté l'immeuble et fumait une cigarette dans une pièce voisine que Hitler lançait déjà les ordres depuis si longtemps préparés. Une tête de pont solide devait être établie en Tunisie, si possible « en étroite et amicale liaison » avec le commandement français sur place ; en cas de comportement douteux, la division tunisienne serait désarmée. Simultanément, le début de l'opération « Anton » (Occupation de la zone libre) était fixé au lendemain matin 7 h 10. Dans les deux cas, la consigne était d'assurer aux autorités françaises que les décisions avaient été prises « en accord avec le gouvernement français et sur sa demande ». C'était là un monstrueux abus de confiance à l'égard de Laval. Il ne pouvait être question d'un souhait exprimé par les Français et de plus, pas un mot n'avait été dit concernant l'occupation du reste de la France pendant tout l'entretien ».

Trois constatations :

1) — Hitler avait décidé de débarquer des troupes en Tunisie avant de s'entretenir avec Laval.

2) — Laval a refusé la collaboration militaire souhaitée par Berlin en Tunisie.

3) — Laval n'a pas donné son accord pour le débarquement de troupes allemandes en Tunisie, mais a au contraire protesté contre la forme du communiqué préparé par Hitler qui donnait à penser que le gouvernement français acceptait cette collaboration.

19. Journal 1937-1938. — Archives secrètes 1936-1942. Plon.
20. *Op. cit.*

4

Les déclarations de Pierre Laval

MEMOIRE EN REPONSE
A L'ACTE D'ACCUSATION

Se reporter au chapitre 2 du Livre 3. Laval traite de l'entrevue qu'il eut avec Hitler le 10 novembre 1942 et de son refus opposé à l'offre d'alliance allemande.

DEPOSITION DE PIERRE LAVAL
AU PROCES PETAIN. (Audience du 4 août 1945).

— Le Premier Président : « Veuillez nous parler du 8 novembre 1942 et des événements d'Afrique du Nord. »

— Pierre Laval : « L'armée d'Afrique avait une mission qui lui avait été donnée par le Maréchal ou plus exactement, l'amiral Darlan, mission qui était de repousser toute agression, d'où qu'elle vienne. Cela veut dire : agression américaine. Cela veut dire : agression anglaise. Cela veut dire : agression allemande. L'ordre était pour l'armée d'Afrique de résister, comme l'ordre était pour la flotte de ne jamais tomber aux mains d'aucune puissance étrangère. Il y avait un ordre constant donné par l'amiral Darlan comme une conséquence, je crois, de l'armistice. C'est une question pour laquelle je n'avais pas de décision à prendre parce que les ordres étaient de l'amiral Darlan. »

CHAPITRE II

LE SABORDAGE DE LA FLOTTE

1

Les Faits

L'article 8 de la Convention d'Armistice avec l'Allemagne, concernant la flotte de guerre française, était ainsi rédigé : « La flotte de guerre française, à l'exception de la partie qui est laissée à la disposition du gouvernement pour la sauvegarde des intérêts français dans son empire colonial, sera rassemblée dans des ports à déterminer et devra être démobilisée et désarmée sous le contrôle de l'Allemagne ou respectivement de l'Italie. La désignation de ces ports sera faite d'après les ports d'attache des navires en temps de paix. Le gouvernement allemand déclare solennellement qu'il n'a pas l'intention d'utiliser pendant la guerre à ses propres fins la flotte de guerre française stationnée dans les ports sous contrôle allemand, sauf les unités nécessaires à la surveillance des côtes et au dragage des mines. Il déclare en outre solennellement et formellement qu'il n'a pas l'intention de formuler des revendications à l'égard de la flotte de guerre française lors de la conclusion de la paix. Exception faite de la partie de la flotte française à déterminer qui sera affectée à la sauvegarde des intérêts français dans l'empire colonial, tous les navires de guerre se trouvant en dehors des eaux territoriales françaises devront être rappelés en France. »

L'amiral Darlan adressa, le 24 juin 1940, à tous les commandants de navires, l'ordre secret suivant : « Je me réfère aux clauses de l'armistice télégraphiées en clair par ailleurs. Je profite des dernières communications chiffrées que je peux transmettre pour faire connaître ma pensée à leur sujet : Primo — Les navires de guerre démobilisés doivent rester français avec pavillon français, équipage français, séjournant dans port français, métropolitain ou colonial. — Secundo — Précautions secrètes de auto-sabotage doivent être prises pour que ennemi ou étranger s'emparant d'un bâtiment par la force ne puisse s'en servir... ». C'était une consigne permanente qui ne fut jamais rapportée.

Le 11 novembre 1942, lorsque les forces allemandes occupèrent la zone libre, l'Amirauté ordonna au préfet maritime de Toulon, amiral Marquis, de leur interdire l'accès des bâtiments et de tenter de parvenir à un accord avec les autorités locales d'occupation ; en cas d'échec, de les saborder. Un modus vivendi fut accepté de part et d'autre, aux termes duquel le port de Toulon ne serait pas occupé si l'amiral Marquis s'engageait à le défendre contre une attaque anglo-saxonne ou gaulliste et à ne faire participer aucun bâtiment à des opérations contre les forces de l'Axe. Le même engagement fut pris par l'amiral de Laborde, commandant en chef des Forces de Haute Mer. Cet arrangement, destiné à sauver la Flotte dans l'esprit de ses contractants, avait reçu l'approbation de l'Amirauté.

Pour parer à toute éventualité, la défense du camp retranché de Toulon fut organisée et des équipes s'entraînèrent aux manœuvres de destruction des bâtiments. Le 14 novembre, l'Etat-Major des Forces de Haute Mer donna les instructions en vue du sabordage éventuel. Le 23, ces ordres furent confirmés par l'amiral Abrial, secrétaire d'Etat à la Marine, en visite à Toulon, qui vérifia les dispositions adoptées.

Le 27 novembre 1942, la nouvelle de l'attaque allemande contre le camp retranché de Toulon fut apprise par Pierre Laval de la bouche du consul général d'Allemagne à Vichy, venu lui en apporter la notification officielle, alors que les opérations étaient déjà en cours d'exécution. Il se rendit à l'Hôtel du Parc où il tint un Conseil restreint avec les représentants de l'Amirauté et des départements militaires.

A 5 h 19, un appel téléphonique de l'amiral Dornon, major-général de la Marine à Toulon, confirma que les troupes allemandes se dirigeaient vers l'arsenal. Avec l'accord des ministres présents, l'amiral Le Luc, chef d'État-Major des Forces Maritimes, fit appeler la préfecture maritime de Toulon et transmit à l'officier de permanence l'ordre suivant : « Pour l'amiral de Laborde et l'amiral Marquis. — Stop. — De la part du président Laval, éviter tout incident. — Stop. — De la part de l'amiral Abrial, ceci modifie intégralement tous les ordres antérieurement reçus. — Stop. » Ce message fut confirmé à deux reprises. A Toulon, le sabordage avait commencé.

2

Le Dossier de l'Accusation

L'ACTE D'ACCUSATION

De graves événements se déroulent en Afrique du Nord. En vain, Laval et Pétain ont-ils préféré voir la flotte se détruire elle-même à Toulon, plutôt que de jouer un rôle au profit de la France et de ses alliés.

LE REQUISITOIRE.

Pendant ce temps d'ailleurs (pendant les événements de novembre 1942 en Afrique du Nord), un autre drame se jouait : nous avions une marine, magnifique instrument de combat qui eût abrégé la guerre, et à l'heure actuelle pèserait, à notre profit, d'un poids considérable. Eh bien, cette marine, on a préféré la voir se détruire elle-même plutôt que de remplir son rôle aux côtés de nos alliés. Quelle a été la part de Laval dans ces instructions données à la flotte

de se maintenir à Toulon, exposée à cette alternative iné-
luctable, ou de se rendre ou de se détruire ? Ici, la responsabilité appartient directement à Pétain, car c'est Pétain
qui, en Conseil des Ministres, a décidé que la flotte resterait
prisonnière à Toulon. C'est lui qui, après le désastre, a
félicité l'amiral de Laborde de ne pas avoir cédé aux appels
de la dissidence. La responsabilité du Maréchal paraît donc
plus engagée, dans le drame de Toulon, que celle de Laval,
mais si jamais le mot de Pétain a été vrai, à savoir que lui et
Laval marchaient la main dans la main, et que la commu-
nion entre eux était complète, dans les idées comme dans
les actes, c'est bien au sujet du sort de notre flotte, et je
n'en veux d'autres preuves encore que l'insistance mise par
Laval à voir ce qui nous restait de flotte de guerre, dissé-
minée dans le monde, détruite plutôt que de passer aux
mains des Américains qui, cependant, combattaient pour la
même cause que nous.

3

Le Dossier de la Défense

1) — Le Procureur Général a déclaré dans son réquisitoire : « Ici, la responsabilité appartient directement à
Pétain, car c'est Pétain qui, en Conseil des ministres, a
décidé que la Flotte resterait prisonnière à Toulon. C'est
lui qui, après le désastre, a félicité l'amiral de Laborde de
ne pas avoir cédé aux appels de la dissidence. La responsabilité du Maréchal paraît donc plus engagée, dans le
drame de Toulon, que celle de Laval. »

2) — C'est l'amiral Darlan qui, le 24 juin 1940, alors que
Laval ne faisait pas partie du gouvernement, avait donné

aux commandants des bâtiments de guerre l'ordre de saborder leurs navires pour éviter « que ennemi (en l'espèce, les
Allemands) ou étranger (l'Angleterre) s'emparant d'un bâtiment par la force ne puisse s'en servir. » Cet ordre n'avait
jamais été rapporté. Il répondait à l'engagement pris par
l'amiral Darlan envers l'Angleterre, au moment de la
signature de l'armistice, qu'aucun navire ne tomberait aux
mains des Allemands.

3) — Aux termes de la Convention d'armistice, la Flotte de
guerre française devait être désarmée sous le contrôle des
autorités d'occupation. Elle ne pouvait faire mouvement
sans leur autorisation.

4) — La Flotte se trouvait sous le commandement de
l'amiral Darlan, commandant en chef des forces militaires,
et Laval n'avait aucune qualité pour lui donner des ordres.
Il faut, cependant, faire remarquer que seul le gouvernement aurait pu décider de son intervention dans la guerre
aux côtés soit des Alliés soit des Allemands.

5) — Il n'est pas contestable que Laval n'a jamais eu
l'intention de faire participer la Flotte à des opérations
communes avec l'Allemagne.

6) — L'accusation reprocha en 1945 à Laval d'avoir accepté le maintien de l'ordre de sabordage donné par l'amiral
Darlan. Or, il était destiné à empêcher qu'aucun bâtiment
puisse tomber intact entre les mains non seulement des
Alliés, mais aussi des Allemands. Il est évident que, s'il avait
voulu, pour favoriser la cause allemande, lui apporter le
concours de la Flotte, Laval n'aurait pas approuvé l'ordre
de sabordage et il eût tenté de le faire annuler après son
retour au pouvoir.

7) — En ratifiant les accords réalisés entre l'Amirauté et
les autorités allemandes d'occupation pour assurer la neutralité du port de Toulon et de la Flotte, Laval démontra
qu'il ne désirait pas qu'elle passât sous le contrôle allemand
ou qu'elle fût engagée dans des opérations communes avec
la Marine allemande.

8) — Peut-on reprocher avec sérieux à Laval, comme le

fit l'accusation en 1945, d'avoir « préféré voir la Flotte se détruire elle-même à Toulon plutôt que de jouer un rôle au profit de la France et de ses alliés » ?

a) — Il n'appartenait pas à Laval, mais au maréchal Pétain, qui détenait après le 8 novembre 1942 les pouvoirs de l'amiral Darlan, d'ordonner, avec l'accord du gouvernement, à la Flotte de quitter Toulon pour rallier un port allié ou neutre.

b) — En eût-il eu le pouvoir que Laval ne pouvait donner cet ordre sans risquer de provoquer les pires représailles de la part des Allemands.

c) — Laval, de toute façon, voulait que la Flotte demeurât française et il ne tenait pas davantage à ce qu'elle passât aux mains des Alliés qu'à celles des Allemands. Son attitude l'a démontré. On ne peut l'accuser à la fois d'avoir voulu collaborer avec les Allemands et refusé d'aider les Alliés.

9) — Pour pouvoir en juger, examinons quelle attitude adopta Laval lorsqu'il apprit l'attaque de Toulon par les forces allemandes :

a) — Il protesta énergiquement auprès du consul général d'Allemagne. (Témoignage de Charles Rochat infra).

b) — Au cours du Conseil tenu dans son cabinet, voyant que personne ne prenait de décision, Laval demanda s'il était possible d'avoir une communication téléphonique avec Toulon pour s'informer de la situation. Lorsqu'elle fut établie, il fit remarquer : « Ce n'est pas tout, cela. Reste à savoir ce qu'on va leur dire ? » Il n'y eut aucune réaction dans l'assistance. « Alors, on va leur dire, suggéra Laval, évitez tout incident ». L'amiral Le Luc, qui avait l'appareil à la main, constata « l'approbation tacite »[1] de l'assemblée et de son chef, l'amiral Abrial, et transmit le message dont nous avons donné le texte. Sur un appel de Toulon, il répéta le message dont personne, témoigna-t-il[1], ne suggéra de modification.

---

1. Selon le compte rendu qu'il fit de ce conseil le 6 décembre 1942. (Archives de la Marine).

c) — Une controverse fut ouverte, à l'occasion du procès des amiraux Abrial et Marquis, sur le sens de ce message. Il contenait, en effet, deux parties. La première était la transmission de l'ordre suggéré par Laval : « Eviter tout incident ». La seconde était un ordre donné personnellement par l'amiral Abrial : « Ceci modifie intégralement tous les ordres antérieurement reçus ». L'accusation soutint que l'amiral Abrial avait voulu donner l'ordre d'arrêter le sabordage et on a prêté la même intention à Laval, assimilant le mot « incident » à sabordage.

Or :

● Laval ne fut pas l'auteur de la deuxième partie du message prêtant à confusion.

● Après la transmission de ce message, quelqu'un ayant demandé à l'amiral Abrial : « Vous croyez qu'ils se sabordent ? », ce dernier répondit : « Ce sont leurs ordres permanents. Si cela ne se faisait pas, ce serait à douter de mes camarades. » Laval ne fit aucune remarque et l'amiral Le Luc écrivit dans son compte rendu : « Très visiblement, l'assistance s'installe peu à peu, avec aisance, dans la notion que le sabordage s'exécute. »

● Vers 5 h 40, sur une demande de confirmation de Toulon, l'amiral Abrial précisa : « Oui. Ne rien faire, pas d'incidents ; rendez-vous compte de ce qui se passe »[2].

● Au procès de l'amiral Abrial, le commandant Biseau, qui reçut à Toulon cette communication, a témoigné ainsi : — Le président : « Que vous a dit l'amiral Abrial ? » — M. Biseau : « Il m'a dit : « Evitez les effusions de sang et les destructions de matériel inutiles ». On a raccroché après cela. C'est le sens, tout au moins, du message de l'amiral Abrial. » — Le président : « Cela revient à savoir le sens que vous avez personnellement donné au texte qui avait été relevé par votre camarade. » — M. Biseau : « A aucun moment, dans aucun message téléphoné, il n'a été question d'arrêter le sabordage des bâtiments. »

2. « Le sabordage de la Flotte » par Pierre Varillon. — Amiot-Dumont.

● La déclaration de l'amiral Abrial au cours de son procès est intéressante, car elle permet de connaître quelles étaient les intentions de Laval lorsqu'il suggéra de téléphoner « Eviter tout incident » : — Le président : « Dans les conversations qui ont été engagées à Vichy, celles où il y avait l'amiral Platon, Laval, Rochat, a-t-il été, à ce moment-là, question de téléphoner des instructions à Toulon et quelles instructions ? » — Amiral Abrial : « Il n'a été question que de l'instruction : « Pas d'incident ».

● Il semble que les explications fournies par l'amiral Le Luc à M. Varillon [3] suppriment toute possibilité de fausse interprétation et attestent de l'identité de vue totale entre l'Amirauté et Pierre Laval : « Quelle que fût son imperfection, le message, tel qu'il fut lancé, se tenait. La phrase que j'ai prêtée à mon chef ne dit ni plus ni moins que la première phrase fournie par M. Laval. Grammaticalement, j'ai fait dire à l'amiral Abrial : « Les instructions présidentielles modifient les ordres antérieurs en ce que ceux-ci prévoient des incidents »... Il est clair que je visais, en parlant ainsi (L'amiral avait dit : « Arrêtez les frais »), les « frais » accessoires de l'opération : engagement, coups de canons, etc. »

10) — L'intervention des forces allemandes démontre par elle-même la certitude qu'avait Hitler du refus qu'opposerait Laval à une demande de cession des bâtiments mouillés à Toulon. S'il avait pu espérer l'obtenir, il ne l'eût pas mis devant le fait accompli. Il n'aurait pas employé la force, mais la négociation.

LES TEMOINS DE LA DEFENSE

— Charles Rochat, secrétaire général du Ministère des Affaires étrangères à Vichy. (HI-II-1107).

Le 27 novembre 1942, à 3 h 30 du matin, Krug von Nidda me téléphone à l'*Hôtel du Parc* pour me dire qu'il avait une communication très importante à faire immédiatement

3. « Le sabordage de la Flotte ».

au Chef du Gouvernement, communication dont il lui était impossible de m'indiquer l'objet.

Je préviens aussitôt par téléphone le Président, à Châteldon, où nous arrivons, Krug et moi, vers 4 h 15. Malgré un froid glacial, Krug exprime le désir de ne voir Laval qu'à 4 h 30 très exactement. Nous attendons donc une dizaine de minutes dehors, dans la nuit et le froid, l'heure fixée.

A 4 h 30, nous entrons dans le petit bureau de Laval. Krug lui donne connaissance de la lettre d'Hitler annonçant la décision allemande d'occuper Toulon.

Laval proteste aussitôt en termes véhéments. Il s'élève contre le procédé, conteste toutes les raisons mises en avant par le Gouvernement allemand pour le justifier. Puis il met brusquement terme à l'entretien en me priant de regagner aussitôt Vichy et de convoquer dans son bureau, à l'*Hôtel du Parc*, les ministres intéressés.

Vers 5 h 15, tout le monde est réuni dans ce bureau. L'amiral Leluc, sur ordre d'Abrial, appelle la Préfecture Maritime à Toulon, et il apprend que les Allemands ont en effet envahi à 4 heures le camp retranché de Toulon et que la flotte s'est sabordée ; l'opération de sabordage est presque terminée ! La Flotte a exécuté l'ordre — qui datait du moment de l'armistice — de ne laisser en aucun cas des bâtiments français tomber en des mains étrangères !

Leluc raccroche l'appareil — le moment est émouvant. C'est, dit Laval, l'un des instants les plus tragiques d'une période bien douloureuse !

— Henri Haye, Ambassadeur de France. (HI-III-1426).

Durant mon ambassade à Washington et pendant le temps où Laval exerça les fonctions de ministre des Affaires étrangères (il ne l'était pas en 1940 quand je fus accrédité auprès de Roosevelt) — je connus quatre ministres au cours de ma mission — je ne reçus de lui aucune instruction précise. Il avait, cependant, renouvelé l'engagement solennel formulé par le Maréchal et ses prédécesseurs qu'en aucun cas la flotte française ne tomberait aux mains des Allemands. C'était à l'époque la préoccupation essen-

tielle des Américains. « Pour le reste, qu'il se débrouille,
disait-il, en parlant de moi à ses collaborateurs, sa mission
n'est pas facile, mais la mienne l'est encore beaucoup
moins. »

4

Les déclarations de Pierre Laval

MEMOIRE EN REPONSE
A L'ACTE D'ACCUSATION

Ma défense est-elle plus difficile quand il s'agit
de l'accusation portée contre moi « d'avoir, avec
Pétain, préféré voir la flotte se détruire elle-
même à Toulon plutôt que de jouer un rôle utile
à la France et à ses alliés » ? Ma réponse est très
simple au contraire, pour la seule et bonne raison
que je n'ai jamais eu à m'occuper de la flotte de
Toulon, sauf le 27 novembre 1942 pour avoir, lorsque l'événement était accompli, reçu la communication du ministre allemand Krug von Nidda
m'avisant qu'elle était cernée par une troupe allemande.

C'est l'amiral Darlan qui avait toute la flotte, y
compris celle de Toulon, sous son **autorité** et
sous son contrôle, jusqu'au jour où, se rendant
à Alger, il y fut surpris par le débarquement anglo-
américain. Ensuite, ce fut le Maréchal qui s'attribua, en parfait accord avec moi, le rôle de chef
de toutes nos forces militaires, aériennes et navales.

Je n'eus donc pas à intervenir pour donner des ordres à la flotte de Toulon. Je continuai, comme je l'avais fait lorsque l'amiral Darlan était à Vichy, à diriger tous les ministères civils, sans avoir aucunement à m'occuper des questions militaires ; celles-ci, après le franchissement de la ligne de démarcation par l'armée allemande, le 11 novembre 1942, furent d'ailleurs très réduites puisque l'armée fut dissoute. La flotte, au contraire, semblait avoir été préservée, mais ce fut pour une courte durée.

Dès que je fus informé par Krug von Nidda, à quatre heures et demie du matin, à Châteldon, le 27 novembre que depuis une demi-heure notre flotte était cernée par une troupe allemande qui devait s'emparer de nos navires, je protestai avec indignation contre une telle agression. Je me précipitai à Vichy pour conférer avec le Maréchal et les ministres. L'amiral Leluc essaya d'obtenir une communication téléphonique avec l'amiral Marquis, préfet maritime de Toulon, et nous apprîmes que les explosions sur les bateaux avaient commencé vers quatre heures et se succédaient sans interruption. Le sabordage était complet. L'amiral de Laborde, chef d'état-major de la Marine, qui était à son poste de commandement sur le *Strasbourg*, refusait de quitter son navire et allait sombrer avec lui, lorsqu'il accepta de descendre, sur l'ordre que lui en fit donner le Maréchal : il avait le Maréchal pour chef et c'est de lui seul qu'il acceptait ses instructions.

A aucun moment, ni sous aucune forme, je n'ai donné l'ordre à l'amiral de Laborde de saborder nos navires de guerre. Cet ordre de sabordage avait été donné à toutes nos escadres après l'armistice par l'amiral Darlan ; il avait dû être renouvelé, mais à coup sûr il n'avait jamais été révoqué. Chaque capitaine avait la mission impérative de ne jamais laisser tomber son navire aux mains d'une puissance étrangère, quelle que soit cette puissance étrangère. Avant l'armistice, le Gouvernement s'était engagé vis-à-vis de l'Angleterre à ne jamais livrer la flotte aux Allemands. Ceux-ci, dans la Convention de Rethondes, qui nous laissait notre flotte, avaient exigé qu'elle ne pourrait jamais être mise au service des ennemis de l'Allemagne. C'est ce double engagement qui avait déterminé, en juin 1940, le Gouvernement et l'amiral Darlan à donner l'ordre de sabordage de toutes nos unités de guerre lorsqu'elles seraient exposées à tomber aux mains d'une puissance étrangère.

D'Alger ou de Londres, il était facile de parler de la cause des Alliés, comme il est plus commode de le faire en 1945, de Paris, quand les Allemands n'y sont plus, mais, à moins de vouloir la rupture de l'armistice avec toutes les conséquences dramatiques qu'elle devait entraîner pour l'ensemble des populations françaises, il était impossible au gouvernement français d'agir ainsi que l'aurait souhaité l'acte d'accusation.

Cela lui était impossible, non pas seulement parce qu'il avait signé l'armistice et pris des engagements, mais parce que la France était tout entière occupée, sans armes, sans force, à la discrétion du vainqueur d'hier. Une telle décision nous eût conduits à faire crucifier la France.

S'il était impossible au Maréchal, seul responsable du commandement de la flotte, d'agir autrement, les navires, eux, pouvaient tenter de s'échapper. L'opération était périlleuse — impossible ont dit les techniciens. Certaines unités la tentèrent pourtant.

C'est le cœur angoissé que j'appris l'affreuse nouvelle. Notre flotte restait l'orgueil de notre pays. J'avais prêté jadis, comme chef du Gouvernement, mon appui ardent au ministre de la Marine pour arracher, en bousculant parfois les règles parlementaires, les crédits aux Chambres pour la construction de navires du type *Dunkerque*. J'avais une lettre de Charles Dumont, alors ministre de la Marine, m'exprimant sa reconnaissance pour mon action, que je conservais comme un des plus beaux témoignages de mon activité au service de la France. Le sabordage de notre flotte à Toulon m'apparut comme l'un des plus grands drames de notre défaite. Tout notre effort naval était à reprendre, nos plus belles unités venaient de disparaître ; le sabordage portait en lui, avec ses pertes pour longtemps irréparables, le symbole de notre détresse.

Voilà ma réponse à l'accusation. Me prêter l'intention d'avoir voulu la perte de nos navires, c'est une injure de plus qui m'est faite, mais ce ne peut être un grief à retenir contre moi. Je mesure mieux encore maintenant comme il est triste de servir sa patrie quand elle est malheureuse.

*Interrogatoire de Pierre Laval en date
    du 23 août 1945.*

— Demande : Expliquez-vous sur le sabordage de la Flotte. Comment avait-on pu la laisser prisonnière à Toulon sans autre alternative que de se livrer ou de se couler ? N'aurait-elle pas eu le temps de gagner l'Afrique du Nord ou la haute mer ?

— Réponse : Il est à ma connaissance que le Maréchal et l'amiral Darlan avaient donné l'ordre à la Flotte de se saborder plutôt que de se livrer à quelque puissance étrangère que ce soit. C'était un ordre fixe, comme je l'ai dit à l'audience de la Haute Cour dans un autre procès. Cet ordre n'émanait pas de moi. Je n'ai jamais donné d'ordres ni à l'Armée ni à la Marine. Je vous fixerai dans un prochain interrogatoire sur ce que j'ai connu des circonstances

du sabordage de notre flotte à Toulon. (Pierre
Laval n'a pas été de nouveau interrogé sur ce
chef d'accusation).

Déposition de Pierre Laval au procès Pétain.
   (*Audience du 4 août 1945*).

J'en profite, monsieur le président, puisque vous
me posez une question, pour vous dire une
réflexion qui me vient à l'esprit. Si les rapports
d'intimité entre le gouvernement français et le
gouvernement allemand avaient été tels, et si
nous avions été si dociles aux demandes allemandes, croyez-vous que le gouvernement allemand n'aurait pas essayé une autre manière
pour s'emparer des bateaux français à Toulon ?

Il aurait demandé une participation de la
France à la guerre ; il aurait offert peut-être
quelque chose en compensation de l'utilisation
de ces bateaux qui étaient inutilisés en rade de
Toulon ?

Il savait bien, le gouvernement allemand, à
quel refus brutal il se serait exposé, et c'est par
la force, suivant sa méthode, qu'il a essayé de
s'emparer de ces bateaux.

Pourquoi le gouvernement allemand a-t-il donné
l'ordre à M. Krug von Nidda de ne me prévenir
qu'à quatre heures et demie du matin seulement,
alors que l'opération commençait à quatre heures
du matin ? Si lui, gouvernement allemand, avait eu
confiance en moi, il n'aurait pas pris cette précaution, il m'aurait fait prévenir, au contraire, la veille,
il m'aurait fait prévenir assez tôt pour que je
puisse donner des ordres à l'amiral de Laborde et
aux autres chefs qui commandaient dans la rade,
pour que nos bateaux ne soient pas sabordés et
que l'Allemagne puisse les utiliser.

Mais le gouvernement allemand savait bien ce
qu'aurait été mon attitude et ce qu'aurait été

ma réponse, puisque c'est par ce rapt, et par la force qu'il a essayé de s'emparer de nos croiseurs et de nos cuirassés, puisque c'est à quatre heures et demie du matin qu'on me prévient, que je suis obligé d'aller à Vichy, que nous sommes obligés de téléphoner... Les minutes étaient des jours pour ces bateaux et les bateaux coulaient l'un après l'autre.

Alors, vous pouvez me demander : « Mais pourquoi se sont-ils sabordés ? »

Vous pourriez le demander aux officiers qui les ont sabordés.

Moi, je pourrais simplement vous répondre, monsieur le président, qu'il y avait — je l'ai dit tout à l'heure — deux ordres fixes : un ordre pour l'armée d'Afrique de résister à toute agression, un ordre pour la flotte de ne pas se laisser mettre la main dessus par une puissance étrangère quelconque.

Voilà quel était l'ordre fixé. Etait-il bon ? Etait-il mauvais ? C'était l'ordre. C'était un ordre qui résultait, le premier de la clause d'armistice, et le deuxième qui était la conséquence d'un engagement pris par le gouvernement français vis-à-vis du gouvernement britannique, et auquel s'ajoutait aussi l'obligation qui résultait de la Convention d'armistice.

CHAPITRE III

L'ANNEXION DE L'ALSACE-LORRAINE

1

Les Faits

Bien qu'il n'ait pas été discuté de leur sort au cours des négociations d'armistice, les départements du Haut-Rhin, du Bas-Rhin et de la Moselle furent, en fait, annexés par l'Allemagne. La germanisation de l'Alsace-Lorraine se fit progressivement et secrètement dès juillet 1940, le gouvernement français n'étant, à dessein, pas informé des mesures prises par les autorités d'occupation et mis devant le fait accompli.

L'annexion de fait se manifesta en premier lieu sur le plan administratif. Interdiction fut faite aux préfets et sous-préfets et aux autres fonctionnaires de l'administration, qui avaient dû quitter leurs postes pendant les opérations, de les reprendre. Ils furent remplacés par des administrateurs allemands. Ceux qui étaient restés en place furent expulsés ou même arrêtés. Les fonctionnaires de tous grades furent l'objet d'une épuration sévère et contraints de signer une déclaration de soumission à Hitler. Des mesures d'expulsion frappèrent les réfractaires et ceux considérés comme francophiles. Certains, même maintenus en fonction, n'échappèrent pas à leur mutation avec des fonctionnaires allemands.

Le 7 août 1940, deux gauleiters furent nommés, l'Alsace se trouvant rattachée au Gaü de Bade et la Lorraine au Gaü de Sarre-Palatinat.

Il fut procédé, dès juillet 1940, à des déportations et à des expulsions massives dont furent victimes principalement les Alsaciens et les Lorrains jugés indésirables pour leur attachement à la France, les Français implantés dans le pays depuis 1918 et les Israélites. Parallèlement, l'Allemagne exigea du gouvernement français le renvoi dans les régions annexées des habitants réfugiés dans d'autres régions du territoire et de ceux mobilisés en 1939 ou incorporés après l'armistice dans les Chantiers de la Jeunesse.

L'allemand devint la langue officielle et le français proscrit. La législation allemande fut appliquée. Le franc français cessa d'avoir cours légal. Des professeurs, venus d'Allemagne, remplacèrent les titulaires des chaires à l'Université de Strasbourg[1]. Les noms des communes et des rues furent débaptisés et les noms propres à consonance germanique seuls admis.

Germanisation aussi dans le domaine économique : expropriation de terres attribuées à des agriculteurs allemands, liquidation des banques, contrôle des changes et des devises, rationnement des vivres, mise sous séquestre des biens appartenant à des Français non autochtones, spoliation des biens juifs, dépossession des industriels et des commerçants.

Du 6 juillet 1940, date de la première, au 22 août 1944, date de la dernière, cent quatorze protestations ont été adressées par le gouvernement français à l'Allemagne pour s'insurger contre l'annexion forcée de l'Alsace et de la Lorraine et les exactions et persécutions commises à l'encontre des Alsaciens-Lorrains[2]. Quatre d'entre elles, notifiées pendant la présence de Pierre Laval au gouvernement, sont particulièrement à signaler en raison de leur caractère solennel :

1. Les facultés de l'université de Strasbourg furent transférées en zone libre, à Clermont-Ferrand.

2. « La délégation française auprès de la commission allemande d'armistice ». — Recueil de documents publiés par le gouvernement français. — Imprimerie Nationale 1947-1952.

1) — *Protestation du 3 septembre 1940*. — *Le général Huntziger, président de la Délégation française auprès de la Commission d'armistice de Wiesbaden, au général von Stülpnagel, président de la Commission allemande d'armistice.*

« *Depuis l'entrée des forces allemandes dans les départements du Haut-Rhin, du Bas-Rhin et de la Moselle, les autorités allemandes d'occupation ont pris un grand nombre de mesures qui ont pour effet de priver la France de ses droits de souveraineté sur ces territoires... Une pareille politique, qui ne saurait être le fait d'organes d'occupation subordonnés, équivaut à une annexion déguisée et est formellement contraire aux engagements souscrits par l'Allemagne à Rethondes. En effet : c'est avec la France entière, dans ses frontières de l'état de 1939, que l'Allemagne a signé la Convention du 22 juin. C'est l'intégrité de la France entière que l'Allemagne a comprise dans la Convention d'armistice en précisant que le gouvernement français avait le droit d'administrer les territoires occupés et non occupés, sans limitation territoriale aucune. Fort de son droit, le gouvernement français élève une protestation solennelle contre les mesures prises en violation de la Convention d'armistice à l'égard des départements alsaciens et lorrains et de leur population et qui constituent une annexion de fait de ces territoires.* »

2) — *Protestation du 18 novembre 1940*. — *Le général Doyen, président de la Délégation française auprès de la Commission d'armistice de Wiesbaden, au général von Stülpnagel.*

« *A la date du 3 novembre, le représentant de l'Office des Affaires étrangères de la Commission allemande d'armistice a fait savoir que des trains de Lorrains, « désireux de rentrer en France libre », allaient à partir du même jour être mis en route vers la zone non occupée... Malgré l'intervention personnelle de M. Laval auprès de M. Bürckel, la mesure annoncée a été suivie d'effet et à la date de ce jour, 41 trains de Lorrains, arrachés à leurs foyers, ont été dirigés vers Lyon. D'ordre de mon gouvernement, je suis chargé d'élever une protestation solennelle contre ces expulsions qui, quel que soit l'aspect sous lequel on les présente, sont absolument*

*contraires au droit des gens, aux règles universellement
reconnues de l'équité et de l'humanité et sans justification
possible dans le principe comme dans l'application.*

*La France se trouve placée en présence d'un acte de force
qui est en contradiction formelle aussi bien avec la Convention d'armistice qu'avec les assurances récemment exprimées
d'un désir de collaboration entre les deux pays. Bien au
contraire, dans son article 16, que la Commission allemande
a d'ailleurs fréquemment invoqué en ce qui concerne spécialement les départements de l'Est, la Convention d'armistice stipule la réinstallation des réfugiés dans les régions
où ils étaient domiciliés. La création de nouveaux réfugiés
constitue donc une violation de cette Convention... Des milliers de Français sont ainsi brusquement plongés dans la
misère sans que leur pays, déjà lui-même si éprouvé, surpris par la soudaineté et par l'ampleur de la mesure prise à
son insu, soit en état de leur assurer du jour au lendemain
une vie convenable. »*

3) — *Protestation du 3 septembre 1942.* — *Le chef du
gouvernement français, M. Pierre Laval, à l'ambassadeur
d'Allemagne à Paris.* — *(Cette note fut adressée le 1ᵉʳ octobre 1942 à la Commission allemande d'armistice.)*

« *Depuis quelques mois, les autorités allemandes ont
pris ou aggravé dans les départements du Haut-Rhin, du
Bas-Rhin et de la Moselle des mesures au sujet desquelles
le gouvernement français est dans l'obligation d'appeler de la
manière la plus instante l'attention du gouvernement du
Reich. Il s'agit essentiellement entre autres de décisions se
rapportant à la déportation des Alsaciens et des Lorrains
en Allemagne, à la colonisation allemande en Lorraine, à
l'incorporation des Alsaciens et des Lorrains dans diverses
formations allemandes et dans l'armée, à l'octroi de la nationalité allemande et au statut religieux des départements
susvisés... La colonisation ainsi projetée et en partie réalisée
de la Lorraine constituerait une forme nouvelle de l'annexion
de fait que les autorités allemandes ont entreprise dès leur
arrivée dans nos trois départements d'Alsace et de Lorraine
et contre laquelle se sont élevées les protestations du gouvernement français des 3 septembre 1940 et 27 octo-*

bre 1941... L'annexion de fait actuelle, dont le gouvernement français n'a jamais admis la légitimité, se révélerait donc plus rigoureuse que l'annexion ayant résulté d'un traité... Ces mesures (concernant la nationalité allemande) constituent une nouvelle et grave dérogation aux clauses de la Convention d'armistice et équivalent à une annexion officielle et unilatérale, sans valeur au regard du droit international... Pour toutes ces raisons, d'une gravité exceptionnelle, le gouvernement français a aujourd'hui l'impérieux devoir de transmettre au gouvernement du Reich la présente protestation dont l'urgence et la légitimité ne sauraient être contestées. »

4) — *Protestation du 8 avril 1943.* — *Le général Bérard, président de la Délégation française auprès de la Commission d'armistice de Wiesbaden, au général Vogl, président de la Commission allemande d'armistice.*

« *La fréquence et la sévérité des condamnations prononcées contre les Alsaciens dans les départements du Haut-Rhin et du Bas-Rhin se sont considérablement accrues depuis deux mois... Je n'ignore pas qu'à plusieurs reprises et tout récemment encore dans son discours du 28 mars à Strasbourg, M. le gauleiter Wagner a proclamé qu'il se sentait justifié à ne pas traiter l'Alsace comme un territoire occupé et à considérer les habitants des départements alsaciens comme des Allemands. Ces déclarations publiques ne reposent sur aucune base juridique en l'absence d'un traité accepté par le gouvernement français qui ferait perdre à ce dernier sa souveraineté sur l'un quelconque de nos départements de l'Est.* »

2

Le Dossier de l'Accusation

L'ACTE D'ACCUSATION

Sur un autre plan, les révélations apportées au sujet de la brutalité avec laquelle, en violation de l'armistice les Allemands procédèrent, dès juillet 1940, à une réannexion de l'Alsace-Lorraine, n'ont fait que mettre en relief le caractère odieux que devait nécessairement revêtir aux yeux des Français, au courant de cette situation, notamment des Alsaciens-Lorrains, la politique de collaboration consacrée à Montoire et dont Laval s'est proclamé l'initiateur. Comment pouvaient-ils l'envisager, sinon comme une acceptation du fait accompli, comportant à leur égard une marque d'indifférence que ne devait pas atténuer la façon dont Laval envisagea la question d'Alsace-Lorraine dans l'appel adressé par lui aux Américains, le 25 mai 1941, à l'effet de les détourner d'entrer en guerre aux côtés de l'Angleterre.

LE REQUISITOIRE

Si seulement il ne se fût jamais agi que de céder à des pressions indiscrètes en matière d'intérêt privé ; mais ni les exploitations de mines de cuivre, ni ce qui touche à la publicité ne sont des matières où seuls les intérêts privés sont en jeu, et il était encore bien d'autres sujets intéressant la nation sur lesquels Vichy a cédé. Il y avait, notamment, une question d'Alsace-Lorraine, et là, je me réfère encore à la déposition du général Doyen : « Dès le lendemain de l'armistice, brutalement, violemment, l'Alsace-Lorraine nous était arrachée, réannexée à l'Allemagne, le cordon douanier déplacé, les poteaux frontières replantés là où ils étaient en 1914. » Y a-t-il eu des protestations ? des protestations écrites ? Oui. Protestations restées secrètes et qui ne comptent pas, car, comme le disait M. l'ambassadeur Noël, ce qui compte, ce qui sauvegarde la dignité du vaincu, ce sont les protestations publiques. Y a-t-il eu une parole quelconque émanant d'une voix officielle pour jeter un peu d'espoir au cœur de nos malheureux compatriotes ? Non. La seule réponse à la réannexion de l'Alsace-Lorraine a été Montoire ! Montoire, c'est-à-dire la proclamation faite au monde que nous nous entendions avec le vainqueur, avec celui qui venait de nous arracher ces trois départements de l'Est. Oui, c'était l'acceptation du fait accompli, l'acceptation officielle de la séparation de l'Alsace-Lorraine d'avec la France... Dans cet appel aux Américains du 25 mai 1941, Laval ajoute : « Si vous vouliez nous arracher une partie quelconque de notre Empire, ce serait comme si vous nous enleviez un morceau de chair vivante. » Retenez cette expression : « Un morceau de chair vivante ! » Il y en avait d'autres qu'on nous avait arrachés dès le lendemain de l'armistice : il y avait l'Alsace-Lorraine. Et voulez-vous savoir comment Laval traite la question ? Il la traite en s'adressant à des amis, c'est entendu, mais des amis qui étaient tout de même des étrangers. Ecoutez comment il s'exprime au sujet de ce qui nous tient le plus au cœur : « Je sais bien que l'Alsace-Lorraine constitue l'enjeu traditionnel de nos batailles avec l'Allemagne et je crains que nous ayons à subir une fois de plus cette loi de l'Histoire. Ces provinces sont comme des enfants mineurs issus d'un ménage désuni qui, tantôt vivent avec le père, tantôt vivent avec la mère, qui les revendiquent toujours, l'un et l'autre, par la violence. Ne pourrait-on pas considérer un jour que ces enfants sont devenus majeurs ? » On ne pouvait laisser mieux entendre que cette question qui nous tenait au cœur, on s'en désintéresserait. On le savait depuis Montoire, mais pour donner tous apaisements à Hitler, il n'était peut-être pas mauvais de le redire et de le faire savoir à l'étranger.

LES DOCUMENTS DE L'ACCUSATION

Déclaration de Pierre Laval le 25 mai 1941 [3] :

Quelle paix serait meilleure que celle qui nous garantirait notre indépendance, l'intégrité de notre territoire métropolitain et de notre empire ? Je sais, hélas, que l'Alsace et la Lorraine constituent l'enjeu traditionnel de nos batailles avec l'Allemagne et je crains que nous ayons, une fois de plus, à subir cette loi de l'Histoire. Ces provinces sont comme des enfants mineurs issus d'un ménage désuni, qui vivent tantôt avec le père, tantôt avec la mère qui les revendiquent toujours l'un et l'autre par la violence. Ne pourrait-on considérer un jour que ces enfants sont devenus majeurs et qu'ils doivent être non une cause de discorde, mais au contraire, de rapprochement entre la France et l'Allemagne ? C'est un problème délicat et grave, qui ne pourra être posé et résolu que dans l'entente et dans l'amitié des deux grands pays voisins.

LES TEMOINS DE L'ACCUSATION

Le général Doyen, au procès. (Audience du 8 octobre 1945)

Les Allemands, dès le lendemain de l'armistice, avaient marqué dans la chair vive de la France les sacrifices qui lui auraient été imposés s'ils avaient pu dicter la paix. Ces sacrifices, c'était le démembrement de la France. Si l'on se rapporte aux précédents, à la manière dont l'Allemagne nous a arraché en 1871 l'Alsace et la Lorraine, à la manière dont, récemment, elle avait traité l'Autriche, la Tchécoslovaquie et la Pologne, on peut être certain que l'Allemagne nous aurait traités avec la plus extrême rigueur et sans aucune

---

3. Laval prononça ces paroles au cours d'une interview qu'il accorda en mai 1941, alors qu'il ne faisait pas partie du gouvernement, au journaliste américain Ralph Heinzen. Il reprit les termes de cette déclaration dans un discours qu'il fit le 19 septembre 1942 à l'occasion de la Journée légionnaire organisée à Vichy.

générosité et que la ligne interdite que je viens de vous définir, allant de la Somme à Bellegarde, aurait marqué la limite de la future France. Tous les territoires situés à l'Est de cette ligne auraient été, d'une façon ou de l'autre, incorporés au grand Reich allemand. Ainsi donc, pour les Français avertis, pour les Français qui avaient pu se rendre compte de cette situation, il était évident que leur devoir était tout tracé. Le salut de notre pays ne pouvait venir que du côté de ceux qui continuaient la lutte contre l'Allemagne. Par contre, toute autre politique consistant à aider l'ennemi — parce que l'Allemand était toujours l'ennemi, l'armistice, ce n'est pas la paix — toute politique ayant pour objet d'aider l'ennemi sous une forme ou sous une autre dans sa lutte contre l'Angleterre et ses alliés ne pouvait que favoriser l'Allemagne dans l'obtention de ses buts de guerre qui étaient, en premier lieu, le démembrement et la destruction de la France. Par conséquent, toute politique ayant cet objet, qu'elle s'appelle collaboration ou autre, était une politique criminelle contre le pays. Or, il s'est trouvé un homme pour se faire le père de cette politique et l'imposer au pays. Cet homme a été M. Laval.

3

Le Dossier de la Défense

1) — Laval a-t-il accepté comme « un fait accompli » et avec « indifférence », pour reprendre les termes employés par l'accusation en 1945, l'annexion de l'Alsace-Lorraine par l'Allemagne ?

a) — De juillet 1940 au 13 décembre 1940, période pendant laquelle Pierre Laval fit partie du gouvernement, dix-sept protestations furent notifiées à l'Allemagne. D'avril 1942, date du retour au pouvoir de Laval, à août 1944, on en dénombre cinquante-quatre. Les deux dernières, celles du 3 août 1944, relatives aux arrestations pratiquées à l'Université de Strasbourg repliée à Clermont-Ferrand, et du 22 août 1944, protestant contre les termes du communiqué allemand du 12 août qui considérait Strasbourg et Mulhouse comme étant des villes allemandes, ne purent parvenir à destination.

b) — A Montoire le 22 octobre 1940, Laval déclara à Hitler : « Je dois ajouter que je ne concevrai jamais comme une paix juste celle qui ferait perdre à la France la moindre parcelle de son territoire ou de son Empire. »

c) — Otto Abetz indique [4], que, le 9 novembre 1940, Laval s'inquiéta auprès de Gœring du sort qui serait réservé à l'Alsace-Lorraine et que ce dernier lui laissa entrevoir que sa réunion à l'Allemagne « pourrait peut-être encore prêter à discussion. »

d) — Lorsqu'en novembre 1940 fut connu l'ordre d'expulsion visant les Lorrains, Laval fut d'avis d'adresser une protestation solennelle au gouvernement allemand. Paul Baudouin en témoigne [5] : « Ce conseil des ministres du jeudi 14 novembre se tient en présence de Pierre Laval et de tous les ministres rappelés précipitamment de Paris. Nous estimons tous que la décision allemande d'expulser les Lorrains est extrêmement grave, que nous ne pouvons la cacher à l'opinion publique. Nous arrêtons les termes d'un communiqué en évitant ce qui pourrait exciter les autorités allemandes. La collaboration franco-allemande commence bien. Voici les premiers actes ! Dans la soirée, Pierre Laval repart pour Paris où il va essayer d'obtenir une modification des instructions données par Bürckel, gauleiter de Lorraine ».

e) — Laval intervint personnellement auprès du gauleiter Bürckel dans l'espoir de faire rapporter ces mesures. Dans la protestation qu'il adressa le 18 novembre 1940 au président de la Commission allemande d'armistice, le général Doyen, président de la délégation française à Wiesbaden,

4. « D'une prison ».
5. « Neuf mois au gouvernement ».

en fit état : « Malgré l'intervention personnelle de M. Laval auprès de M. Bürckel, la mesure annoncée a été suivie d'effet et, à la date de ce jour, quarante et un trains de Lorrains, arrachés à leurs foyers, ont été dirigés vers Lyon. »

f) — Ces démarches étaient malheureusement vouées par avance à un échec. On en veut pour preuve cette note du 25 novembre 1940, établie par le sous-secrétaire d'Etat allemand aux Affaires étrangères pour préparer une conversation que Ribbentrop devait avoir avec Laval[6] ; « Questions qui pourraient être soulevées par Laval, mais qui ne devraient pas être l'objet d'une discussion : 1) La question des expulsions de Lorraine. Comme cette action est maintenant terminée et que nous avons refusé de prendre connaissance de la note de protestation française, il ne peut être question de réexaminer ce sujet... »

g) — Un communiqué de protestation contre ces expulsions fut publié le 15 novembre 1940 sur les ordres du gouvernement par les journaux de la zone libre.

h) — Il est à remarquer que ces protestations ont été faites, notamment celle de Laval, au lendemain de la rencontre de Montoire, alors que s'amorçait une politique de collaboration.

i) — Le 3 septembre 1942, Laval remit personnellement entre les mains d'Abetz, pour en marquer la solennité, l'une des protestations les plus éenergiques qui aient été faites[7]. Elle fut motivée par les mesures de représailles prises contre les familles dont les enfants, pour éviter l'enrôlement forcé dans le service du travail obligatoire allemand, s'étaient réfugiés en zone libre, la déportation des Alsaciens-Lorrains en Allemagne, la colonisation allemande en Lorraine, l'incorporation forcée des Alsaciens-Lorrains dans l'armée allemande, l'attribution d'office de la

6. Archives de Nuremberg. — Documents N.G. n° 4.337. — Procès de la Wilhelmstrasse.

7. Le texte de la protestation fut notifié au gouvernement allemand par la délégation d'armistice de Wiesbaden. (Lettre n° 21.571/D.S.S./2 du 20 septembre 1942).

nationalité allemande et les persécutions religieuses. Cette protestation contenait deux phrases qui démontrent que le gouvernement présidé par Laval n'acceptait pas comme un fait accompli et avec indifférence l'annexion de l'Alsace-Lorraine : « L'annexion de fait actuelle, dont le gouvernement français n'a jamais admis la légitimité, se révélerait donc plus rigoureuse que l'annexion ayant résulté d'un traité... Ces mesures constituent une nouvelle et grave dérogation aux clauses de la convention d'armistice et équivalent à une annexion officielle et unilatérale, sans valeur au regard du droit international. »

j) — Un communiqué fut préparé par le gouvernement pour rendre publique cette protestation, mais la censure allemande s'opposa à sa diffusion. A la demande du maréchal Pétain, Laval, avec une certaine réticence due à la crainte qu'il avait de créer un incident avec les autorités d'occupation, le fit paraître dans *le Nouvelliste de Lyon*[8].

k) — La publication de communiqués officiels et de protestations dans la presse de la zone occupée était impossible, celle-ci se trouvant sous le contrôle des autorités allemandes. S'il était moins strict en zone libre, la diffusion des informations était cependant soumise à l'accord de la censure allemande. A cela, s'ajoutait le désir du gouvernement d'éviter toute communication pouvant être considérée par l'occupant comme une provocation et risquant d'entraîner des mesures de représailles.

2) — Quel sens Laval a-t-il entendu donner aux paroles qu'il prononça en mai 1941 sur le problème de l'Alsace-Lorraine pendant entre la France et l'Allemagne ?

a) — Laval prononça les paroles qui lui ont été reprochées au cours de ses réponses à une interview qu'il accorda en mai 1941 au journaliste américain Ralph Heinzen. Il en donna connaissance le 25 mai 1941 aux représentants de la presse parisienne qui participaient à un banquet pour fêter les noces d'argent journalistiques de Jean Luchaire, directeur du journal *Les Nouveaux Temps*. Les déclarations de Pierre Laval

8. D'après le témoignage de M. Lavagne, chef du cabinet civil du maréchal Pétain (référence infra).

furent en outre éditées sous la forme d'un petit opuscule dont le titre était : « Un document historique. — Pierre Laval et la politique de Montoire.», et le sous-titre : « Message aux Américains et aux Français ». Pierre Laval a traité dans cette interview du problème des rapports franco-allemands et des relations franco-américaines. Le passage relatif à l'Alsace-Lorraine est contenu dans le paragraphe intitulé : « Voulez-vous collaborer ? », dans lequel Laval expliquait qu'il espé-rait obtenir pour la France une paix « conçue dans la justice et dans l'honneur ».

b) — Il y a lieu de remarquer qu'avant d'aborder l'exposé concernant le problème de l'Alsace-Lorraine, Laval déclara : « Quelle paix serait meilleure que celle qui nous garantirait notre indépendance, l'intégrité de notre territoire métropo-litain et de notre Empire ? » Si le paragraphe suivant de-vait être interprété comme une déclaration d'abandon de ces provinces françaises, il semblerait en contradiction abso-lue avec le vœu exprimé quelques lignes plus haut de voir respecter l'intégrité du territoire métropolitain.

c) — Les phrases incriminées ne contenaient pas une dé-claration d'abandon de l'Alsace-Lorraine à l'Allemagne. La-val ne faisait que poser le problème. Il formulait l'espoir que la solution à intervenir, c'est-à-dire le libre choix de leur sort par les Alsaciens-Lorrains, « ces enfants devenus majeurs », soit une cause de rapprochement entre la France et l'Allemagne. Il est difficile d'admettre que l'annexion de l'Alsace-Lorraine par elle ou son rattachement volon-taire aurait pu alors constituer l'aboutissement souhaité de la politique d'un gouvernement qui ne cessa de protes-ter pendant quatre ans contre l'annexion de fait à laquelle ces territoires furent soumis.

d) — Le 19 septembre 1942 à Vichy, à l'occasion de la manifestation de la Journée Légionnaire, Laval reprit le thème de sa déclaration de 1941 et forma le vœu « qu'au lieu d'être une cause de discorde, l'Alsace et la Lorraine deviennent, au contraire, une cause de rapprochement en-tre nos deux pays ». Il fit également observer : « Je mets au défi quiconque de bonne foi de proférer une parole plus utile pour l'Alsace et la Lorraine. »

e) — Le texte de ces deux déclarations et les circonstances dans lesquelles elles ont été faites amènent à faire les remarques suivantes et à poser certaines questions :

● Celle de mai 1941 était contenue dans une interview accordée à titre privé à un journaliste américain. Elle fut répétée devant la presse française réunie en petit comité à un banquet.

● Celle de septembre 1942 émanait du chef du gouvernement parlant, non dans une réunion publique, mais devant les membres de la Légion Française des Combattants.

● Laval ne traita du problème de l'Alsace-Lorraine dans aucune de ses déclarations publiques ni dans ses discours officiels.

● Pour quel motif Laval a-t-il choisi ces deux circonstances ? S'il s'agissait de faire connaître son intention d'abandonner ces provinces à l'Allemagne au moment de la signature de la paix et son acceptation du fait accompli, pourquoi Laval n'a-t-il pas rendu publique sa décision soit dans un message diplomatique soit dans un discours radiodiffusé soit même au cours d'un entretien privé avec Abetz ? Or, non seulement il n'a recherché aucune de ces occasions pour consolider par une telle largesse de vue sa politique de rapprochement avec l'Allemagne, mais au contraire, le 3 septembre 1942, quelques jours avant sa déclaration devant les Légionnaires, il avait protesté énergiquement auprès d'Abetz contre l'annexion de fait de l'Alsace-Lorraine poursuivie depuis juillet 1940 par l'Allemagne. Si l'intention de Laval était de démontrer la volonté de la France de ne pas abandonner ses droits sur ces parties de son territoire, a-t-il voulu profiter de l'interview réalisée par un journaliste neutre, auquel il était lié par des sentiments amicaux, de la réunion de la presse parisienne en petit comité et de la Journée Légionnaire de septembre 1942, réunion marquante sur le plan national, pour faire connaître d'une manière officieuse son point de vue sur ce problème et sa détermination quant à la solution à lui trouver, évitant ainsi le contrôle de la censure allemande [9] ? Le choix de ces réunions privées correspondrait bien, en tout cas, au désir de Laval d'éviter toute déclaration publique qui puisse être considérée par le gouvernement allemand comme une provocation [10]. La décision prise par Laval de faire ces déclarations en de telles circonstances s'expliquerait alors difficilement si elle n'était due au désir de leur donner une publicité indirecte.

● Quoi qu'il en soit, si on admet la thèse suivant laquelle ces déclarations de Laval auraient eu pour signification sa volonté d'accepter l'éventualité d'une annexion de l'Alsace-Lorraine par l'Allemagne au moment du traité de paix ou leur constitution en un Etat autonome, on ne peut pas ne pas reconnaître qu'alors tous ses actes auraient été contraires à ses intentions. En effet :

— Laval s'associa aux protestations répétées faites auprès de l'Allemagne contre l'annexion de l'Alsace-Lorraine, notamment à celle de novembre 1940.

— Il intervint auprès du gauleiter Bürckel au moment des expulsions de novembre 1940.

— Il remit personnellement le 3 septembre 1942 à Abetz une énergique protestation, s'insurgeant contre l'annexion de fait réalisée par l'Allemagne.

— Il approuva le maintien des organismes administratifs et des services publics des trois départements repliés en zone libre, le vote des crédits budgétaires nécessaires à leur fonctionnement et l'allocation d'indemnités aux réfugiés.

— En mars 1942, il déclara à Gœring : « La paix serait pourtant facile à construire entre nos deux pays s'ils étaient décidés à le vouloir. L'Alsace et la Lorraine elles-mêmes ne devraient pas être pour l'Allemagne un obstacle infranchissable, car elle doit organiser l'Europe. » Par ces paro-

9. Laval a indiqué dans son « Mémoire en réponse à l'acte d'accusation » que la censure militaire allemande avait voulu interdire la publication du paragraphe de sa déclaration de 1941 concernant le problème de l'Alsace-Lorraine. (Cf infra).

10. Cette loi du silence fut respectée également par le Maréchal Pétain qui ne la viola que lorsqu'il le jugea indispensable, comme en novembre 1940 par exemple.

les, Laval entendait faire savoir à Gœring qu'il subordonnait la signature d'un traité de paix acceptable au renoncement par Hitler de ses intentions d'annexer l'Alsace-Lorraine.

LES TEMOINS DE LA DEFENSE

Déposition de M. Lavagne [11] au procès Pétain. (Audience du 10 août 1945)

Le Maréchal a (en septembre 1942), au su du président Laval, signé lui-même une protestation particulièrement solennelle que Laval, au lieu de passer par la voie habituelle de la D.S.A. de Wiesbaden, a remise lui-même à Abetz pour Hitler... Le Maréchal n'a pas eu de cesse d'obtenir de Laval qu'il la publiât dans la radio et les journaux, mais le président Laval était, à ce moment-là, dans une situation extrêmement délicate pour les questions juives, la Relève, le détachement du département du Nord de Bruxelles, pour éviter une annexion éventuelle, etc. et il n'a pas osé, dans les rapports très durs qu'il avait avec Sauckel, quand, de mois en mois, il reculait l'échéance des 150 000 ouvriers, il n'a pas osé faire cette publication. A la fin, au conseil des ministres du 19 septembre, le Maréchal a exigé la publication et le président Laval, sans plus reculer davantage, l'a fait publier dans un seul journal : *Le Nouvelliste de Lyon*. D'autre part, il l'a fait passer dans la presse étrangère et tous les journaux étrangers accrédités à Vichy : presses suisse, américaine ont eu la protestation. Les Alsaciens, par la Suisse, ont pu l'avoir de cette façon-là.

— M. Frey, maire de Strasbourg en 1940-44. (HI-III-1539).

Je suis en mesure d'authentifier le passage du « Laval parle » [12] où je suis mentionné. Je ne me souviens pas

11. M. Lavagne fut chef du cabinet civil du Maréchal Pétain de juillet 1940 à juillet 1943.

12. Consulter au paragraphe 4 le passage du « Mémoire en réponse à l'acte d'accusation » auquel il est fait allusion par l'auteur de cette déclaration.

exactement des termes, mais le sens était bien celui que les Alsaciens repliés pouvaient compter sur Laval pour les protéger.

— Alex Surchamp, reporter de la Radiodiffusion. (HI-III-1467)

En octobre 1940, les Alsaciens, expulsés, étaient refoulés vers la France. Des trains de réfugiés devaient arriver en gare de Clermont-Ferrand et j'étais chargé de faire le reportage de cette arrivée.

Avant mon départ, le Président Laval me fit appeler et me dit en substance ceci : « Vous allez assister à un pénible spectacle. Vous direz ce que vous voyez et ce que vous entendez. Vous laisserez parler les Alsaciens. Il est vraisemblable que leurs propos seront amers. Enregistrez-les quand même. Il est des choses qu'il faut qu'on sache. » Et, avant de nous séparer, il ajouta : « Il est possible que les Allemands ne soient pas satisfaits de la publicité donnée par la Radio à cet événement. Mais ils ne pourront réclamer qu'après coup, et la vérité aura été dite. Il est possible qu'on m'oblige à prendre des sanctions. Soyez rassuré, je ferai pour le mieux. »

Et, de fait, les Alsaciens, arrivant en gare de Clermont-Ferrand après un voyage déprimant, furent très amers dans leurs propos. Les Allemands protestèrent et demandèrent la sanction prévue contre le reporter. Je fus frappé de mise à pied de quinze jours. Le Président Laval me fit appeler et, en même temps qu'il me notifiait cette décision, il me félicitait pour « le bon travail » que j'avais fait et m'annonçait que la sanction prise... et imposée n'entraînerait pour moi aucune suspension de traitement, ni... d'activité radiophonique. Et il en fut ainsi fait.

4

Les déclarations de Pierre Laval

Lettre de Pierre Laval au Premier Président. (Audience du 9 octobre 1945)

Le général Doyen a parlé de l'Alsace. Comme président de la Commission de Wiesbaden, il avait précisément pour mission de protester auprès des Allemands contre les violations de la Convention d'armistice. Il n'a pas manqué de le faire, sans obtenir d'ailleurs jamais aucune réponse. Si j'avais pu parler à l'audience de samedi, je me proposais d'ouvrir le dossier de l'Alsace et j'aurais, sans difficulté, d'avance, complètement détruit la portée du témoignage erroné et partial du général Doyen. C'est un sujet sur lequel je ne redoute aucune critique valable lorsque je me serai pleinement expliqué et c'est un des griefs de l'accusation qui m'a blessé jusqu'à l'âme. J'avais cité et j'allais faire citer des témoins alsaciens importants et qualifiés pour établir comment j'avais, dans les circonstances les plus dramatiques, défendu l'Alsace. Quant à l'imputation que j'aurais participé à une politique de démembrement, elle est simplement outrageante. Je l'aurais facilement réfutée et réduite à néant comme fausse et fantaisiste. Elle a la valeur d'une grossière calomnie.

MEMOIRE EN REPONSE
A L'ACTE D'ACCUSATION

L'additif à l'acte d'accusation relève contre moi une déclaration que j'ai faite à Paris, le 25 mai

1941, à M. Heinzen, correspondant de la *United Press*. Un seul paragraphe de cette déclaration est cité, celui qui concerne l'Alsace et la Lorraine.

C'est pour répondre à un discours radiodiffusé prononcé deux jours auparavant, exactement le 24 mai à treize heures, par l'amiral Darlan, que j'ai accepté de donner cette interview. Depuis le 13 décembre 1940, j'étais resté silencieux, sans écrire et sans parler, et j'avais été blessé en entendant l'amiral Darlan dire que de l'issue des négociations qu'il menait dépendait la vie ou la mort de la France. Voici ses paroles : « Il s'agit pour elle de choisir entre la vie et la mort. » Une phrase me choqua plus encore — la voici : « En juin 1940, le vainqueur pouvait refuser l'armistice, nous écraser et rayer la France de la carte du monde. Il ne l'a pas fait. » J'ai répondu à l'Amiral en déclarant à la *United Press* : « Je savais la France éternelle et en mesure de retrouver sa place, toute sa place sur la carte du monde. » Cette affirmation est incluse dans mon interview. Elle montre de façon éclatante le contraste entre deux langages, deux politiques, deux façons de s'exprimer devant Hitler.

N'oublions pas que nous sommes à Paris, en 1941, et non en 1945 ; l'Allemagne a annexé de fait l'Alsace et la Lorraine — Darlan est revenu de Berchtesgaden et a déclaré dans le même discours : « Le Chancelier ne m'a demandé aucun territoire colonial. » L'Amiral se garda de faire une allusion au territoire de la Métropole, et j'avais des raisons de craindre (je sais aujourd'hui qu'elles étaient justifiées) que Darlan, en échange de la coopération militaire entraînant la libération de tous les prisonniers et la suppression de la ligne de démarcation, se résignât à l'annexion de fait de l'Alsace. Ceci était d'une gravité exceptionnelle, aussi ai-je cherché une formule pour poser publiquement le problème de nos deux provinces. Il me fallut user de mesure et de prudence pour que la censure allemande n'interdît pas la publication de mon propos. Alors j'imaginai l'image des enfants mineurs devenus majeurs, ce qui, de toute évidence, signifiait que je n'acceptais pas l'annexion, puisque ma déclaration sur l'Alsace se termine ainsi : « C'est un problème délicat et grave qui ne pourra être posé et résolu que dans l'entente et l'amitié des deux grands pays voisins. » Qu'on relise l'interview et on comprendra que l'Alsace et la Lorraine, majeures, doivent elles-mêmes fixer leur destin. Or nous savons qu'elles veulent rester françaises et qu'elles le diront. Je sais qu'aucune paix n'est possible avec l'Allemagne si elle nous prend un lambeau de notre chair. Je n'ai jamais conçu une collaboration avec nos voisins sans l'Alsace et la Lorraine françaises. J'ai dit que vis-à-vis des Allemands « je m'étais présenté en paysan de France, cramponné avec acharnement à son sol, résolu à défendre sa terre ». Et cette affirmation est aussi incluse dans mon interview.

Quand je rappelle dans l'interview que l'Alsace et la Lorraine constituent l'enjeu traditionnel de nos batailles avec l'Allemagne, j'énonce une simple vérité historique.

Quand j'ajoute : « Et je crains que nous ayons une fois de plus à subir cette loi de l'Histoire », c'est que j'envisage le cas d'une paix de contrainte et non point d'une paix d'entente.

Cela ne peut signifier que nous renonçons à l'Alsace et à la Lorraine. Cela veut dire que, si nous subissons la paix au lieu de la faire, nous perdrons nos deux provinces. Cela veut donc dire le contraire de l'intention que me prête l'acte d'accusation.

Les Allemands, eux, ne pouvaient pas se tromper sur mes sentiments. Aussi, et M. Heinzen pourrait le confirmer, la censure militaire allemande, qui fonctionnait à Paris, interdit-elle d'abord la publication du paragraphe concernant l'Alsace. Je protestai vivement auprès de l'ambassade en refusant la reproduction du texte tronqué, et, vers la fin de la soirée, j'appris qu'après bien des difficultés l'interdiction était levée.

C'était la première fois depuis l'armistice qu'un homme politique français osait, dans la zone occupée, poser publiquement le problème d'Alsace et revendiquer ainsi notre intégrité territoriale. L'accusation trouve sans doute que mon langage eût gagné à être plus clair ou plus brutal. Qui donc pourrait prétendre qu'il était alors possible d'aller plus loin et plus hardiment dans cette voie ?

Les Alsaciens, eux, ne s'y trompèrent pas. Ils apercevaient une lueur d'espérance, alors que les événements militaires de l'époque semblaient les avoir à jamais plongés dans la détresse. Je reçus de la part de nombre d'entre eux l'expression de leur reconnaissance pour ce qu'ils avaient considéré à l'époque comme un acte très courageux. Les Russes étaient toujours les alliés de l'Allemagne, et l'Amérique n'était pas encore entrée dans la guerre. Enfin, je le répète, Darlan était allé à Berchtesgaden et avait fait à son retour la déclaration à laquelle j'ai fait allusion.

L'interprétation la plus grave qu'on pourrait donner à mon propos serait que je préconisais l'autonomie de nos deux provinces. Elle serait fausse puisque l'Alsace et la Lorraine, majeures, n'auraient jamais voulu se séparer de la France.

A propos de la question d'autonomie, mon sentiment était bien connu. Un souvenir va le préciser et le fixer ; j'étais Garde des Sceaux en 1926 et chargé par Aristide Briand de diriger les services d'Alsace, lorsque fut publié le manifeste des autonomistes. Contre le gré de mon chef, qui me conseillait la modération, parce qu'il craignait une aggravation de l'incident et un élargissement du conflit qui opposait les autonomistes aux autres Alsaciens, je n'hésitai pas à frapper durement les signataires du manifeste. Je révoquai le soir même tous les fonctionnaires, et ils étaient nombreux, qui l'avaient signé. Je n'eus de difficulté que pour le notaire de Villé, que je ne pouvais destituer moi-même. J'invitai, sous menace de révocation, M. Fachot, alors procureur général, à obtenir dans les trois jours la destitution de ce notaire, dont j'ai oublié le nom.

Les Allemands n'ont jamais pu mettre en doute mes sentiments à l'égard de l'Alsace et de la Lorraine, non pas seulement parce que nous n'avons pas cessé de protester contre les mesures qu'ils ont prises en Alsace et en Lorraine, en violation de la Convention d'armistice, mais surtout parce que je n'ai jamais omis dans mes entretiens de leur dire qu'il n'y aurait jamais de paix possible entre nos deux pays si l'Alsace et la Lorraine nous étaient ravies.

Nous avons, par la Direction des services de l'armistice, fait plus de soixante-dix protestations contre les abus et les excès commis par les Allemands, et, dès avril 1942, à mon retour au pouvoir, j'ai consigné dans une lettre au gouvernement allemand, remise à l'ambassadeur, notre protestation contre une annexion de fait que nous ne reconnaissions pas. Cette lettre a toujours été évoquée depuis comme base de toutes nos demandes et réclamations ultérieures.

Je sais qu'on nous reproche de n'avoir pas donné un caractère public et solennel à notre protestation. Je ne sais ce qui serait advenu si nous l'avions fait, mais une chose est certaine, nous aurions, en le faisant, provoqué de nouveaux excès et sévices plus durs encore de la part des Allemands à l'égard de nos compatriotes alsaciens et lorrains.

Il y a, dans mes documents mis sous scellés, une lettre adressée au directeur de la *Tribune de Genève,* en octobre 1944, où j'exprime mon opinion à ce sujet — mais que les conditions de contrainte dans lesquelles j'ai vécu en Allemagne ne m'ont pas permis de faire parvenir au destinataire. Dans cette lettre, je repousse avec force l'idée qu'un publiciste belge mal informé me prêtait d'avoir conçu le projet d'échanger l'Alsace et la Lorraine pour la Wallonie.

Dans l'entretien que j'avais eu avec le maréchal Gœring en mars 1942, où il se montra si dur pour la France, je ne craignis pas de lui dire que le problème de l'Alsace et de la Lorraine n'était pas essentiel pour l'Allemagne, tandis qu'il constituait pour la France la pierre angulaire de notre entente.

J'ai le souvenir d'avoir reçu à Vichy la visite de M. Frey, maire de Strasbourg. Il s'était, avec ses services, replié à Périgueux. Il me disait l'angoisse de ses compatriotes et il eut ce mot qui me toucha profondément : « Je leur parle et je leur dis : je connais bien Laval, il nous défend et il nous défendra. »

J'ai également le souvenir que le Grand Rabbin de Strasbourg vint à Vichy pour voir le Maréchal. Absent ou empêché, je ne pus le recevoir, mais il vit M. Guérard, secrétaire général. Le Grand Rabbin, ayant appris que j'étais découragé par les difficultés dont certaines, hélas ! étaient insolubles, chargea M. Guérard de me dire de ne pas m'en aller : « Surtout, lui dit-il, qu'il ne se décourage pas. » M. Guérard me fit un récit de cet entretien, qui se trouve aux scellés de mon dossier.

Je n'ai aucune raison de croire que M. Frey et le Grand Rabbin avaient énoncé de simples formules de courtoisie.

Pendant toute l'occupation, je me suis toujours préoccupé du sort de nos malheureux compatriotes réfugiés surtout dans le Sud-Ouest et dans le Centre. J'ai maintenu les préfets pour marquer la possession de nos trois départements. J'ai veillé à faire assurer aux populations réfugiées le meilleur accueil — et j'ai souffert comme Français de toutes les mesures de vexation et de brutalité prises contre ceux qui n'avaient pas quitté leur pays.

Je me révolte contre l'injustice que comporte pour moi l'accusation d'avoir une seule seconde songé que la France pût perdre l'Alsace et la Lorraine en les abandonnant au vainqueur.

On le sait maintenant, je suis revenu au pouvoir en 1942 dans les circonstances les plus tragiques, pour essayer de protéger notre pays et d'alléger ses souffrances.

A M. Pinot, ancien commissaire aux prisonniers rapatriés, qui, dans un sentiment que j'ai jugé amical et en tout cas imprégné de patriotisme, vint me voir à Vichy pour me conseiller fortement, au lendemain du débarquement américain en Afrique du Nord, de quitter le pouvoir, j'ai répondu notamment : « Que deviendront les Alsaciens-Lorrains et que deviendront les prisonniers évadés ?»

J'ai soustrait les Alsaciens et les Lorrains réfugiés au départ comme ouvriers pour l'Allemagne. J'ai obtenu, après l'occupation de la zone sud, de l'armée et la police allemandes, qu'ils ne soient pas traités comme nationaux allemands.

J'aurais pu, en esquivant la responsabilité du pouvoir, me désintéresser de l'Alsace, de la Lorraine et de la France. On ne me reprocherait rien aujourd'hui au sujet de l'Alsace, alors que c'est en grande partie pour elle que j'ai encouru tous les risques dont l'aboutissement inattendu me conduit devant la Haute Cour.

Que seraient devenus au contact de la Gestapo les Alsaciens et les Lorrains réfugiés dans la zone sud ? Ils n'auraient pas tous pu, c'est évident, prendre le maquis. Au martyrologue si lourd de nos deux provinces se seraient ajoutées d'autres innombrables victimes innocentes. Pour l'avoir empêché, est-il juste, est-il honnête, dans le réquisitoire supplétif, de m'imputer comme un crime ce qui devrait me valoir la reconnaissance de mon pays ?

Un jour viendra sans doute où la noblesse de mon intention ne sera plus méconnue et où mes actes seront jugés comme ceux d'un Français qui, à une époque de triste servitude, ne craignait pas de s'exposer pour servir sa patrie. J'avais moins de gloire que d'autres, mais — l'événement le prouve aujourd'hui — le risque n'était pas moins grand, et ce risque s'évanouira parce que je serai jugé par des Français, et que, chez nous, la raison et la justice finissent toujours par l'emporter.

CHAPITRE IV

L'AFFAIRE DES TÉLÉGRAMMES

1

Les Faits

Le 19 août 1942, des troupes britanniques, débarquées dans la région de Dieppe, furent rejetées à la mer par les forces allemandes, après avoir créé une petite tête de pont.

Le maréchal Pétain aurait adressé à Hitler, à la suite de ces événements, une proposition de coopération militaire contenue dans le télégramme suivant : « De Vichy, le 21 août 1942 à 18 h 40. Message N° 514. — Veuillez remettre immédiatement à M. de Grosville, cabinet de M. Benoist-Méchin, Hôtel Matignon, le message suivant : Monsieur le Chancelier. — Après un entretien que je viens d'avoir avec le président Laval, et en raison de la dernière agression britannique qui s'est déroulée cette fois-ci sur notre sol, je vous propose d'envisager la participation de la France à sa propre défense. Je suis prêt à examiner les modalités de cette intervention comme l'expression sincère de ma volonté de faire contribuer la France à la sauvegarde de l'Europe. Veuillez agréer, etc. — Signé : Ph. Pétain. »

Par ailleurs, la presse de la zone occupée du lundi 24 août 1942 publia ce communiqué : « Le commandant en chef de la région Ouest (Ob. West) a reçu du Militärbefehlshaber in

*Frankreich le télégramme suivant : Le Maréchal Pétain et
M. Pierre Laval, chef du gouvernement, ont prié M. de Brinon de transmettre au Haut Commandement allemand en
France leurs félicitations pour le succès remporté par les
troupes allemandes qui, par leur défense, ont permis le
nettoyage rapide du sol français. »*

2

Le Dossier de l'Accusation

LE REQUISITOIRE

De même, cette dépêche transmise par de Brinon au
lendemain de l'affaire de Dieppe et où, au nom de Laval
comme au nom de Pétain, il félicite le commandement allemand de « son prompt nettoyage du sol français ». Laval
vous dira encore qu'il ne s'en souvient pas et que pas
davantage, il n'a eu connaissance de la lettre, envoyée de
Vichy le même jour à Paris, pour être transmise au Führer,
cette lettre dont il a été tant parlé au procès Pétain :
« Monsieur le Chancelier. Après un entretien que je viens
d'avoir avec le président Laval et à raison de la dernière
agression britannique qui s'est exercée, cette fois-ci sur
notre sol, je vous propose d'envisager la participation de
la France à sa propre défense.

Signé : Ph. Pétain. »

On a discuté le point de savoir si Pétain avait signé cette
lettre. On a discuté sur le point de savoir si Laval en
avait eu connaissance, et il s'est contenté de dire : je ne
m'en souviens pas.

Je ne m'en souviens pas ! Mais on a fait une enquête

et l'on a appris que la lettre avait été apportée au téléscripteur à Vichy par M. Rochat, secrétaire général du
Ministère des Affaires étrangères, dont Laval était le titulaire. Il serait bien étrange que le ministre n'en ait pas eu
connaissance.

LES TEMOINS DE L'ACCUSATION

— Déposition de M. de Brinon au procès Pétain. (Audience
   du 9 août 1945)

— DEMANDE : Il y a un télégramme du 21 août 1942, qui
figure à votre dossier, télégramme envoyé après la tentative
de débarquement à Dieppe. Les Anglais avaient fait une
tentative de débarquement qui n'avait pas réussi. Il y avait
un télégramme en quelque sorte de félicitations du Maréchal.

— RÉPONSE : Il n'y a pas eu de télégramme de félicitations
du Maréchal, du moins à ma connaissance.

— DEMANDE : Il y a eu cependant un télégramme.

— RÉPONSE : Non, j'ai reçu des instructions de M. Laval
pour féliciter, au nom du gouvernement, les autorités allemandes. Mais il n'y avait pas d'instructions et pas de télégramme du Maréchal.

— DEMANDE : Voici le télégramme important dont il a été
parlé beaucoup et sur lequel vous êtes en mesure, je pense,
de nous donner des éclaircissements. Le 21 août 1942, un
télégramme a été envoyé, signé « Pétain », par télescripteur,
et qui avait été ainsi conçu : « Monsieur le Chancelier.
Après l'entretien que je viens d'avoir avec le président Laval
et en raison de la dernière agression britannique qui s'est
déroulée, cette fois, sur notre sol, je vous propose d'envisager la participation de la France à sa propre défense. Je
suis prêt à envisager les modalités de cette intervention, si
vous en acceptez le principe. Je vous prie, monsieur le
Chancelier, de considérer cette intervention comme l'expression sincère de ma volonté de faire contribuer la France à la
sauvegarde de l'Europe. » Et, le télégramme est signé
« Pétain ».

— RÉPONSE : De ce télégramme, je ne connais qu'une chose : c'est qu'il a été envoyé. Il devait être remis à M. de Grosville, représentant de M. Benoist-Méchin. Il a été envoyé de Vichy par l'appareil téléscripteur. Pour moi, je n'ai rien connu de la négociation que fait supposer ce télégramme. J'ai été simplement une boîte aux lettres. Il a été remis à M. de Grosville par les soins de la délégation. L'envoi de ce télégramme est un fait. Au sujet de ce télégramme et de sa signification, je ne peux faire que des hypothèses.

— DEMANDE : Vous ne pouvez pas l'authentifier.

— RÉPONSE : Il est certainement authentique. Il n'y a aucun doute. Il est « tapé » par le téléscripteur. Il est donc authentifié par l'appareil lui-même. De plus on a retrouvé son origine à Vichy. Moi, je n'ai rien connu de la négociation, des pourparlers ou des propositions que fait supposer ce télégramme.

— DEMANDE : Ce que je voudrais savoir, c'est si ce télégramme est authentique. Il porte la signature « signé Pétain ». Est-ce vraiment un télégramme émanant du Maréchal ?

— RÉPONSE : Je ne peux pas dire qu'il émane vraiment du Maréchal. Je peux simplement dire qu'il a été envoyé avec la signature « Philippe Pétain » ; il a été reçu avec la signature « Philippe Pétain », mais le Maréchal l'a-t-il signé lui-même ? Je n'en sais absolument rien.

— DEMANDE : Un télégramme aurait-il pu partir avec l'indication « signé Pétain » sans que le Maréchal ait eu connaissance de l'existence de ce télégramme ? C'est sur ce point-là que j'appelle vos explications.

— RÉPONSE : Ce n'est pas impossible.

— DEMANDE : Ce télégramme n'a-t-il pas donné lieu à une réponse de Hitler ?

— RÉPONSE : Je n'en ai rien su. Je n'ai en rien participé à cette négociation. Toutes ces questions-là, à ce moment-là, n'étaient nullement de ma compétence. Depuis 1941, l'amiral Darlan s'était chargé de tout ce qui concernait les questions militaires. Il avait institué une commission de négociations franco-allemandes qui avait fonctionné au mois de mai, sous la présidence de M. Benoist-Méchin.

3

Le Dossier de la Défense

I. — LE TÉLÉGRAMME DU 21 AOUT 1942.

Ce télégramme ne portait la signature ni de Laval ni du maréchal Pétain, mais la mention : « Signé : Ph. Pétain ». Il ne pourrait donc être retenu à charge contre Laval que s'il était prouvé qu'il avait été réellement signé par le maréchal Pétain et envoyé sur son ordre ou bien, si le projet en avait été préparé par Laval ou un membre de son cabinet avec l'accord du maréchal Pétain. Le dossier Laval ne contient aucune preuve par document ou témoignage ni aucun élément susceptible de constituer un commencement de preuve. Force nous est, pour analyser ce chef d'accusation, de nous référer au dossier Pétain.

Que constatons-nous [1] ?

1) — Le témoin le plus intéressant fut M. Léopold Lacoste [2] qui, appartenant au service télégraphique du ministère des Affaires étrangères, eut entre les mains le texte du télégramme à transmettre au cabinet de l'ambassadeur de Brinon, délégué général du gouvernement dans les territoires occupés, aux fins de distribution à son destinataire M. de Grosville. Il déclara : « Le texte original était manuscrit, sur papier à en-tête du chef de l'Etat. L'écriture m'était inconnue. A la fin, était inscrite la mention « Signé : Ph. Pétain », mention qui a été transmise en même temps que le texte. Je connaissais l'écriture de

1. « Le véritable procès du Maréchal Pétain » par Louis Noguères.
2. Procès-verbal du 2 juillet 1945.

M. Rochat[3], celle de Laval, et j'ai pu me rendre compte que le texte en question n'était pas de leur main ».

2) — Mme Mittre[4], secrétaire particulière de M. de Brinon, qui recevait tous les messages parvenant de Vichy et en assurait la distribution aux destinataires, ne s'est pas souvenue d'avoir eu à transmettre ce télégramme.

3) — M. de Grosville[5], appartenant au cabinet de M. Benoist-Méchin, secrétaire d'Etat auprès du chef du gouvernement, auquel le télégramme était destiné, a affirmé qu'il n'avait jamais reçu de télégramme signé par le maréchal Pétain. Il précisa qu'il n'avait pas eu de rapports avec Pierre Laval à l'occasion de son travail.

4) — M. de Bourdeille[6], chef de cabinet de M. Benoist-Méchin, ne s'est pas souvenu de ce télégramme.

5) — La bande d'enregistrement du départ du message a été retrouvée, mais aucune mention du port d'un pli à l'Hôtel Matignon n'a été inscrite sur les registres de la Délégation Générale à la date du 22 août 1942[7].

6) — M. Rochat[8], qui apporta le texte à M. Lacoste en vue de sa transmission, à Paris, ne s'est pas rappelé qu'il ait eu à lui remettre un message de cette nature.

7) — Dans sa déposition au procès Pétain, M. de Brinon a déclaré : « Au sujet de ce télégramme et de sa signification, je ne peux faire que des hypothèses. Il est certainement authentique. Je ne peux pas dire qu'il émane vraiment du Maréchal. Je peux simplement dire qu'il a été envoyé avec la signature « Philippe Pétain », mais le Maréchal l'a-t-il signé lui-même ? Je n'en sais absolument rien.

---

3. Secrétaire général des Affaires étrangères.

4. Procès-verbal du 27 juin 1945.

5. Procès-verbal du 26 juin 1945.

6. Déclaration du 9 juillet 1945.

7. Rapport de l'Inspecteur de police judiciaire Bérilly du 9 juillet 1945.

8. Déclaration des 16 et 17 mars 1955.

Il n'est pas impossible qu'il ait pu partir avec l'indication
« Signé Pétain » sans que le Maréchal ait eu connaissance
de l'existence de ce télégramme ».

Les conclusions suivantes sont à retenir :

a) — Le télégramme n'émanait pas du cabinet de Laval.

b) — Le texte n'avait pas été écrit par Laval.

c) — La signature du maréchal Pétain n'était pas appo-
sée au bas du texte, mais seulement la mention : « Signé :
Ph. Pétain ».

d) — Il s'agissait d'une copie et non d'un original.

e) — Le réceptionnaire désigné de ce télégramme ne se
souvient pas de l'avoir reçu.

f) — On a retrouvé la trace de l'expédition par les services de Vichy, mais non celle de la réception à Paris.

g) — La preuve n'a pas été rapportée au procès Pétain
que ce télégramme ait été signé par le maréchal Pétain
ou préparé sur son ordre ni même qu'il en ait eu connaissance. Le Ministère Public a seulement retenu à propos
de ce chef d'accusation : « Une chose est certaine. Il est
établi, et cela sans discussion possible, que ce télégramme
a bien été expédié de Vichy. »

II. — LE TÉLÉGRAMME DU 24 AOUT 1942.

La Haute Cour qui jugea le maréchal Pétain ayant eu
également à débattre de ce chef d'accusation, nous nous
référerons encore au dossier Pétain. En effet, le dossier
Laval ne contient aucun élément qui puisse permettre de
dire que Pierre Laval a été l'auteur de ce télégramme.

1) — Le maréchal Pétain a déclaré qu'il n'avait pas
envoyé de félicitations au commandement allemand après
les événements de Dieppe et qu'il ignora même l'existence
de ce télégramme.

2) — D'après le témoignage de M. Donati, ancien préfet
de l'Etat français, qui fut entendu par la Haute Cour à

l'audience du 9 août 1945, le maréchal Pétain, interrogé
par M. Sassier, sous-préfet à Dieppe en août 1942, au sujet
du sens à donner à ce télégramme, lui répondit : « C'est
un faux, c'est encore un faux de cette ordure de Brinon ».

3) — Il n'a été retrouvé de trace du message, par lequel
le maréchal Pétain ou Pierre Laval aurait donné instruction à M. de Brinon d'adresser des félicitations au Haut
Commandement allemand ni au départ de Vichy ni à l'arrivée au cabinet de M. de Brinon, place Beauvau.

4) — Il n'a pas été davantage trouvé trace d'une instruction émanant du cabinet de Laval à Paris.

5) — Le communiqué ne fut publié que dans la presse
de la zone occupée.

6) — Il s'agit d'un télégramme adressé par le commandant militaire allemand en France au commandant en chef
de la région Ouest pour lui transmettre les félicitations
qu'il aurait reçues du maréchal Pétain et de Pierre Laval
et non d'un télégramme émanant de Vichy.

7) — D'après ce télégramme, ces félicitations auraient
été transmises, non directement par les cabinets du maréchal Pétain ou de Pierre Laval, mais par le cabinet de
de Brinon à Paris.

8) — Dans son réquisitoire au procès Pétain, le procureur général n'a pas retenu formellement, faute de preuve,
ce chef d'accusation contre le maréchal Pétain.

Les conclusions suivantes sont à retenir :

a) — Le dossier Pétain ne contient pas la preuve que
le maréchal Pétain et Pierre Laval aient fait transmettre
par M. de Brinon des félicitations au Haut Commandement
allemand.

b) — Le dossier Laval ne contient de ce chef ni pièce
ni témoignage ni commencement de preuve. L'instruction
n'a pas apporté la preuve que Laval ait été l'auteur ou
l'un des auteurs de ce télégramme ni même qu'il ait donné
des instructions pour son expédition ou en ait seulement
eu connaissance.

4

Les déclarations de Pierre Laval

MEMOIRE EN REPONSE
A L'ACTE D'ACCUSATION

Je me suis expliqué sur le refus de notre collaboration militaire à l'Allemagne dans une précédente note. Il me paraît utile de revenir sur les réponses que j'ai faites sur des points précis à M. le juge Schnedeker.

Je tiens toutefois à protester contre l'usage fait contre moi d'un télégramme d'août 1942. Ce télégramme, révélé pour la première fois au procès Pétain, et dont la défense a nié l'existence, ne fut pas signé par moi. Il ne me fut jamais soumis. Si l'instruction avait été bien conduite et plus complète, elle aurait dû permettre de trouver l'origine de ce mystérieux document; elle m'aurait à coup sûr préservé d'une accusation aussi erronée qu'injuste. Le chef de l'Etat, qui aurait signé ce télégramme, n'avait pas à se référer à un entretien que je n'ai jamais eu avec lui sur un pareil sujet. Je ne me suis occupé des suites de l'affaire de Dieppe que pour demander à l'ambassadeur d'Allemagne et obtenir du gouvernement allemand la libération des prisonniers de cette ville et des communes avoisinantes. Il ne s'agissait donc pas de ma part de l'offre d'un concours militaire français pour défendre notre territoire contre les Anglais.

Je suis d'autant plus enclin et décidé à pro-

tester contre cette accusation qu'elle va à l'encontre de l'un des buts essentiels que je m'étais
assignés pendant l'occupation. Je ne voulais ni
alliance, ni collaboration militaire avec l'Allemagne, et, malgré toutes les pressions et toutes les
menaces dont j'ai été l'objet, ma volonté dans ce
domaine fut irréductible.

J'ai dit, et je tiens à le répéter, que je ne me
suis jamais occupé de questions militaires. Jusqu'à son départ en Algérie, c'est l'amiral Darlan
qui avait sous sa direction et son contrôle toutes
nos forces militaires, navales et aériennes. Voici
d'ailleurs le passage de ma déclaration radiodiffusée du 20 avril 1942, dans lequel se trouve
précisé le rôle du Maréchal comme chef suprême
des forces militaires et de l'Amiral comme commandant en chef : « Me voici de nouveau devant
vous, chargé par le Maréchal de diriger, sous
sa haute autorité, les affaires de la France, dans
le moment le plus tragique de son histoire,
pendant que l'amiral de la flotte Darlan commandera en chef, au nom du Maréchal, les forces militaires. » En novembre 1942, ce fut le
Maréchal qui assuma et qui tint à assumer
les attributions qui avaient été précédemment
dévolues à l'amiral Darlan. Si j'étais intervenu,
je n'aurais donc pu le faire qu'en transmettant
des instructions du Maréchal.

J'ai fait justice, dans une précédente note, de
ce chef d'accusation que j'avais, avec Pétain, fait
alliance ouverte avec l'Axe. Je n'ai jamais envisagé que nous puissions apporter une collaboration militaire à l'Allemagne. Je n'ai jamais
conçu que nous puissions contracter une alliance
avec elle. J'ai montré, en répondant aux précédents considérants, que le but principal de ma
politique extérieure a consisté à maintenir la
France en dehors de la guerre. C'est pourquoi,
après avoir résisté aux pressions allemandes,
après les événements de Mers-el-Kébir, de Dakar,

de Madagascar, j'ai repoussé l'offre qu'elle nous fit le 8 novembre 1942 d'une alliance *durch Dick und Dünn,* qu'on peut traduire dans ce cas par « à la vie, à la mort ».

Je n'ai jamais obéi aux sommations qu'elle nous fit de déclarer la guerre à l'Angleterre et à l'Amérique.

Si j'avais été interrogé, j'aurais sans doute apporté une contribution intéressante à l'histoire de notre pays pendant l'occupation.

J'aurais pu rappeler notamment que, lorsque l'amiral Darlan était au pouvoir et que je n'y étais pas, en mai 1941, il s'était rendu à Berchtesgaden pour y conférer avec Hitler sur un vaste projet de collaboration militaire et de véritable alliance avec l'Allemagne. C'est à ce moment que certains généraux français prisonniers furent libérés pour accomplir des missions spéciales.

Il s'agissait alors d'entreprises militaires communes qui étaient envisagées pour reprendre nos colonies. Bizerte et la ligne de chemins de fer de Tunisie devaient être ouvertes au trafic allemand pour assurer le ravitaillement de l'armée commandée par Rommel.

L'amiral Darlan demandait, en contre-partie de cette collaboration militaire et de ce renversement d'alliance, la libération de nos prisonniers, la réduction des frais d'occupation, la suppression de la ligne de démarcation.

C'est sans doute la situation dans laquelle nous nous serions trouvés si j'avais accepté l'offre d'alliance qu'Hitler nous fit plus tard, le 8 novembre 1942.

Ces pourparlers, qui demeurèrent secrets, n'eurent aucune suite. La situation de l'armée Rommel, qui avait été compromise, s'était rétablie, et les raisons allemandes de négocier avaient disparu.

Je n'aurais sûrement pas donné mon agrément à un tel projet, que j'ai connu beaucoup plus tard, si j'avais été au pouvoir. Je voulais bien faire la paix avec l'Allemagne pour en obtenir des avantages pour la France. Je ne l'aurais jamais faite au prix du sang répandu en commun, c'est-à-dire au prix d'une collaboration militaire. L'Allemagne eut sans doute des velléités de reprendre les pourparlers, car j'ai appris, lorsque je me trouvais en Allemagne, que l'amiral Darlan devait aller revoir Hitler en 1941, mais l'élément anglophile l'emporta alors à la Wilhelmstrasse. Hitler poursuivait son rêve de *Mein Kampf* d'une entente avec l'Angleterre aux dépens de la France.

Je ne parle pas du Maréchal. Son affaire est jugée. Je n'en parle pas dans la mesure où les extravagances de langage de l'un de ses défenseurs à mon endroit ne seront pas évoquées, car je ne permets à personne de dire que j'ai voulu l'alliance ou une collaboration militaire avec l'Allemagne, parce qu'une telle affirmation est une grossière offense à la vérité.

Déposition de Pierre Laval au procès Pétain. (Audience du 4 août 1945)

— Le Premier Président : Au mois d'août 1942, il y a eu cette tentative de débarquement des Anglais à Dieppe. A ce moment-là, le maréchal Pétain aurait envoyé au Chancelier Hitler le télégramme ci-joint : « M. le Chancelier. Après un entretien que je viens d'avoir avec le président Laval, et en raison de la dernière agression britannique qui s'est déroulée sur notre sol, je vous propose d'envisager la participation de la France à sa propre défense. Je suis prêt à examiner les modalités de cette intervention si vous en acceptez le principe. Je vous prie, monsieur le Chancelier, de considérer cette intervention comme l'expression sincère de ma volonté de faire contribuer la France à la sauvegarde de l'Europe. » Ce télégramme a-t-il été envoyé ?

— Pierre Laval : Je n'ai jamais eu connaissance de ce télégramme. J'ai eu certainement, à l'occasion des événements de Dieppe, des conversations avec le Maréchal. Il était, comme moi, préoccupé de savoir si nous ne pourrions pas obtenir, puisque les Allemands prétendaient que la population de Dieppe s'était bien conduite — ce n'est pas moi qui parle, ce sont les Allemands qui le disaient à ce moment-là — la libération des prisonniers de Dieppe. Ma seule intervention, à cette époque, a été de faire une démarche à l'ambassade d'Allemagne pour obtenir cette libération, ce qui a été fait certainement. Quant à une participation militaire de la France, sous une forme quelconque, je m'y suis toujours, pour ma part, opposé. Je vous ai dit, hier, que le 8 novembre 1942, nous avions eu une offre d'alliance, et je vous ai dit que je l'avais repoussée. Je ne suis pas militaire. Je ne me suis jamais occupé des questions militaires dans le gouvernement. Pendant l'occupation, je n'aurais pas accepté cette solution pour toutes sortes de raisons, mais surtout pour un principe élémentaire : c'est que la France n'avait pas à entrer dans la guerre aux côtés de l'Allemagne. La France devait attendre que les événements trouvent une fin.

— Me Lemaire : Ne croyez-vous pas, monsieur le Président, qu'il serait bon que vous lisiez au témoin la totalité du document ?

— Me Isorni : Le document commence par les mots suivants : « Veuillez transmettre à M. de Grosville, attaché au cabinet de M. Benoist-Méchin, le télégramme suivant. » Suit le télégramme dont M. le Président vient de vous donner lecture. Est-il d'usage, lorsque le Maréchal doit télégraphier au Chancelier Hitler, qu'il passe par l'entremise de M. de Grosville ?

— Pierre Laval : C'est ce que j'allais dire. Il n'est pas d'usage que le Maréchal fasse passer par cette voie les communications qu'il a à faire à l'ambassade d'Allemagne. Une lettre au Chancelier Hitler passe par le truchement de l'ambassade d'Allemagne. M. de Grosville est un fonctionnaire, un attaché de presse de M. Benoist-Méchin ; je présume que c'est M. Benoist-Méchin qui, peut-être, a vu le Maréchal, mais je n'ai pas eu de conversations avec le Maréchal sur ce point.

— Le Premier Président : Vous êtes en contradiction avec les termes du télégramme, car il dit : « Je viens d'avoir avec le président Laval un entretien... »

— Pierre Laval : Je me demande, monsieur le Président, comment la France aurait pu participer militairement. Il fallait alors obtenir le retour de tous nos prisonniers, c'est-à-dire de tous les officiers et de tous les hommes ; il fallait mobiliser ; il fallait faire le contraire, très exactement, de ce que je n'ai pas voulu faire le 8 novembre suivant. Je n'avais aucune raison de faire, au moment de Dieppe, ce que j'ai refusé de faire le 8 novembre. Un télégramme de cette importance aurait dû m'être soumis. Je ne l'ai jamais vu ; je ne l'ai jamais connu. Je vais même vous dire autre chose : un télégramme de cette importance devait être transmis, non pas à M. de Grosville, mais au ministre qui, à Paris, était chargé de recevoir ces communications, M. de Brinon. Or, c'est la première fois que je vois un télégramme de cette nature suivre la filière qui est indiquée dans le document que vous avez lu. C'est pourquoi je m'étonne qu'un pareil télégramme ait été envoyé, mais je ne sais pas s'il n'a pas été envoyé. Ce que je sais, c'est qu'il ne m'a jamais été montré et qu'il aurait dû passer par une voie régulière, qu'il n'a pas suivi cette voie.

— Mᵉ Isorni : Monsieur le Président, on pourrait peut-être donner une dernière précision à la Cour, c'est que M. de Grosville a été entendu et qu'il a déclaré n'avoir jamais reçu qu'un seul télégramme du maréchal Pétain ; il s'agissait d'aller porter les vœux du Maréchal à une institutrice qui était centenaire.

— Pierre Laval : Il y a une chose que je peux dire, c'est qu'un télégramme de cette importance n'a pas eu de suite. A aucun moment, l'ambassadeur d'Allemagne ne m'a demandé sous quelle forme la France pourrait prendre une participation militaire à la défense des côtes. Je n'ai jamais eu aucune conversation, je n'ai jamais entamé aucune négociation, je n'ai jamais envisagé à aucun moment une participation militaire de la France aux côtés de l'Allemagne. C'est clair. Et je ne crois pas que vous puissiez trouver un document, que vous puissiez trouver un témoin valable qui puisse dire que la France, que le gouvernement, que moi en tout cas, ait songé à engager une action militaire aux côtés de l'Allemagne.

CHAPITRE V

LES ANTILLES

1

Les Faits[1]

La situation des Antilles fut rendue délicate, du fait de leur éloignement, par la signature de l'armistice. Ces îles ne pouvaient vivre, en effet, que par les denrées importées de la métropole, vers laquelle étaient écoulées récoltes et production. Aussi, l'amiral Robert, qui occupait depuis 1939 les fonctions de Haut-Commissaire et de commandant en chef des forces navales de l'Atlantique Ouest, fut-il autorisé par le gouvernement à prendre contact avec les Etats-Unis en vue de la recherche d'un modus vivendi. A la suite des négociations qu'il engagea avec l'amiral américain Greenslade, le Haut-Commissaire parvint à réaliser un premier accord, en août 1940, dans les conditions suivantes : a) — Les bâtiments de guerre stationnés aux Antilles[2] ne pourraient,

---

1. L'historique des faits a été établi d'après le rapport officiel du secrétariat d'Etat à la marine et aux colonies rédigé en septembre 1943.

2. Se trouvaient à cette date au mouillage aux Antilles : le porte-avions Béarn, arrivé le 22 juin avec 106 avions américains et escorté du croiseur Jeanne-d'Arc ; le croiseur Emile-Bertin, arrivé le 24 juin avec à bord 300 tonnes d'or évacuées de la métropole ; le croiseur auxiliaire Barfleur et quelques pétroliers et cargos.

sauf cas de légitime défense, quitter la proximité de leur lieu de stationnement. 2) — Les avions transportés sur le Béarn seraient débarqués et désarmés. 3) — Un contrôle serait assuré par un observateur naval américain. 4) — En contre-partie, les relations maritimes entre les Antilles et l'Amérique du Nord étaient autorisées pour assurer le ravitaillement des îles. Cet accord fut complété par un second arrangement conclu en novembre 1940. Il imposait aux autorités locales françaises : a) — La notification préalable de tout transport d'or et de tout déplacement des bâtiments de guerre dans la zone des Antilles. b) — La présence d'un observateur américain dans chacune des îles et d'une patrouille quotidienne navale et aérienne. En échange, le gouverneur des Antilles obtenait : a) — La garantie par les Etats-Unis du respect du statu quo aux Antilles. b) — Le maintien à la disposition de la France des 106 avions du Béarn. c) — L'engagement pris par le gouvernement américain de libérer mensuellement une quantité limitée des fonds français bloqués aux Etats-Unis pour permettre les achats indispensables à la vie économique des îles et de la Guyane française. d) — La suppression du blocus britannique, remplacé par une surveillance navale américaine. Ces accords furent confirmés en décembre 1941 par le contre-amiral américain Horne, après l'entrée en guerre des Etats-Unis.

En même temps, avec l'autorisation nécessaire des autorités allemandes [3] *et moyennant la cession du tiers des importations de bananes au bénéfice de la zone occupée, le trafic entre la Métropole et les Antilles put être rétabli. Il n'eut pas lieu sans difficultés du fait du blocus britannique, du problème du ravitaillement en combustible et du contrôle allemand, mais les liaisons Antilles-Maroc-Métropole furent assez régulières jusqu'en mai 1941, date à laquelle elles furent interrompues à la suite des captures de navires par les Anglais et de la suppression du ravitaillement en combustible*

---

3. La commission allemande d'armistice avait exigé d'être tenue au courant des pourparlers. Elle fut informée de l'accord signé par l'Amiral Robert en novembre 1940 au nom du gouvernement français. (Procès-verbal n° P. 559/D.E. de la réunion du 10/7/1941 de la sous-commission « Finances » de la Délégation française auprès de la commission allemande d'armistice. (D.F.C.A.A. — D.E. 120).

par les Américains. Cependant, après de nouvelles négocia-
tions, elles furent, de nouveau, assurées dans le sens Antilles-
Maroc et retour, avec interdiction de réexporter vers la
Métropole les produits provenant des Antilles et d'importer
ceux de la Métropole. Les Allemands admirent difficilement
le contrôle imposé par l'Amérique, mais le trafic put repren-
dre en octobre 1941. Il demeura très réduit, car, d'un côté,
la Commission d'armistice allemande s'opposa à la mise en
service sur cette ligne de navires supplémentaires, et de
l'autre, les Américains se refusèrent à lever la réquisition
de certains de nos bâtiments, qui se trouvaient immobilisés
dans leurs ports.

La situation s'aggrava aux Antilles en mai 1942. L'amiral
américain Hoover vint, au nom de son gouvernement, pré-
senter à l'amiral Robert un ultimatum visant à ce que l'immo-
bilisation matérielle des navires et des avions se trouvant aux
Antilles soit effectuée sous le contrôle américain, que ce der-
nier s'exerçât aussi sur le trafic commercial et des personnes,
que les navires de commerce soient mis à la disposition des
Etats-Unis et que l'or soit « gelé ». En contrepartie, l'amiral
Robert serait considéré comme commandant suprême des
possessions françaises dans la Mer des Antilles, les navires
de guerre resteraient propriété française et le ravitaillement
de la population serait assuré. L'amiral Robert avait qua-
rante-huit heures pour répondre. Il reçut de l'amiral Darlan
l'ordre de s'incliner, en acceptant l'immobilisation demandée
des navires de guerre, et en cas de difficulté, de les sabor-
der [1]. *Vichy adressa une note de protestation dans laquelle*
le gouvernement rappelait que la cession de bâtiments mar-
chands était interdite par la Convention d'armistice. Il se
déclarait prêt à discuter d'un arrangement qui respecterait
la souveraineté française et sa neutralité et donnerait des
garanties aux Etats-Unis au sujet de l'immobilisation des
navires de guerre et de commerce. Négociant en conformité
des ordres qu'il avait reçus, l'amiral Robert parvint avec
les Américains à l'accord suivant : — a) Les pièces essentiel-
les de la plupart des navires seraient enlevées ainsi que les

---

4. L'ordre secret et permanent de sabordage, donné par l'amiral
Darlan en juin 1940 avait été transmis à l'amiral Robert.

*hélices des avions. — b) Les Etats-Unis renonçaient à récla-
mer la livraison de navires de commerce. — c) La souveraineté française et la neutralité de ses possessions étaient
reconnues. — d) La liberté et la sécurité de navigation des
navires français affectés au ravitaillement des îles étaient
garanties. — e) Les fonds nécessaires aux achats de produits
de ravitaillement seraient débloqués. — f) La reprise du
trafic entre les Antilles et le Maroc, au rythme d'un voyage
par trimestre dans chaque sens, était autorisée. Un Gentlemen
Agreement fut signé le 7 novembre 1942.*

*Ces négociations entre l'amiral Robert et les Etats-Unis
avaient fatalement inquiété les Allemands [5]. Le 17 mai 1942,
le gouvernement allemand fit parvenir à Vichy une note
par laquelle il exigeait le sabordage immédiat des bâtiments
de guerre et de commerce et des avions stationnés aux Antilles, se réservant le droit de revendiquer un tonnage français
équivalent à celui qui tomberait entre les mains des Américains en cas d'inexécution. Enfin, il interdisait tout trafic
maritime tant que les négociations n'auraient pas abouti à
un résultat acceptable. Dans un aide-mémoire en date du
23 juin 1942, transmis par l'ambassade d'Allemagne, le gouvernement allemand insista sur le fait que l'immobilisation
des navires de guerre, telle qu'elle avait été envisagée par
le Haut-Commissaire, portait atteinte aux dispositions de la
Convention d'armistice. Aussi, il exigeait que les pièces des
machines démontées soient stockées à Casablanca sous le
contrôle de la Commission militaire allemande d'armistice,
installée dans ce port. Le gouvernement français répondit
fin juin à cet aide-mémoire en faisant observer qu'il avait
tenu la Délégation d'armistice allemande au courant de ces
négociations. Il estimait que le sabordage des bâtiments
aurait sans doute provoqué l'occupation des Antilles par les
forces américaines, alors que leur immobilisation était une
preuve de sa résolution de les défendre contre toute tentative
d'occupation, leur armement n'ayant pas été démonté. Il
renouvelait l'assurance déjà donnée qu'en aucun cas, ils ne
tomberaient intacts aux mains d'une puissance étrangère. Il*

---

5. Le général Vogl, président en exercice de la commission allemande d'armistice, avait exigé d'être tenu informé de leur déroulement.

en était de même pour les navires marchands qui seraient sabordés en cas de menace de capture. Le gouvernement acceptait que les pièces des machines soient stockées à Casablanca sous le contrôle de la Commission militaire allemande d'armistice [6]. *Parallèlement à ces discussions d'ordre politique, des démarches furent effectuées à partir du 18 mai auprès de la Délégation allemande d'armistice en vue d'obtenir la reprise du trafic nécessaire pour assurer le ravitaillement des Antilles. Ce fut seulement le 20 juin qu'elle fit connaître la réponse du gouvernement allemand. Il consentait à ce qu'un navire fût envoyé à titre d'essai des Antilles vers les Etats-Unis sous les conditions suivantes : a) — Son retour devrait être garanti par un engagement des Etats-Unis. — b) Ce navire ne serait utilisé que pour ravitailler les Antilles. — c) Le gouvernement français devrait s'engager à céder à l'Allemagne un navire de même tonnage s'il ne rentrait pas à son port d'attache. Le gouvernement français les accepta et le trafic put s'effectuer normalement jusqu'en novembre 1942* [7].

A cette date, tous les transports maritimes furent suspendus à la suite des événements d'Afrique du Nord. Si, le 27 novembre 1942, le gouvernement américain, revenant sur sa décision, déclara qu'il considérait le Gentlemen Agreement signé quelques jours plus tôt comme étant toujours en vigueur, les démarches entreprises auprès de la Délégation allemande d'armistice pour obtenir l'autorisation de maintenir le trafic de ravitaillement des Antilles demeurèrent vaines. Le 23 décembre 1942, elle confirma son refus, le justifiant par la non exécution du sabordage des pétroliers. Elle refusait d'autoriser la reprise du trafic avant d'avoir reçu l'assurance qu'aucun compromis n'avait été conclu entre les Etats-Unis

---

6. Le 9 juillet 1942, la commission allemande d'armistice demanda que ces pièces soient transférées non à Casablanca, mais à Toulon où elles seraient placées sous le contrôle de la commission italienne.

7. L'Allemagne, après avoir créé de nouvelles difficultés en juillet, imposa en outre, en contrepartie, le transport pour son compte, par des navires français, de 36.000 tonnes de phosphates et minerais nord-africains chaque mois. Il fallut aussi accepter de vendre à une maison allemande 160.000 carats de diamants industriels à prélever sur l'économie française.

et l'amiral Robert et la confirmation que ce dernier exécu-
terait les ordres de Vichy, notamment en ce qui concernait
le sabordage des navires. A titre de justification, elle demandait la communication du texte des accords intervenus avec
les Etats-Unis et celui des télégrammes échangés entre l'amiral Robert et le gouvernement français.

Devant l'impuissance de leurs efforts, l'Amirauté et le
Secrétariat d'Etat aux Colonies provoquèrent une démarche
personnelle du chef du gouvernement auprès des autorités
allemandes. Pierre Laval s'entretint le 31 décembre 1942 avec
le ministre Schleier et lui demanda que satisfaction soit
donnée aux requêtes de l'amiral Robert. Il rappela que le
gouvernement français était prêt à lui donner des instructions conformes au projet que lui avait soumis le Secrétariat
d'Etat aux Colonies. L'amiral Robert devrait faire connaître
à l'avance les mouvements des navires, leurs itinéraires et
les dates de leurs déplacements. Ces renseignements seraient
portés à la connaissance des autorités allemandes en temps
voulu. Le gouvernement français s'engageait aussi à rappeler
à son Haut-Commissaire les décisions prises au sujet des
pétroliers et des bâtiments de guerre immobilisés et à l'inviter à s'abstenir de toutes relations avec les autorités dissidentes d'Afrique du Nord et occidentale.

Dans une note qu'il adressa à Abetz et que celui-ci transmit
à Vichy le 4 janvier 1943, Ribbentrop reprocha au gouvernement français, et principalement à Laval, de n'avoir pas
respecté les engagements qu'il avait pris concernant les
navires, les avions et l'or se trouvant aux Antilles. En voici le
texte [8] : « Nous devons vous rappeler que nous avons, en
juin 1942, marqué au gouvernement français quelle devait
être son attitude en ce qui concerne les navires de guerre,
les aéroplanes, les navires de commerce, les pétroliers et l'or
des Antilles s'il voulait éviter de se rendre coupable de favoriser l'ennemi, contrairement à la Convention d'armistice.
Les événements survenus depuis lors prouvent surabondam-
ment que les exigences formulées à l'époque par le gouvernement du Reich étaient justifiées. C'est malgré le gouvernement du Reich qu'un accord a été conclu entre l'amiral Robert

8. Archives de la Wilhelmstrasse.

et le gouvernement des Etats-Unis en vue d'immobiliser aux Antilles les navires de guerre français et que M. Laval, non plus, n'a pas tenu les assurances données à l'époque et d'après lesquelles les pièces de machine démontées ne devaient pas seulement être dirigées sur Casablanca ou à l'intérieur du Maroc, mais bien sur le territoire français métropolitain. Il en découle que, depuis l'occupation du Maroc par les troupes en-nemies, ces pièces doivent se trouver de nouveau entre les mains des Américains et que, par suite, dans certaines circons-tances, les navires de guerre français pourraient tomber entre les mains de l'ennemi. Dans ces conditions, l'ordre donné à l'amiral Robert selon lequel le statu quo actuel n'est pas modifié en ce qui concerne les navires de guerre stationnés aux Antilles ne peut être considéré comme suffisant. Ce statu quo n'est, au demeurant, pas exactement connu du gouvernement du Reich, car le gouvernement français n'a jamais répondu de manière complète aux questions répétées posées à ce sujet. Dans ces conditions, le gouvernement du Reich est en droit d'attendre que le gouvernement français lui fournisse la garantie précise que les navires de guerre se trouvant aux Antilles, les aéroplanes, le stock d'or, les navires de commerce et les pétroliers, y compris ceux qui sont maintenant remis en circulation, ne tomberont pas entre des mains ennemies. Dans le cas où M. Laval répondrait à ceci que les ordres nécessaires en vue de la destruction et du sabordage ont déjà été adressés auparavant à l'amiral Robert et qu'il se propose de renouveler ces ordres, vous voudrez bien répondre que l'envoi unilatéral de tels ordres n'est pas suffisant. Il faut, au minimum, que l'amiral Robert prenne clairement l'engagement de faire appliquer effectivement ces ordres et qu'il en assume la responsabilité. Il n'est pas à la connaissance du gouvernement du Reich que l'amiral Robert ait jusqu'à présent assumé un tel engagement. Nous attendons, par suite, que nous soit communiqué par écrit le texte des ordres adressés à l'amiral Robert ainsi que celui de sa réponse. La réponse de l'amiral Robert ne modifie naturellement en rien la responsabilité du gouvernement français en ce qui concerne l'engagement de ne pas laisser les navires, les aéroplanes, et l'or tomber aux mains de l'enne-mi ».

Par un message du 6 janvier 1943, le Secrétariat d'Etat aux Colonies ordonna à l'amiral Robert de prendre l'engagement formel exigé par le gouvernement allemand afin que la reprise du trafic soit autorisée par lui. Le Haut-Commissaire aux Antilles fit parvenir à Vichy le télégramme suivant daté du 9 janvier 1943 : « J'ai bien reçu les instructions contenues dans vos messages 131 à 137 du 6 janvier. Il est entendu que je m'engage formellement en tant que représentant de la France aux Antilles et en Guyane française : — 1) A prendre toutes les mesures pour qu'en aucun cas, les navires de guerre et les avions immobilisés dans ces possessions, le stock d'or emmagasiné à Fort-de-France, les navires de commerce, pétroliers et autres, qui se trouvent dans les ports de ces colonies, ou en cours de voyage dans un port étranger, ne tombent aux mains des puissances en guerre avec l'Axe. — 2) A m'abstenir de toutes relations avec les autorités dissidentes de l'Afrique du Nord. » Cet engagement fut transmis à la Délégation allemande d'armistice qui autorisa les mouvements des navires annoncés.

Alors survinrent des difficultés du côté des Etats-Unis. L'amiral Robert fut l'objet de pressions du gouvernement américain désireux de parvenir à une collaboration économique plus importante avec les Antilles et d'obtenir l'usage à son profit des navires immobilisés. Il alerta le gouvernement français qui l'invita à faire comprendre aux négociateurs américains l'obligation devant laquelle il se trouvait, du fait des engagements pris vis-à-vis de l'Allemagne, de s'en tenir à l'exécution du Gentlemen Agreement. En cas de manifestation d'hostilité de la part des Etats-Unis, il devrait exécuter les instructions relatives au sabordage des navires. Le 23 février, l'amiral Robert fit savoir que le gouvernement américain ne considérait plus le Gentlemen Agreement comme valable, estimant qu'en raison des conditions nouvelles survenues depuis sa signature, il devait être remplacé par un nouveau traité comportant une collaboration économique analogue à celle des autres pays de l'hémisphère occidental. Le Haut-Commissaire était d'avis de céder en partie aux pressions américaines et d'affréter quelques pétroliers à une société française en création à New York. Suivant la suggestion de l'amiral Robert, le gouvernement français entama des négociations en vue d'obtenir l'accord des autorités allemandes sur ce point.

La situation se détériora brutalement. Par mesure de représailles contre le refus de l'amiral Robert de recevoir des délégués de Londres et d'Alger, les Etats-Unis suspendirent le ravitaillement des Antilles début mars 1943. Le 17, le blocus fut total. Le 18, la Guyane passa à la dissidence. Des instructions furent envoyées à l'amiral Robert par le gouvernement afin qu'il prît toutes les dispositions nécessaires pour maintenir l'ordre et appliquer les instructions qu'il avait reçues en cas d'attaque extérieure. Le 21 avril, la réponse tant attendue du gouvernement allemand parvint à Vichy ; c'était un refus définitif de laisser utiliser les pétroliers au profit des Etats-Unis. Le 30 avril, l'amiral Robert reçut ces instructions de Vichy : « Dans la situation présente et dans la certitude où je suis qu'une première concession consentie aux Américains provoquerait à bref délai de nouvelles demandes de leur part, il est impossible d'envisager une négociation contraire aux stipulations des conventions d'armistice. Vous devez donc éviter à tout prix que vos bâtiments puissent tomber entre les mains des Américains. Il vous appartient donc d'exécuter les instructions de sabordage dès le moment où cette menace se précisera. C'est un sacrifice douloureux, mais il s'impose dans l'intérêt supérieur de la France. C'est un acte que je vous demande d'accomplir comme une marque suprême de votre fidélité au devoir dont vous avez donné la preuve en toutes circonstances et dont je tiens à vous remercier au nom du gouvernement. Pierre Laval ». Le 1er mai, le gouvernement américain dénonça tous les accords antérieurs, notifia la rupture de ses relations avec le Haut-Commissaire aux Antilles et rappela son consul général.

Considérant que le sort des Antilles était désormais à la merci d'un incident, le gouvernement prescrivit à l'amiral Robert de saborder les navires, de détruire les avions et d'immerger l'or. Ce télégramme en date du 5 mai 1943 se terminait ainsi : « Dans ces conditions et avant qu'il soit trop tard, il y a lieu d'exécuter immédiatement les instructions de sabordage. Je vous prie de considérer le présent télégramme comme un ordre d'exécution. » Le lendemain, une seconde dépêche complétait ces instructions :

« *Comme suite à mon télégramme d'hier, je vous précise que l'ordre et les instructions s'appliquent non seulement au sabordage des navires, mais aussi à la destruction des avions et à l'immersion de l'or. Au cas où nous serions dans l'impossibilité matérielle d'échanger des messages, je vous délègue tous les pouvoirs pour gouverner et administrer nos possessions au nom de la France sous votre seule responsabilité. Vous y resterez le seul dépositaire de la souveraineté et de l'autorité françaises. Vous devrez dans tous les cas vous abstenir de toutes relations avec les dissidents français et naturellement de toute subordination à leur égard. Dans les circonstances dramatiques que vous vivez, je tiens à vous apporter une fois de plus le témoignage de confiance du Maréchal et du gouvernement et à vous dire notre certitude que votre mission ainsi précisée est conforme aux intérêts de la France et à l'avenir de son Empire. Pierre Laval* ». Le 6 mai, l'amiral Robert répondit : « *Le sabordage, au moment d'une attaque américaine, est assuré d'exécution. Mais je suis moralement et matériellement dans l'impossibilité de le faire exécuter avant. Ordonné dans ces conditions, il conduirait à une décomposition des équipages, une révolte populaire, des représailles sanglantes et pour la France aux Antilles, la fin la plus déplorable. Je vous supplie de me laisser le choix de l'heure.* »

Malgré le refus que l'amiral Robert avait opposé à l'exécution des ordres du gouvernement, celui-ci ne réagit pas. Ce fut seulement le 19 mai 1943, des informations de l'agence Reuter ayant fait état de préparatifs d'attaque contre les Antilles, qu'il les confirma de nouveau. L'amiral répondit le 21 que cette menace n'avait aucun fondement et précisa :

« *Toutes dispositions demeurent prises pour exécuter les engagements devant une menace américaine effective. Ayant ainsi différé, avec la conscience de mes responsabilités, l'exécution intégrale de vos instructions, je vous demande pourtant de ne pas mettre en doute ma fidélité si constamment affirmée par des actes depuis trois ans et qui m'a conduit à cette redoutable position. Je m'incline devant la sanction que vous jugerez devoir prendre à mon égard et je suis prêt à me démettre immédiatement de mes fonctions si vous le jugez indiqué pour l'intérêt supérieur.* » Pierre Laval ne *répondit pas à ce télégramme et ne confirma pas l'ordre de sabordage immédiat.*

Cependant, la situation des Antilles était devenue critique à tous les points de vue. Aucun ravitaillement n'y parvenait du fait du blocus américain. Quelques troubles se produisirent, tandis qu'un mouvement tendant à la dissidence se dessinait au sein de la population et de l'armée. Afin de prévenir des événements plus graves, l'amiral Robert décida de s'adresser au représentant du gouvernement américain pour étudier avec lui la possibilité de parvenir à un accord qui, tout en faisant passer les Antilles dans le camp allié, maintiendrait la souveraineté française sur ces territoires. Il fit part de sa décision le 30 juin à l'amiral Hoover qui renouvela la reconnaissance par le gouvernement américain de la souveraineté française aux Antilles et discuta avec lui des mesures à prendre pour réaliser l'accord envisagé [9].

A la suite de cette décision et devant l'accentuation de la pression américaine, une série de télégrammes fut échangée entre l'amiral Robert et Vichy :

— 1) Message de l'amiral Robert pour informer le gouvernement des dispositions qu'il avait prises :

« N° 2 349. — Afin d'éviter toute effusion de sang entre Français et devant l'évolution brutale des événements, la mutinerie d'une grande partie de l'armée, la disette confinant à la famine provenant d'un blocus impitoyable, la surexcitation d'une population particulièrement nerveuse et travaillée par une propagande intense, j'ai été contraint de demander l'envoi d'un plénipotentiaire américain pour fixer les modalités d'un changement d'autorité et la reprise du ravitaillement sous la double condition du maintien de la souveraineté française dans ses positions et de la non intervention des forces américaines. Fidèle à ma parole et au Maréchal, je me constituerai prisonnier une fois réglés le sort des Français restés comme moi dans le loyalisme et l'exécution, dans la mesure où cela me sera possible, de mes engagements. »

9. Le 14 juillet 1943, l'amiral Robert remit ses pouvoirs entre les mains d'un représentant du gouvernement d'Alger.

— 2) *Réponse du gouvernement du 2 juillet 1943 :*

« 2 juillet 1943. — N° 184 et 185. — Je vous accuse réception de votre télégramme n° 2349. La cruauté du blocus américain vous oblige à faire face à une situation dramatique. Les engagements que vous avez pris en ce qui concerne la flotte, les avions et l'or, doivent être exécutés dans l'intérêt de la France. Je vous remercie d'avoir confirmé cet engagement dans votre télégramme. Le Maréchal et le gouvernement comptent sur votre fidélité. C'est dans un tel moment que l'accomplissement du devoir est le plus impérieux. Signé Laval ».

— 3) *Télégramme de Vichy du 4 juillet 1943 :*

« N° 196. — N'ayant pas reçu votre accusé de réception à mes télégrammes 184-185, je vous confirme l'ordre d'exécuter immédiatement tous les engagements que vous avez pris. La flotte, les avions et l'or ne doivent, en aucun cas, tomber aux mains des Américains. Le Maréchal et le gouvernement comptent sur vous. Pierre Laval ».

— 4) *Télégramme de Vichy du 5 juillet 1943 :*

« Les instructions que vous avez reçues les 2 et 4 juillet au sujet de la flotte, de l'or et des avions, ont-elles été exécutées ? Si elles ne le sont pas, veuillez passer à l'exécution immédiate. Philippe Pétain ».

— 5) *Réponse de l'amiral Robert du 5 juillet 1943 :*

« N° 2453 à 2462. — J'ai bien reçu vos 184, 185 et 196. Je demande au Maréchal et au gouvernement de considérer qu'en prolongeant depuis novembre envers et contre tout, malgré l'hostilité extérieure et intérieure, la stricte allégeance de ces possessions, je leur ai apporté le témoignage le plus éclatant de ma fidélité personnelle. C'est la durée même de cette résistance qui donne toute sa portée à ma fidélité et c'est elle aussi qui nous a conduits à la situation présente. La pénurie prolongée et totale des aliments de base a mis la population dans les mains d'un Comité local dit de libération nationale qui, par des manifestations répétées, la

*groupe pour l'action brutale... Malgré ces circonstances tragi-
ques, j'ai exécuté au maximum les engagements pris en
janvier. J'ai fait détruire l'intégralité des avions, échouer
irrémédiablement le Béarn et remplir d'eau ses machines,
immobiliser la plupart des pétroliers. Je dois maintenir la
Jeanne-d'Arc et l'Emile-Bertin en état de vie par suite de
la nécessité absolue de conserver un dernier cadre pour le
maintien de l'ordre intérieur, de même que le Barfleur,
nécessaire pour l'évacuation du personnel resté fidèle. Ces
bâtiments ne tomberont jamais entre les mains des Américains, l'honneur des commandants étant garant des ordres
que je laisserai. J'ai obtenu de l'amiral Hoover, venu à Fort-
de-France le 3 juillet, reparti le 4, les garanties de son gouvernement pour le maintien de la souveraineté française et
la non intervention des forces américaines. Je compte obtenir
de semblables garanties pour la conservation de l'or jusqu'au
jour où il pourra être rendu intact à la Banque de France et
la sauvegarde des personnes et des biens. Pendant quatre
années, j'ai été dans ces terres françaises d'Amérique le
Chef, le représentant de la France et le lien avec la Patrie.
Conscient d'avoir rempli tout mon devoir, je quitte mon poste
en vous exprimant ma gratitude profonde pour la confiance
et la compréhension que vous m'avez témoignées malgré la
distance et les immenses difficultés de votre propre tâche, en
vous exprimant aussi mon désir de vous rejoindre et ma
foi dans les destinées de la France sous la direction du
Maréchal et de votre gouvernement. »*

— 6) *Télégramme de Vichy du 7 juillet 1943 :*

   *« En ce qui concerne les pétroliers, et reprenant vos expres-
sions, je vous demande en quoi a consisté l'immobilisation de
la plus grande partie d'entre eux. Je vous demande à nouveau
instamment de les saborder. Je vous prie de me faire connaî
tre de quelle façon vous comptez immobiliser l'or. Je vous
prie, enfin, de préciser comment vous comptez procéder à
l'évacuation du personnel qui vous sera resté fidèle. Je prends
acte avec satisfaction de l'assurance que vous donnez que
la Jeanne d'Arc, l'Emile-Bertin et le Barfleur ne tomberont
jamais aux mains des Américains. La fidélité dont vous avez
fait preuve est garante que vous veillerez à la stricte exécution*

de cet engagement et que vous saborderez ces navires pour les soustraire, s'il le faut, à l'emprise américaine ou dissidente. Le Maréchal et le gouvernement vous expriment leur profonde reconnaissance pour la conscience que vous avez des destinées de notre patrie. Accusez réception du présent message. Pierre Laval ».

— 7) *Réponse de l'amiral Robert du 8 juillet 1943 :*

« N° 2539 et 2540. — *Très secret. Message pour le chef du gouvernement. Citation : Référence vos 6193 à 6196 du 7 juillet. — Dans l'impasse tragique où ma fidélité m'a conduit, le Maréchal et le gouvernement savent que tout ce qui sera humainement possible d'accomplir sera ordonné. C'est le devoir du chef dans le malheur de prendre la responsabilité de ce qui n'aura pas pu être exécuté. »*

— 8) *Télégramme de Vichy du 10 juillet 1943* [10].

« N° 6298 et 6299. — *Secret le plus absolu. — Nous avons bien reçu vos messages 2539 et 2540. Ils n'apportent pas les réponses aux questions qui vous ont été posées. Le sabordage de tous les navires, y compris les pétroliers, doit être immédiatement exécuté. Quelles que soient les promesses des Américains ou des dissidents en ce qui concerne le personnel qui vous est resté fidèle, nous savons qu'elles ne seront pas tenues. Les bateaux non sabordés seront aussitôt utilisés contre les puissances de l'Axe et ils le seront au mépris de nos engagements. C'est pourquoi le gouvernement vous a donné l'ordre de couler tous les navires. Il vous répète cet ordre et vous demande de rendre compte de son exécution. »*

— 9) *Réponse de l'amiral Robert du 12 juillet 1943 :*

« N° 2593 à 2596. — *Je réponds à vos messages N° 6298 et 6299 du 10 juillet. Toute ma volonté dans cette crise a tendu à renforcer mon autorité en vue de pouvoir ordonner les*

10. Ce télégramme fut adressé à l'amiral Robert à la suite de la notification d'une note de l'ambassade d'Allemagne exigeant du gouvernement français qu'il réitérât auprès de l'amiral Robert l'ordre de procéder « immédiatement au sabordage des navires ».

*mesures du sabordement malgré les désastres certains que
cet acte devait entraîner. Je me réfère à mes télégrammes
du 5 et du 8 juillet. Des mesures préliminaires ont provoqué
une mutinerie à bord du croiseur* Emile-Bertin *dont l'équipage a refusé d'exécuter les ordres du commandant. Simultanément, les éléments mutins de l'Armée avaient marqué leur
décision de réagir par la violence, ce qui aurait déclenché
immédiatement l'action sanglante de la population noire
contre les blancs. Cela manifeste, avec la plus douloureuse
netteté, la limite de ce que l'on pouvait exiger et l'impossibilité physique actuelle d'augmenter les sacrifices déjà accomplis. Tout ordre relatif au sabordage ne rencontre dorénavant
plus que refus d'exécution et révolte. Je consacre tout ce qui
me reste d'autorité au maintien de l'ordre. »*

— 10) *Dernier message de l'amiral Robert du 13 juillet 1943 :*

« *A l'heure où je suis contraint de céder et d'abandonner
à une autre autorité le poste où leur confiance m'a maintenu
depuis quatre ans, je renouvelle au Maréchal et au gouvernement l'expression de ma profonde gratitude, de mon indéfec-
tible attachement et de ma foi dans les destinées de la
France ».*

2

Le Dossier de l'Accusation

L'ACTE D'ACCUSATION.

A un autre point de vue, l'insistance de Laval à l'effet d'obtenir de l'amiral Robert, aux Antilles, qu'il coule ses bateaux
et incendie ses avions, de crainte que les Américains ne s'en

servent, jette un jour de plus sur les sentiments d'un gouvernement qui préfère voir notre Flotte de guerre détruite plutôt que de la laisser contribuer à notre libération.

LE REQUISITOIRE.

Nous avions aux Antilles un navire porte-avions, deux croiseurs ordinaires, trois croiseurs légers, huit pétroliers, cent-sept avions, et une réserve d'or d'environ douze milliards. Eh bien, Laval n'a pas de cesse que ce qui nous restait ainsi de bateaux et d'avions ne fût détruit plutôt que de tomber aux mains des Américains... La voilà, la vraie image de la France. Laval, aujourd'hui déclare que ces télégrammes envoyés par lui à l'amiral Robert étaient rédigés avec des nuances et de telle façon que l'amiral Robert comprît qu'il ne fallait pas s'y conformer. Vous avez pu apprécier comment l'amiral Robert a pu deviner à travers ces télégrammes, y compris celui de Pétain, qu'il ne fallait pas s'y conformer.

LES DOCUMENTS DE L'ACCUSATION.

Le dossier contenait en 1945 les pièces suivantes qui furent énumérées dans le procès-verbal d'interrogatoire du juge Lancier : — 1) Message de l'amiral Robert du 9-1-1943. — 2) Télégramme de Laval du 30-4-1943. — 3) Message de l'amiral Robert du 6-5-1943. — 4) Message de l'amiral Robert du 21-5-1943. — 5) Télégramme de Laval du 2-7-1943. — 6) Télégramme de Laval du 4-7-1943. — 7) Télégramme du Maréchal Pétain du 5-7-1943. — 8) Télégramme de Laval du 7-7-1943. — 9) Note adressée par l'ambassade d'Allemagne au gouvernement en date du 10-7-1943. — 10) Télégramme de Laval du 10-7-1943. — 11) Message de l'amiral Robert du 12-7-1943.

3

Le Dossier de la Défense

— 1. — *Laval a-t-il agi sous la contrainte allemande ?*

a) — Le 17 mai 1942, le gouvernement allemand fit parvenir à Pierre Laval, par l'intermédiaire du ministre Rahn, venu spécialement à Paris, une note indiquant qu'en raison des circonstances et conformément aux clauses de l'armistice, il estimait indispensable que le gouvernement français donnât l'ordre à son représentant d'anéantir immédiatement les bâtiments de guerre et de commerce et les avions stationnés aux Antilles, se réservant le droit de compenser les dommages qu'il subirait, dans le cas où ils tomberaient aux mains des Etats-Unis, par la revendication d'un tonnage français équivalent.

b) — Dans un aide-mémoire du 23 juin 1942, le gouvernement allemand confirma les termes de cette note, exposant que l'immobilisation des navires telle qu'elle avait été acceptée par le gouvernement français portait atteinte aux dispositions de la Convention d'armistice.

c) — En décembre 1942, Berlin refusa d'autoriser la reprise du trafic maritime nécessaire pour assurer le ravitaillement des Antilles, au motif que sa demande concernant le sabordage des pétroliers n'avait pas été exécutée. Il exigea la confirmation que l'amiral Robert obéirait aux ordres de Vichy et la communication des accords intervenus avec les Etats-Unis et des télégrammes échangés avec le Haut-Commissaire.

d) — Dans la note qu'il adressa en janvier 1943 à Abetz, Ribbentrop : — 1) Se plaignait de ce que « les exigences formulées à l'époque par le gouvernement du Reich », c'est-à-dire en juin 1942, concernant « l'attitude » que devait adopter le gouvernement français n'avaient pas été exécutées. — 2) Considérait les ordres donnés à l'amiral Robert comme insuffisants. — 3) Exigeait du gouvernement français la garantie « précise » que les navires de guerre et de commerce, les avions et l'or ne tomberaient pas entre les mains de pays ennemis de l'Allemagne. — 4) Jugeait insuffisant le rappel de l'ordre de sabordage par le gouvernement français et exigeait « au minimum que l'amiral Robert prenne clairement l'engagement de faire appliquer effectivement ces ordres ».

e) — Le 10 juillet 1943, l'ambassade d'Allemagne à Paris transmit à Vichy l'ordre de réitérer auprès de l'amiral Robert des instructions strictes afin qu'il procédât « immédiatement » au sabordage des navires. Cette note contenait même le modèle du télégramme à lui adresser :

« Au nom de son gouvernement, l'ambassade d'Allemagne a l'honneur de communiquer ce qui suit : Le gouvernement du Reich a, par les différents messages de l'amiral Robert, acquis l'impression que ce dernier, tout en assurant le Maréchal Pétain et le Président de sa loyauté constante, ne remplit pas en réalité les obligations par lui assumées et, sans doute par égard pour les dissidents, n'exécute qu'un minimum de ce qui lui a été ordonné par le Maréchal et le gouvernement français. Etant donné ces circonstances, le gouvernement du Reich est d'avis qu'il est absolument nécessaire d'adresser de nouveau à l'amiral Robert un ordre rédigé à peu près dans ce sens : L'amiral a toujours déclaré sa loyauté vis-à-vis du Maréchal Pétain et de son gouvernement ; l'honneur de la France exige qu'il apporte ici la dernière preuve. Il résulte de ses messages qu'un certain nombre de ces navires ne sont pas encore coulés. Le sabordage de ces navires devrait s'effectuer immédiatement. Il ne s'agit pas simplement de rendre ces navires inaptes à reprendre la mer, mais de les couler effectivement, y compris naturellement tous les pétroliers. Il n'existe pratiquement aucune possibilité d'évacuer avec les navires non coulés jusqu'ici les Français restés fidèles au gouvernement, étant donné que les Américains et les dissidents, compte tenu de l'attitude qu'ils ont adoptée et malgré leurs promesses éventuelles, ne le permettraient jamais. L'intention de l'amiral Robert de garder des navires pour les besoins de surveillance ne pourra pas non plus atteindre le but proposé, étant donné que les Américains ou les dissidents français emploieraient immédiatement ces navires pour leurs propres besoins et se chargeraient eux-mêmes de la surveillance. Etant donné ces circonstances, le gouvernement français ordonne à l'amiral Robert de couler maintenant tous les navires sans aucune exception et de rendre compte de la bonne exécution de cet ordre. »

f) — Le juge d'instruction, M. Gibert, au cours d'un interrogatoire de Laval sur ce chef d'accusation, admit implicitement qu'il avait agi sous la contrainte allemande, du moins en ce qui concernait le télégramme qu'il adressa à l'amiral Robert le 10 juillet 1943 pour lui confirmer l'ordre de sabordage. Après avoir donné connaissance de la note de l'ambassade d'Allemagne du 10 juillet 1943, il dit en effet à Laval à propos de la lecture de ce télégramme[11] : « Télégramme que vous avez adressé le 10 juillet 1943 à l'amiral Robert, évidemment à la suite de la note précédente du même jour ».

g) — M. Hoppenot, représentant officiel de la France Libre à Alger, reconnut que les ordres de sabordage avaient été transmis sous la pression allemande. Il déclara dans son message aux Conseils Généraux du 26 juillet 1943 (J.P. de la Martinique n° 33 du 31 juillet 1943), après que l'amiral Robert lui eût délégué ses pouvoirs : « Je manquerais à mon devoir d'homme et de Français si je ne rendais à l'amiral Robert ce double témoignage qu'il a inflexiblement maintenu, pendant trois années, la souveraineté française, entière et inviolée sur ces îles, et qu'à l'heure des suprêmes décisions, résistant aux ordres répétés que Berlin faisait transmettre par Vichy, il a remis une réserve d'or et une flotte intactes à l'autorité française à laquelle il cédait sa place ».

h) — Dans un rapport en date du 20 juillet 1943, le Dr Hemmen écrivait, avouant la contrainte exercée par son gouvernement : « La question de savoir s'il conviendrait de prendre des mesures de représailles contre la non exécution

---

11. Procès-verbal d'interrogatoire.

des ordres de sabordage des navires et de l'or français à la Martinique, transmis à plusieurs reprises avec la plus grande insistance par notre ambassade au gouvernement français, ne peut être jugée que sur le plan politique. Conformément à la décision du ministre des Affaires étrangères du Reich, ce cas est à traiter par l'ambassade qui est compétente ».

— 2. — *Les ordres adressés par Laval à l'amiral Robert exprimaient-ils sa volonté de le voir exécuter le sabordage de la Flotte des Antilles ?*

a) — Un ordre secret et permanent de sabordage éventuel avait été donné en juin 1940 par l'amiral Darlan à l'amiral Robert [12]. Il n'avait pas été rapporté.

b) — En mai 1942, lorsque des difficultés opposèrent l'amiral Robert aux Américains, Laval ne lui ordonna pas de procéder au sabordage, mais approuva l'accord passé avec eux en vue de l'immobilisation des bâtiments.

c) — Le gouvernement français refusa de répondre favorablement aux demandes allemandes des 17 mai et 23 juin 1943 tendant au sabordage immédiat des navires et des avions immobilisés aux Antilles.

d) — En décembre 1942, Laval intervint personnellement auprès du ministre allemand Schleier pour obtenir la reprise du trafic maritime nécessaire au ravitaillement des Antilles, approuvant le projet du Secrétariat d'Etat aux Colonies de procéder à des échanges commerciaux avec les pays américains du Nord et du Sud.

e) — Dans les instructions qu'il adressa à l'amiral Robert le 6 janvier 1943 pour se conformer à l'ultimatum allemand du 4 janvier, Laval ne lui ordonnait pas de saborder immédiatement les navires, mais de prendre l'engagement d'exécuter ces mesures « en temps utile ». Il avertissait en même temps l'amiral que le texte des instructions qu'il lui donnait devait être communiqué aux autorités du Reich. Il écrivait en effet : « Cet engagement que vous devrez me donner explicite-

12. Se reporter au chapitre concernant le sabordage de la Flotte à Toulon.

ment par message sera mis sous les yeux des autorités allemandes qualifiées, ainsi que le texte du présent message. Cette
double communication en bonne et due forme est la condition
sine qua non des facilités que nous revendiquons. » [13].

f) — En février 1943, il approuva la suggestion de l'amiral
Robert d'affréter des pétroliers, qui auraient dû être sabordés
selon les ordres de Berlin, à une société française de New
York, en accord avec les autorités américaines.

g) — Alors que, dans les télégrammes des 5 et 6 mai
1943, Laval ordonnait à l'amiral Robert de procéder immédiatement au sabordage des navires, à la destruction des avions
et à l'immersion de l'or, il ne réagit pas lorsque ce dernier
l'informa qu'il se trouvait dans l'impossibilité d'exécuter cet
ordre, lui demandant de lui laisser « le choix de l'heure ». Il
n'annula pas la délégation de pouvoirs qu'il lui avait donnée
par son télégramme du 6 mai.

h) — Lorsque le 21 mai 1943, l'amiral Robert refusa encore
d'exécuter l'ordre de sabordage immédiat que Laval lui avait
fait parvenir le 19, offrant sa démission et acceptant par
avance une sanction qu'il jugeait mériter, Laval ne le désa-
voua pas et ne prit aucune sanction à son égard.

i) — Lorsque, fin juin 1943, l'amiral Robert avertit Laval
de la nécessité devant laquelle il se trouvait de traiter avec
les Américains en vue de faire passer les Antilles sous leur
autorité, Laval, loin de le désavouer, lui télégraphia : « Le
Maréchal et le gouvernement comptent sur votre fidélité.
C'est dans un tel moment que l'accomplissement du devoir
est le plus impérieux. »

j) — Lorsque, avisant par ses télégrammes des 8 et 12
juillet 1943 le gouvernement de l'inexécution du sabordage,
l'amiral Robert avoua ainsi ou son incapacité ou sa désobéissance, Laval ne prit aucune sanction contre lui et ne
jugea même pas nécessaire, vis-à-vis des Allemands, de le
désavouer publiquement.

k) — Le contre-amiral Bléhaut qui, en sa qualité de Secré-

13. Rapport du secrétaire d'état à la marine et aux colonies. —
Annexe XXVII.

taire d'Etat à la Marine et aux Colonies, prépara pour Laval les télégrammes destinés à l'amiral Robert, a apporté cette précision sur les intentions de Laval [14] : « Sur une question que je lui posai, M. Laval me déclara avec beaucoup de chaleur qu'il ne souhaitait pas plus que moi l'exécution des mesures prescrites, mais qu'il était obligé, sous peine de graves représailles pour le pays, de donner aux Allemands l'impression qu'il l'exigeait ».

— 3. — *En refusant d'exécuter les ordres de sabordage successifs qu'il reçut, l'amiral Robert eut-il conscience que sa désobéissance répondait au désir réel de Laval ?*

Nul n'a pu répondre avec plus de vérité à cette question que l'amiral Robert lui-même [15]. Nous possédons deux témoignages de lui :

A) — Il a écrit dans son ouvrage « *La France aux Antilles de 1939 à 1943* » :

a) — Au sujet de la démarche des Etats-Unis tendant à lui faire rompre tout contact avec Vichy : « Outre qu'elle eût constitué une marque d'ingratitude à l'égard d'un pouvoir central dont la tutelle vigilante avait été si appréciable, cette soumission à une volonté étrangère nous semblait par principe inacceptable ».

b) — Au sujet de l'ordre de sabordage transmis par Laval en avril 1943 : « Sans constituer un ordre formel, la directive incluse dans ce message fixait nettement la position que, sous la pression allemande, prenait Vichy dès cet instant ».

c) — Au sujet des ordres de sabordage qu'il reçut : « Fallait-il leur opposer d'une manière intransigeante la volonté déterminée de s'y soustraire ? J'ai estimé que non. Si, comme il me semblait indubitable, ces ordres successifs résultaient de la volonté allemande, un refus non déguisé eût, à n'en pas douter, provoqué des représailles dont la nature m'était inconnue, mais dont le caractère ne manquerait pas de dépas-

---

14. Institut Hoover. — Cf. *infra*.

15. Le témoignage de l'amiral Robert ne peut être sujet à caution. En effet, conscient ou non des intentions réelles du gouvernement, il n'a pas exécuté ses ordres.

ser même l'importance attachée par le Reich à l'exécution de tels ordres. »

d) — Il savait que les télégrammes qu'il recevait de Laval et ceux qu'il lui adressait étaient connus des Allemands : « Je répondais sans perdre de vue que mes télégrammes pouvaient être déchiffrés par les Américains aussi bien que par les Allemands ».

e) — A propos de son télégramme du 1ᵉʳ juillet par lequel il annonçait au gouvernement qu'il remettait ses pouvoirs à un représentant de la France libre : « Par là-même, et tenant compte des destinataires de ce télégramme comme aussi de ceux qui l'intercepteraient, je marquais bien, dans la finale, ma volonté de ne pas procéder à un sabordage ».

f) — A propos des télégrammes qu'il reçut les 4 et 5 juillet : « Si cette insistance, alors que je croyais m'être fait comprendre à mots couverts, ne pouvait que renforcer ma volonté de me soustraire aux engagements en question, elle me donnait non moins fortement à redouter de la part des Allemands des représailles dont j'allais être indirectement l'auteur ».

g) — Au sujet des tourments de conscience qu'il eut au début, à la réception de ces ordres : « A l'origine, la raison seule suffit à les contenir dès qu'elle a établi l'évidence d'une inspiration allemande dans la rédaction des premiers ordres. »

h) — En avril 1943, l'amiral Robert avait fait faire une démarche à Vichy par Mgr Gay, effectuant un voyage en France, à l'effet de connaître les intentions réelles du gouvernement au sujet du sabordage des navires. Mgr Gay vit le contre-amiral Bléhaut qui le chargea de transmettre à l'amiral Robert ce message : « Qu'il ne saborde pas. »

i) — L'amiral Robert rapporte le témoignage d'un diplomate qui se trouvait à Vichy dans un bureau d'où partait un télégramme qui lui était destiné. Comme il s'étonnait de son contenu, le secrétaire général du ministère des Affaires étrangères lui dit : « Soyez tranquille. Il comprendra très bien que ce n'est pas notre pensée et il n'exécutera pas de tels ordres ».

— B) Le second témoignage de l'amiral Robert a été publié par les soins de l'Institut Hoover (HI-II-723) :

« Sans vouloir reprendre les choses de trop loin, il me semble cependant utile de rappeler en quelques lignes ce qu'était la situation de nos Antilles à l'époque où y parvenaient les télégrammes en question.

Pour des motifs plus réalistes qu'idéologiques, nos possessions d'Amérique avaient été maintenues dans l'obédience du Gouvernement de Vichy. Il leur fallait bien rester dans l'allégeance d'un Gouvernement, fût-il simplement de fait, pour que la souveraineté nationale y conserve ses droits. Se séparer de ce Gouvernement tant qu'un autre n'avait pas été reconnu par les Alliés ne pouvait conduire qu'à une troisième dissidence se concrétisant en une autonomie dont la faiblesse évidente aurait donné libre carrière à toutes les convoitises. C'est le propre de toutes les faiblesses.

De surcroît, ces possessions se trouvaient dans l'impossibilité matérielle de vivre sans un appui financier couvrant leurs besoins alimentaires et, à moins de courir les risques définis ci-dessus, elles ne pouvaient trouver cet appui ailleurs qu'auprès de leur protecteur légal. Il leur fut toujours accordé généreusement par les Gouvernements de cette époque.

En sorte que, sans connaître la misère et les troubles sociaux qui en eussent été la conséquence, ces colonies avaient pu vivre libres et à l'abri du besoin jusqu'en mai 1943.

Disposant de crédits exclusivement français pour leurs achats sur les marchés américains, et rencontrant une large compréhension de la part des Autorités fédérales pour obtenir la conversion de ces crédits en dollars, puis les licences d'exportation nécessaires et en même temps les facilités d'accès aux ports américains pour l'enlèvement de ces approvisionnements, la subsistance des populations antillaises se maintenait par cela même à un niveau moyen acceptable.

C'est alors qu'à cette date de mai 1943 le Gouvernement des Etats-Unis m'a demandé, sous peine de rompre de son côté l'équilibre ainsi réalisé en cessant toute aide alimentaire à ces possessions, de renoncer à toute obédience à un Gouvernement que ses rapports avec l'ennemi lui semblaient rendre suspecte...

Je n'ai pas cru devoir me plier à ces injonctions.

Outre que leur bien-fondé ne me paraissait pas établi, faute d'éléments déterminants pour en juger par moi-même, l'objet pratique de ce détachement ne correspondait à mes yeux à aucune réalité définie. Je n'avais plus aucune direction politique à recevoir du Gouvernement Laval. Mes liaisons, portant exclusivement sur des points d'ordre financier ou administratif, ne se faisaient plus que par messages télégraphiques dont copie intégrale était chaque fois remise en clair au Consul général des Etats-Unis. L'obéissance n'était déjà plus que de forme.

Se séparer du Chef du Gouvernement tout en restant en esprit derrière le Chef de l'Etat, ainsi qu'on me le suggérait, n'était qu'une formule chimérique.

Enfin, outre qu'elle eût constitué une marque d'ingratitude caractérisée à l'égard d'un pouvoir central dont la tutelle vigilante avait été si appréciable, cette soumission à une volonté étrangère nous semblait par principe inacceptable.

L'Histoire, dont c'est la mission, jettera, espérons-le, quelque lumière sur les mobiles secrets de cette injonction qui ne s'accordait pas avec l'esprit dans lequel avaient été rédigés et respectés les accords fixant le *modus vivendi* antérieur.

Faute de cette lumière, je n'aperçois pas encore aujourd'hui les raisons ayant motivé ce blocus de mai 1943, générateur de famine pour des populations paisibles et qui, ne pouvant par nature avoir le moindre contact avec l'ennemi, restaient forcément étrangères à toute tendance collaboratrice.

Comme il ne s'agissait pas non plus, dans l'esprit du Gouvernement fédéral, de me mettre dans l'obligation de cesser mes fonctions puisqu'en toute hypothèse j'allais rester *persona grata*, l'entendement de ce geste persiste à m'échapper totalement.

Ce qui est plus positif, c'est que, malgré l'absence de liaisons avec la métropole, je me rendais compte des difficultés considérables que les exigences croissantes de la puissance occupante créaient chaque jour à notre Gouvernement et qu'il fallait vaincre par ses seuls moyens tant que l'action militaire des Alliés n'aurait pas pris le dessus.

C'est ce qui a dicté mon attitude en face des ordres de sabotage qui m'étaient transmis. Attitude temporisatrice d'abord, puis refus final d'exécution, sous le masque de l'impossibilité matérielle.

Pareille attitude devait d'ailleurs recevoir la pleine approbation du Gouvernement quand je suis rentré en France plusieurs mois plus tard. Elle devait, par contre, faire obstacle à ce que les Autorités d'occupation me laissent franchir librement la frontière.

J'ai dû, pendant plusieurs semaines, attendre à Lisbonne, en pays neutre, que ces Autorités aient consenti à ne pas s'y opposer ou à ne pas en user pour se saisir de ma personne.

Ce consentement, je l'ai dû au Président Laval, et il ne fut pas aisément obtenu, j'en ai eu plus tard la conviction en prenant connaissance des termes par lesquels Ribbentrop avait apprécié mes différents accords avec les Etats-Unis.

Mieux que par des paroles, j'avais eu ainsi *a posteriori* la preuve que les ordres de sabotage qui m'avaient été envoyés ne traduisaient pas la pensée du Chef du Gouvernement. »

4. — *Comment le gouvernement allemand jugea-t-il l'attitude adoptée par Laval à l'égard de ses instructions tendant au sabordage de la Flotte des Antilles ?*

Il est possible de s'en rendre compte par :

a) — Cette note de Ribbentrop à Abetz en janvier 1943 [16] :

« Nous rappelons au surplus que c'est malgré le gouvernement du Reich qu'un accord a été conclu entre l'amiral Robert et le gouvernement des Etats-Unis en vue d'immobiliser aux Antilles les navires de guerre français, et que M. Laval n'a pas tenu, non plus, les assurances données à l'époque, et d'après lesquelles les pièces de machines démontées ne devaient pas seulement être dirigées sur Casablanca ou à l'intérieur du Maroc, mais bien sur le territoire français métropolitain. Il en découle que, depuis l'occupation du Maroc français par les troupes ennemies, ces pièces doivent se trouver à nouveau entre les mains des Américains et

16. Archives de la Wilhelmstrasse.

que, par suite, dans certaines circonstances, les navires de guerre français des Antilles pourraient tomber entre les mains de l'ennemi. »

b) — Un rapport adressé en juillet 1943 à son gouvernement par le chef de la Commission allemande d'armistice [17] :

« Enfin, il y a lieu de constater ici que les navires et l'or se trouvant aux Antilles ne seraient vraisemblablement pas tombés aux mains de l'ennemi si l'amiral Robert, ainsi que le gouvernement allemand l'avait déjà, à une époque antérieure et à plusieurs reprises, exigé, avait soustrait à temps les navires et l'or aux attaques de l'ennemi. C'est dans cette mesure que le gouvernement français et lui-même sont responsables de l'événement ».

LES TEMOINS DE LA DEFENSE

— Contre-Amiral Bléhaut, Secrétaire d'Etat à la Marine et aux Colonies, d'avril 1943 à août 1944. (H.I.-II-726).

« Dès le début de la crise, en mai 1943, les Allemands exigèrent qu'on prescrivit à l'amiral Robert l'exécution immédiate des destructions envisagées : navires de guerre et de commerce, or, avions, etc. Je proposai alors à M. Laval, pour gagner du temps, d'adresser à l'Amiral un télégramme qui, tout en lui rappelant ses engagements antérieurs, l'assurât de la confiance du Gouvernement pour agir au mieux des circonstances. L'Amiral comprendrait et l'envoi ultérieur d'ordres impératifs d'exécution pourrait se faire sans crainte. M. Laval me dit que les Allemands n'admettraient jamais un texte laissant à l'Amiral autant de latitude : sur une question que je lui posai, M. Laval me déclara avec beaucoup de chaleur qu'il ne souhaitait pas plus que moi l'exécution des mesures prescrites, mais qu'il était obligé, sous peine de graves représailles pour le pays, de donner aux Allemands l'impression qu'il l'exigeait. Dans ces conditions, je lui fis part de ma décision de ne pas m'associer aux télégrammes rédigés dans ce sens, craignant que la signature du Secrétaire d'Etat à la Marine au bas d'un ordre technique comme

(17) Archives de Nuremberg. — Document P.S. n° 1.990.

le sabotage de la flotte de guerre et de commerce n'amenât l'Amiral à douter du caractère de contrainte qui en avait motivé l'envoi. Bien loin de faire la moindre objection à cette réserve, M. Laval la trouva judicieuse et les télégrammes en question furent expédiés sans porter ma signature. L'amiral Robert en comprit parfaitement la signification politique, et sa résistance aux injonctions américaines fut assez affirmée pour éviter à la métropole les mesures de rétorsion dont elle était menacée, sans que nous ayons eu pour autant à déplorer aucune destruction.

J'ajoute que, dans les relations de service que j'eus avec le Président Laval, je pus me rendre compte que celui-ci n'avait jamais en vue que l'intérêt de la France, et qu'il a toujours fait passer cet intérêt avant toute autre considération. On peut, ainsi qu'il l'a dit lui-même, ne pas être d'accord sur les moyens qu'il a estimé devoir employer pour atteindre son but, mais, lorsque la vérité sera connue, aucun honnête homme ne saurait se refuser à reconnaître son profond patriotisme et sa clairvoyance. »

4

Les déclarations de Pierre Laval

MEMOIRE EN REPONSE
A L'ACTE D'ACCUSATION

J'ai été interrogé par M. Gibert, juge d'instruction, sur les télégrammes que j'ai adressés à l'amiral Robert, et, pour ne pas me répéter, je vais reproduire le procès-verbal de mon interrogatoire :

DEMANDE : Au moment de l'armistice, il y avait aux Antilles un certain nombre de navires de

guerre français : le porte-avions *Béarn*, les croiseurs *Jeanne-d'Arc* et *Emile-Bertin*, et trois croiseurs auxiliaires : le *Barfleur*, le *Quercy* et l'*Este-
rel*. Il y avait en outre deux pétroliers de la marine
de guerre : le *Var* et le *Mékong*. La flotte de commerce stationnant aux Antilles était composée de :
six pétroliers, dont deux gros, le *Bourgogne* et le
Limousin, d'une jauge brute de sept à neuf mille
tonnes, et quatre petits, le *Bahram*, le *Kobad*, le
Motrix et le *C. I. P.*, d'un tonnage moindre, plus
six autres bâtiments (cargos ou paquebots), l'*An-
goulême*, la *Guadeloupe*, le *Duc-d'Aumale*, l'*Orégon*,
le *Sagittaire* et le *Saint-Domingue*.

En outre, à la veille de l'armistice, le porte-
avions *Béarn* avait amené à Fort-de-France cent
sept avions américains.

Enfin, une partie importante de l'encaisse-or de
la Banque de France avait été transférée à la Martinique en juin 1940 et placée en dépôt à Fort-de-
France. Cet or représentait un poids de deux cent
cinquante-quatre mille kilos et une valeur de plus
de douze milliards de francs, décomptée au cours
résultant de la convention conclue le 29 février
1940 entre l'Etat et la Banque.

Nous allons vous donner connaissance de divers
télégrammes dont beaucoup portent votre signature et par lesquels, notamment au cours de l'année 1943, vous avez donné l'ordre à l'amiral
Robert, haut-commissaire aux Antilles, de saborder
tous les bateaux, de détruire les avions et de
noyer l'or de la Banque de France.

. . . .

RÉPONSE : Vous m'avez donné connaissance de
la composition de la partie de notre flotte de
guerre et de celle de notre flotte de commerce
qui se trouvaient aux Antilles au moment de
l'armistice, tous ces bateaux y ayant été immobilisés depuis ce moment. Vous m'avez également
fait connaître que nous possédions aux Antilles
cent sept avions américains ; enfin vous m'avez

rappelé qu'une partie de l'encaisse-or de la Banque de France avait été transférée à la Martinique en juin 1940, représentant une valeur de douze milliards de francs.

Ensuite, vous m'avez demandé les raisons pour lesquelles j'avais, concurremment avec le secrétaire d'Etat à la Marine et le maréchal Pétain, adressé des télégrammes à l'amiral Robert, à différentes dates depuis le 6 janvier 1943, lui enjoignant d'avoir à saborder tous les bateaux, à détruire tous les avions et à noyer l'or de la Banque de France.

Je voudrais d'abord faire une remarque sur l'expression « noyer l'or » que vous avez employée. Il s'agissait non pas de noyer, c'est-à-dire de perdre, mais au contraire d'immerger l'or pour qu'il puisse ensuite, à tous moments, être retrouvé et récupéré.

Avant tout, je dois vous dire que, si je n'avais pas perdu le souvenir de l'envoi de ces télégrammes, je n'ai pas perdu non plus celui des raisons qui m'ont amené à agir ainsi que je l'ai fait. Ces questions que vous me posez se rattachent directement au problème même de l'armistice et aux obligations qui en découlaient. Je n'ai pas signé la Convention d'armistice et je n'appartenais pas au gouvernement qui a demandé l'armistice. Il était évident que le gouvernement allemand ne manquerait pas, chaque fois qu'il y aurait intérêt, à se prévaloir de ces dispositions. Le deuxième paragraphe de l'article 10 s'exprime ainsi : « Le gouvernement français empêchera également les membres des forces armées françaises de quitter le territoire français et veillera à ce que ni des armes, ni des équipements quelconques, ni navires, ni avions, etc., ne soient transférés en Angleterre ou à l'étranger. »

Dès après l'entrée en guerre de l'Amérique contre l'Allemagne, il est vraisemblable, car je n'étais pas non plus au gouvernement à ce moment-là (fin 1941), que les Allemands se soient aussitôt préoccupés de nos bateaux, de nos avions et de l'or se trouvant à la Martinique. Je n'ai connu les exigences des Allemands à ce sujet que longtemps après, puisque le premier télégramme que j'ai adressé à l'amiral Robert serait du 6 janvier 1943 (si je m'en rapporte au texte de la réponse télégraphique de l'amiral Robert, en date du 8 du même mois). Je suppose, ce qui est évident, que les secrétaires d'Etat à la Marine et aux Colonies avaient déjà, bien avant cette date, donné des instructions à l'amiral Robert. Je ne doute pas qu'ils avaient été contraints de donner ces instructions à la suite des réclamations allemandes formulées en application de la Convention d'armistice. Si les Allemands se sont ensuite adressés à moi comme ils se sont adressés au maréchal Pétain, c'est parce qu'ils ont exigé que les instructions données par les ministres soient confirmées par le chef du Gouvernement et le chef de l'Etat.

En ce qui concerne la flotte, sur laquelle je n'ai jamais eu aucune autorité directe parce qu'elle était placée sous les ordres de l'amiral Darlan, et ensuite ceux du maréchal Pétain, je ne peux ignorer qu'un ordre fixe donné une fois pour toutes enjoignait à tous nos commandants de navires de guerre de saborder leurs bateaux plutôt que de tomber aux mains d'une puissance étrangère. Je sais que l'ordre visait toutes les puissances étrangères sans en excepter aucune. Les Allemands auraient donc pu se contenter de cet ordre général et précis, mais, outre qu'ils savaient bien qu'un commandant de navire, quelle que soit sa nationalité, ne se résoudrait que difficilement à saborder son unité, ils craignaient, pour nos navires des Antilles, que la proximité de l'Amérique ne soit une tentation facile permettant d'échapper à cet ordre. Nous avions en particulier, parmi nos navires de guerre, un croiseur léger exceptionnelle-

ment rapide, l'*Emile-Bertin*, qu'ils ne voulaient
à aucun prix voir utiliser contre leurs propres
forces. Ils se sont adressés à moi en invoquant
la Convention d'armistice et en me disant qu'ils
ne pouvaient tolérer que le gouvernement français
ne prenne pas toutes ses dispositions pour empêcher une violation aussi flagrante. Les démarches que faisait auprès de moi l'ambassade l'Allemagne étaient toujours appuyées par des télégrammes comminatoires de Berlin.

En télégraphiant moi-même à l'amiral Robert,
je n'ajoutais rien aux télégrammes qu'il avait
déjà reçus de son ministre, mais je donnais une
satisfaction de forme aux Allemands, pour éviter
d'autres contraintes auxquelles nous étions habi-
tués par leurs méthodes. Je ne connaissais pas
personnellement l'amiral Robert, je savais seulement de lui qu'il était, m'avait dit son ministre,
« notre amiral le plus intelligent », et qu'il possédait en particulier toutes les qualités d'un bon
diplomate. Je ne pouvais donc douter que l'amiral
Robert comprenne parfaitement, quand il recevait des télégrammes de Vichy, du Maréchal, de
moi-même ou des ministres, dans quelles conditions et dans quelles circonstances ils avaient été
rédigés, et par qui ils avaient été inspirés ou exigés. Il suffit d'ailleurs que vous relisiez ces télégrammes que vous m'avez montrés pour en saisir
les nuances, qui ne pouvaient échapper à un
esprit délié comme celui de l'amiral Robert. Je
comprenais également très bien les réponses qu'il
nous faisait lorsqu'il différait le moment d'exécution, jusqu'au jour où j'étais sûr d'apprendre
qu'il se serait mis volontairement dans l'impossibilité de procéder aux destructions des navires
et des avions et à l'immersion de l'or. Je ne pouvais pas le féliciter de son attitude par un télégramme qui aurait été connu des Allemands, mais
je ne lui ai pas caché ma gratitude quand il est
rentré à Vichy. Je vous l'ai dit au début, il était

fatal, une Convention d'armistice ayant été signée,
la France étant occupée, que le Gouvernement ne
puisse échapper à la pénible obligation qui lui
fut faite en cette circonstance. Il était heureux
qu'à une distance aussi lointaine se soit trouvé un
officier supérieur assez compréhensif de la servitude du gouvernement français et de ses devoirs
particuliers vis-à-vis de la Marine et de la France.

Je pourrais tenir le même langage pour l'amiral
Godefroy, qui, malgré les ordres antérieurs de
l'amiral Darlan, et répétés certainement depuis
sous la contrainte allemande, a sauvé nos bateaux
qui étaient à Alexandrie. Pour en terminer avec
votre question concernant les bateaux, je veux
simplement faire observer que l'amiral Robert,
dans le premier télégramme que j'ai connu de lui,
s'était engagé formellement à un sabordage, et
que mes instructions ultérieures n'ont pu modifier en aucune manière des engagements purement formels qui m'ont permis d'user la patience
des Allemands jusqu'au jour où ils ne purent
plus exercer de contrainte sur nous. Les termes
dont j'ai pu me servir dans la suite importent peu.
Nous nous étions compris avec l'amiral Robert et
notre langage impliquait la même pensée.

Avant de terminer cette déclaration, je voudrais
rappeler que non seulement j'étais soucieux de
préserver nos bateaux et nos avions, mais que
j'avais, pour la conservation de notre or, des
soins tout particuliers. Appauvris par la guerre,
ruinés par l'occupation, il nous restait encore
comme ressources des réserves d'or disséminées
dans le monde, qui faciliteraient un jour le relèvement de notre pays.

Nous avions en particulier une partie importante
de notre encaisse-or dans l'Afrique occidentale.
Est-il besoin de dire que les Allemands le savaient
et qu'ils ont insisté souvent pour le rapatriement
de cet or, et que j'ai toujours opposé une fin de
non-recevoir catégorique, car je savais qu'ils n'au-

raient pas manqué de s'emparer de cet or dont ils avaient tant besoin ? J'avais d'autant plus le devoir de veiller à ce patrimoine français que j'ai le droit de dire que c'est grâce à la politique audacieuse et rigoureuse d'économies que j'ai faite comme chef du Gouvernement, en 1935, qu'une grande partie de l'or du monde avait reflué dans les caisses de la Banque de France. C'est grâce à cet or ainsi acquis, et avec ce qui nous en reste, que le gouvernement français peut procéder aujourd'hui à des achats indispensables pour assurer la vie matérielle de notre pays.

Telle fut ma réponse devant M. Gibert.

Si je me reporte maintenant au chef d'accusation relevé contre moi, je constate avec satisfaction que la question de l'or n'a pas été retenue. On a bien voulu, sur ce point, comprendre et reconnaître que l'immersion ne signifiait ni la perte, ni la destruction de notre or.

Le reproche qui m'est fait pour les navires et pour les avions procède toujours du même système qui consiste, pour l'accusation, à ignorer l'existence de la Convention d'armistice et à oublier que la France était occupée. Il est difficile d'admettre que le Gouvernement, se trouvant en France, pouvait se soustraire à l'obligation de donner de tels ordres. Il est naturel que les Allemands se soient prévalus de l'article 10 de la Convention d'armistice pour exiger ces ordres.

Il était impossible de communiquer avec l'amiral Robert sans le contrôle des Allemands, car ceux-ci possédaient notre chiffre.

Mais la question qui importe ne réside pas dans la transmission de ces ordres, mais dans leur exécution. Or, ils n'ont pas été exécutés. Nos navires n'ont pas été coulés et nos avions n'ont pas été détruits.

Et l'accusation retient aujourd'hui l'intention. L'amiral Robert est rentré en France. Il **avait**

parfaitement compris qu'il ne devait pas obéir à
ces ordres que nous étions obligés de donner.
Il n'a pas été blâmé. Il a, au contraire, été félicité.
Tous les honneurs lui ont été rendus.

Que reste-t-il alors de l'intention criminelle qui
m'est prêtée ?

Nous avons réussi à la fois à respecter la
Convention d'armistice et à sauver notre flotte
des Antilles. Nous avons réussi à échapper aux
dures représailles que les Allemands auraient exercées sur la France sans perdre un seul de nos
navires. Est-il possible de concevoir une politique,
à ce moment, plus conforme à nos intérêts ?

Si ceux qui m'accusent connaissaient la persistance de mon effort, à chacun de mes passages
au pouvoir, pour augmenter et améliorer notre
flotte, ils ne pourraient douter de ma volonté de
la protéger et de la défendre.

Il ne s'agit donc que d'un procès d'intention.
Ce sont mes sentiments de patriote qui sont mis
en doute. Ils sont trop profondément enracinés
en moi pour qu'une telle accusation puisse les
atteindre. Une condamnation attesterait la force
de la Haute Cour, mais elle n'exprimerait certainement pas la justice.

CHAPITRE VI

LA RÉQUISITION DE LA MARINE MARCHANDE

1

Les Faits [1]

Dès le lendemain de l'armistice, les autorités d'occupation s'intéressèrent à la Marine Marchande française. C'était une proie tentante, car elle avait disposé pendant la guerre de 3 000 000 de tonnes de navires français et de 1 900 000 tonnes de navires neutres affrétés par elle. Elles réquisitionnèrent 257 000 tonnes de navires français dans les ports de la zone occupée [2] et tentèrent d'obtenir des armateurs des bâtiments neutres leur accord pour les affréter. Ceux-ci le leur ayant refusé, elles autorisèrent le gouvernement français à en angarier [3] un certain tonnage, manifestant toutefois le désir de les faire naviguer en partie pour leur compte.

1. Ils sont exposés d'après les rapports officiels rédigés en 1943 par la section Trafic du département marine marchande du secrétariat d'état à la marine et aux colonies.

2. Ces réquisitions furent faites en violation des dispositions de la convention de La Haye du 18 octobre 1907 sur les prises de guerre, d'après laquelle la capture de navires effectuée après la signature d'un armistice était illégale. (Annexe 4. — Chapitre 5. — Article 37).

3. Réquisitionner.

En juin 1941, l'Allemagne réclama la mise à sa disposition de dix-huit navires marchands étrangers et l'Italie en demanda huit. L'Amirauté opposa des arguments juridiques, mais fut obligée de s'incliner devant une mise en demeure allemande. Cinq navires durent être livrés. C'était la première épreuve de force. Dès lors, elle fut menée à lutter contre des demandes de réquisition de plus en plus importantes des Commissions d'armistice allemande et italienne et dut, sous la contrainte, effectuer certaines livraisons complémentaires. A leur requête, une conférence s'ouvrit le 27 novembre à Wiesbaden pour entamer des négociations. L'Allemagne réclamait 85 000 tonnes de navires, l'Italie 40 000, alors que l'Amirauté française estimait que le tonnage susceptible d'être éventuellement réquisitionné ne devait pas dépasser 35 000 tonnes au profit de l'Allemagne et 21 000 pour l'Italie[4]. En outre, le gouvernement français fit remettre aux délégués allemands et italiens un mémorandum définissant sa position et précisant qu'il entendait désormais que ces questions soient discutées sur le plan gouvernemental.

La discussion fut reprise le 29 janvier 1942 à la suite d'une demande de restitution de navires formulée par la Grèce et soutenue par la Commission allemande d'armistice. Elle tourna court comme en novembre 1941. En avril, le gouvernement grec fit une nouvelle réclamation et obtint que trois navires lui soient rendus par la France. Le 4 juillet, la commission italienne d'armistice avisa la Délégation française de Turin qu'elle refusait d'admettre sa prétention d'angarier les navires grecs appartenant à un pays se trouvant sous le contrôle de l'Italie. Elle proposait de rechercher un arrangement au cours d'une négociation. Pensant qu'une transaction limiterait les revendications dont elle était l'objet, l'Amirauté accepta de rendre une partie des bâtiments à l'administration hellénique, à condition que l'Allemagne, en contrepartie, libérât un certain nombre de navires français réquisitionnés par elle en zone occupée et qu'aucune autre demande de livraison de navires ne lui soit présentée. Loin d'avoir

---

4. Jusqu'à cette date, 17.828 tonnes avaient été cédées à l'Allemagne et 4.259 à l'Italie.

l'effet escompté, ce projet d'accord, présenté par l'Amirauté française, incita l'Allemagne à accroître ses prétentions et le 22 août 1942, Berlin exigea l'examen de la question du tonnage neutre dans son ensemble, au prétexte qu'il n'était que le premier stade de son règlement.

Une surprise désagréable attendait les représentants français. Il ressortit de ces premiers entretiens que l'Allemagne entendait obtenir, à l'amiable ou par contrainte, la cession non seulement des navires neutres, mais également des navires français. La manière de le dire était encore polie, mais la menace n'était que déguisée. Le désir d'en finir découlait bien des termes de la lettre qu'Abetz adressa le 26 août à l'amiral Darlan : « Ce problème étant maintenant arrivé à un stade aigu, et dans le désir de faire sortir les tractations de la sphère des échanges de vue techniques, le Führer a chargé un de ses plus anciens collaborateurs, le gauleiter Kaufmann, de Hambourg, de se mettre en rapport direct avec les autorités françaises compétentes et d'amener maintenant le problème à une solution définitive... Comme une conversation doit avoir lieu demain entre le président Laval, d'une part, le gauleiter Kaufmann et moi, d'autre part, et comme le Führer attache la plus grande importance à ce que le gauleiter Kaufmann puisse revenir avec une solution positive du problème, je vous serais reconnaissant si vous pouviez, également à propos de ce problème, exercer toute votre influence afin que l'Amirauté française revienne sur l'opinion qu'elle a exposée jusqu'ici. Je suis convaincu que vous comprendrez mon appel dans le cadre de la politique générale et j'exprime à ce sujet l'espoir que, demain après-midi, la conversation avec le président Laval aboutira à une conclusion définitive. »

La réunion du 27 août se tint à Nevers. La délégation allemande comprenait Abetz, assisté des conseillers d'ambassade Achenbach et Schleier, du colonel Böhme et du gauleiter Kaufmann, Haut-Commissaire de la Navigation Maritime. Pour la France, il y avait Laval, l'amiral Auphan, le C.C. Petitot et M. Rochat, secrétaire général aux Affaires étrangères. Comme entrée de séance, le gauleiter Kaufmann fit un exposé de la situation et des besoins de l'Allemagne pour transporter les matières premières de Russie par la Mer Noire, ses *propres navires étant affectés uniquement au transport des troupes. 200 000 tonnes lui étaient nécessaires. Si le tonnage neutre n'atteignait pas ce chiffre, il faudrait compléter par du tonnage français. Après qu'Abetz ait minimisé les risques à courir pour la Marine française, Laval prit la parole pour faire les réserves suivantes : « C'est une négociation délicate. Le gouvernement français et l'Amirauté ont toujours redouté les conséquences qu'entraînerait directement ou indirectement une telle cession de tonnage. Dernièrement, l'amiral Auphan avait envisagé une cession de tonnage grec. La mise de ces navires à la disposition de l'administration grecque pour assurer le ravitaillement de son pays aurait été le prétexte de cette cession, étant entendu que l'Allemagne garderait le libre usage des navires. Aujourd'hui, on formule une demande plus précise et plus large, puisqu'elle dépasse le cadre du tonnage neutre pour déborder sur le tonnage français. C'est une question de gouvernement. Je ne peux pas tenir le plus large compte des observations faites par l'Amirauté. Les représailles sur le trafic d'Afrique occidentale française et même d'Afrique du Nord sont certaines. Au cours de la dernière affaire anglaise en Méditerranée, les forces navales britanniques ont croisé 7 navires français sans les inquiéter. Ceci montre à quels risques serait exposé notre trafic si les Anglo-Saxons décidaient de l'attaquer. » Abetz ne répondit pas à ces objections. Il prit simplement acte que le gouvernement français était prêt à céder du tonnage grec et s'empressa d'ajouter que la cession devrait porter sur un nombre de navires quatre fois plus grand.*

Laval répliqua aussitôt pour faire remarquer qu'il s'agissait là encore d'une demande nouvelle. Il rappela à Kaufmann qu'il avait lui-même parlé de l'heureuse influence que cette cession aurait sur les relations entre la France et l'Allemagne. A ce sujet, il trouvait que l'amiral Auphan avait employé une formule justifiée quand il avait dit : « On ne peut pas nous traiter à la fois en vaincus et en alliés ». Et, il ajouta : « Qu'il s'agisse de la question juive, de la main d'œuvre, du ravitaillement ou de la cession de tonnage, j'estime que, si nous ne devenons pas tout à fait alliés, nous nous montrons au moins très compréhensifs de la politique allemande. J'ai le droit d'espérer que cette attitude sera comprise par le gouvernement allemand et que ce dernier trouvera des terrains d'application que, pour ma part, je ne vois pas encore. J'ai toujours trouvé auprès de l'ambassadeur Abetz et à l'ambassade un concours actif. Je demande au gauleiter Kaufmann d'ajouter son nom à la liste de ceux qui veulent faciliter les rapports franco-allemands. » L'amiral Auphan fit alors observer que même la cession des navires grecs poserait des problèmes techniques. Or, en plus, l'Allemagne demandait la cession de tonnages neutres et français, qui faisait sortir la question du cadre technique en raison des conséquences politiques qu'elle aurait. Comme solution l'amiral Auphan pensait qu'il serait possible, sans aller jusqu'à une cession, de faire effectuer des transports pour le compte de l'Allemagne et de l'Italie par des navires français.

Cette suggestion ne pouvait satisfaire les Allemands qui, en vérité, voulaient accaparer tous les navires, mais le gauleiter Kaufmann jugea plus prudent de ne pas trop insister sur la cession du tonnage français, préférant procéder par étapes. Il proposa de distinguer entre la cession des bateaux neutres, sur laquelle il ne pouvait revenir étant donné les ordres que lui avait donnés Hitler, et la question des bateaux français dont l'Allemagne ne demandait pas la cession. Ils pourraient participer à des transports dans des conditions à débattre. Il demandait instamment à Laval d'accepter la cession du tonnage neutre dans son principe, les modalités devant être négociées ensuite. Les conversations continueraient en ce qui concernait le tonnage français. Abetz déclara approuver entièrement cette solution.

L'Amirauté française précisa aux Allemands les conditions techniques imposées par elle : — a) L'Allemagne prendrait à sa charge toutes les responsabilités de l'opération. — b) Les légitimes propriétaires devraient produire leurs titres de propriété et une demande de transfert vers un port étranger. — c) Cette cession couvrait toutes les demandes allemandes et italiennes présentées jusqu'à ce jour. — d) Les navires arboreraient leur pavillon national. Après avoir tenté d'en soustraire une partie à la réquisition, le gouvernement fut contraint d'abandonner tous les navires neutres se trouvant en Méditerranée, soit 127 000 tonnes.

Lorsque le 20 novembre 1942, le gouvernement allemand exigea l'ouverture de pourparlers tendant à l'affrètement général à son profit des navires français en Méditerranée, quelle était la situation de la Marine Marchande française ? Des chiffres le démontreront facilement : au début de novembre 1942, la France possédait encore dans les ports de Méditerranée occidentale, du Maroc et d'A.O.F. environ 294 bâtiments de commerce jaugeant 1 150 000 tonneaux, auxquels s'ajoutait une trentaine de navires étrangers non réclamés par l'Allemagne. Sur ces 294 bâtiments, 120 se trouvaient immobilisés. Après le débarquement américain en Afrique du Nord, le tonnage subsistant s'élevait à 686 797 tonneaux pour 174 navires. La tentation était d'autant plus grande pour les Allemands, aux abois en Afrique, qu'ils occupaient les ports où étaient mouillés ces bâtiments.

Leurs propositions étaient les suivantes : — a) Ils affréteraient les bâtiments français au charbon ou à combustible liquide d'un tonnage supérieur à 100 tonneaux et tous les pétroliers d'un tonnage supérieur à 1 600 tonneaux. — b) Le tonnage affrété serait mis à la disposition d'armateurs allemands. — c) Le gouvernement allemand paierait une indemnité calculée sur la base de 5 % de la valeur des navires en 1939. — d) Les bâtiments affrétés resteraient propriété française et seraient restitués à l'échéance du contrat conclu pour la durée de la guerre. Il faut ici faire remarquer que, si les Allemands mettaient des formes pour parvenir à leurs fins, ils ne s'étaient jamais gênés pour réquisitionner purement et simplement les bâtiments dont ils avaient besoin, et ce depuis 1940. Nous donnerons à titre d'exemple de ces réquisitions directes le certificat concernant le navire à moteur « Pierre Loti II » : « Certificat de Réquisition. — Bordeaux, le 5 mai 1941. En vertu de l'article 53 de l'Ordonnance de La Haye sur la guerre sur terre, le navire à moteur « Pierre Loti II », propriété de l'armement Union Maritime Insulaire Charentaise, 7 avenue Niel Paris 17e, port d'attache : La Rochelle, actuellement mouillé à La Rochelle, est réquisitionné au profit de la marine de guerre allemande à dater du 12 août 1940. La réquisition prendra effet dès la remise du certificat de réquisition au capitaine ou à son représentant. Les services de la marine de guerre de Bordeaux se mettront ultérieure-

*ment en rapport avec l'armement en ce qui concerne l'indem-
nisation pour la réquisition du navire. Par ordre, Gassner.
Expert maritime. »*

Le 22 novembre, un entretien réunit, à la demande des
Allemands, dans les locaux de l'ambassade, Pierre Laval,
le ministre Schleier et M. Kaufmann. L'accord se fit sur la
mise à la disposition de l'Allemagne de la totalité des navires
français de Méditerranée, à l'exception de 50 000 tonnes, pour
assurer les liaisons entre la métropole, la Corse et la Tunisie,
et des bâtiments de pêche, de servitude ou de navigation
intérieure. Il était entendu que les navires conserveraient
leurs équipages et resteraient sous le contrôle de l'Amirauté
française. L'Allemagne règlerait le fret des transports effectués. Le 5 décembre, le Dr Firle, président de la sous-commission de la Marine Marchande allemande, fit connaître les
modalités de remise des navires. Les opérations se déroule-
raient à Marseille, sous la direction d'une commission d'ex-
perts allemands. Le 9 décembre, les listes nominatives des
bâtiments furent établies ; il s'agissait de 158 navires jaugeant globalement 647 000 tonneaux. Cependant, les services
locaux allemands procédaient à des réquisitions en dehors des
accords. Elles portaient sur des remorqueurs, des chalutiers,
des engins de manutention des ports. Sur la réclamation de
M. Nicol, membre de la délégation économique auprès de la
Commission allemande d'armistice, le Dr Firle répondit que
les services militaires allemands avaient le droit de réquisitionner de leur propre autorité les embarcations nécessaires
à leur service. Il prétendait, en outre, que la France devait
supporter les frais d'assurance, d'entretien, de réparation et
les salaires du personnel des navires cédés. Le droit de réquisition, selon lui, devait même s'appliquer aux bâtiments laissés à l'usage de la France.

Une entrevue eut lieu le 14 décembre 1942 entre M. Nicol
et le Dr Firle afin de parvenir à une interprétation commune
des accords du 22 novembre. Cette tentative n'aboutit pas.
Aussi, avec le plein assentiment de Laval qui, de son côté,
insista auprès du ministre Schleier, M. Nicol écrivit au Dr
Firle la lettre suivante : « ... Le 15 décembre 1942, je vous
écrivais que je ne pouvais pas accepter votre manière de
comprendre l'accord donné par M. le Président Laval, à

l'appréciation duquel j'allais soumettre l'affaire. De votre côté, vous m'avez fait connaître que vous consultiez le Commissaire du Reich pour la Navigation Maritime. M. le Président Laval vient de me confirmer les termes de ses déclarations et les conditions dans lesquelles elles doivent être interprêtées ; je vous les reproduis ci-dessous : — 1) Les navires de commerce français sont mis gratuitement à la disposition de l'Allemagne pour le service des transports maritimes entre le continent et la Tunisie, en vue de contribuer à la reprise de nos possessions de l'Afrique du Nord. La gratuité signifie qu'aucun droit de location n'est dû par le gouvernement allemand pour l'utilisation des navires dans les conditions indiquées ci-dessus. Par contre, l'exploitation, l'entretien, les réparations, l'assurance contre les risques ordinaires et risques de guerre demeurent à la charge de l'Allemagne qui a la disposition des navires. — 2) La décision de M. le Président Laval concernant la gratuité de l'affrètement des navires est limitée aux besoins militaires de la campagne engagée en Tunisie. Elle ne peut être étendue à d'autres services comme à d'autres fronts de combat, tels que les fronts de Tripolitaine ou de Russie. Dans ces derniers cas, un droit de location doit être envisagé et fixé dans les conditions qui pourraient être celles que vous m'avez proposées avant l'entretien de M. le Président Laval avec le Commissaire du Reich pour la Navigation Maritime. — 3) De l'accord ci-dessus ont été exclus les bâtiments de pêche (chalutiers compris), 18 navires formant un total de 50 000 tonnes, les bâtiments de servitude et le matériel flottant des ports laissés à la disposition des autorités maritimes françaises. Depuis, 17 chalutiers de pêche sur un total de 21, les remorqueurs de nos ports, des embarcations, engins flottants, grues flottantes, ont été l'objet de réquisitions de la part des autorités maritimes allemandes en Méditerranée... Je suis chargé de signaler à votre attention que M. le Président Laval s'est adressé à M. le Chancelier Hitler pour mettre à la disposition de l'Allemagne, dans certaines conditions, le tonnage français de la Méditerranée. En conséquence, il s'agit d'une convention passée entre le gouvernement allemand et le gouvernement français entraînant l'obligation pour toutes autorités civiles et militaires d'en observer les termes... L'exposé ci-dessus contient l'interpréta-

tion de la pensée et des déclarations de M. le Président Laval concernant la mise à la disposition de votre gouvernement du tonnage français en Méditerranée. Ce sont ces déclarations qui doivent servir de base à l'exécution des accords intervenus et je me tiens à votre disposition pour en régler les détails d'application. »

A la suite de cette mise au point, le Dr Firle adressa à M. Nicol des propositions d'accord au sujet des conditions d'affrètement des navires cédés. Et le 23 janvier 1943, un contrat général d'affrètement fut signé à Paris entre M. Nicol, pour la France, et M. Kaufmann, pour l'Allemagne. Il était convenu : — Article 1er : Le gouvernement allemand affrète au gouvernement français le tonnage de navires énuméré à l'article 2 (bateaux d'un tonnage supérieur à 1 600 tonnes) et les bateaux de cabotage (100-1 600 tonnes brutes). — Article 2e : Fera l'objet du présent contrat le tonnage des navires se trouvant en Méditerranée dans l'ordre ci-après indiqué : — a) Tous les vapeurs français (cargots fonctionnant au charbon et paquebots) d'un tonnage supérieur à 1 800 tonnes. — b) Tous les pétroliers d'un tonnage supérieur à 1 600 tonnes. — c) Le petit tonnage de 100-1 600 tonnes brutes. — d) Tous les bateaux à moteur et les navires fonctionnant au mazout d'un tonnage supérieur à 1 600 tonnes. La navigation intérieure ne fera pas l'objet de ce contrat. Pour les besoins propres du gouvernement français, le Reichskommissar met à sa disposition environ 50 000 tonnes brutes de navires... — Article 5e : Le gouvernement allemand paie au gouvernement français pour la mise à la disposition des bateaux une indemnité annuelle se montant à 5 % de la valeur de ces bateaux au 31 août 1939... En outre, le gouvernement allemand versera une indemnité d'amortissement de 5 % de la valeur fixée... Les payements prévus par le présent article ne s'appliquent pas aux voyages des navires en direction de l'Afrique du Nord. — Article 6e : Toutes les réparations, droits de ports, salaires du personnel navigant, indemnité de ravitaillement et l'assurance du personnel navigant seront pris en charge par le gouvernement allemand, conformément aux mêmes principes qui sont en vigueur en Allemagne... Les navires mentionnés dans le présent accord resteront propriété française et seront rendus à l'expiration du présent contrat,

contrat valable jusqu'à l'arrêt des hostilités. Paris le 23 janvier 1943. »

En fait, bien que le contrat général d'affrètement n'ait été régularisé que le 23 janvier 1943, les opérations de remise des navires aux autorités allemandes s'étaient effectuées principalement en décembre 1942 et janvier 1943. Fin janvier, 132 bâtiments étaient déjà livrés pour une jauge totale de 500 000 tonneaux. Elles s'étaient déroulées d'une manière correcte, mais précipitée, les équipages n'ayant eu souvent que deux à trois heures ou même moins pour évacuer leur bord. Les inventaires ne furent pas toujours contradictoires. Au 1er juillet 1943, aucun payement n'avait eu lieu. En outre, la Convention intervenue entre les deux gouvernements fut violée dans de nombreux cas : — 1) Utilisation comme bâtiments casernes d'un certain nombre de paquebots français. — 2) Réquisitions de matériels flottants et de navires « hors accords » effectuées par les autorités de la Marine de Guerre allemande. — 3) Réquisitions de remorqueurs, bâtiments de pêche, chalutiers, bâtiments de plaisance. — 4) Réquisition des matériels de levage du port de Marseille. — 5) Visées sur les bâtiments en construction pour le compte de la Marine Marchande française ou d'armateurs français. — 6) Embargo mis par l'Allemagne sur les approvisionnements des diverses compagnies de navigation. — 7) Visées sur les quelques navires de commerce laissés à la disposition de la France. — 8) Visées italiennes sur certains navires français. — 9) Prétentions italiennes concernant la location de remorqueurs et de caboteurs.

2

Le Dossier de l'Accusation

L'ACTE D'ACCUSATION.

La déposition du général Doyen, insistant sur les capitulations du gouvernement de Vichy devant les exigences formulées par les Allemands au-delà de ce qu'autorisait la Convention d'armistice, éclaire d'un jour significatif la collaboration telle que l'entendait Laval. Cette politique ne fit que s'accentuer naturellement après le retour de Laval au pouvoir en 1942. Un second exemple type en est la cession sans contrepartie à l'Allemagne de notre tonnage marchand.

LE REQUISITOIRE.

Vous apprécierez la lettre que je m'en vais vous lire, adressée au Führer le 22 novembre 1942, et qui, cette fois-ci, ne concerne plus la flotte de guerre, mais concerne la flotte marchande que nous avions en Méditerranée, lettre signée Pierre Laval : « 22 novembre 1942. Monsieur le Chancelier. Après l'entretien que je viens d'avoir avec M. le gauleiter Kaufmann, je désire vous informer que le gouvernement français a décidé de mettre à votre disposition tous les bateaux de commerce qui se trouvent dans nos ports métropolitains de la Méditerranée. Nous avons arrêté d'un commun accord, M. Kaufmann et moi, les principes et les modalités selon lesquels ces navires seront remis aux représentants du gouvernement allemand. En raison des événements qui viennent de se produire en Afrique du Nord, le gouvernement français trouve là une occasion de marquer par ce premier acte la volonté de prendre parti dans le combat gigantesque que vous menez. Avant-hier, dans une déclaration radiodiffusée, j'ai dit que, grâce à M. Roosevelt, les destins de tous les peuples d'Europe sont désormais liés. Le président des Etats-Unis a, par son agression, créé l'irréparable entre son pays et le mien. J'espère que le moment est proche où je pourrai, avec vous, Monsieur le Chancelier, fixer les bases de l'action que la France entend mener à vos côtés pour la reconquête de l'Afrique du Nord. Je suis résolu à tout faire, selon les possibilités de la France, pour vous aider à abattre le bolchevisme et pour empêcher l'emprise de l'Amérique sur l'Europe et sur son prolongement africain. Les conditions morales et politiques doivent être créées en France en vue de cette action. Elles résulteront, j'en suis sûr, d'un entretien que je vous demande et que je souhaite prochain. »

Ainsi, Messieurs, tandis qu'on laissait se détruire la flotte de guerre française plutôt que de prendre sa place de combat, on cédait sans contrepartie notre flotte marchande à l'Axe. « Mais, je ne pouvais agir autrement », a dit Laval, « L'allemagne eût pu s'en emparer sans que je puisse m'y opposer ». Ce serait à démontrer — et n'oublions pas qu'outre la flotte française restée à Toulon, il y avait une flotte anglo-américaine en Méditerranée. Mais le gouvernement de Vichy, eût-il été dans l'impossibilité de se soustraire à cet acte de force de l'Allemagne, il valait mieux le subir que d'y consentir et le raisonnement de Laval est indigne de toute conscience française. Lorsqu'il vient vous dire : « J'ai cru qu'en prenant les devants, en lui offrant notre tonnage, je me concilierais les bonnes grâces du vainqueur », c'est la politique du petit profit, petit profit bien éventuel en regard du grand dommage de la France, autant matériel que moral.

3

Le Dossier de la Défense

Remarque préliminaire :

1) — L'accusation a produit comme seul document la lettre adressée à Hitler par Laval le 22 novembre 1942.

2) — Le dossier de la défense est établi d'après les rapports du Secrétariat d'Etat à la Marine et aux Colonies qui constituent des documents inédits et indiscutables.

— 1. — La cession des navires marchands français et neutres a-t-elle été faite sous la contrainte de l'Allemagne ?

1) — Aux termes de l'article 11 de la Convention d'armistice, tout le trafic maritime se trouvait suspendu. Les mouvements des navires étaient soumis au contrôle des Commissions d'armistice qui s'exerçait également sur les marchandises et les passagers. A ces difficultés juridiques s'ajoutait la pénurie de combustible qui immobilisait une grande partie des bâtiments. L'exploitation de ceux disponibles dépendait pratiquement de l'occupant, même en zone libre.

2) — La chronologie des faits démontre la contrainte exercée par les autorités d'occupation :

a) — Réquisition de 257 000 tonnes dans les ports occupés.

b) — Tentative d'affrètement des navires neutres.

c) — Demandes de transports à effectuer pour leur compte sur des navires neutres angariés par la France.

d) — Juin 1941 : demande de cession de 18 navires à l'Allemagne et 8 à l'Italie, assortie d'une mise en demeure.

e) — Nouvelles demandes de cession.

f) — Novembre 1941 : demande de cession de 85 000 tonnes à l'Allemagne et de 40 000 tonnes à l'Italie.

g) — Janvier 1942 : intervention de la Commission allemande d'armistice pour exiger la remise de navires à la Grèce.

h) — Juillet 1942 : intervention de la Commission italienne dans le même but.

i) — 22 août 1942 : exigence de l'ouverture de pourparlers pour l'examen de la cession des navires neutres et français. Intervention de Abetz : « J'insiste pour la collaboration que nous sommes en droit d'espérer de la France après les immenses sacrifices que l'Allemagne s'impose pour vaincre la Russie. Il ne faudrait pas aller répétant comme un lieu commun que la France, après avoir perdu la guerre, gagnerait la paix sans s'exposer à aucun risque ».

j) — Lettre de Abetz à Darlan en date du 26 août 1942 lui exposant la nécessité d'aboutir, selon les vœux de Hitler, à « une conclusion définitive ».

k) — 27 août 1942 : réunion à Nevers provoquée par le gouvernement allemand. Demande de cession de 200 000 tonnes à prendre parmi les navires neutres et français s'il y avait lieu. Les délégués allemands réfutèrent les objections présentées par l'Amirauté française et Laval.

l) — Violant les accords d'août 1942 sur la cession des navires neutres, la Commission allemande d'armistice réclama en septembre l'ouverture de négociations en vue de l'utilisation de navires français. Le gouvernement s'étant opposé à cette demande, elle refusa de débloquer les allocations de combustible réclamées par l'Amirauté, menaçant de fournir seulement celui nécessaire aux bâtiments que la France affecterait au trafic en Mer Noire pour le compte de l'Allemagne.

m) En octobre 1942, la délégation allemande exigea que les transports de phosphates et de minerais par des navires français atteignissent un tonnage minimum de 47 000 tonnes par mois, malgré la réquisition des bâtiments qui assuraient ces livraisons.

n) — Le 20 novembre 1942, le gouvernement allemand fit part à Vichy de sa décision d'engager des négociations en vue de l'affrètement général à son profit des navires français en Méditerranée.

o) En violation des accords du 22 novembre 1942 et du contrat général d'affrètement des navires français du 23 janvier 1943, les autorités d'occupation procédèrent à des réquisitions abusives de navires, de matériels et d'approvisionnements qui devaient être laissés à la disposition de la France.

Dans son rapport, le Secrétariat d'Etat à la Marine arrive à cette conclusion : « A la date du 1ᵉʳ juillet 1943, le gouvernement du Reich a pris possession non seulement de la presque totalité des navires de commerce restés sous contrôle français après les événements de novembre 1942, mais encore, par voie de réquisition ou d'achat, de la plupart des bâtiments à flot ou en construction des autres catégories (pêche, plaisance, servitude et navigation intérieure) qui, théoriquement, en vertu des assurances données, auraient dû être laissés à la disposition de la France. Il contrôle à cette date tous les matériels d'armement, de rechange ou d'approvisionnement destinés à la navigation maritime. De plus en plus, il absorbe à son profit la capacité de production de nos chantiers navals en disposant à son gré non seulement de leur personnel, mais également de leurs moyens de travail et des matières approvisionnées à grand peine pour les constructions futures. Il menace enfin le gouvernement français de transférer en Allemagne les moyens de production qu'il jugerait mal utilisés dans les Chantiers français, ainsi que les produits bruts ou semi-finis qui ne pourraient être immédiatement employés sur place. Le préjudice ainsi causé à la France est considérable. »

— 2. — Quelle fut l'attitude de Laval à l'égard des demandes allemandes ?

Le gouvernement soutint la lutte de l'Amirauté contre les prétentions de l'Allemagne, sans intervenir directement, jusqu'en août 1942, date à laquelle Berlin exigea l'ouverture de négociations générales concernant sa demande de cession des navires neutres.

A) — *Cession des navires neutres.*

a) — Avril 1942 : le gouvernement français présidé par Laval accepta de remettre à la Grèce, et non à l'Allemagne, trois navires sous certaines conditions, mais refusa la restitution des autres bâtiments lui appartenant.

b) — Juillet 1942 : Laval approuva la position prise par l'Amirauté contre les revendications de l'Italie concernant les navires grecs.

c) — Juillet 1942 : Laval remit au ministre allemand Rahn une note dans laquelle l'Amirauté exposait les motifs de son refus de céder des navires marchands à l'Allemagne.

d) — Conférence de Nevers (27 août 1942) [5] : Laval s'opposa à la demande allemande et fit les déclarations suivantes :

— « Le gouvernement français et l'Amirauté ont toujours redouté les conséquences qu'entraînerait directement ou indirectement une telle cession de tonnage... Aujourd'hui, on formule une demande plus précise et plus large puisqu'elle dépasse le cadre du tonnage neutre pour déborder sur le tonnage français. C'est une question de gouvernement et je ne peux pas ne pas tenir le plus large compte des observations faites par l'Amirauté... L'amiral Auphan a employé ce matin une formule heureuse quand il a dit :« On ne peut pas nous traiter à la fois en vaincus et en alliés »... J'ai le droit d'espérer que cette attitude sera comprise par le gouvernement allemand et que ce dernier trouvera des terrains d'application que, pour ma part, je ne vois pas encore ».

— Le délégué allemand Kaufmann ayant déclaré que les propriétaires des navires avaient donné l'autorisation écrite de les mettre à la disposition de l'Allemagne et que, dans ces conditions, la question de la cession du tonnage neutre devait être considérée comme réglée, Laval répliqua : « Je rendrai compte de ces conversations au Maréchal. C'est un fait nouveau très important. La formule de M. Kaufmann à ce sujet sera examinée. On peut naturellement considérer que l'affirmation du gouvernement (allemand) suffit à garantir

---

5. Compte rendu officiel. (Rapport du secrétariat à la marine et aux colonies).

la déclaration de M. Kaufmann. Le risque n'en subsiste pas moins, car les puissances anglo-saxonnes pourront toujours interpréter à leur gré les autorisations données par les propriétaires. J'apprends, d'autre part, que les bateaux seront utilisés seulement en Mer Noire où ils seront à l'abri des dangers de la guerre. Mais avant, il faut y aller. L'amiral Auphan a fait une proposition qui me paraît très convenable et qui consiste à faire effectuer des transports de marchandises en Mer Noire et en Méditerranée dans les mêmes conditions qu'entre l'Europe, d'une part, l'A.O.F. et l'A.F.N., d'autre part. Si nous commettons une imprudence, nous risquons de perdre notre trafic avec l'Afrique. En faisant cette cession, nous aurons fait un geste, mais il ne sera profitable ni à vous ni à nous. Je voudrais donc vous donner satisfaction en évitant ce risque. Ce sont évidemment les conséquences politiques qu'il y a lieu d'examiner au premier chef. Je le répète à M. Kaufmann. Il faut nous aider. Je voudrais vous donner une réponse dès demain. Mais vous comprendrez que je doive en référer à l'amiral Darlan et en rendre compte au Maréchal. »

e) — Dans sa lettre du 28 août 1942, par laquelle il faisait part à Abetz de l'acceptation de la cession des navires neutres (grecs, norvégiens et danois) se trouvant en Méditerranée, Laval rappelait l'assurance donnée par M. Kaufmann qu'aucune demande supplémentaire ne serait faite par l'Italie. Il indiquait que cette cession entraînerait une diminution des transports effectués par des bâtiments français pour le compte de l'Allemagne et de l'Italie. Enfin, il subordonnait l'ouverture de négociations au sujet de l'utilisation de navires français pour assurer le trafic Mer Noire-Méditerranée Occidentale à la réalisation de circonstances stratégiques favorables.

f) — Le gouvernement français subordonna la livraison des navires ayant fait l'objet de cet accord à l'acceptation officielle par le gouvernement allemand des modalités prévues pour la cession, notamment à la condition qu'elle couvrît toutes les demandes allemandes et italiennes présentées jusqu'à ce jour.

B) *Affrètement des navires français.*

a) — Septembre 1942 : le gouvernement français se refusa
à engager des pourparlers au sujet de la cession de navires
français.

b) — Novembre 1942 : le rapport du Secrétariat d'Etat à
la Marine résume ainsi les conditions dans lesquelles s'ouvrirent les négociations la concernant : « L'Allemagne a un
besoin urgent de navires de toutes catégories. Elle va nécessairement les prendre là où ils se trouvent, c'est-à-dire dans
les ports restés sous le contrôle du gouvernement français et
occupés depuis le 12 novembre par ses propres armées
Aussi, personne ne fut-il surpris quand parvinrent le 20
novembre les premières propositions du gouvernement allemand relatives à un affrètement général au Reich des navires
français en Méditerranée. Le terme « proposition » est, d'ailleurs, d'une courtoisie purement diplomatique, car il est bien
évident qu'en cas de refus ou de difficultés soulevées par la
France, le Reich était décidé à passer outre et à employer,
si besoin est, les mesures de force nécessaires pour arriver
à ses fins ».

c) — Accords du 22 novembre 1942 : Laval obtint que les
navires affrétés à l'Allemagne conserveraient leurs équipages
et demeureraient sous le contrôle de l'Amirauté française. Il
fut convenu que 50 000 tonnes de navires seraient exclues de
cet affrètement, ainsi que les bâtiments de pêche et les
navires de servitude ou de navigation intérieure.

d) — Décembre 1942 : Laval approuva la protestation
adressée par le délégué français à Wiesbaden, M. Nicol,
contre la violation des accords par les autorités d'occupation
qui procédaient à des réquisitions de navires et de matériels
laissés à la disposition de la France. Il insista auprès du
ministre allemand Schleier pour faire cesser ces abus.

e) — Le 21 décembre 1942 : Laval protesta auprès du général
von Neubronn contre les abus de droit caractérisés commis
par la Marine de guerre allemande et le chargea de saisir de
ces incidents le Maréchal von Rundstedt.

f) — 29 mai 1943 : Laval adressa au ministre Schleier une
lettre de protestation contre la prétention du gouvernement

allemand de se saisir des matériels et des approvisionnements des chantiers navals français, des moyens de production de l'industrie aéronautique et de biens économiques n'appartenant pas à l'armée française pour les transférer en Allemagne.

g) — Le gouvernement français éleva en mars, avril et juillet 1943 des protestations contre des revendications italiennes.

— 3. — La cession des navires marchands français et neutres a-t-elle été « un exemple type, ainsi que l'a soutenu l'accusation, de la politique de capitulation du gouvernement de Vichy devant les exigences allemandes, qui s'est accentuée après le retour de Laval au pouvoir » ?

a) — Les manœuvres du gouvernement allemand pour s'emparer des navires marchands neutres naviguant sous pavillon français et des navires étrangers se sont dévoilées dès le lendemain de l'armistice. Elles s'accentuèrent de 1940 à 1942 au fur et à mesure de l'accroîssement des besoins de transports dû au développement des opérations militaires entreprises par l'Allemagne.

b) — L'Allemagne réquisitionna, avant le retour de Laval au pouvoir, 257 000 tonnes de bâtiments français dans les ports de la zone occupée. Elle ne pouvait s'intéresser à ceux ayant leur port d'attache dans les ports de la zone libre, c'est-à-dire en Méditerranée, en vertu de la Convention d'armistice.

c) — Cependant, dès le mois de juin 1941, l'Allemagne et l'Italie commencèrent à demander au gouvernement français la mise à leur disposition de navires étrangers affrétés par lui pendant la guerre.

d) — La négociation d'août 1942, relative aux navires neutres, fut exigée par l'Allemagne. Elle n'était que l'aboutissement des discussions que l'Amirauté avait réussi à faire traîner en longueur depuis novembre 1941. A la suite de la transmission, le 5 août 1942, par le délégué français, M. Nicol, de l'accord donné par l'Amirauté et le gouvernement en vue de la restitution de certains de ses bâtiments à la Grèce, la délégation française à Wiesbaden fut avisée, le 22 août, de la venue à Paris du général Böhme pour participer à ces négociations. Le but de sa visite a été nettement défini dans le rapport du Secrétariat à la Marine : « Dans l'esprit de cette personnalité allemande, la cession des navires grecs ne peut être que le premier stade des pourparlers destinés à régler définitivement l'ensemble de la question du tonnage neutre. C'est, en effet, ce qui va se produire. L'Allemagne a vu, dans les offres faites au sujet des navires grecs, l'occasion qu'elle attendait depuis longtemps de présenter à nouveau ses revendications globales, avec l'espoir, cette fois-ci, d'obtenir entière satisfaction... S'il exige du soldat allemand le sacrifice de sa vie, le gouvernement du Reich se considère en droit d'attendre des pays vaincus ou occupés une compréhension plus grande de ses intérêts et de ses besoins et une collaboration économique plus étroite. Il n'est plus disposé à admettre la politique d'opposition ou d'attentisme ».

e) — La participation de Laval à ces négociations répondait au désir, exprimé en novembre 1941 par l'Amirauté et le gouvernement, et notifié à l'Allemagne, de voir l'accord définitif aux cessions demandées rester du ressort du gouvernement français.

f) — Le gouvernement français ne pouvait pas refuser la restitution des navires neutres, les négociateurs allemands ayant fourni deux arguments juridiques difficilement discutables : 1) La France n'avait pas le droit de prétendre que des navires étrangers, battant pavillon de pays occupés par l'Allemagne, puissent être considérés comme neutres. — 2) Le gouvernement allemand avait l'accord des armateurs de ces navires pour qu'ils soient utilisés par l'Allemagne.

g) — En cédant les navires neutres à l'Allemagne, le gouvernement français avait réussi à repousser sa demande concernant les navires français, acceptant seulement d'envisager l'utilisation de certains d'entre eux pour assurer, entre la Mer Noire et la Méditerranée occidentale, un trafic devant contribuer au ravitaillement de l'Europe occidentale, notamment en produits alimentaires et en pétrole.

h) — Si, lors des accords du 22 août 1942, Laval avait subordonné à dessein l'ouverture de négociations en vue de ce trafic à la réalisation de circonstances stratégiques favorables [6], la délégation allemande d'armistice réclama dès le 13 septembre, sans tenir compte de cette condition, l'affectation de 140 000 tonnes de navires français à ces transports. Le gouvernement français considéra cette demande comme prématurée.

i) — Le gouvernement français put retarder jusqu'en novembre 1942 l'ouverture des négociations désirées par l'Allemagne en vue de la mise à sa disposition des navires français. Mais l'occupation, le 11 novembre, des ports de la zone libre et la nécessité de ravitailler ses forces en Afrique furent un motif pour elle de rompre les accords d'août 1942 et d'exiger l'affrètement général des navires français de Méditerranée.

j) — Le gouvernement français ne pouvait s'opposer à cette demande de l'Allemagne. Le rapport du Secrétariat à la Marine, dont les représentants participèrent à ces négociations, en apporte le témoignage : « Il est bien évident qu'en cas de refus ou de difficultés soulevées par la France, le Reich était décidé à passer outre et à employer, si besoin est, les mesures de force nécessaires pour arriver à ses fins. »

LES TEMOINS DE LA DEFENSE.

— Rudolf Schleier, ministre d'Allemagne à Paris. (HI - III - 1749).

J'ai assisté moi-même aux discussions entre le Président Laval et le Gauleiter Kaufmann, Plénipotentiaire du Reich, pour les question de la Marine Marchande, et je sais que M. Laval a finalement consenti à accepter l'exigence allemande concernant le transfert des bateaux de commerce en Méditerranée, afin d'éviter des mesures de force, et espérant pouvoir obtenir des compensations sur les plans humain et politique.

---

6. Sa lettre du 28 août 1942 à Abetz.

4

Les déclarations de Pierre Laval

MEMOIRE EN REPONSE
A L'ACTE D'ACCUSATION.

Je me suis expliqué devant le juge sur la question du tonnage marchand, et, pour que mes réponses soient complètes, je reproduis la lettre adressée au magistrat après mon interrogatoire :

COPIE DE LA LETTRE DE PIERRE LAVAL EN DATE DU
18 SEPTEMBRE 1945.

Monsieur le juge.

J'ai l'honneur, après l'interrogatoire que vous m'avez fait subir ce matin, d'ajouter à ma réponse les deux observations suivantes :

1. — C'est l'Amiral Auphan, que j'ai accompagné à Nevers, qui a négocié avec le Gauleiter Kaufmann au sujet de l'injonction qui lui était faite de céder à l'Allemagne les bateaux norvégiens, danois et grecs qui se trouvaient dans nos ports de la Méditerranée.

L'Amiral Auphan a protesté et j'ai pris part à l'entretien pour appuyer toutes les réserves qu'il a faites sur le principe même de cette cession, et aussi pour demander avec lui que les propriétaires des bateaux soient informés et consentent à s'en dessaisir.

2. — Quant à la lettre que vous m'avez montrée et qui porte ma signature, je n'ai aucun souvenir qu'elle ait été adressée à son destinataire. Le fait qu'elle ait été aux archives de la Marine marchande semblerait plutôt indiquer qu'il s'agit d'un projet, car, si elle avait été envoyée à Berlin, la copie aurait été aux archives des Affaires étrangères et à celles de la Délégation du gouvernement français à Paris.

Je vous serais reconnaissant de bien vouloir interroger de nouveau M. Nicol, pour lui demander s'il peut vous renseigner à ce sujet. Si cette lettre a bien été envoyée, je n'aurai qu'à maintenir les déclarations que je vous ai faites concernant l'interprétation qu'il faut lui donner.

Je me souviens, par contre, très nettement d'avoir souligné à M. Kaufmann l'extrême sacrifice qui nous était imposé par l'affrètement de nos bateaux de commerce. A l'exception des cinquante mille tonnes qui nous étaient laissées pour nos besoins indispensables, ce que nous abandonnions représentait exactement ce qui nous restait sur les trois millions de tonnes dont nous disposions au moment de la déclaration de guerre.

Ne pouvant nous soustraire à la mesure de réquisition dont nos bateaux étaient l'objet, il était conforme à notre intérêt, après avoir protesté, d'essayer de tirer avantage de cette nouvelle exigence allemande. Les termes de ce projet de lettre ou de cette lettre s'expliquaient par la nécessité d'échapper à cette époque au pire qui nous guettait. Il pouvait paraître plus opportun à ce moment, comme dit un Géorgien, d'embrasser son adversaire de peur qu'il ne nous égorgeât. Ce n'était pas de moi qu'il s'agissait, mais de la France, et notre pays venait déjà de subir l'invasion en zone sud de l'armée allemande et de l'armée italienne.

J'ai tenu, dans l'imprécision où j'étais de mes souvenirs quand vous m'avez interrogé ce matin, après avoir réfléchi, à vous adresser cette déclaration complémentaire.

Veuillez agréer, Monsieur le Juge, l'expression de mes respectueux sentiments.

PIERRE LAVAL.

CONCLUSION

LE REQUISITOIRE FINAL

Comment Laval a-t-il été amené à prendre le contre-pied de l'intérêt de la France et de la morale élémentaire ? Tout se lie. De la part d'un homme parvenu comme lui à l'étonnante fortune qu'était la sienne, le goût du pouvoir apparaît moins une ambition vaniteuse comme chez Pétain, qu'un instinct de joueur heureux, qui l'a servi toute sa vie, excepté quand il s'est heurté à la méfiance hostile du Sénat et à la politique contraire d'une nation amie qui avait fini par voir clair. Et de là, je ne dirai pas sa haine de la République, comme chez Pétain, mais sa haine du régime parlementaire, une haine liée à sa rancune contre les Anglais, assortie d'une sorte de désir pessimiste que les événements lui donnent raison. Son entente avec Pétain est certaine ; la défaite était escomptée dès le début de la guerre, et lorsqu'elle est arrivée, dans le désastre, que voit-il ? Le signe que l'heure est enfin venue pour lui de sortir de sa retraite et sous l'égide du Maréchal, saisir l'occasion attendue de faire à l'ombre de ce drapeau une politique qui consiste en quoi ? A jouer le sort de son pays comme son propre destin à lui sur la carte allemande.

Cette carte, il l'a jouée jusqu'à la fin ; il n'a pas pu s'empêcher de la jouer contre l'évidence, contre sa patrie. Je dis contre sa patrie, car comment envisageait-il le destin de la France ? Comment sa politique permettait-elle de l'envisager ? Je le répète, comme une adaptation aux institutions et aux manières de vivre de l'Allemagne. C'est le programme qu'avec une naïveté brutale, un Allemand, Max Klaus développait dans une conférence organisée par l'association France-Allemagne au mois de mai 1941. Voici ce que disait Max Klaus : « L'avenir de la race française n'est pas menacé en Europe, mais à une condition : c'est que son système politique disparaisse et que les élites renoncent à leur manière de vivre. » Qu'elles renoncent aussi sans doute à leur manière de penser. Non ! Plutôt s'effacer, plutôt disparaître. A cela, que répond Laval ? « Je ne pouvais pas faire une autre politique. Quel est l'homme sensé qui, en 1940, eût pu croire que l'Allemagne serait battue ? J'étais un homme sensé, je ne pouvais pas faire une autre politique, je l'ai faite dans l'intérêt de la France. »

Non, l'intérêt d'une nation n'est pas de consentir à son asservissement. L'intérêt d'une nation n'est pas de s'incliner volontairement devant la défaite ; le prêcher, le faire, en donner l'exemple est un crime. N'est-ce pas plutôt se tromper, dira-t-on, et se tromper, est-ce donc un crime ? Ce n'est pas seulement se tromper, répondrai-je, et le crime ici consiste dans l'absence de conscience des devoirs qu'on a envers sa patrie. C'est la moralité sur le terrain national, et je la mets sur le même pied que la moralité du criminel sur le terrain du droit commun.

Oui, dit Laval, mais si je n'avais pas été là, la situation eût été bien pire. Ce serait à démontrer. On a apporté des statistiques sur lesquelles je me suis déjà expliqué. Mais, il y a autre chose. Je ne parlerai pas de la Pologne ni de l'Ukraine, où les destructions étaient systématiques, et les assassinats se chiffrent par millions. Il s'agissait là de faire disparaître des peuples, tandis que dans la France diminuée, on espérait, avec l'aide d'hommes comme Laval, trouver non pas une alliée, mais un pays subordonné à la politique du Reich. Aussi bien, est-ce le pays où, pour mieux le mater, le nombre des déportés a été le plus élevé :

déportés raciaux, cent vingt mille, sur lesquels il en est revenu quinze cents ; déportés politiques, cent vingt mille également, dont beaucoup sont restés dans les camps de Dachau, de Buchenwald et dans les chambres à gaz, sans compter les cent cinquante mille fusillés sur le sol de France. Je me demande dans ces conditions de quel droit Laval peut dire que, s'il n'eût pas été là, la situation eût été pire.

Mais il faut considérer les choses de plus haut. La politique de Laval a fait aux Français une situation pire au point de vue moral ; elle a exposé la France au soupçon de trahison envers ses alliés comme envers la cause dont elle était le champion dans le monde. Il fut, en effet, des heures tragiques où l'Angleterre, l'Amérique, ont pu douter de sa fidélité. Or, douter de la fidélité d'un allié, c'est douter de son honneur. Et que l'on ne vienne pas dire que, dans l'Histoire, — le mot a été prononcé au cours de ces audiences —, il fut de célèbres renversements d'alliances, sans que cela ait jamais déshonoré les souverains qui y procédaient. Il peut en être ainsi quand ils sont, comme au temps de Louis XV, élaborés dans des cabinets plus ou moins secrets. Mais un tel argument n'est plus de mise au XXe siècle, quand il s'agit de l'Angleterre et de la France. Non, si l'on peut parler de renversements d'alliance sans que la chose soulève la conscience, c'est quand ceux qui président à cette politique sont tellement en dehors de la masse de la nation, que la nation peut être considérée comme y étant étrangère. Cela est bon quand les peuples sont mineurs, mais lorsqu'ils sont devenus majeurs, un renversement d'alliances en pleine guerre, c'est de la félonie, et la félonie déshonore toujours les félons.

La France s'est lavée du soupçon. Elle s'en est lavée dans le sang de ses martyrs, elle s'en est lavée grâce à son Maquis, refuge de tous ceux qui pouvaient se soustraire à la conscription au profit de l'Allemagne, elle s'en est lavée par sa Résistance, par la victoire gagnée en commun sur les fronts de Normandie et de Bretagne. Mais comme je le disais dans une autre audience, la politique de Vichy a failli la déshonorer. Eh bien, je dis que cela, c'est le crime inexpiable auquel il n'est ni atténuation, ni excuse, le crime contre lequel, au nom de la Patrie outragée, au nom de ses martyrs, et pensant aussi à tous ceux que les Cours de Justice condamnent pour avoir obéi aux ordres du gouvernement que présidait Laval, c'est le crime pour lequel il n'est qu'une sanction qu'une Cour de Justice puisse prononcer : c'est la mort.

Déclarations de Pierre Laval en réponse au réquisitoire final

Les avocats de Pierre Laval ayant renoncé à assurer sa défense devant la Haute Cour de Justice en 1945, ces paroles de Me Baraduc [1], défenseur choisi par lui, qui pourraient constituer aujourd'hui la base de sa plaidoirie, paraissent trouver leur place ici :

« Nous avons ouvert des archives. Celles de l'ennemi. Celles où l'on aurait dû trouver trace d'une trahison — s'il y avait eu trahison. Nous n'y avons trouvé que résistance. Et jamais ce terme n'aura eu un sens plus exact : on ne résiste qu'à une force qu'on affronte.

Aujourd'hui, trois ans après la mort de Pierre Laval, il est déjà périmé de parler de « trahison ». Mais l'obligation de justifier la politique répressive du gouvernement provisoire de 1945 pèse encore sur certains propos. Un homme d'Etat, nous dit-on, n'a pas le droit de se tromper ; on le juge à sa réussite — et Laval a échoué. Qu'appelle-t-on réussir ? Et qu'appelle-t-on échouer ?

Si, en 1940 et en 1942, Pierre Laval avait eu l'ambition de faire une « politique de grandeur », il aurait échoué et son erreur nous aurait coûté très cher. Mais Laval était un réaliste. Jamais il n'eut d'autre dessein que de faire face à l'en-

---

1. Extraites de son ouvrage : *Tout ce qu'on vous a caché.*

nemi — sur place, de lutter à pied contre ses exigences — sur place, de déjouer ses menaces et finalement de réduire au maximum les malheurs de la défaite — pour chacun de nous.

A-t-il réussi ?

Il a réussi à briser les tentatives du gauleiter Sauckel, et à maintenir chez nous la grande majorité des ouvriers destinés au Reich. Et, de ce fait, il a empêché que s'accroisse la force militaire de l'ennemi. Il a réussi à protéger l'industrie française, dans tous ses secteurs, et à la faire vivre. Il a réussi à assurer la subsistance des Français, malgré les énormes ponctions de l'ennemi. Il a réussi à réduire les charges de l'occupation et à sauver le franc. Il a réussi à détourner de notre pays les menaces de « polonisation ». Il a réussi à ce que ni l'empire, ni notre flotte, ni notre or, ne tombent aux mains de l'ennemi. Il a réussi à entraver les représailles et à sauver l'immense majorité des otages. Il a réussi, enfin, à nous éviter l'avènement des partis pro-allemands.

Où a-t-il échoué ? »

*
* *

Face à ce réquisitoire, nous laissons à présent, comme c'est l'usage, la parole à Pierre Laval. Voici les lignes qu'il écrivit à Fresnes dans sa cellule :

« Il n'est pas un domaine où je ne puisse démontrer, « établir et prouver que l'occupation aurait été beaucoup « plus cruelle, plus meurtrière, si je n'avais pas été là.

« C'est la partie négative de mon action, celle qui n'appa- « raît pas, celle que je ne pouvais faire connaître quand « les Allemands étaient là, sans risque d'en compromettre « alors les résultats. Mais il y a la partie positive, celle « qui nous a permis de faire vivre la France. J'imagine « qu'on a, depuis la Libération, fait des rapports sur le « ravitaillement, les finances, la production industrielle et « agricole, les transports, les postes, bref sur tous les « domaines où s'exerçait l'activité de l'Etat. Si l'on était « honnête, on ferait publier des bilans et des statistiques « au lieu de parler comme d'un vieux refrain de la « trahison « de Vichy ». Je ferai parler les chiffres et les faits lors « des débats. »

Pour préparer ces débats, Pierre Laval rédigea, en septembre 1945, un document qu'il avait intitulé :

SCHÉMA GÉNÉRAL DE LA DÉFENSE

I. — AVANT LA GUERRE

Situation de la France fin 1935

Le 7 juin 1935, P. L. arrive au pouvoir. Le déficit budgétaire dépasse dix milliards-or, le franc est en péril. Les prix montent, la production baisse.

Sept mois après, au 31 décembre 1935, la France est le seul grand pays du monde dont le budget est équilibré (neuf millions-or de plus-value). La rente de 3 % a atteint le pair, ce qui devait permettre la conversion de la dette. L'augmentation de la dette publique depuis 1914 est enrayée pour la première fois depuis le redressement financier de 1926.

La production nationale (acier, automobiles, produits chimiques, etc.) atteint un record depuis la crise de 1929-1930. Exemple : les constructions navales, pour la marine de guerre, passent de quinze millions neuf cent cinquante mille tonnes en 1934 à quarante-deux millions sept cent quatre-vingt-trois mille tonnes en 1935, pour retomber à vingt-six millions cinq cent quarante-quatre mille tonnes en 1938 (année avant la guerre).

La France était alors le seul pays du monde sur l'étalon-or : le dollar valait quinze francs. L'or afflue de Londres et de Washington, or grâce auquel la France peut acheter aujourd'hui des vivres et du matériel aux U.S.A.

L'indice des prix de gros, de 576 en 1930, baisse à 332 en 1935, pour remonter à 634 en 1938. Grâce à cette baisse, l'ouvrier et le fonctionnaire auront un pouvoir d'achat qu'ils n'ont jamais connu depuis.

II. — APRÈS LA DÉFAITE

Plan général de la défense de la France sous l'occupation

1º — *Unité du territoire :* Alsace-Lorraine (demander note Cannac). Revendications de l'Axe (demander note Rochat).

2º — *Le franc, l'épargne, la fortune mobilière et immobilière de la France (ministère des Finances)* (note Cathala).

3º — *La production, les travaux publics, chemins de fer, les communications (Postes, Télégraphes, Téléphone)* (notes collaborateurs Bichelonne).

4º — *Lutte pour limiter les départs d'ouvriers* (notes collaborateurs Bichelonne, Weinmann) : Lois protectrices. Lutte pour les salaires. Ravitaillement. Cantines d'usines (note Lagardelle).

5º — *Les prisonniers :* Puissance protectrice. Avantages. Les libérations. Les retours. La législation. Les tonnes envoyées. Les milliards versés aux familles (notes Scapini, Pinot, Masson, Moreau).

6º — *Le ravitaillement* (notes Bonnafous, Chasseigne) : La lutte contre le marché noir allemand. La lutte pour réduire les prélèvements officiels. La restitution du blé en 1943 pour soudure, etc.

7º — *Agriculture* (note Cathala) : L'augmentation des surfaces cultivées. La protection du cheptel. Protection de la population rurale contre la déportation.

8º — *Justice :* Maintien des cadres de la Magistrature (note Cannac). Statuts des magistrats.

9º — *Armée, marine, aviation* (notes Bridoux, Bousquet) : Protection des cadres. Financement après occupation zone sud. Délégation des soldes à toutes les familles des mobilisés d'Afrique du Nord. Dépôt d'armes Bousquet, Armée secrète.

10º — *Protection de l'administration préfectorale et de la police* (notes Hilaire, Bousquet) : Neutralisation des partis extrêmes de la Collaboration. Ministère de l'Intérieur.

11º — *Education nationale* (note Hilaire) : Beaux-Arts, Monuments historiques. Théâtres. Cinéma.

12° — *Solidarité nationale* (notes Pillon, de Mun) : Secours National. S.I.P.E.G. Croix-Rouge.

13° — *Santé publique* (note Grasset) : Natalité. Mesures prises. Résultats. Préventoria, etc.

14° — *Commissariat aux sports, jeunesse.* Réalisations (notes Pascot, Olivier-Martin).

Voici les schémas à suivre pour ceux qui feront ces notes :

I. — DÉFENSE DE L'UNITÉ DU TERRITOIRE
(Note Rochat.)

Après la défaite de 1940, Pierre Laval, en face des revendications allemandes, italiennes, espagnoles, n'a qu'une préoccupation : défendre l'unité du territoire et de l'Empire.

1° — *Montoire.* Premier résultat : Hitler n'accordera pas le lendemain à Franco le Nord du Maroc français que nous n'avions pas la possibilité de défendre à l'époque.

2° — *A Montoire*, et depuis, P. L. s'est toujours servi de la tentative de réconciliation franco-allemande pour écarter les revendications italiennes.

a) Il luttera contre l'établissement de la ligne de démarcation du Rhône, après novembre 1942, et obtiendra le retrait des postes déjà installés qui auraient paralysé la vie et rendu plus difficile la constitution du Maquis de ces régions (voir ma déclaration du 7 juin 1943).

b) Lors de la première débâcle italienne, en 1943, réinstallation des autorités françaises à Menton. C'est la première ville française menacée d'annexion où flottera notre drapeau avant l'arrivée des armées américaines et françaises.

3° — *Après Montoire*, et avant le 13 décembre 1940, P. L. avait obtenu le principe du rattachement à l'administration française du Nord et du Pas-de-Calais, et de l'assterisouplissement de la ligne de démarcation. Ces deux résultats devaient être rendus publics le 22 décembre 1940.

Revenu au pouvoir en avril 1942, dans des conditions beaucoup plus dures et un climat bien plus mauvais, P. L. cherchera à atteindre ces deux buts, et, au bout de quelques mois, le 1er mars 1943, le Nord et le Pas-de-Calais seront enfin rattachés à l'administration française, les barrières douanières seront repoussées à la frontière belge, où sera assuré par l'administration française le contrôle des personnes et des marchandises, et la ligne de démarcation sera supprimée, facilitant ainsi les échanges de lettres, communications, etc. (d'où constitution plus aisée de l'Armée secrète et de la Résistance).

4° — Enfin, l'*Alsace-Lorraine*.

a) Soixante-douze protestations officielles et solennelles sont faites par le gouvernement français de 1940 à 1944 à Wiesbaden.

b) P. L. obtient la grâce des « notables » alsaciens condamnés par l'Allemagne pour espionnage, Résistance, etc. Or ce fait, étant donné que les Allemands les considéraient comme Allemands, montre en lui-même que le Gouvernement les a toujours considérés comme Français.

c) Protection des Alsaciens-Lorrains exemptés par P.L. du S.T.O. et des départs pour l'Allemagne. Bousquet les embauche dans ses services de l'Intérieur.

d) Protection des repliés alsaciens, personnes et sociétés. Le Gouvernement a réussi à faire admettre que les sociétés, bien qu'en zone occupée, resteraient françaises, avec toutes les conséquences.

e) L'Université de Strasbourg, ainsi que toutes les institutions alsaciennes, sont encouragées et subventionnées par le Gouvernement.

Parlant de l'intégrité du territoire et de l'Empire, P. L. a dit publiquement, malgré la défense des Allemands :

En 1941 : « Quelle paix serait meilleure que celle qui garantirait notre indépendance, l'intégrité de notre territoire métropolitain et de notre Empire ? » (Déclaration à la presse américaine, 21 mai 1941.)

En 1942 : « Quelle est mon ambition ? Elle est simple, très simple. Je veux tout faire pour diminuer aujourd'hui les souffrances de la France et pour sauver demain notre territoire et notre Empire. » (Aux instituteurs de l'Allier, 3 septembre 1942.)

« Français de notre Empire, vous tous qui m'écoutez ce soir, en Afrique, en Asie, dans les îles du Pacifique... A vous qui habitez ces terres lointaines, je vous dis : nous ne vous abandonnons pas. Vous resterez Français. » (20 avril 1942, allocution au pays.)

II. — DÉFENSE DU FRANC, DE L'ÉPARGNE DE LA FORTUNE MOBILIÈRE ET IMMOBILIÈRE DE LA FRANCE (Note Cathala.)

Régime institué par les Allemands pour mettre en coupe réglée nos réserves et nos ressources.

Défense du franc. — Inflation 1941-1942 et mesures prises par le Gouvernement, au cours de l'été 1942, qui sauvent le franc. — Confiance des Français dans les finances de l'Etat. La Bourse monte pendant les années d'occupation pour ne retomber qu'après la Libération. Pour la première fois depuis 1900, le 3 % franchit le pair sous l'occupation. (Indices statistiques.)

Défense contre acquisition par les Allemands d'une partie de la fortune immobilière de la France (loi sur les autorisations préfectorales, enquêtes préalables). (Statistiques.)

Même politique pour éviter les prises de participation dans les sociétés anonymes françaises. Nous devons protéger le capital malgré lui. Toutes les autorisations sont refusées par l'Office des changes et les Finances. Les seules cessions importantes sont les mines de Bor en 1940 et, en 1941, sous le ministère Darlan, Havas 47,6 % (mai 1941), Francolor 51 % (mai 1941), société Mumm 51 % (1941), Carburants Français 33 % (mai 1941). J'ai réussi à neutraliser toutes les tentatives de cession en 1942, 1943 et 1944.

Protection des titres étrangers en France malgré demandes allemandes. (Statistiques.)

Protection des milliers de fonctionnaires, receveurs, percepteurs, etc., sur tout le territoire.

1942. Relèvement des pensions : anciens combattants, allocations familiales prisonniers, Alsaciens-Lorrains, fonctionnaires.

1943. Echelle de l'indemnité des fonctionnaires : Etat, départements, communes.

1944. Double mois.

Efforts pour maintenir les prix en harmonie avec les salaires.

Les prix, virtuellement stabilisés en 1942-1943, montent depuis la Libération.

Le Gouvernement provisoire trouvera tout un appareil en place, ce qui permettra, dès la Libération : emprunt de Libération, échange des billets, rentrée d'impôts.

Tout cela eût été impossible si le Gouvernement était parti.

Les fruits de notre politique d'économie pour sauver le franc et les possibilités d'emprunt pendant l'occupation sont aujourd'hui compromis par le général de Gaulle, dont la politique financière démagogique va conduire à la catastrophe.

III. — PRODUCTION INDUSTRIELLE, TRAVAUX PUBLICS, COMMUNICATIONS
(Notes collaborateurs Bichelonne.)

Usines,

dont la production est réservée à la France en tout ou en partie : dix mille quatre cent cinquante en totalité. Nombre d'ouvriers ainsi protégés contre la déportation. (Statistiques.)

Barrages.

Entretien, nouvelles constructions.

Charbon.

Mes efforts pour augmenter la part réservée au circuit français. Distributions 41, 42, 43. (Pas de distribution en 1944 après la Libération.)

Travail en France.

Accord Speer qui limite les départs pour l'Allemagne. Dix mille usines classées *S*.

Législation.

Protection du travail.

S.N.C.F.

Millions de voyageurs français transportés, millions de wagons de marchandises chargés pour consommation française. La moyenne journalière de voyageurs français transportés de 1940 à 1944 est de ???

La moyenne journalière de wagons chargés pour le circuit français est de vingt-trois mille cinq cents.

Postes, Télégraphes et Téléphones.

Pas de censure, ce qui facilite constitution de l'Armée secrète.

P.L. a sauvé toutes les centrales de Paris, que l'armée américaine trouve intactes.

IV. — MINISTÈRE DU TRAVAIL (Note Lagardelle-Terray).

Service du travail obligatoire.

Lutte pour instituer les départs par classes et pour limiter le nombre de classes. Exceptions au profit de l'économie française, Chantiers de jeunesse, etc.

Lutte pour limiter les départs (voir note *Le problème de la main-d'œuvre française en Allemagne*, 30 juillet 1944, et ma réponse aux considérants 14 à 21).

Total des demandes unilatérales Sauckel 2 060 000
(de 1942 à 1944)
Départs effectifs 641 500

Contre-partie obtenue par le Gouvernement :
Les femmes sont exemptées, cent dix mille prisonniers rentrent, permission de quinze jours pour de nombreux travailleurs, dont quarante-cinq mille restent en France.

Deux cent cinquante mille prisonniers travailleurs deviennent ouvriers libres.

16 octobre 1943, suspension des départs.

7 juin 1944, arrêt des départs.

Réalisation des services Bruneton en Allemagne pour adoucir le sort des travailleurs (voir note Bruneton).

Comparer avec Belgique, Hollande, d'où partent quatre-vingts travailleurs pendant qu'il en part treize de France.

Lutte pour obtenir l'augmentation des salaires.

Augmentation chaque fois que c'est possible. Dures négociations avec l'Hôtel Majestic, secteur après secteur.

Les cantines d'usines.

Ravitaillement, contrats de culture, etc.

Législation.

Lois sur le chômage, indemnités pour limiter départs.

V. — PRISONNIERS
(Notes Scapini, Pinot, Masson, Moreau.)

1° — France puissance protectrice : avantages ; Allemagne : mission Scapini.

2° — Nombre lors de l'armistice : trois millions.

Nombre rentrés moisson 1940 : un million (libérés des *Frontstalags* avant les transferts de deux millions en Allemagne).

Par la suite, pères de familles nombreuses, combattants des deux guerres, spécialistes, etc., Relève, soit au total : un million.

3° — Evadés (protection, zone sud) : quatre-vingt mille.

4° — Vivres envoyés de France dans les camps (statistiques) :

Kilos de vivres 86 845 250
Tabac 4 141 600
Savon 262 750
Pièces de vêtements 18 850 000

5° — Milliards dépensés et versés aux familles (statistiques) :

> 34 000 000 000 allocations.
> 5 000 000 000 prêts d'honneur.
> 2 000 000 000 livret du prisonnier.

6° — Commissariat :

Réalisations.

Législation.

Centres d'entraide.

Journal, seul de zone occupée contrôlé directement par moi.

Aucune propagande collaborationniste.

VI. — RAVITAILLEMENT
(Notes Bonnafous, Chasseigne.)

Résultats obtenus : 1940-41-42-43-44.

Toutes les réunions des préfets sont consacrées presque exclusivement au ravitaillement.

1942 : Charbin, ministre du Ravitaillement de Darlan, avait accepté des Allemands réduction de la ration pain. En avril 1942, P. L. refuse. Comment il a pu assurer la soudure en 1942 et 1943.

En 1943, P.L. obtient (deuxième entrevue avec Gœring) : Arrêt marché noir officiel allemand. Fermeture comptoirs. Interdiction des ventes par les Français aux Allemands. Restitution de deux millions de quintaux pour soudure avril 1943 (coupure de l'Afrique, sécheresse).

Les Allemands ne veulent pas laisser annoncer ce résultat, *car leurs alliés italiens ont moins que nous.*

Le 5 juin 1943, dans un discours radiodiffusé, j'ai pu dire : « Des ordres viennent d'être donnés à toutes les autorités d'occupation d'éviter tous rapports avec les vendeurs illégaux. Toute personne qui soustrait des marchandises rationnées afin de les vendre [aux autorités d'occupation] est un ennemi du peuple... »

Effort pendant débarquement. Troupeaux de cheptel de Normandie envoyés à Paris par les routes bombardées.

Stocks de sécurité accumulés par P.L. et Cathala, qui seront distribués à Paris du 17 au 28 août, sinon famine.

VII. — AGRICULTURE (Note Cathala.)

Malgré absence prisonniers et rareté engrais :

Production record { Pommes de terre.
{ Blé, colza, etc.

Lutte contre les terrains incultes.

Comparer avec la baisse actuelle.

Production du cheptel : la France est le seul pays qui a conservé le sien. Statistiques : *cf.* Hollande, Pologne, où tout a été pris.

Protection de la population agricole contre déportation (accord Bache-Laval, janvier 1944 : aucun départ jusqu'à la moisson, c'est-à-dire Libération).

Législation protectrice.

VIII. — JUSTICE (Note Cannac.)

Tribunaux civils, correctionnels. Cours d'appel, cassation, Conseil d'Etat ont fonctionné sur tout le territoire (statistiques des affaires).

Lutte de tous les jours contre intrusion allemande. Elle réussit presque toujours.

Personnel : magistrats, greffiers, etc. Lutte pour l'augmentation des salaires.

Le Gouvernement provisoire trouvera à la Libération tout cet appareil en place. C'est lui qui brisera les cadres que j'ai tout fait pour maintenir.

Voir mes allocutions aux procureurs et aux présidents de Cours d'appel.

Rappeler aussi 1943. Soudure ne devait pas se faire, campagne pour détruire fermes, batteuses, meules et granges (mauvais Maquis). Nécessité d'une action judiciaire contre ce mauvais Maquis, qui n'a rien à voir avec les abus de la

Milice contre le bon Maquis en 1944. (Statistiques paysans tués ou blessés, etc.)

IX. — PROTECTION DE L'ARMÉE, AVIATION, MARINE
(Notes Bridoux, Bousquet.)

Armée d'armistice. Maintien des cadres.
Après coup de force allemand novembre 1942, appui complet du Gouvernement, soldes, etc.
Délégations de soldes payées en France aux familles des combattants de l'armée du général de Gaulle, malgré opposition des Allemands.
Protection de l'Armée secrète.
Travail de Bousquet.
Affaire des dépôts d'armes que je couvre.

X. — MINISTÈRE DE L'INTÉRIEUR (Note Hilaire.)

1° — *Administration préfectorale :* Deux secrétaires généraux : Bousquet, Hilaire.
1942, action républicaine, radicaux-socialistes.
Défense de l'administration préfectorale : P.L. nomme partout des préfets républicains, préfets régionaux, départementaux, sous-préfets, secrétaires généraux, etc.
P. L. révoque, en 1942-43, personnel pro-allemand protégé par les Allemands (note Hilaire). Lutte contre ingérence allemande et candidats P.P.F., R.N.P., etc., Milice.
Nombre de préfets déportés pour avoir obéi aux consignes gouvernementales (voir note Hilaire).
Le Gouvernement maintient malgré l'occupation l'armature administrative du pays, que de Gaulle laissera détruire : préfets, secrétaires généraux, intendants, etc.

2° — Police : G.M.R. Même politique (note R. Bousquet). Aucune action contre Armée secrète. P. L. assure la protection des dépôts d'armes en zone sud. (Note R. Bousquet sur protection Armée secrète et Maquis.)

A l'arrivée de Darnand, archives brûlées par Bousquet avec mon consentement.

Impossibilité pour Darnand de placer des Miliciens dans les cadres préfectoraux.

Préfecture de police de Paris (note Bussière).

Arrestations Azéma, Bucard, etc.

XI. — ÉDUCATION NATIONALE, BEAUX-ARTS
(Note Hilaire.)

Maintien des cadres.

Universités.

Ecoles.

Instituteurs : lutte pour améliorer leurs conditions de vie, salaires. Maintien immense majorité des cadres. (Statistiques.)

Protection musées : seul pays d'Europe où rien n'est pris.

Monuments historiques : patrimoine sauvé, sauf monuments détruits par bombardements.

Théâtres.

Cinéma : production autonome ; réalisations françaises.

Littérature.

XII. — SOLIDARITÉ NATIONALE (Notes Pillon, de Mun.)

Effort pour :

1° — les prisonniers et leurs familles.

2° — les sinistrés.

3° — les réfugiés.

4° — les déportés et leurs familles.

Total des dépenses budgétaires de 1940 à 1944 (demander Cathala). Crédits budgétaires d'autant plus difficiles à obtenir que l'Allemagne était partie prenante (indemnités d'occupation) et se désintéressait de tous ces problèmes.

Aide au Secours national : résultats.

Aide au S.I.P.E.G. : résultats.

Aide à la Croix-Rouge : résultats.

Aide aux autres organismes.

Cas Marcel Déat : opposition de quatre années, ministre pendant trois mois. N'assiste pas aux conseils à Vichy. Articles d'opposition contre moi dans *L'Œuvre*.

Allemands désirent qu'il contrôle la Solidarité nationale, mais je l'évite. Le ministère ne devient qu'une façade. En effet, Croix-Rouge autonome, Secours national autonome, S.I.P.E.G. directement rattaché à P. L., prisonniers (*cf.* lettre Moreau) directement rattachés à P.L.

XIII. — SANTÉ PUBLIQUE (Note Grasset.)

Réussite de la politique de natalité : en 1942, 1943 et 1944, les naissances, qui étaient tombées à quatre cent quatre-vingt-dix mille en 1940, sont en augmentation :

1942	541 173
1943	589 200
1944	600 000 environ.

Et ce, malgré l'exil de deux millions d'hommes jeunes, les bombardements et l'occupation.

Mesures prises pour encourager natalité : ces premières mesures sont de mars 1941, la courbe monte dix mois après.

XIV. — COMMISSARIAT AUX SPORTS ET JEUNESSE
(Notes Pascot, Olivier-Martin.)

Créations malgré occupation.

Terrains : nombre de communes qui reçoivent des crédits ou des terrains. A la Libération, dix mille trois cents terrains étaient aménagés ou en chantier.

Equipement : pour la France, pour les prisonniers.

Protection des Chantiers de jeunesse.

CONCLUSION

En face d'un occupant dont la dureté augmentait avec les revers militaires, j'ai conservé à la France ses cadres, son armature et sa vie.

P. L.

MEMOIRE EN REPONSE
A L'ACTE D'ACCUSATION

Le problème est bien posé. Il aura donc suffi de quelques interrogatoires pour arriver à cette conclusion. L'additif est plus clair que l'acte d'accusation. On y relève les griefs, mais on y laisse percevoir la défense.

A l'hypothèse de ma culpabilité, telle qu'elle est présentée, j'ai déjà répondu par des notes. J'ai opposé à l'accusation non pas seulement des arguments, mais des faits. Après avoir lu mes réponses, aucun homme de bonne foi ne pourra contester leur justesse, leur pertinence et leur force. Il n'a pas dépendu de moi que l'instruction soit plus complète. Sa clôture inattendue et brusquée ne m'empêchera pas d'apporter à l'accusation une réfutation éclatante et définitive. Mon procès ne peut se terminer sans que toute la lumière soit faite, parce que mon innocence doit apparaître en même temps que la vérité.

La conclusion de l'additif peut être ainsi résumée. C'est parce que j'ai cru en 1940 à la victoire de l'Allemagne que j'ai fait avec le vainqueur une politique d'attente. (C'est pour éviter des contraintes certaines que j'ai fait des concessions, pour obtenir des compensations, et, si je suis resté au pouvoir, c'était pour éviter le pire.) Cette politique a avili la France et elle nous a causé un préjudice moral et matériel dont nous payons les conséquences. Voilà le crime qui m'est reproché. Et l'accusation ajoute : « Sans l'héroïsme de ceux qui sont tombés et sans la résistance de l'immense majorité des Français, cette collaboration aurait marqué d'une tache ineffaçable la page la plus triste de notre histoire. »

En adoptant le plan de l'accusation, il suffisait, comme l'instruction avait le devoir de le faire (et je l'ai écrit au Garde des Sceaux), d'établir notamment le bilan de mon activité et de dire si elle avait été néfaste ou profitable à la France. C'est précisément ce qu'on n'a pas voulu et j'ai dû, de ma cellule, sans dormir, avec ma seule mémoire, faire l'effort nécessaire pour opposer la réalité à l'ignorance des faits. On a même refusé de me laisser voir les ministres qui sont à Fresnes et qui pourraient me renseigner. Privé du droit naturel de me défendre, j'ai néanmoins, sur les problèmes essentiels, et en tout cas sur tous les chefs d'accusation, fait éclater la vérité. Mais j'ai l'ambition d'aller un pas plus loin en montrant dans chaque domaine quelle a été la vie de la France sous l'occupation. Ce sont des pages d'histoire que j'ai le devoir de présenter pour défendre les milliers de fonctionnaires qui, en suivant mes consignes, ont contribué à réduire les souffrances des Français, et même quelquefois à bâtir pendant que l'ennemi et la guerre détruisaient tout autour de nous.

Est-ce parce que mes démonstrations étaient trop claires qu'on les a brusquement interrompues, en précipitant subitement les débats ? Il ne suffit pas de parler aujourd'hui du peu de fondement de mes allégations pour leur enlever leur caractère d'évidence. Il eût été plus logique et, j'ose le dire, plus honnête, d'essayer d'en prouver la fausseté quand j'offrais, au contraire, d'en établir la véracité. Je n'avais rien à redouter de la lumière et tout à espérer d'une justice qui se fonde sur la vérité.

Il y a un mot, un mot atroce, que je suis heureux de ne plus retrouver dans l'additif. Sans doute on y relève le crime que j'aurais commis d'avoir humilié la France, mais la simple esquisse qui y est faite de ma défense semble indiquer que mon attitude et mes réponses ont déjà frappé mes interlocuteurs. On dit bien que les nouveaux éléments recueillis ont aggravé les charges qui pesaient déjà sur moi, mais la lecture de l'additif m'a montré au contraire la fragilité de l'accusation et j'y ai répondu.

Il me reste à dire ce que je pense de l'humiliation que j'aurais imposée à la France et à répondre au reproche de lui avoir, par ma politique, causé un préjudice matériel et moral dont elle supporte aujourd'hui les conséquences.

Le crime n'est pas de s'être trouvé là quand l'humiliation est venue de notre défaite, le crime, c'est d'avoir lancé la France dans une guerre dont on pouvait prédire qu'elle était perdue, puisqu'on ne l'avait préparée ni militairement, ni diplomatiquement.

Mon crime, si c'en était un, serait d'avoir accepté pendant l'occupation des charges qui incombaient à ceux qui étaient responsables de nos malheurs. Mon erreur a été d'accepter d'être le « syndic » d'une faillite que j'ai tout fait pour éviter.

Le vrai crime, c'était de n'avoir pas assez tôt prévu le danger redoutable que représentait Hitler, et le crime plus grand encore, si on l'avait prévu, c'était de n'avoir rien fait pour l'empêcher de nuire — avec cette circonstance aggravante qu'on avait, au contraire, tout fait pour l'encourager à mettre le feu à l'Europe.

Ces crimes, je ne les ai pas commis, et je les ai dénoncés avec indignation dans les dernières années et surtout les derniers mois qui ont précédé la guerre. Qu'on relise les procès-verbaux des séances de la Commission des Affaires étrangères du Sénat et le compte rendu du comité secret de mars 1940, et on sera édifié sur mon attitude.

Je voulais que notre pays vécût en bon voisinage avec l'Allemagne. Je préconisais, en 1931, le rapprochement et l'entente avec elle, et, en 1935, le bon voisinage ; mais, dans le même temps, parce que je connaissais l'ambition démesurée d'Hitler, la puissance sans cesse croissante de son armée, parce que je savais qu'il voulait bâtir le Grand Reich et assurer l'hégémonie allemande sur l'Europe, je pratiquais une véritable politique d'encerclement de l'Allemagne. C'est dans ce but que j'avais signé avec Mussolini les Accords de Rome, c'est pour cette raison que j'avais facilité la réconciliation de l'Italie avec la Yougoslavie, que j'avais fait accepter par l'Autriche le concours militaire éventuel, pour sa défense, de la Tchécoslovaquie, de la Yougoslavie et de la Roumanie. C'est dans ce but que j'avais négocié et signé le Pacte franco-soviétique.

Le crime, c'est d'avoir brisé les Accords de Rome. Aucune raison n'est valable pour expliquer et justifier cette faute dont les conséquences devaient être aussi funestes que précipitées. La remilitarisation de la Rhénanie fut le premier signal de l'action dévastatrice d'Hitler ; elle fut la conséquence directe de la rupture des accords politiques et militaires que j'avais signés avec l'Italie.

A partir du moment où Mussolini, par dépit, se jeta dans les bras d'Hitler, le drame ne pouvait tarder à se produire. L'Autriche fut annexée. L'Italie, la première, payait chèrement l'erreur qu'elle venait de commettre. Elle avait désormais des frontières communes avec l'Allemagne.

Le crime fut d'aller à Munich pour dire à Hitler qu'il n'avait rien à craindre des puissances de l'Occident, qu'il pouvait tranquillement digérer l'Autriche ; et, par surcroît, on lui offrait les Sudètes. Mais l'ogre avait un grand appétit. L'Autriche ne lui suffit pas, et, avec les Sudètes, il annexa la Tchécoslovaquie.

Après Munich, on ne fit rien pour renouer avec Rome. On fit pire. On m'empêcha de reprendre dans ce but des contacts avec Mussolini, alors que celui-ci, se rendant compte du danger que courait son pays, m'en avait fait officieusement exprimer le désir. Je relirai à l'audience le compte rendu de la séance secrète du Sénat. J'ai dans mon interpellation, en mars 1939, fait allusion à l'entretien que j'avais eu à ce sujet avec M. Daladier, président du Conseil.

On ne se préoccupa plus de la Russie. On négligea tous les avantages et tous les moyens de défense qu'on pouvait tirer du Pacte franco-soviétique. On bouda les Soviets. On ne leur permit même pas d'envisager que leur armée pût pénétrer en territoire polonais pour y combattre l'armée allemande si celle-ci attaquait la Pologne.

Le crime fut de pratiquer vis-à-vis de la Russie une politique qui devait nécessairement, obligatoirement, conduire les Soviets à rechercher un accord direct avec l'Allemagne.

L'opposition de leurs doctrines ne pouvait alors empêcher Staline et Hitler de s'entendre. C'est ce que nos gouvernements eurent le tort de ne pas comprendre. Il est des besoins impérieux et plus immédiats que certaines luttes idéologiques.

Hitler avait appris de Bismarck, et la défaite de 1918 le confirmait, que l'armée allemande ne peut pas victorieusement combattre à la fois sur le front de l'Est et sur le front de l'Ouest.

Il voulait attaquer d'abord la Pologne pour lui reprendre, et même au delà, les terres polonaises que le Traité de Versailles avait enlevées à l'Allemagne.

Hitler savait diviser ses adversaires. Il était tranquille à l'Ouest ; il lui fallait un compromis à l'Est. Il ne voulait pas avoir à lutter contre l'armée soviétique. Staline voulait la paix. Il connaissait les visées de conquête d'Hitler sur l'Ukraine et le Caucase. Il savait la puissance militaire de l'Allemagne. Il ne pouvait plus compter sur la politique de sécurité collective. Munich, où il n'avait pas été invité, avait détruit Genève, et il pouvait craindre que les puissances occidentales n'aient abandonné à Hitler l'Est de l'Europe.

Ainsi, l'un et l'autre n'hésitèrent pas à signer, le 4 août 1939, l'Accord de Moscou.

L'Accord de Munich explique l'Accord de Moscou.

On connaît la suite. La Pologne fut attaquée — vite écrasée — et la guerre fut déclarée par la France seule, ou presque seule, puisque la Grande-Bretagne n'était pas prête.

C'est parce que les ministres français ne surent pas concevoir l'intérêt de notre sécurité et de notre politique extérieure que nous fûmes entraînés dans une effroyable aventure qui pouvait être évitée, non seulement pour nous, mais pour l'Europe.

J'ai pu dire en mars 1940, à la séance secrète du Sénat, aux applaudissements unanimes, que le Gouvernement nous avait engagés dans la guerre « avec une grande légèreté ».

Comment m'imputer l'humiliation de la France ? Lorsque j'ai quitté le pouvoir, en janvier 1936, nous nous disputions à Genève la première place en Europe avec l'Angleterre. Notre pays était heureux, prospère. Son budget venait d'être équilibré, sa monnaie était saine. Nous jouissions de toutes les libertés. Nous avions une armée, une flotte, un Empire, et les caisses de la Banque de France regorgeaient d'or. La rive gauche du Rhin était démilitarisée.

Qui donc a attiré le malheur sur nous ? Hitler, sans doute, mais nous pouvions le neutraliser et le maîtriser. Pourquoi des hommes inconséquents l'ont-ils protégé et encouragé ?

Je ne fus pas de ceux-là. Je les dénonçai. Je hurlai mon indignation. J'avais prévu, et je l'avais dit maintes fois, que la politique qu'ils faisaient nous conduirait à la ruine et à l'humiliation. Notre pays doit et devra lutter peut-être longtemps pour retrouver la place qu'il avait dans le monde — mais comment peut-on me reprocher une humiliation que d'autres lui ont fait subir ?

Le 3 septembre 1939, lorsque le Gouvernement a demandé le vote des crédits, j'aurais voulu obtenir une séance secrète pour éclairer mes collègues. J'en fus empêché. On s'engageait et on engageait la France dans une guerre dont on pensait, et on le disait presque, qu'on ne la ferait pas. Je n'ai jamais vu autant d'inconséquence et de faiblesse qu'au début de ce qu'on appela bientôt « la drôle de guerre ».

Pourquoi donc et comment donc aurais-je humilié la France ?

En acceptant en 1940, par patriotisme, de défendre notre pays en face du vainqueur ?

L'accusation soutient que j'ai fait cette politique qui m'est reprochée parce que je croyais en 1940 à la victoire de l'Allemagne. Il est certain qu'en 1940, et longtemps après encore, on pouvait croire à la victoire de l'Allemagne. Si, à la force de ses armes, elle avait su ajouter une politique habile et claire, il est évident qu'elle pouvait gagner la guerre et qu'elle l'aurait gagnée. L'Amérique n'était pas dans le conflit et la Russie était son alliée. Mais nous, que pouvions-nous faire ? Notre pays était occupé. Nous étions dominés par le vainqueur.

Quand il s'agit de la France, j'ai tous les égoïsmes et toutes les ambitions.

Je souhaitais une paix qui nous laissât intacts notre

territoire et notre Empire. Je voulais réduire au minimum les sacrifices imposés à notre pays par l'occupation.

Etait-ce un crime ? Quant au langage que j'ai tenu à Hitler à Montoire, il n'était pas celui d'un vaincu. Je ne me suis pas humilié. J'avais pris l'habitude dans toutes les conférences internationales de parler le langage de la fierté qui convient pour exprimer le point de vue d'un pays fort et respecté. Devant Hitler à Montoire, je suis allé jusqu'à quasiment nier notre défaite lorsque je lui ai rappelé le courage de nos soldats, nos victoires passées, et que je lui indiquai que le sort des armes dans l'avenir pouvait nous être de nouveau favorable.

Je discutai de nos droits comme un Français doit le faire quand il parle au nom de la France.

Non, je n'ai pas humilié mon pays. Je ne le pouvais pas et je n'aurais pas su le faire. J'ai défendu ses intérêts avec passion. C'était ma seule raison d'être au gouvernement. Je déplorais notre malheur, mais je ne doutais pas de l'avenir de notre pays. L'Allemagne avait bousculé des frontières, mais la Russie restait intacte et l'Angleterre n'était pas battue.

Par le jeu naturel d'une politique cohérente, nous pouvions espérer contrebalancer avec ces pays l'hégémonie de l'Allemagne. Je savais qu'elle laisserait un jour tomber ses armes et qu'elle serait incapable d'organiser l'Europe sans nous.

Je n'acceptais pas les injustices qu'elle avait créées en Europe, mais il fallait du champ devant nous. Il fallait reprendre tout le patient et solide travail d'organisation de défense des nations qu'elle avait subjuguées et qu'il fallait faire revivre. Non, je n'avais pas et je n'ai jamais eu l'âme d'un vaincu. Je ne l'ai pas pour moi-même, je l'ai encore moins pour la France.

J'ignorais à ce moment jusqu'où pouvait aller la sauvagerie d'un régime et d'un parti qui niaient et qui piétinaient les droits de la personne humaine. C'est assez dire que je n'aurais pas donné mon adhésion à un système qui n'aurait pas sauvegardé toutes nos traditions et tous nos intérêts.

Pour apprécier ma politique pendant l'occupation, il faut

distinguer deux périodes. Je n'avais plus, quand je revins au gouvernement en 1942, les idées que j'avais défendues en 1940.

La guerre avait évolué. La Russie et l'Amérique luttaient contre l'Allemagne.

En 1940, le gouvernement allemand, au moins jusqu'à l'expulsion des Lorrains par le Gauleiter Burckel, avait fait preuve de la correction qu'on peut attendre d'un vainqueur qui respecte son ennemi.

En 1942, et je ne pouvais m'y tromper après l'entretien que j'avais eu avec Gœring, l'Allemagne entendait nous traiter avec dureté, sans ménagements et sans égards pour les rapports futurs entre nos deux pays.

Pourquoi suis-je revenu au pouvoir ? Je l'ai déjà dit, pour défendre et protéger notre pays.

Oui, si c'est un crime que j'ai commis, je l'ai commis contre moi-même et contre les miens. Comment peut-on me reprocher le sacrifice que j'ai consenti à ma patrie ? Comment peut-on pousser plus loin l'ingratitude ?

Il est évident, après tout ce que j'ai dit et tout ce qui me reste à dire et qu'une instruction complète aurait révélé, que ma présence au gouvernement a permis de sauver la vie à des dizaines de milliers de Français et la liberté à des centaines de milliers d'autres.

Il n'est pas un domaine où je ne puisse démontrer, établir et prouver que l'occupation aurait été beaucoup plus cruelle, plus meurtrière, si je n'avais pas été là.

C'est la partie négative de mon action, celle qui n'apparaît pas, celle que je ne pouvais faire connaître quand les Allemands étaient là, sans risque d'en compromettre alors les résultats. Mais il y a la partie positive, celle qui m'a permis de faire vivre la France. J'imagine qu'on a, depuis la Libération, fait faire des rapports sur le ravitaillement, les finances, la production industrielle et agricole, les transports, les postes, bref sur tous les domaines où s'exerçait l'activité de l'Etat. Si l'on était honnête, on ferait publier des bilans et des statistiques au lieu de parler comme d'un vieux refrain de la « trahison de Vichy ». Je ferai parler les chiffres et les faits lors des débats ; mais peut-être redoutet-on certaines comparaisons[1] ? Moi, je ne redoute rien d'une opinion mieux informée. J'ai trop travaillé, j'ai trop lutté, j'ai trop souffert. Je veux qu'éclate la vérité.

Des hommes courageux, des fonctionnaires probes de tout rang n'ont pas craint de servir pendant cette période douloureuse de l'occupation. Des ministres, des secrétaires généraux, de grands préfets — je devrais les citer presque tous — n'avaient comme moi que le souci du bien de leur pays et ils ont été frappés ou sont menacés de l'être. Pourquoi cet ostracisme ? Il ne peut provenir que de l'ignorance des faits ou du désir de laisser entretenir dans notre pays des divisions ou des haines. Pourquoi détruire un appareil administratif que j'ai tout fait pour préserver ? Pourquoi confondre les serviteurs de la France avec une poignée d'hommes qui se sont mis volontairement au service de l'Allemagne ? La France n'a-t-elle pas besoin de tous ses enfants, de tous ceux qui sont honnêtes et courageux, pour participer à son redressement ?

Quand je scrute ma conscience, elle ne me reproche rien. Aucun raisonnement, aucune menace, aucun jugement ne peuvent troubler mon âme. Elle est pure de toute souillure de l'ennemi.

On me reproche d'avoir humilié la France ? Pourquoi ne pas reconnaître plutôt tout ce que j'ai dû endurer et souffrir pour elle ?

Je pourrais reprendre ce grief sous une autre forme.

N'était-il pas logique et n'était-il pas souhaitable qu'il y eût en France un gouvernement pour contenir les exi-

---

1. *Note de Pierre Laval :* En 1941, un Commissariat fut créé. Il fonctionna sous mon contrôle à partir de 1942. Une maison du prisonnier fut créée dans chaque département, un centre d'entraide dans chaque commune importante. Tous les rapatriés reçurent un costume et une paire de chaussures. Chaque famille reçut une allocation. Dix-huit millions de vêtements et des centaines de milliers de tonnes de vivres furent envoyés dans les camps. Le budget annuel de ce commissariat était de quatre-vingts millions. Le gouvernement autorisa à Paris la réquisition de deux immeubles et, pour toute la France, il y eut un personnel de trois cents fonctionnaires. J'apprends aujourd'hui que le ministère des prisonniers a un budget de quatre milliards au lieu de quatre-vingts millions, réquisitionne des dizaines d'immeubles et embauche des milliers de nouveaux fonctionnaires. Je crains qu'il n'en soit ainsi dans bien des domaines.

gences du vainqueur ? Je n'avais pas de liens avec le gouvernement de Gaulle, mais on peut très bien imaginer que nous eussions pu être d'accord, lui à Londres ou à Alger, pour participer à la Libération et la hâter, et moi à Vichy ou à Paris, pour protéger notre pays, maintenir notre administration, nos cadres, nos finances, notre économie.

Une dernière hypothèse — même si elle paraît absurde.

Si les Allemands avaient les premiers inventé la bombe atomique et s'ils avaient gagné la guerre, au lieu de la perdre, que me reprocherait-on ? Alors, on me féliciterait peut-être d'avoir tenu jusqu'au bout dans l'intérêt de la France. On ne se soucierait pas du lourd fardeau que j'ai porté et des souffrances morales que j'aurais pu subir. Je serais, selon la formule de Léon Blum, « l'homme clairvoyant à qui l'événement a donné raison ».

Je n'en serais ni meilleur, ni pire, mais je serais traité comme un homme qui a droit à la reconnaissance de son pays. Je préfère n'avoir pas été cet homme clairvoyant.

Tels sont les chefs d'accusation par lesquels se termine ce document, dont la lecture m'a blessé l'âme. Il ressemble beaucoup plus à l'article passionné et méchant d'un journal de combat qu'à un acte judiciaire.

Même si les faits et les propos que j'ai réfutés un à un semblaient parler contre moi, comment ne s'est-on pas demandé à quel mobile étrange j'avais pu obéir ? Comment aurais-je pu en arriver à cette chute, après avoir occupé de si hautes fonctions ? Il ne peut y avoir qu'une explication possible : la passion que les événements ont provoquée et l'ignorance des faits.

J'ai connu et j'ai vécu pendant l'occupation des heures sombres. Pour ne pas agir ou pour moins agir, pour écarter certaines menaces, faire tomber ou atténuer certaines contraintes, j'ai parlé ou j'ai écrit. J'ai fait d'autant plus de promesses que j'étais moins décidé parfois à les tenir. En face d'hommes comme Hitler, Oberg ou Sauckel, je n'avais d'autres ressources que ma ténacité et ma patience. Je n'avais d'autre force que mon pouvoir de négocier ou de convaincre. J'ai usé de ces moyens de toute mon intelligence et de toutes les manières. J'avais constaté la mauvaise foi de mes interlocuteurs et la brutalité de leurs méthodes.

J'ai mis en œuvre toutes les ressources de mon esprit, de mon cœur, et toutes celles que me donnait une expérience politique déjà vieille. J'ai lutté à chaque heure du jour et souvent de la nuit, pour assurer une soudure difficile, réduire des prélèvements, empêcher des réquisitions, des départs d'ouvriers, faire rentrer des prisonniers, sauver des condamnés. J'ai voulu, en un mot, maintenir la France, lui conserver ses cadres, son armature et sa vie. Je n'ai pu l'empêcher de souffrir, d'être violentée, meurtrie, mais je lui ai assuré un minimum de vie pour lui permettre d'attendre sa libération et de préparer sa renaissance. J'ai fait de mon mieux, mais qui donc, en face d'un occupant aussi dur, aussi impitoyable, aurait pu faire mieux ? Il aurait, me direz-vous, sauvé son honneur. Oui, peut-être, s'il en avait une certaine conception, mais sans doute aurait-il fait crucifier la France. J'ai de mon honneur une autre idée. Je le confonds avec l'intérêt de ma patrie. Mon honneur, à moi, consistait à tout faire pour éviter de livrer notre pays à un Gauleiter ou à des aventuriers, à ne pas déclarer la guerre aux Anglo-Saxons, à ne pas nous allier à l'Allemagne, et j'ai atteint mes buts. Mon honneur consistait à alléger les souffrances des Français, et des dizaines de milliers d'hommes et de femmes me doivent la vie, des centaines de milliers d'autres la liberté.

Vous discutez aujourd'hui mes moyens ? Vous reprenez des paroles qui eussent été impies si elles n'avaient pas eu pour objet exclusif de me permettre de mieux défendre notre pays ? Vous en produisez d'ailleurs que je n'ai jamais prononcées.

Vous contestez ma méthode ? Vous pouvez en discuter comme on le fait d'un système politique, c'est votre droit, mais vous excédez ce droit quand vous osez parler de trahison. Cela, c'est un outrage. Vous êtes le plus fort, vous pouvez me frapper, mais mon pays m'a fait monter trop haut pour que vous me fassiez descendre si bas. Vous pouvez tout, aujourd'hui, sauf effacer le sacrifice que j'ai fait à la France, et séparer mon âme de ma patrie.

TABLE DES MATIERES

— ACHEVÉ D'IMPRIMER —
SUR LES PRESSES
DE
L'IMPRIMERIE
CARLO DESCAMPS
CONDÉ-SUR-ESCAUT

Dépôt légal : 2ᵉ trimestre 1969
Nᵒ d'éditeur 9581
Imprimé en France